BEELDTAAL

PAUL MCAULEY

BEELDTAAL

UITGEVERIJ LUITINGH

ISBN 90 245 5398 9 / 9789024553983
NUR 330

www.boekenwereld.com

Voor Georgina, als altijd

NORFOLK

28 NOVEMBER 1981

De dag na Alfie Flowers' verjaardag, zijn tiende, haalde zijn vader hem op van school en nam hem mee naar de kust. Het was de laatste zaterdag van november, ijzig koud, maar helder en ze reden in de Morgan met het dak neergeklapt. Het rode sportautootje was veruit Alfies favoriete auto, honderden lichtjaren beter dan de kleine Austin Metro van zijn oma of de zware, oude Rover die naar benzine stonk en waarin hij altijd een beetje wagenziek werd. Rijden in de Morgan, met zijn kleine, lage cockpit, stoere klokjes en wijzertjes die glommen in het gelakte houten dashboard en de ijzige lucht die over de lage vooruit zoefde, leek heel erg op vliegen in een gevechtsvliegtuig, en terwijl zijn vader de bolide door de bochten van de provinciale weg stuurde fantaseerde Alfie dat hij een oorlogsvlieger was die de vijand vanachter de heggen beschoot.

Mick Flowers was een ervaren chauffeur. Zijn leren jasje was tot bovenaan dichtgeritst, zijn witte zijden sjaal en blonde haren wapperden in de wind en hij vertelde zijn zoon dat hij naar Beiroet moest voor een opdracht, dat het waarschijnlijk een makkie was en dat het niet langer dan een paar weken zou duren. Alfie schrok niet echt van deze mededeling. Zijn vader was freelancefotograaf, die vaak in brandhaarden over de hele wereld werkte, van de afloop van de oorlog in Vietnam, conflicten in Rhodesië, Libanon, Biafra en Cambodja (hij was gewond geraakt in Cambodja) tot aan de onlusten in Noord-Ierland. Omdat zijn vader voor zijn opdrachten vaak weg was en zijn moeder niet meer leefde (een le-

9

venslustig Texaans model dat Mick Flowers had ontmoet en met wie hij getrouwd was toen hij voor Londense glossy modebladen werkte, dat kort na de geboorte van hun enige kind stierf onder scandaleuze omstandigheden: iets met een dronken politicus en een illegale wegrace ergens buiten Amarillo), bracht Alfie zijn tijd door op het internaat en in het huis van zijn grootouders net buiten Cambridge – inmiddels het huis van zijn oma, omdat zijn opa een jaar geleden aan een beroerte was overleden. Soms wenste Alfie dat zijn vader een beetje meer op de vaders van zijn schoolvriendjes leek: een bankier of een directeur van een bedrijf of een hoge militair. Iemand met een gewone baan en een gewoon leven, iemand met een vrouw in plaats van een hele reeks vriendinnetjes, iemand die niet bijna al zijn geld vergokte, iemand die niet zonder enige waarschuwing ineens opdook, uitgeput en verward, en het huis vulde met sigarettenrook en dreunende rockmuziek. Maar aan de andere kant was hij vanwege diezelfde dingen juist ongelooflijk trots op hem en knipte hij zijn foto's uit kranten en bladen en plakte die in een plakboek, bij de ansichtkaarten en luchtpostbrieven vanuit de hele wereld. Als hij later groot was, wilde Alfie ook fotograaf worden. Dat stond buiten kijf.

'Voor de kerst ben ik wel weer thuis,' zei Mick Flowers. 'Erewoord, echt waar. Dan help ik je met dat bouwpakket dat je van oma gekregen hebt. Als je tenminste hulp nodig hebt.'

Dat bouwpakket was een Airfix schaalmodel van het ss *Canberra*, 1/600, Alfie had nog nooit zo'n grote gemaakt. Maar twee jaar na zijn eerste, hopeloos klungelige poging om een Mark IX Spitfire in elkaar te zetten vond hij zichzelf een expert op lijmgebied en zei tegen zijn vader dat hij, behalve misschien met de voorkant die er ingewikkeld uitzag, geen hulp nodig zou hebben.

'Dan doen we die samen, baas,' zei Mick Flowers. 'Afgesproken?'

'Afgesproken.'

Ze naderden de hoofdweg; Mick Flowers stuurde de Morgan naar de vlakke horizon. Toen er een salvo zonlicht explodeerde van achter een rij populieren die iemand ooit geplant had als windbreker, keek hij even naar zijn zoon, zag dat die zijn ogen dicht had en vroeg: 'Schrik je nog steeds van onverwachte lichtflitsen?'

Ze waren nu voorbij de bomen. Alfie deed zijn ogen open en

haalde zijn schouders op in zijn gewatteerde jas.

'Als er iets gebeurd is na de laatste keer dat we elkaar gezien hebben, aanvallen of enge dromen of wat dan ook, vind ik dat je me dat moet vertellen.'

Alfie haalde weer zijn schouders op, verlegen en – vooral – beschaamd. Hij vond het niet prettig om over zijn aanvallen te praten, omdat het hem herinnerde aan het ongeluk waar het mee begonnen was en dan schaamde hij zich en voelde zich schuldig. Hij zei: 'Het gaat al veel beter, pap. Echt waar.'

Zijn vader accepteerde de leugen. Nou ja, hij stelde er in ieder geval geen vragen meer over. De Morgan vrat brullend de kilometers op. Toen ze de kust naderden, verschenen er dunne, witte wolkenslierten aan de helblauwe hemel.

Er stond een ijskoude zeewind, die het duingras plette en het zand over het verlaten parkeerterrein liet stuiven en die dwars door Alfies jas, schooltrui en grijze flanellen T-shirt blies. Maar hij vergat de kou toen zijn vader de kofferbak van de Morgan openmaakte en er een groot, plat pakket uit haalde. Mick Flowers leunde tegen zijn auto, zijn blonde haar wapperde in zijn gezicht. Hij keek glimlachend toe hoe Alfie het pak openscheurde en er een felrode stof uit tevoorschijn trok en zei: 'Ik dacht dat dit een mooie plek was om het uit te proberen.'

Tien minuten later renden vader en zoon lachend en schreeuwend achter elkaar over het strand, terwijl de vlieger hoog boven hen in de lucht schommelde. De rode stof klapperde als hij daalde of steeg, de lange staart was versierd met twaalf korte plastic buisjes die een angstwekkend geluid maakten als de wind ertussendoor zoefde. Met zijn favoriete camera, een gebutste Nikon met een 21mm-lens, maakte Mick Flowers vanuit verschillende hoeken foto's van Alfie die aan de touwklos van de vlieger hing als een visser die een grote vangst wil binnenhalen. Daarna beklom hij de duinen en maakte van bovenaf een serie opnames van de jongen en zijn vlieger op het lange stuk strand pal langs de zee. Later, in de donkere kamer van zijn huurflat in Londen, drukte hij een van deze opnames af op hoogcontrast zwart-witpapier dat het schijnsel van het winterzonnetje op het natte strand accentueerde en stuurde die naar zijn zoon met een kort briefje over die dag erbij. Het was de laatste brief die Alfie van hem zou krijgen.

Alfie liet de vlieger zo hoog klimmen op de wind dat hij niet meer dan een rood stipje tegen de blauwe lucht was. Hij had snel door hoe je hem spectaculair op zijn kant kon laten duiken, als een rappe Spitfire of Mosquito die het Duitse afweergeschut ontwijkt, hij leerde hoe je hem voor de wind moest draaien om hem weer te laten stijgen en hoe je duikvluchten moest maken in de onstuimige wind. Maar uiteindelijk werd hij overmoedig en liet de vlieger te laag zakken; die viel als een baksteen naar beneden en stortte in de leigrijze zee. Mick Flowers schopte zijn schoenen uit en spetterde het water in toen Alfie probeerde om het dode gewicht van de vlieger in te halen en één seconde dacht dat de lijn zou breken en dat hij zijn verjaardagscadeau kwijt was. Hij juichte uitgelaten toen zijn vader hem boven op een golf te pakken kreeg.

Buiten adem en opgewonden droegen vader en zoon de vlieger naar de auto, bonden hem vast aan de achterbumper, zodat hij in de wind kon drogen en vielen op het verjaardagsmaal aan dat Alfies oma in een rieten picknickmandje voor ze had ingepakt. Sandwiches met vispaté en waterkers, schuin doormidden gesneden; worstjes in bladerdeeg; een geglazuurde tulband, met tien vuurwerksterretjes die keurig, maar helaas veel te kort, brandden.

De winterdag was bijna voorbij, het werd al donker. Mick Flowers trok een Schots geruite plaid uit de kofferbak en zei tegen Alfie dat ze een vuur gingen maken – en dat het hartstikke leuk zou worden.

'Officieel is het nog steeds je verjaardag, baas. We hebben toestemming om het laat te maken en om naar de maan te huilen.'

Alfie, die wist waar het vuur werkelijk voor was, voelde ineens zijn maag samenkrimpen. Hij had al vermoed dat de dag zo zou eindigen, maar tot nu toe had hij het kunnen verdringen.

De zon verdween achter een rij pijnbomen die kromgetrokken achter de duinen stond. Het lege strand strekte zich naar beide kanten eindeloos ver uit onder een imposante rozijnkleurige lucht. Alfie hielp zijn vader een kleine wigwam van drijfhout bouwen dat ze met duingras en gedroogd zeewier aan elkaar bonden. Toen het eenmaal brandde, brandde het vuur fel, vuurtongen schoten de koude lucht in, kleurden blauw en geel en het zoute zeewier knetterde. Mick Flowers haalde een pak marshmallows uit de binnenzak van zijn leren jasje. Alfie en hij prikten ze op stokjes en roosterden ze in de vlammen. Het vuur leek groter te worden toen het om hen heen donkerder werd. Alsof ze in een grot van licht zaten, een intieme plek voor een vertrouwelijk gesprek.

'Laten we het maar zo snel mogelijk gehad hebben,' zei Mick Flowers uiteindelijk en pakte een tabaksdoos.

Alfie voelde de knoop in zijn maag, warm en hopeloos hard. 'Pap, hoe lang moeten we het nog doen?'

'Geen idee, Alfie. Echt niet.'

'Omi zegt...'

'Als we zouden doen wat je oma wil en naar de dokter gaan, krijg je een medicijn dat je iedere dag, je hele leven lang, zult moeten innemen. Dit lijkt me beter, jou niet?'

'Lijkt me wel.'

Ze hadden het er al een paar keer over gehad. Het gesprek verliep iedere keer ongeveer hetzelfde en uiteindelijk gaf Alfie iedere keer toe. Het was óf de behandeling van meneer Prentiss, óf het ziekenhuis, en het ziekenhuis was ongetwijfeld het ergst. Ziekenhuis betekende obscure medische procedures. Ziekenhuis betekende dat vreemden erachter zouden komen wat hij had gedaan – wat hij zichzelf had aangedaan.

Zo dacht hij destijds niet. Het was eerder een kleine zonde, vooral nieuwsgierigheid over wat er verborgen zat in het geheime vakje van het bureau van zijn opa. Het was niet zijn schuld geweest dat hij gewond was geraakt door wat hij vond, echt niet. Het was een vergissing, een afschuwelijk ongeluk.

Afgelopen jaar, de ochtend van de dag voor Kerstmis, had Alfies opa in zijn slaap een ernstige beroerte gekregen. Hij was nooit meer wakker geworden en stierf wat later diezelfde dag. Een week na de begrafenis waren er twee mannen gekomen om zijn schuur op te ruimen.

Het was geen gewoon tuinschuurtje, maar een soort chalet op lange, kruislings geplaatste houten palen, net een uitkijktoren van een krijgsgevangenenkamp; de muren waren knalgeel geverfd, het dak brievenbusrood. Het stond in een bosje pijnbomen, zilversparren, jonge eikenbomen en rododendrons aan het eind van de diepe, rommelige tuin van het victoriaanse huis waar Alfie met zijn grootouders woonde. Een houten trap leidde naar de veranda waar

Alfies opa graag zat en zijn pijp rookte terwijl hij over de velden en bossen naar de horizon van Cambridgeshire keek.

Alfie had vanuit zijn schuilplaats onder een grote rododendronstruik toegekeken, hij lag zo stil en onbeweeglijk als een spion die vijandelijke agenten in de gaten houdt, terwijl zijn vader en de twee mannen de schuur in en uit liepen. Hun schaduwen verschenen en verdwenen achter het stoffige raam. Hij zag ze de trap af lopen, allemaal met twee of drie kartonnen dozen, hield ze onder schot met het klappertjespistool dat zijn vader voor hem uit Singapore had meegenomen, een van de cadeaus die hij weinig enthousiast de dag na het overlijden van zijn grootvader had opengemaakt, en schoot hen zorgvuldig telkens weer dood. Hij was een sluipschutter; hij was de laatste dappere verdediger van een kasteel dat bijna door de vijand was ingenomen; hij was een rechercheur die wanhopige criminelen achtervolgde. Hij zag hoe de twee mannen – allebei veel ouder dan zijn vader – de dozen in de kofferbak van hun grijze Jaguar zetten, zag dat ze zijn vader een hand gaven, zag dat ze in hun auto stapten en wegreden en zag zijn vader in het huis verdwijnen. Hij keek en wachtte net zo lang tot hij er zeker van was dat de kust veilig was, sloop toen onder de magere beschutting van de struik naar de schuur en beklom met trillende benen de trap.

Op het eerste gezicht was er niets veranderd. De twee versleten oosterse tapijten, die over elkaar vielen, lagen nog steeds op de grond. De leren armstoel waarin Alfie, als hij tenminste beloofd had dat hij superstil zou zijn, had mogen zitten lezen terwijl zijn opa werkte, stond nog steeds naast de zwartgeblakerde gietijzeren kachel die, als hij vol zat met gloeiende kooltjes, zó heet werd dat als Alfie erop spuugde, het spuug opsprong voor het met gesis verdween. De kachel was nu natuurlijk uit en het was koud in de schuur. Het rook er vaag, maar onmiskenbaar, naar zijn opa's lekkere tabak, een geur die diep vanbinnen bij Alfie iets beroerde en hij voelde zich verdrietig en alleen. De planken aan de wanden lagen afgeladen vol met stapels boeken en papieren en ook de foto's van zijn opa's diensttijd in Irak hingen nog aan de muur. Maar zijn verzameling antieke artefacten – ongeglazuurde potscherven, kleitabletten beschreven in spijkerschrift, een lemen lamp in de vorm van een pantoffel, stenen en vuurstenen bijlen en handgereedschappen en pijlpunten, naalden van botten en botstukken versierd met afbeeldingen van rendieren of paarden, sommige gekocht op een veiling of van andere verzamelaars, sommige meegenomen van de archeologische opgravingen in Irak waaraan Alfies opa in de jaren dertig van de twintigste eeuw had meegewerkt – was volledig verdwenen en het cilinderbureau was helemaal ontdaan van de gebruikelijke papierchaos en stond er kaal en verloren bij.

Alfies opa, aardig, geduldig en lief, maar volkomen wereldvreemd, had daar iedere dag gewerkt. In een draaistoel vulde hij met een groene vulpen met gouden pennetje in zijn keurige handschrift pagina's met aantekeningen voor zijn grote, nooit voltooide dissertatie, schreef hij brieven naar andere experts en artikelen voor vaktijdschriften – Alfies oma zou er later kopieën van tikken op een ouderwetse, zwarte typemachine. Of hij bestudeerde met een groot vergrootglas, waarvan het ivoren handvat met plakband gerepareerd was, geconcentreerd aardewerkscherven of patronen op botfragmenten, of maakte met Rotring-pennen zorgvuldig minutieuze gearceerde tekeningen op vellen zwaar kunstpapier. En nu waren die stapels aantekeningen en tekeningen, de keurig opgestapelde brieven en alle losse papiertjes van het bureaublad en uit de laatjes en vakjes verdwenen. Alfie liep op zijn tenen naar het raam, keek door de kale bomen heen naar het huis en sloop toen als een inbreker terug naar het bureau. Er was daar iets wat hij gewoon moest weten.

Afgelopen zomer, op zijn blote voeten en zo geluidloos als een indiaanse krijger, was hij precies op het moment de schuur binnengeslopen dat zijn opa een opgerold blad papier uit een geheim bureauvakje haalde. De oude man had het papier rustig weggelegd en Alfie met zijn hand op zijn hart laten zweren dat hij het aan niemand zou vertellen, dat het hun geheimpje was en dat hij nooit in het vakje zou kijken om te zien wat erin zat. Maar nu, zo vond Alfie, was het zijn plicht om te controleren of die twee mannen dat geheime papier meegenomen hadden. Zijn hart bonkte in zijn keel toen hij de bovenste la opentrok, die gevuld was met potloodstompjes, aangebroken rolletjes plakband, allerlei touwtjes van verschillende lengte, metalen linialen en het apparaatje dat op een passer leek en dat zijn opa zelf gemaakt had om zijn scherven, stenen en botten nauwkeurig mee te kunnen opmeten. Hij legde alles voorzichtig op de grond naast het bureau, voelde in de ruimte die vrijgekomen was en drukte tegen het paneel aan de achterkant. Met een harde klik sprong het hout los. Alfie trok het open en haalde er het opgerolde papier uit. Het was vergeeld van ouderdom en er zat een zwart lint omheen. Er lag ook een zachtleren buidel, dichtgebonden met een touwtje – de buidel waarin Alfies opa het poeder bewaarde dat hij met zijn pijptabak mengde.

Alfie herinnerde zich zijn opwinding toen het geheime vakje zijn schat had onthuld, herinnerde zich hoe hij met een commandoachtige duik het gras op gesprongen was en buiten adem en met een bonkend hart veilig zijn slaapkamer had bereikt. Maar hij kon zich niet meer herinneren wat er daarna gebeurd was. Dat was een gat, een leegte. Het eerste wat hij weer wist was dat hij in bed lag, verzwakt en verward, met zijn vader naast dat bed.

Mick Flowers was boos en geschrokken en – het allerergste – probeerde te verbergen dat hij ontzettend bang was. Hij vertelde Alfie dat hij een soort toeval gehad had nadat hij het geheime poeder van zijn opa geprobeerd had en dat hij iets gezien had wat hij niet had mogen zien. Alfie nam aan dat hij het lint losgemaakt had en het papier had uitgerold, maar kon zich er niets van herinneren. Hij kon zich ook niet herinneren wat hij gezien had en ook niet of het een tekening of een diagram of een toverspreuk was geweest. Maar wat het ook was geweest, hij had er meer dan alleen maar een toeval aan overgehouden. Zijn hersens hadden een tik gekregen. Het had duidelijk sporen nagelaten. Die nacht was Alfie in de greep van een levensechte nachtmerrie, waarin wolken en kronkelende lijnen en stippen in wanstaltige tronies veranderden. De volgende ochtend kreeg hij weer een toeval en werd hij, wederom tegen de wens van zijn oma in, meegenomen naar een oude familievriend, meneer Prentiss, die een behandeling adviseerde die hem min of meer had genezen.

Een jaar later had Alfie weer zo'n mindere periode. Hij had een rare smaak in zijn mond, scherp en zuur als gloeiend metaal, en de wereld versprong soms als een slechte overgang in een film. Maar heel erg was dat niet, het leek op gestotter of op een zenuwtic. Hij had nooit zo'n erge epileptische aanval gehad als die bleke, nerveuze jongen die een klas lager bij hem op school zat. Hij was niet op de grond gevallen, had geen spasmes gehad, had geen dierachtige geluiden gemaakt en hij werd allang niet meer bezweet en uitgeput wakker van dromen over levensechte monsters. Maar hoewel de behandeling van meneer Prentiss de toevallen en nachtmerries op afstand hield, wilde dat niet zeggen dat Alfie die behandeling prettig vond. Dat kwam niet alleen doordat het hem herinnerde aan wat hij had gedaan, maar ook omdat hij het raar en een beetje eng vond. Hij wist dat het moest, maar hij wist ook dat hij er nooit aan zou wennen.

Mick Flowers plakte vier sigarettenvloeitjes aan elkaar, maakte in het midden een vouw, legde daar wat shag in, vouwde vervolgens een envelopje van aluminiumfolie open en verkruimelde wat geurige, zwarte Marokkaanse hasj over de tabak, stak een hand in zijn jasje en haalde een zachtleren buideltje tevoorschijn dat aan een zwart touwtje om zijn nek hing. Met zijn rug naar de wind toe trok hij het touwtje los, haalde er met duim en wijsvinger wat grijs poeder uit, strooide dat over de shag en de hasj, rolde de joint en draaide beide uiteinden dicht.

Alfie bekeek dit ritueel met gemengde gevoelens. De buidel was van zijn opa geweest, het was dezelfde buidel die hij in het geheime vakje bij het vel papier had gevonden. Zijn opa had het poeder dat erin zat over zijn eigen tabak gestrooid, die speciaal voor hem in een winkeltje op Charing Cross Road gemixt werd. Ooit, op een van zijn zeldzame spraakzame momenten, had hij Alfie verteld dat het poeder afkomstig was van de gedroogde *haka*-plant. Haka groeide ergens ten noorden van Bagdad, de plek waar Adam en Eva waren beland nadat ze de Hof van Eden hadden moeten verlaten.

Mick Flowers stak de joint met zijn Zippo aan, stak hem tussen zijn lippen, inhaleerde diep en gaf hem door aan Alfie, die braaf aan het natte uiteinde zoog. De eerste keer dat hij zo'n joint rookte was hij ziek geworden, maar inmiddels was hij aan de volle smaak gewend geraakt. Zonder dat het hem werd opgedragen zoog hij de rook diep in zijn longen en hield die daar even vast voor hij hem weer uitblies. Mick Flowers keek niet naar hem, maar trok met een stokje warrige lijnen en kronkels in het zand. Toen Alfie de joint bijna had opgerookt gaf hij hem terug aan zijn vader, die hem in een stukje opgerold karton schoof en een laatste haal nam voordat hij hem in het vuur gooide. Vanuit zijn ooghoeken naar zijn zoon kijkend vroeg hij: 'Zie je ze?'

Alfie knikte. Hij staarde naar het hart van het vuur, waar vonken knapten en uit de gloeiende as opsprongen. Zijn vader leunde naar hem toe, wreef over zijn nek en mompelde de bezwering. Alfie wist dat hij gehypnotiseerd werd. Hij zei stil tegen zichzelf dat dat deze keer niet ging lukken, dat hij zou opspringen en om het vuur zou gaan rennen of gewoon de donkerte in zou sprinten. Maar het was veel makkelijker om niets te doen, om te blijven zitten bij het vuur dat zijn gezicht bijna schroeide en de wind die zijn rug bijna bevroor, terwijl bekende figuren door het grillige vuur tolden en zijn vaders stem dan weer hard en dan weer zacht klonk tegen de achtergrond van de golven die het strand op rolden, een betekenisloos maar sussend gemompel...

Op dat moment viel Alfie vanuit zijn lichte hypnotische trance in slaap. Mick Flowers stond op, masseerde zijn stijve knie waar nog steeds een granaatscherf in zat en tilde het slappe lichaam van zijn zoon op. Hij schopte wat zand over de resten van het vuur en droeg Alfie door de duinen naar de kleine, rode sportauto. Achter hem kwam sluipend de vloed op, keer op keer spoelden kantachtige waterarmen over zijn lijnen en kronkels. Tot ze door een brutale golf werden uitgewist, een andere golf doofde het vuur.

De volgende dag vloog Mick Flowers naar Beiroet. Een week later brandde zijn huurflat in Londen helemaal uit. Weer drie dagen daarna ontving de Engelse ambassade in Beiroet een envelop met daarin zijn bebloede paspoort.

Zijn lichaam werd nooit gevonden.

DEEL EEN

DE ZOEKTOCHT

1

Alfie Flowers' verleden haalde hem door het busraam van lijn 73 met een felle lichtval in.

Het was een zonnige middag in Londen, de laatste week van mei. Alfie had mossen gefotografeerd op grafstenen en bomen in het Abneypark, een verwaarloosd victoriaans kerkhof dat onverwacht breed uitwaaierde achter de ingang aan Stoke Newington Church Street. Vrijwilligers knapten het gedeelte voor gedeelte op, ontdeden de graven van braamstruiken, klimop en ahornstruiken, onthulden oude, vervallen zerken en schiepen geheel nieuwe lichtvallen. Na uren rondgedwaald te hebben over opgehoogde paden had Alfie, moe geworden, de beste plek in een dubbeldekker bemachtigd: bovenop, de voorste zitplaats aan de linkerkant. De bus kwam praktisch meteen vast te zitten omdat een nutsbedrijf met de weg bezig was en er maar één rijstrook voor het verkeer beschikbaar was, maar Alfie maakte zich niet druk. Hij had geen haast. Hij was reportagefotograaf, een vastlegger van stedelijke wetenswaardigheidjes en rare voorvallen, en schraapte daarmee, en met royalty's en rechten van herdrukken uit zijn vaders fotoarchief een mager inkomen bij elkaar. Hij had geen vaste werktijden, had momenteel zelfs geen vaste baan. Thuis wachtte er niemand op hem. Hij had alle tijd van de wereld. Hij hing onderuitgezakt op de voorste stoel, dronk een bananenmilkshake en keek naar de voetgangers die op de stoep liepen aan de overkant van de straat, waar ter hoogte van de klem zittende bus een geweldige opstopping was ontstaan.

Op dat moment zag Alfie het. Kristalhelder, als een zonnestraal die op glas schittert, behalve dan dat dit zwart was: een zwarte cirkel op het raam van een restaurant gekwakt, schreeuwde geluidloos om zijn aandacht en vermenigvuldigde zich in grote, kleurige schijven achter zijn oogleden toen hij zijn ogen sloot. Het prikkelde zijn hersens, wekte oude herinneringen. Het was een onbedaarlijke jeuk, een nies die niet doorzette, een woord dat achter in zijn keel bleef steken.

Wat verderop in de straat, pal voor de wegopbreking, waar nu trouwens niemand werkte, werd het stoplicht groen. De bus ronkte en schudde en kwam langzaam in beweging. Alfie knipperde met zijn ogen, pakte zijn cameratas, liep door het gangpad, stommelde de trap af en sprong vanaf het achterbalkon de stoep op.

De zwarte klodder op de spiegelruit van het Jamaicaanse restaurant, geel, groen en rood geverfd, leek te wiebelen en te golven. Het was net een optische illusie die constant leek te veranderen. Het werd langer, werd een slangachtige maag, een tunnel of draaikolk die alle gevoel uit Alfie zoog. Onwillekeurig zette hij een stap naar voren en een vrachtauto scheurde toeterend rakelings langs hem heen. Hij deinsde achteruit en zag een man in de zwarte broek en het witte overhemd van een ober uit de steeg naast het restaurant komen met een zinken emmer vol smerig sop in zijn handen.

Alfies hart bonkte plotseling en hij kreeg een metalige smaak in zijn mond. Aan de overkant doopte de ober een prop staalwol in het sop, kneep hem uit en begon de rand van de zwarte cirkel te boenen. Alfie riep of hij alsjeblieft nog even wilde wachten, maar zijn stem kwam niet boven het verkeerslawaai uit en de zich van geen kwaad bewuste ober bleef boenen. Dus griste hij zijn Nikon uit de tas, stelde de telelens in, focuste met trillende vingers en maakte meerdere opnames.

Toen het stoplicht rood werd en Alfie kon oversteken, was de cirkel al half verdwenen. De ober, een slanke, jonge neger, zag hem aankomen en zijn gezicht verstrakte. Alfie kende die reactie: veel mensen dachten als ze zijn lengte zagen en het jasje dat om zijn brede schouders spande en de minzame uitdrukking op zijn gezicht onder het kortgeknipte blonde haar, dat hij rechercheur was of een agent die geen dienst had. Een paar dagen geleden, toen hij stond te wachten tot hij Caledonian Road over kon steken, beschuldigde een zwerver hem ervan dat hij hem achtervolgde. Alfie maakte toen de fout om rond te kijken. De zwerver, wiebelend op zijn voeten, zijn gebalde vuisten in de zakken van zijn denim jasje, waarin waarschijnlijk een stukje loden pijp of een bijgevijlde schroevendraaier zat, en met waterige, rode ogen in oogkassen aangetast door te veel wiet of coke, boog zich naar hem toe, Alfie kon zijn stinkende drankadem ruiken, en zei: 'Mij hou je niet voor de gek, man! Ik wéét dat je van de politie bent. Ik wéét dat je achter me aan zit.'

Alfie deed wat hij altijd in dat soort situaties deed. Hij deed alsof hij een agent was, keek de man recht in zijn ogen en vroeg waar hij naartoe ging. De agressiviteit van de zwerver verdween door deze frontale aanval. Hij keek weg met zijn bloeddoorlopen ogen en gebaarde gedwee in de richting van de heuvel, langs de hoge witte muren van de gevangenis van Pentonville. 'Ik loop hier gewoon rechtdoor,' zei Alfie, 'dus dan volg ik je niet, toch?' En toen de man onbedwingbaar begon te trillen voegde hij eraan toe: 'Pas op jezelf.'

Nu, geconfronteerd met de groeiende vijandigheid van de ober, viste Alfie een kaartje uit zijn leren jasje en zei, naar hij hoopte met een glimlach: 'Ik ben fotograaf. Freelancefotograaf. Zou je heel even willen wachten tot ik daar een foto van heb gemaakt?'

Het was een soort doornenkroon om de poster van een Amerikaanse soldaat heen die op het punt stond om op het hoofd te trappen van een op de grond liggend kind met grote ogen. Vegen verf en cirkels, evenwijdig lopende en achteroverhellende lijnen, zigzaggend als vuurwerk, een groot aantal basale, eenvoudige vormen die in elkaar grepen als een krankzinnig ingewikkeld uurwerk van ongeveer een meter doorsnee. Half weggepoetst had het geen macht meer over Alfie. Het was niet meer dan een opvallende versiering om een naïef stuk politiek graffiti heen.

De ober bestudeerde Alfies kaartje en zei twijfelend: 'Ik moet dit nu wegpoetsen. We gaan bijna open.'

Alfie haalde het opgevouwen tienpondsbiljet uit zijn zak dat daar altijd zat voor het geval hij extra overtuigingskracht nodig had en hield het tussen duim en wijsvinger. 'Voor de moeite. Het is zo gebeurd.'

De ober pakte schouderophalend het biljet aan. 'Waarom heb je zo'n belangstelling voor deze zooi?'

Alfie verwisselde de lens van zijn Nikon. 'Ik heb overal belang-stelling voor. Mensen, dingen die mensen doen, dingen van de straat. Wil je iets naar links gaan, alsjeblieft, uit het licht? Bedankt.'

Hij maakte drie opnames met volledige belichting, pakte toen de kleine Olympus die hij gebruikte voor onopvallende opnames en maakte er nog twee, voor het geval dat. De ober vertelde dat hij nog nooit iets dergelijks gezien had, geen idee had wie het had gemaakt en dat het er gisteren, toen het restaurant dichtging, nog niet op zat.

'Iemand heeft zijn naam erbij geschreven,' zei hij. 'Zie je wel?'

Alfie zag het niet tot de ober het aanwees. In keurige, gebogen letters die precies in de doornenkroon pasten, stond onder de cartoon de handtekening van de artiest.

Morph.

'Dus de eerste zag je op het raam van een restaurant,' stelde Toby Brown een week later vast. 'En hoe zit het met de andere?'

'Voornamelijk in Oost-Londen,' zei Alfie. 'Elliot heeft me rond-gereden en we hebben er meer dan twintig gevonden. Vier ver-schillende cartoons, allemaal met dezelfde krans eromheen, alle-maal gesigneerd door Morph. Maar de mooiste voorbeelden, zoals deze die nu onder je neus ligt, vond ik toen ik langs het kanaal wandelde. Blijkbaar zijn favoriete plek.'

Het was midden op de ochtend en de zon speelde verstoppertje met een groot aantal witte wolken. Toby en Alfie zaten in het slecht onderhouden tuintje van Toby's appartement op de begane grond. Alfie was zenuwachtig omdat hij zijn beste vriend wilde vragen om hem te helpen uitzoeken wie Morph was. Hij had zijn oma gevraagd of ze ooit eerder iets had gezien als Morphs graffiti, maar ze had toen een van haar slechte dagen en had niet naar zijn fo-to's willen kijken. Hij had ze ook aan zijn agente laten zien en meteen gevraagd of zijn vader ooit foto's van graffiti had gemaakt – Lucinda was vroeger ook de agente van zijn vader geweest.

'Niet dat ik me kan herinneren, lieverd,' had Lucinda gezegd. 'Ik kan natuurlijk het archief in duiken, voor de zekerheid...'

'Je zult wel gelijk hebben,' had Alfie vlug gezegd. Hij wist dat Lu-cinda een bijna fotografisch geheugen had voor de foto's van haar cliënten. Ze had gevraagd of het voor een nieuw project was en keek niet overtuigd toen hij zei dat dat niet het geval was, dat het gewoon iets was wat hem was opgevallen. Maar ze had hem het voordeel van de twijfel gegeven en was op een ander onderwerp overgestapt. Ze vertelde over een schnabbel: een Duitse uitgever wilde een heruitgave van het vroege werk van Mick Flowers maken, werk uit de tijd dat hij straatfotograaf in de jaren zestig was en foto's maakte van straatmarkten, metro's en koffieshops in Londen.

'Ik kan je nu nog geen voorschot beloven, lieverd, gezien de moeilijke tijden, maar ik houd je op de hoogte.'

Het was Alfie gelukt om Lucinda niet te hoeven uitleggen waarom hij zo'n belangstelling voor Morphs graffiti had en waarom hij dacht dat het iets met zijn epilepsie en zijn vaders verdwijning te maken had, maar als hij Toby wilde overhalen hem te helpen, zou hij het hele verhaal wél moeten vertellen. Afgelopen nacht had hij zichzelf zitten opjutten, zitten repeteren wat hij zou zeggen en hoe hij het zou zeggen, zichzelf zitten overtuigen dat het moest, dat hij anders niet verder kwam. Nu het bijna zover was, voelde hij dezelfde gaapneigingen als een parachutist die zijn eerste sprong gaat maken. In zijn handpalmen stond het klamme zweet terwijl Toby zich met gefronst voorhoofd door de stapel foto's heen werkte.

Toby Brown was een ouderwetse broodschrijver van Grub Street, een paar jaar ouder dan Alfie, tenger, meestal in het zwart gekleed, net gescheiden; de woonkamer van zijn huurappartement stond vol dozen die hij nog niet had uitgepakt. Hij schreef achtergrondartikelen en filmrecensies voor lokale kranten, kreeg af en toe een artikel of nieuwsbericht in de landelijke kranten geplaatst en besprak alle soorten boeken voor kranten en bladen. Als je een intelligente en leesbare bespreking van de memoires van een wat onbekende minister, een populaire geschiedenis van de Derde Kruistocht, een reisverslag van een goedverkopende auteur, of de biografie van een onbekende zeventiende-eeuwse courtisane wilt, dan is Toby Brown je man. In tegenstelling tot veel van zijn vakbroeders was hij geen mislukte romanschrijver of gesjeesde scriptschrijver. Hij vond broodschrijver een eerlijk beroep en kon comfortabel leven van het goochelen met deadlines en het onvermoeibaar uitgevers porren om werk. Hij en Alfie hadden eeuwen geleden een losse, maar vruchtbare werkrelatie opgebouwd. Als Alfie een paar honderd woorden moest leveren bij een foto die hij verkocht had, vroeg hij Toby en als Toby een foto nodig had als illustratie bij een van zijn stukken, vroeg hij Alfie.

Nu zei Toby: 'En ze zijn allemaal van dezelfde? Die Morph – dat is vast niet zijn echte naam.'

'Het is zijn tag – zijn straatnaam, zijn merk, de naam die hij onder zijn werk zet, zijn handtekening. Elliot heeft een neef die de scene goed kent. Hij zegt dat Morph nu ongeveer een maand op straat werkt, maar dat niemand hem kent. Ook heeft niemand hem gezien of gesproken, hij zoekt niemand op en bezoekt geen enkele taggersite op internet. Maar de kenners bewonderen hem, zelfs ondanks het feit dat hij posters gebruikt voor zijn werk, ik heb begrepen dat dat eigenlijk geen pre is. Echte *taggers* maken *throw-ups* en vierkleuren-*burners* – van die gigacartoons met tekstballonnen. Die maken ze uit de losse pols. Morph gebruikt een cartoon en maar één kleur: zwart. Toch heeft hij een goede naam. De presentator van een radiotalkshow op een piratenzender zit achter hem aan.'

Alfie was buiten adem, viel even stil, realiseerde zich dat hij aan het ratelen was en kwam tot de ontdekking dat het hem niets kon schelen. Hij voelde zich roekeloos vrolijk. Hij was klaar om te springen.

' "Echte taggers?" "Zit achter hem aan?" Wat ben jij ineens van de straat, Flowers!'

Zoals gewoonlijk hing in Toby's scheve glimlach een sigaret. Hij rookte twee of drie pakjes per dag. Zijn zwarte jeans en vale zwartlinnen shirt, mouwen tot boven zijn ellebogen opgerold, zaten onder de as. Onder zijn bos wanordelijke haar zat zijn bleke, scherpe gezicht. Zijn dicht bij elkaar staande donkere ogen keken Alfie geamuseerd aan.

'Ik citeer Elliots neef,' zei Alfie. Hij weigerde zich te schamen. Dit was veel te belangrijk.

'Tja, Morph mag dan op straat beroemd zijn, ík heb nog nooit van hem gehoord. En vanwaar die interesse?'

'Kijk nog eens goed naar zijn werk.'

Toby bekeek nog een keer de foto's. 'Ik neem aan dat ze voor graffiti niet slecht zijn. Zo te zien heeft deze kerel, deze tagger, een politieke agenda. Is er nog iets wat ik moet weten? Want als je denkt dat ik hier een verhaal van kan maken, moet je nog maar eens goed nadenken. Zelfs vanuit de anti-Amerikahoek is het een behoorlijk mager verhaal.'

'Vergeet die cartoons even,' zei Alfie. 'Daar gaat het me niet om. Kijk eens goed naar het patroon van de krans eromheen.'

Toby pakte een foto en hield die dicht bij zijn gezicht, hield hem een armlengte van zich af, draaide hem zelfs om. 'Ik mis iets, geloof ik, hè? Wat mis ik?'

'Valt je helemaal niets op? Niets geks, valt je niets op?'

'Als je een verborgen boodschap of beeld bedoelt, zul je het me uit moeten leggen. Herinner je je nog die optische illusies die begin jaren negentig zo populair waren? Die uitwaaierende lijnen die, als je er op de juiste manier naar keek, hoorden te veranderen in een 3D-beeld van galopperende paarden? Je moest je ogen ontspannen en dan zou het beeld vanzelf verschijnen. Nou, mij is dat nooit gelukt. Nu ook niet. Je zult me moeten vertellen waar het om gaat, Flowers, want ik kan er niets van brouwen.'

Alfie ging achteroverzitten en haalde diep adem. *Geronimo*. 'Het is iets uit mijn verleden. En dat van mijn vader en trouwens ook uit mijn opa's verleden.'

'Toen je vader spion was?'

'Hij was niet echt een spion.'

'Toen hij af en toe voor MI6 werkte, dan. Wat hebben deze cartoons daarmee te maken?'

'Het gaat om het patroon om die cartoons heen.'

Toby bestudeerde nu zeer nauwkeurig de foto. 'Ik zie het nog steeds niet, hoor.'

'En dat is precies waar het om gaat.'

'Je moet echt wat duidelijker zijn, Flowers. Er zit een heleboel ruis op onze lijn. Probeer het verhaal van A naar B eens in hooguit eenlettergrepige woorden te vertellen.'

'Je weet dat ik last van epileptische aanvallen heb.'

Toby knikte. 'Als je een paar tellen in je hoofd verdwijnt.'

'Dat noemt men *absence*-aanvallen. Die worden door de klassieke *petit-mal*-epilepsie veroorzaakt. Maar de mijne zijn atypisch omdat het niet de gebruikelijke aanvallen zijn die de hele hersenen aantasten; ik heb aanvallen die slechts een deel aantasten. En ik voel dan ook een soort aura, een 'storm-op-komst'-gevoel. Het aura, dat rare gevoel, kondigt het begin van een aanval aan. Ik voel mezelf wegglijden. Ik kan het gedeelte van mijn hersenen waar de aanval naartoe gaat dan ook zien.' Alfie realiseerde zich dat hij weer ratelde en kwam snel ter zake. 'Ik heb een heleboel testen gedaan toen ik klein was. De doktoren hebben het deel van mijn hersenen waar de aanvallen zich op richten kunnen lokaliseren. Het is de visuele hersenschors.'

Vlak nadat zijn vader in Libanon verdwenen was had Alfie twee ernstige aanvallen op één dag gehad, hij werd toen in het Addenbrookes Hospital in Cambridge opgenomen waar de diagnose luidde dat hij atypische, deels epileptische aanvallen had met secundaire generalisatie en kreeg het kalmeringsmiddel fenobarbital voorgeschreven. Hij nam het nog steeds in, was er in feite volledig van afhankelijk, maar probeerde de dosis tot een minimum te beperken door ook benzodiazepine of clonazepam te gebruiken, wat hij van een vriend kreeg die in een kliniek voor drugsverslaafden werkte. Hij gebruikte ook valium, voor zijn balans. Hij was een expert in zelfmedicatie en probeerde constant zijn emotionele spiegel in evenwicht te houden.

Toby zei: 'En wat heeft dat met deze cartoons te maken?'

'Dat heeft helemaal niets met deze cartoons te maken,' vertelde Alfie. 'Maar alles met het patroon dat eromheen zit. Het heeft alles te maken met wat ik zie en wat jij niet ziet. Ik bedoel: wat zie jij?'

'Volgens mij lijkt het een beetje op een doornenkroon.'

'Vind je niet dat het beweegt?'

'Ik zei al dat als het over optische illusies gaat, ik niet het grootste licht ben.'

'Jij ziet een statisch patroon. Ik zie iets levends. Iets wat klopt en draait.'

'Omdat je epilepsie hebt?'

'Hoe lang kennen we elkaar nou?'

Toby Brown keek Alfie bezorgd aan. 'Mag ik vragen – even serieus – gaat het wel goed met je?'

'Zo'n acht jaar?'

'Want je ziet er niet helemaal fris uit. Helemaal niet, eigenlijk.'

'Acht jaar? Negen?'

'Een jaar of negen denk ik.'

'Ik wil je wat vertellen. Iets wat ik nog nooit aan iemand verteld heb.'

'Als je me daarna maar niet vermoordt, mag je me alles vertellen. Sorry,' zei Toby toen Alfie hem boos aankeek. 'Ik begrijp het. Dit is serieus. Wat is het?'

'Een oud familieverhaal,' zei Alfie en met het gevoel alsof hij van grote hoogte naar beneden viel vertelde hij Toby wat er gebeurd was nadat zijn opa overleden was. De twee mannen die de paperassen en de verzameling oude artefacten van zijn opa hadden meegenomen. Hoe hij vervolgens de kamer van zijn opa was binnengeslopen en dat hij naar het papier had gezocht in het geheime vakje van het bureau en wat er toen met hem gebeurd was.

Toen Alfie klaar was stak Toby met zijn Zippo een nieuwe sigaret aan en staarde in het vlammetje terwijl hij vroeg: 'Hoe weet je zo zeker dat het daardoor kwam? En niet door de schok, of door, weet ik veel, kwaadheid of zo?'

'Voor ik ernaar keek had ik helemaal niets. En daarna had ik epilepsie.'

'Maar je weet niet eens meer wat je hebt gezien. Wat stond er op dat beroemde blad papier?' Toby leunde geïnteresseerd naar voren, hij vond het een mooi verhaal, zijn dicht bij elkaar staande ogen glommen. 'Het zou een toverspreuk kunnen zijn, maar ook een afbeelding van Barney de dinosaurus.'

'Volgens mij was het van voor Barneys tijd.'

'Het punt is: waarom ben jij er zo zeker van dat wat er dan ook op dat papier heeft gestaan iets te maken heeft met Morphs kunstwerkjes? Hoe ga jij me ervan overtuigen dat je niet knettergek bent?'

'Eerlijk gezegd gaat dit heel absurd klinken, maar Morphs graffiti doet me wat. Of beter: het patroon eromheen doet me wat. Het is alsof de zon in mijn ogen schijnt, alsof er vingers binnen in mijn hoofd wroeten. Het lijkt een beetje op het aura waar ik het over had, dat gevoel dat ik voor een aanval krijg. Mijn opa had een paar platte stenen, hij noemde ze plaquettes, die hetzelfde soort patroon hadden als Morph om zijn cartoons schildert. En er is nog iets.'

Alfie rommelde in zijn cameratas, pakte er een klein, plat doosje uit en haalde het deksel eraf.

Toby Brown leunde nog verder naar voren en keek naar een

duimgrote scherf van een door de tijd zwart geworden steen, ingelegd in zilver filigraan, op een door de tijd vergeeld lapje katoen.

'Prachtig. Maar het betekent toch niet dat we ons gaan verloven of zo, hè?'

'Zeg eens wat je ziet.'

'Ik zie wel wat, hoor,' zei Toby. 'Stippen langs en over een slingerlijn. Wat is dit, een van je opa's steenscherven? Een van die plaquedingessen?'

'Plaquettes. Nee, die hebben ze met de rest van zijn spullen meegenomen. Deze was van mijn vader. Hij gaf hem de dag voor hij verdween aan een van zijn vriendinnen. Maar het patroon lijkt heel erg op dat van opa's plaquettes en om Morphs cartoons zit net zoiets.'

Toby zakte achterover en keek Alfie glazig aan. 'Nou, wat probeer je me eigenlijk te vertellen? Dat deze mysterieuze patronen niet alleen de oorzaak van jouw epilepsie zijn, maar ook iets met die graffitipatronen te maken hebben?'

Alfie draaide met een vinger bij zijn slaap. 'Ik weet het: zo gek als een deur.'

'Je moet ongetwijfeld controleren of je ze wel allemaal op een rijtje hebt.'

'Ze woonde in Libanon,' vertelde Alfie.

'Die vriendin.'

'In Beiroet.' Alfie wachtte even en ging toen verder: 'Ik heb haar één keer ontmoet.'

'Laat me eerst nog wat te drinken inschenken voor je me de rest vertelt.'

'Bedankt, maar ik heb een milkshake bij me.'

'Tuurlijk heb je dat. Dan pak ik even wat voor mezelf. Meestal word ik pas een paar uur later dronken, maar wat maakt dat uit.'

Toen Toby weer in zijn stoel zat, ging Alfie verder: 'Toen ik mijn stuk grond erfde stond er een oude caravan op. Er was niemand in geweest vanaf het moment dat mijn vader verdween. Stierf. Hij was een echte ladykiller en er lagen daar brieven van zijn vriendinnen. Ik vond ze in een suikerpot. Ik neem aan dat hij niet wilde dat een van zijn vriendinnen liefdesbrieven van oude vlammen zou vinden als ze in de flat ging rondneuzen. Er waren er een stuk of twaalf van een vrouw in Beiroet en ik vroeg me af of zij misschien meer wist van wat er met hem was gebeurd. Dus speelde ik agentje. Ik leende het telefoonboek van Beiroet in de Camden Library, gaf een klein vermogen uit aan internationale telefoontjes en kreeg uiteindelijk een van de broers van die vrouw aan de lijn. Hij vertelde dat ze getrouwd was en in Amerika woonde, maar wilde me niet haar adres geven. Ik dacht dat ik niet verder zou komen en vergat het hele gebeuren min of meer tot ze me, ongeveer een jaar later, zomaar belde. Ze was in Londen, op vakantie. We ontmoetten elkaar, spraken over mijn vader en ze gaf me deze steenscherf.'

Alfie kon zich nog goed herinneren dat hij in de lounge van het Savoy wachtte op Miriam Haddad, tegenwoordig mevrouw Miriam Luttwak. Nerveus en ongemakkelijk in zijn enige pak, dat minstens een maat leek te zijn gekrompen sinds de laatste keer dat hij het gedragen had, bij zijn afstuderen aan de universiteit van Bristol. Hij herinnerde zich dat Miriam Luttwak ouder was dan hij had gedacht. Een keurige dame van middelbare leeftijd met hoog opgestoken blond haar liep doelbewust tussen de pluchen stoelen en tafeltjes naar hem toe. Hij herinnerde zich hoe ze hem op beide wangen had gezoend en had gezegd dat hij duidelijk de zoon van zijn vader was, ze zou hem overal herkend hebben.

Onder het genot van thee en broodjes vertelde ze dat ze met een Amerikaanse arts getrouwd was, een chirurg die vrijwilligerswerk in Palestijnse vluchtelingenkampen had gedaan. Toen zijn diensttijd erop zat, was ze met hem meegegaan naar Amerika, naar Boston. Daarvoor had ze als tolk gewerkt; ook met Mick Flowers, toen die voor de eerste keer in Libanon was om de burgeroorlog te verslaan, en ze waren al snel goede vrienden geworden. Ze vertelde Alfie dat zijn vader bij haar had gelogeerd de laatste keer dat hij in Beiroet was, dat hij in en uit was gelopen voor zaken waarover hij niets had willen vertellen, zaken waar ook een andere Engelsman bij betrokken was. Die man had ze nooit ontmoet en ze wist ook zijn naam niet. Ze hadden een auto gehuurd om naar Syrië te gaan en daar waren ze verdwenen.

'Toen was de oorlog vijf jaar aan de gang. Het was toen gevaarlijk voor Europeanen om alleen door het land te reizen. Ik heb hem gesmeekt, Alfie,' zei Miriam Luttwak ernstig. 'Ik zei dat hij moest wachten, dat ik een escorte zou regelen. Mijn broer zat in de christelijke militie, de falangisten. Met een beetje geld had ik een escorte tot de grens kunnen regelen. Met wat meer geld had ik iemand kunnen inschakelen om je vader en zijn vriend te helpen als ze in Syrië waren. Maar je vader zei dat het moeizame onderhandelingen waren, dat een derde persoon de mensen die hij en zijn vriend zouden ontmoeten, zou afschrikken.'

'Waar gingen ze precies naartoe? Met wie hadden ze afgesproken?'

'Geen idee. Maar ik weet wel dat hij, toen hij vertrok, veel Amerikaanse dollars bij zich had.'

'Hij wilde iets kopen.'

'Ik denk van wel.' Miriam Luttwak had een doosje uit haar tas gehaald en zette het midden op de lage tafel tussen hun stoelen, naast de theepot. 'Een paar dagen voor hij wegging gaf hij me dit. Hij zei dat het heel oud was en dat ik het voor hem moest bewaren. Later, toen ik begreep dat hij niet meer terug zou komen, heb ik het laten inleggen.'

Alfie pakte de steenscherf en wreef met een vinger over het patroon.

Miriam Luttwak hield hem goed in de gaten. 'Jij weet hier meer van zo te zien.'

'Mijn opa verzamelde dit soort dingen. Heel oude dingen.'

'Volgens mij hadden je vader en zijn vriend contacten met grafrovers en smokkelaars. In het Midden-Oosten kun je rijk worden door schatten op te graven en ze aan verzamelaars of agenten die voor musea werken op de zwarte markt te verkopen. Misschien wilde je vader iets belangrijks kopen.'

Onverwacht schokte Miriam Luttwaks hoofd achterover. Alfie zag verbaasd dat ze huilde en wilde voorkomen dat de tranen haar make-up ruïneerden.

Ze trok een zakdoek uit de mouw van haar jasje en zei, terwijl ze voorzichtig haar ogen depte: 'Hij was zo lief voor me. Hij was de dapperste man die ik gekend heb, en een echte kunstenaar met de camera. In elke foto van hem zat een waarheid.' Ze snoot beschaafd en borg de zakdoek weer op. 'Ik neem aan dat je weet dat je vader beroemd was omdat hij zo weinig foto's maakte. Andere fotografen maakten een zwart-witfoto en daarna van hetzelfde onderwerp nog een kleurenfoto, als back-up. Jouw vader deed óf het een óf het ander. Hij vond dat sommige dingen om zwart-wit vroegen, andere om kleur en dat het niet goed was om het allebei te doen. Hij is ooit eens drie dagen met de falangisten meegetrokken, hij maakte een slag mee die twee van hen het leven kostte en er vijf verwondde en had maar twee fotorolletjes volgeschoten. Een andere keer zag hij een groep christelijke jongeren die feest vierden boven het lichaam van een moslimmeisje. Zijn begeleider zei dat ze hem zouden vermoorden als ze zagen dat hij foto's maakte, maar hij nam er toch een. Hij vertelde me ook eens, en misschien jou ook wel, Alfie, dat het niet de moeite waard is om een foto te maken alleen om een foto te maken. Dat je heel goed moet weten wanneer je er wel een moet maken en wanneer niet. Hij zag de wereld heel duidelijk. Duidelijker dan wie dan ook die ik ken. Hij had een poëtisch oog voor de waarheid van de wereld – kun je me nog volgen?'

'Ja. Heel goed.'

'Ik vind dat je deze hoort te hebben,' zei Miriam Luttwak en ze schoof het doosje over tafel naar hem toe. 'Zijn brieven heb ik voor mijn trouwen verbrand, ik hoop dat je daar begrip voor hebt. En ik schaam me dat ik het moet zeggen, maar de paar foto's die ik van hem had, heb ik ook verbrand. Maar dit, dit is van jou.'

'Dat kan ik niet...'

'Zeker wel.' Miriam Luttwak keek op haar dure, gouden horloge en riep dat ze een afspraak had waar ze naartoe moest. Alfie en zij stonden tegelijk op, zoenden elkaar onhandig boven de tafel, boven de steenscherf, en toen was ze verdwenen.

Op de zonbespikkelde patio vroeg Toby Brown: 'En toen?'

Alfie zei: 'En toen heb ik haar nooit meer gezien.'

'Ik bedoel: is dit het hele verhaal? Ze gaf je die steenscherf, die je vader haar vlak voor zijn verdwijning had gegeven, en je hebt niet geprobeerd er meer over te weten te komen?'

'Ik wist dat het van iets heel ouds kwam en ik wist dat het patroon erop heel veel leek op een paar van de artefacten uit het stenen tijdperk uit de verzameling van mijn opa. Wat ik niet weet is wat het betekent, en nee, ik heb niet geprobeerd om er meer over te weten te komen. Ik heb het wel aan mijn oma gevraagd, maar die zei dat ze er niets van wist en dat ik op moest houden. Dat ik het verleden moest laten rusten. En dat is precies wat ik heel lang heb gedaan. Ik probeerde een soort evenwicht in mijn leven te bereiken, en stress vergroot de kans op aanvallen en, eerlijk gezegd, ben ik het daarna gewoon vergeten. En toen zag ik voor het eerst een graffiti van Morph en kwam alles terug, allemaal in één klap.'

Het was even stil. Een vliegtuig vloog lawaaierig boven de wolken over. Ergens vanachter de met klimop begroeide muur van het tuintje floot een vogel een paar experimentele noten.

Uiteindelijk zei Toby: 'Tja, en hoe kan ik je helpen?'

Alfie glimlachte. 'Is dat zo duidelijk?'

'Waarom zou je anders deze pijnlijke biecht hebben afgelegd?'

'Ik wil de graffitiartiest vinden, omdat hij meer over deze patronen weet. Misschien kan hij me helpen begrijpen wat er gebeurde toen ik keek naar iets waar ik niet naar had mogen kijken. En wat er met mijn vader is gebeurd. Misschien... Dit is zo'n slag in de lucht dat ik er zelf amper in durf te geloven, maar als een van deze patronen me heeft beschadigd, bestaat er misschien ook een patroon dat me kan genezen.'

'En jij denkt dat ik je kan helpen met het vinden van die vent?'

'Ik dacht dat jij, met al je contacten in de media, iets over hem te weten zou kunnen komen, ja. En misschien heb je hier iets aan: ik denk dat hij uit Irak komt.'

'Vanwege zijn cartoons? Dat hoeft helemaal niet. Er zijn ook ontzettend veel mensen die gewoon hier leven en tegen de invasie in Irak zijn. Alison heeft twee keer in een protestmars meegelopen. En, zoals ze blijft zeggen: het deed haar gevoel van eigenwaarde buitengewoon veel goed.'

Alison was Toby's ex. Hoewel ze een paar maanden geleden in goed overleg uit elkaar waren gegaan, maakten ze nog net zo vaak ruzie als daarvoor.

Alfie zei: 'Voor de oorlog werkte mijn opa in Irak. Daar raakte hij geïnteresseerd in de oude geschiedenis en ik denk dat daar ook de plaquettes vandaan komen – de stenen met de patronen.'

'Of hij heeft ze op een veiling gekocht, of op de braderie van de kerk.'

'En Libanon en Syrië liggen naast Irak.'

En de drug die Alfies opa had gerookt, en ook een onderdeel van de behandeling van meneer Prentiss was, kwam ook uit Irak, maar dat wilde Alfie voorlopig nog niet aan Toby kwijt. Hij vond dat hij hem al veel te veel had verteld.

'Als je wilt dat ik je help,' zei Toby ineens heel zakelijk, 'dan wil ik het op mijn manier kunnen doen.'

'Uiteraard.'

'Laat die foto's dan maar hier. Dan ga ik aan de slag.'

Een halfuur later, toen Alfie met de bus naar huis reed, rinkelde zijn mobiel. Toby. 'Een van je foto's staat morgen in *The Independent*,' zei hij.

Alfie voelde ineens een knoop in zijn maag. 'Je gaat hierover schrijven, Toby? Maar dat hadden we niet afgesproken.'

'Ik had een artikel over Morph in gedachten, niet over jou en je maffe familie. Maar de nieuwsredactie wilde het niet, wel vroeg de redacteur me om jouw foto's door te sturen. Dus e-mailde ik ze en nou gaat hij ze plaatsen bij een stuk over de resultaten van een opinieonderzoek over of de invasie in Irak terecht is geweest, de geloofwaardigheid van de regering hierbij, blablabla.'

'En hoe gaat dit me helpen Morph te vinden?'

'Allereerst gaat het je vijfhonderd pond opleveren, minus mijn heel redelijke commissie. Op een gegeven moment zullen we iemand van Douane en Immigratie moeten omkopen om de namen te krijgen van alle vluchtelingen uit Irak die recentelijk het land binnengekomen zijn, dus wees er blij mee. Ten tweede is het mogelijk dat de foto Morphs ego streelt. Misschien vraagt hij om een afdruk. Dan staat jouw naam eronder en misschien neemt hij dan contact met je op. Voor het geval je me wilt bedanken, ga gerust je gang. Ik houd je niet tegen.'

Alfie vroeg zich af wie er nog meer belangstelling zou hebben voor de foto – voor Morphs graffiti. Hij voelde zich nog steeds in een vrije val, maar nu de grond in zicht kwam, was er geen weg meer terug. Hij zei: 'Ik neem aan dat het een werkbaar plan is.'

'Het is míjn plan,' zei Toby. 'Hoezo zou het niet werken?'

2

Harriet Crowleys familie had een band met de Britse geheime dienst die terugging tot de Tweede Wereldoorlog. Een band die net als veel tradities in deze tijd weinig werd gewaardeerd, maar omdat ze drie jaar geleden MI6 geholpen had met het ontrafelen van een onverkwikkelijk zaakje, kostte het haar slechts een week om een tête-à-tête met haar contactpersoon te regelen. (Haar vorige contactpersoon, een beleefde grijsharige man met een bonte verzameling vlinderdasjes en met het meest absurde gevoel voor humor dat ze kende, was afgelopen jaar aan longkanker overleden.) Maar nu, om acht uur 's ochtends, was de nieuwe contactpersoon een halfuur te laat, begon Harriet aan haar derde kop koffie en vroeg ze zich af of ze zich moest voorbereiden op een glyphsplaag en bedacht ze dat ze het in dat geval zonder officiële hulp zou moeten stellen.

Ze wachtte in een hoekje van een Italiaans restaurant – tussen brede pilaren stonden tafeltjes met rood-witgeblokte tafellakentjes en achter een gigantische Gaggia hingen de overbekende voetbalmemorabilia – in de kelder van een kantoor, vlak bij Vauxhall Cross, het onaantrekkelijke hoofdkwartier van MI6, dat naast de Vauxhall Bridge stond als een lelijke kruising tussen een Azteekse tempel en een kernreactor. In haar beste broekpak, een parelgrijze Karen Millen, haar blonde haren uit haar bleke gezicht gekamd, met de tijdelijke ID – nodig om het gebouw in te komen – op haar revers gespeld, viel ze niet op tussen de andere bezoekers, wat precies was wat ze wilde. Ze las *David Copperfield* uit de Penguin

Classicsreeks en iedere keer als ze een bladzijde omsloeg, nam ze een slokje koffie. Ze was het gewend om te wachten – het grootste deel van haar werk bestond uit wachten – en ze wist dat ze niet moest bellen om te vragen waar haar date bleef en of hij nog zou komen. Ze besloot hem nog een halfuur te geven; als hij er dan nog niet was, *que sera sera*, dan zou ze alleen achter Morph aan moeten, wat de gevolgen ook zouden zijn.

Vlak voor haar deadline gleed hij op de stoel tegenover Harriet, riep de ober bij zijn naam en bestelde een glas kraanwater. Een slanke man, achter in de dertig, halflang bruin haar, een door de zon gebruind gezicht, buttondown blauw shirt met een zonnebril in het borstzakje. Het perfecte exemplaar van de Oxbridge-opgeleide geheim agent die de Cross bewoonde zei met een glimlach die een halve kilometer witte tanden ontblootte tegen Harriet: 'Ik dacht dat de Nomads' Club niet veel meer dan een paar knorrige oude kereltjes uit de tijd van ons grote koloniale verleden was. Mag ik opmerken dat ik blij ben dat ik er helemaal naast zat?'

'Ik ben niet echt een lid,' verklaarde Harriet.

'Ik begrijp dat je achter iets of iemand aan zit. Ik heb...' de man maakte een hele vertoning van op zijn horloge kijken, een knoeperd met zoveel knopjes en wijzers dat het meer op de afstandsbediening van een kernonderzeeër leek '... tien minuten voor je. Brand maar los.'

'Heb je een naam?'

'Hebben ze je die niet verteld, dan? Ach, natuurlijk hebben ze dat niet. Ik ben Jonathon Nicholl. Mijn vrienden noemen me Jack.'

'Ik zal je meneer Nicholl noemen.'

'Bespeur ik een tikkeltje vijandigheid?'

'Ik was een paar jaar geleden goed bevriend met een charmeur die nogal op jou leek.'

'En hij brak je hart, neem ik aan?'

'Zoiets.'

'Zeg me zijn naam en ik daag hem uit. Zonsopgang, pistolen, Hampstead Heath.'

'Of raketlanceerinstallaties op Millennium Dome?'

Jack Nicholl grinnikte. 'Wat je maar wilt. Maar even serieus. Was die hartenbreker van jou iemand die ik ken?'

Harriet kon er niets aan doen dat ze hem charmant vond – MI6-

medewerkers werd geleerd om charmant te zijn –, maar ze wist dat die charme de zachte buitenkant van een keiharde binnenkant was. Ze schonk hem haar liefste glimlach en zei: 'Dat is geheime informatie.'

'Geheime informatie is mijn werk. En over werk gesproken, ik stel voor dat we ter zake komen,' zei Jack Nicholl en hij bedankte vervolgens de ober die een glas water op tafel zette.

'Ik heb de voorbeelden hier,' zei Harriet. Ze haalde een A5-enveloppe uit haar kleine, leren rugzak en schudde een stuk of zes foto's op het tafellaken, naast een vaasje met een bosje zijden bloemen.

In één beweging veegde Jack Nicholl ze bij elkaar en legde ze als een ervaren croupier met de voorkant naar beneden op tafel. 'Ik vind dat je best wat discreter mag zijn.'

'Jíj wilde in een openbare gelegenheid afspreken.'

'*Touché*. Ik neem aan dat je me nog gaat vertellen wat dit zijn?'

'Foto's van graffiti. Specifieker: graffiti met een anti-Irakinvasieboodschap.'

Jack Nicholl liet zijn tanden weer zien. 'Volgens mij is "bevrijding" de politiek correcte term.'

'Iemand die zich Morph noemt, maakt deze door heel Oost-Londen.'

'En wij zijn geïnteresseerd, omdat...?'

'Omdat hij om zijn cartoons een glyph schildert.'

'O, ja. Ik heb natuurlijk even door de dossiers gebladerd. Zeer interessant allemaal, maar uiteindelijk oude koek, toch?'

'Ik neem aan dat je het dossier over de afgang in Nigeria hebt gelezen. Dat was drie jaar geleden.'

'Mmm, en ook nog een onverkwikkelijk zaakje. Maar dat is het meestal in ons werk. Dus: wat is de connectie tussen jouw Nigeriaanse avontuur en deze graffitiartiest?'

Daar had Harriet lang en diep over nagedacht, ze had lijsten met namen en data gemaakt en die met pijlen met elkaar verbonden. Ze moest toegeven: 'Ik zie geen direct verband. Ik denk dat het te maken heeft met de oorsprong van de glyphs.'

Jack Nicholl liet dat even bezinken en zei toen: 'Als je gelijk hebt, kan dat complicaties opleveren, gezien de huidige situatie. De glyph die hij gebruikt, is die – hoe noem je dat?'

'Actief. Ja, behoorlijk. Het is een variant van de fascinatieglyph op de propagandabiljetten die in de Tweede Wereldoorlog boven bezet Frankrijk werden afgeworpen. Zonder de drug is het effect natuurlijk heel zwak...'

'Natuurlijk,' zei Nicholl met een opgetrokken wenkbrauw.

Harriet kon niet zeggen of hij haar voor de gek hield of niet, maar besloot hem het voordeel van de twijfel te gunnen. Ze pakte *The Independent* van gisteren en liet Jack Nicholl de foto op pagina vier zien. 'Er is mogelijk nog een complicatie. Er is nog iemand geïnteresseerd in het werk van Morph.'

Nicholl haalde zijn schouders op. 'Dat hoeft helemaal niets te betekenen.'

'Lees de naam van de fotograaf maar eens.'

'Alfie Flowers... Hmm, er gaat zachtjes een belletje rinkelen.'

'Zijn vader stierf tijdens een operatie in Libanon.'

'Natuurlijk, de fotojournalist! Een man naar mijn hart, overigens. Maar zijn zoon hoort niet bij ons, en volgens mij ook niet bij jullie, dus hoe past hij in het plaatje?'

Harriet was onder de indruk. Jack Nicholls vlotte houding verborg een scherpe geest. 'Voor zover ik weet, weet hij helemaal niets over de Nomads' Club, maar als jongen heeft een glyph hem verwond – een ongeluk dat na het overlijden van zijn grootvader plaatsvond. Naar wat ik ervan begrepen heb, kan dat hem overgevoelig hebben gemaakt.'

Nicholl dacht hier even over na. 'Dus Flowers ziet deze graffiti en weet dat ze ongebruikelijk zijn, maar misschien niet waaróm ze ongebruikelijk zijn.'

'Of misschien wel.'

'Heb je contact met hem opgenomen?'

'Natuurlijk niet.'

Clarence Ashburton en Julius Ward, de twee laatste leden van de Nomads' Club, hadden geadviseerd om dat niet te doen. 'Er is geen enkele reden om in die beerput te gaan roeren,' had Clarence gezegd. 'We moeten de wens van zijn oma respecteren,' had Julius gezegd. Harriet was er zeker van dat de twee oude mannen een geheim deelden dat ze niet met haar wilden delen, maar ze had niet verder aangedrongen. De Nomads' Club was een slangenkuil van oude geheimen, mislukt gekonkel en halfvergeten samenzweringen die inmiddels hun betekenis hadden verloren. Geheimen waren het enige wat ze nog hadden.

Nicholl vroeg: 'Wil je dat wij contact met hem opnemen?'

'Volgens mij moet hij voor zijn eigen bestwil geobserveerd worden. Als hij Morph gaat zoeken, kan hij onbedoeld in moeilijkheden komen.'

'En die graffitiartiest?'

'Die moet zonder enige twijfel zo snel mogelijk opgespoord worden.'

'Ik neem aan dat Morph zijn artiestennaam is. Heb je enig idee hoe hij echt heet?'

'Hij heeft geen strafblad, maar ik neem aan dat hij in de immigratiedossiers voorkomt.'

'Ik dacht dat die herders, of wat ze ook waren, daar allang uit verwijderd waren.'

'De Kefieden. Die wonen niet meer waar ze eerst woonden, maar het is mogelijk dat een paar van hen het overleefd hebben. En het is altijd mogelijk dat een van hen, legaal of illegaal, hiernaartoe is gekomen.'

'Het klinkt als een zaak voor de zwoegers van MI5.'

'Ik wil, net zoals jij, het liefst zo min mogelijk informatie delen met MI5.'

'Keurig gezegd.' Voor het eerst keek Nicholl haar met belangstelling aan. 'Tja, ik vind dat we Flowers voorlopig maar met rust moeten laten. Hij moet maar even goed op zichzelf passen. Of misschien wil de Nomads' Club iets voor hem doen, aangezien hij de zoon van een zeer gewaardeerd ex-lid is. Wat betreft Morph kan ik wel een of twee lijntjes uitgooien. Zodra ik nieuws heb, zal ik contact met je opnemen.'

Waarmee hij bedoelde: ik neem contact met jou op, waag het niet om er zelfs maar aan te denken om contact met mij op te nemen.

'Bedankt,' zei Harriet en ze meende het. Het was heel wat meer dan waar ze van tevoren op had durven hopen.

'Juich niet te vroeg,' zei Jack Nicholl en pakte de foto's. 'Kan ik deze houden? Dan stop ik ze in een nieuw dossier. Het lijkt me vanzelfsprekend dat je de negatieven of de digitale bestanden vernietigt.'

'Heb ik al gedaan. En ik ben ook met de graffiti bezig.'

'Niets radicaals, mag ik hopen?'

Harriet pakte een spuitbus met zwarte verf uit haar rugzak en zette die op tafel.

Nicholl lachte. 'Dat zal inderdaad wel afdoende zijn.'

'Ik spuit alles over wat ik tegenkom. Natuurlijk zijn er veel meer dan ik er tegenkom, maar meer kan ik in mijn eentje niet doen.'

Na een korte stilte zei Nicholl: 'Als dat een verzoek om hulp is, kan ik het naar boven doorgeven, maar ik beloof niets.'

'Misschien is het een goede training voor je nieuwe rekruten.'

'Ik ben bang dat al onze nieuwe rekruten in het talenpracticum zitten en Arabisch leren. Heb je buiten onze alleraardigste kring al om hulp gevraagd?'

'Ik houd dit, net zoals jij, het liefst bij onszelf.'

'Uiteraard. Nou, dit was voor jou en voor mij een onverwacht genoegen,' zei Jack Nicholl. Hij duwde zijn stoel naar achteren en stond op. 'Blijf rustig zitten, Harriet, ik kom er wel uit.'

3

Alfies oma vertelde hem op zijn eenentwintigste verjaardag over zijn erfenis, elf jaar na de verdwijning van Mick Flowers en drie jaar nadat hij officieel dood was verklaard. Alfie wist niet beter dan dat zijn vader hem alleen de Morgan had nagelaten – die hij al lang geleden verkocht had om de gokschulden af te kunnen betalen die ook bij de erfenis hoorden, zo bleek na zijn verdwijning –, een doos lp's en een kast vol kleren in Cambridge en een verzameling foto's bij zijn agente. Alles wat Mick Flowers verder had bezeten, inclusief al zijn negatieven en zijn agenda's, was verloren gegaan bij de uitslaande brand in zijn Londense huurflat. Dus was hij stomverbaasd te horen, op zijn verjaardag in een duur, ouderwets Frans restaurant in Bristol waar hij in zijn laatste studiejaar zat, dat zijn oma de afgelopen elf jaar een lapje grond in Noord-Londen voor hem had beheerd waarvan zijn vader eigenaar was geweest. Land waarmee Alfie mocht doen wat hij wilde nu hij eenentwintig was.

'Je vader heeft het met pokeren gewonnen,' legde ze uit. 'Van een rijke man uit Malta die, als ik het goed onthouden heb, later in een pub in East End is doodgeschoten. Je vader kende zeer kleurrijke figuren, Alfie. Hij leek op je grootvader, hij had iets wilds in zich. Maar in tegenstelling tot je grootvader, God zegene hem, kreeg hij nooit de kans om eroverheen te groeien.'

Alfies oma, Elizabeth Flowers, was een kleine, slanke vrouw met een opgewekt, zigeunerachtig voorkomen en op haar vijfenzestigste nog steeds aantrekkelijk met glanzend zwartgeverfd haar, armbanden om haar polsen en een ketting van grote houten kralen om haar hals. Ze was een echte beauty toen Alfies opa haar in de Tweede Wereldoorlog ontmoet had, een preutse stoot in haar legeruniform. Ze was chauffeur en reed na de avondklok zonder enige angst hoge officieren door Londen en omliggende graafschappen, omdat ze in het donker heel goed kon zien en voldoende had aan het licht van de sterren. Ze had ooit veldmaarschalk Montgomery in haar auto gehad, de slechtst gehumeurde man die ze ooit ontmoet had. Ze had generaal sir Frederick Pile rondgereden, de opperbevelhebber van de luchtafweerdivisie. En een groep Amerikanen en naamloze blanken. Maurice Flowers, die destijds bij de SOE in Baker Street werkte, was als een baksteen voor haar gevallen en zij voor hem. Het werd een zomerrelatie tussen een knappe twintigjarige en een vrijgezelle geleerde, maar in een oorlog gebeuren er wel gekkere dingen. Elizabeth Flowers kon op een bruuske wijze kordaat zijn als dat nodig was, zoals na de verdwijning van haar zoon, en was altijd openhartig en gul naar haar kleinzoon, maar ze had ook een geheime kant. Zes maanden later zou ze Alfie opnieuw verrassen toen ze hem uitnodigde om kennis te komen maken met de man met wie ze zou gaan trouwen – tot dan had Alfie absoluut niets van haar liefdesaffaire geweten.

Die avond in Bristol had ze dus een verrassing voor hem, ze haalde een *London A-Z* uit haar handtas en liet Alfie zien waar zijn erfgoed lag: een strook grond in Islington, pal naast de North-Londonspoorlijn. Ze legde twee sleutels op tafel. Van het hangslot dat het hek afsloot, vertelde ze, en van de caravan.

'Caravan?'

Alfie had moeite om het allemaal te volgen.

Ze keek hem uitdrukkingsloos aan. 'Stel je er niet te veel van voor, lieverd. Je wordt er niet rijk van. Het is niet veel meer dan een lapje woeste grond, met een gammele caravan en een soort garage die voor een habbekrats wordt verhuurd. Op dit moment is er geen vergunning voor permanente bebouwing, maar Islington is een groeigebied en als je het aan een eerlijke grondspeculant verkoopt, als je die tenminste kunt vinden, krijg je er zeker een mooie prijs voor. Ik heb er al die tijd op gelet, vanaf nu is het jouw zorg.'

Ze spraken af dat ze er samen naartoe zouden gaan als Alfie met de kerst thuiskwam, maar dat duurde nog een maand en Alfie ontdekte dat hij niet zo lang kon wachten. Hij ging het weekend daarop al naar Londen en probeerde zich te gedragen als een volwassene op werkbezoek – gewoon mijn eigendom inspecteren, weet je wel – maar hij was net zo opgewonden als een paar jaar eerder toen hij stiekem naar Londen was gegaan, op zoek naar meneer Prentiss.

Het regende in Londen, het viel met bakken uit wolken die pal boven de huizendaken hingen. Twee uur 's middags en het was al zo donker dat de lantaarnpalen aan waren en hun licht reflecteerden op het natte wegdek. Auto's scheurden voorbij met hun lampen aan en stortten een zee van water op de, door natte bladeren, glibberige trottoirs. Alfies grijze, wollen jas uit de legerdump was algauw doornat en minstens twee keer zo zwaar tegen de tijd dat hij door de wirwar van hoofdstedelijke wegen het lapje grond vond dat zijn vader hem had nagelaten.

Het lag ingeklemd tussen de achterkant van een blok verwaarloosde victoriaanse huizen van drie verdiepingen en de smalle strook grond waar de North-Londonspoorlijn over liep. Er stond een roestig hek omheen dat ter hoogte van een klein, moderner uitziend gebouwtje van staal en beton dat met een roldeur naar de weg toe stond, afgesloten was met een hangslot. Alfies hart bonkte toen hij de sleutel in het zware slot stak. Het sprong in zijn hand open en hij duwde de hekken naar achteren en stapte het terrein op, voelde zich een insluiper die ieder moment kon worden betrapt door een gewapende landeigenaar. Aan de kant van de spoorlijn lag een grote berg met onkruid begroeid betonafval met daaromheen braamstruiken, kale meidoorns en platanen, zwart en druipend van de regen. Aan het eind stond iets wat een garage kon zijn, een grote, deurloze overkapping, een soort kapschuur van hout en golfijzer. Er stond een ouderwetse Londense bus in en een caravan op bielzen.

De tweede sleutel opende de caravandeur. Binnen was het vochtig en het stonk er naar muizen. Overal op het oude, gescheurde linoleum lagen muizenkeutels. De schuimrubber bekleding van de stoelen was volkomen uitgehold. De zomen van de gebloemde gordijnen waren gerafeld. Er lagen nog meer muizenkeutels op het formicablad van het keukentje en er lag een verdroogde dode muis in de kleine aluminium gootsteen.

Op het opklaptafeltje lag een krant, de bovenste pagina's waren helemaal vergeeld. Alfie veegde gedroogde muizenpoep weg en vond een pagina waarop de datum leesbaar was. Zaterdag, 28 november 1981. De dag na Alfies tiende verjaardag. De dag dat Alfie zijn vader voor het laatst gezien had.

Alfie sloot de caravan af en liep over zijn land, in de meedogenloze regen keek hij naar de spoorlijn. Hij merkte dat hij gelukkig was. Zijn land was niet groot, maar het was van zijn vader geweest en nu was het van hem. Op dat moment wist hij dat hij het nooit zou verkopen.

Vlak nadat Alfie afstudeerde hertrouwde Elizabeth. Ze had haar nieuwe echtgenoot, Harry Walker, op een cruise langs de Noorse kust ontmoet. Hij was architect en jazzliefhebber, een vitale, gezellige vent met een glazen oog en een wilde bos witte haren, die iedere zondag trombone speelde in een kroegbandje en als toegift gedichten van Tennyson en Browning declameerde, gedichten die hij op school uit zijn hoofd had moeten leren. Alfie vond Harry en zijn drie zonen best aardig, maar koos ervoor om in Noord-Londen te gaan wonen, op zijn land, en niet in Harry's flatgebouw in Richmond. Hij kocht een nieuwe caravan en liet elektriciteit en een waterleiding aanleggen en kocht later een tweede, kleinere caravan waar hij een doka van maakte.

Vanaf dat moment was hij er altijd. Elf jaar lang. Hij werd een bekend figuur in de omgeving: slungelig in zijn afgedragen leren jasje, zijn cameratas bonkend tegen zijn heup. Op zaterdag schuimde hij de antiekmarkt op Camden Passage af, op zoek naar oude tijdschriften met foto's van zijn vaders vroege werk. Hij at nasi goreng speciaal en loempiaatjes in de Golden Dragon, de afhaalchinees op Caledonian Road, of spaghetti carbonara in het familierestaurant tegenover de gevangenis van Pentonville, of Thaise groene curry in de dichtstbijzijnde pub. Hij kwam daar zeer regelmatig, vaak blies hij de kaars in zijn met kaarsvet overgoten fles al uit voor hij aan het tafeltje in zijn hoek ging zitten en in de schaduw zijn citroenlimonade dronk, onder planken die doorbogen van stoffige, nooit gelezen, niet te lezen boeken en kletste met andere stamgasten – journalisten, musici, boekverkopers, mensen uit de antiekhandel, kortom mensen die de *demi-monde* van het vrije-ondernemerschap en het sjofele vrijgezellenschap bevolkten. Miskende stadsgenieën wisselden roddels, geruchten en complottheorieën uit en handelden ondertussen wat met elkaar. Handje contantje. Voor wat hoort wat. Londense kerels. Londenaars onder elkaar.

Wonen in een caravan op een stukje braakland midden in Londen was 's winters geen pretje, maar 's zomers een cadeautje. 's Zomers was het leven leuk. 's Zomers was Alfies tuintje een paradijs met fris groen tussen beroete stenen en kronkelende paadjes.

Om negen uur 's ochtends, twee dagen nadat zijn foto van Morphs graffiti in *The Independent* had gestaan, dronk Alfie in zijn badjas buiten in zijn plastic stoel bij zijn plastic tafel zijn jus d'orange en at een croissant. Witte wolken zeilden door de lucht. Het was al warm. Vogels zongen in de platanen en de meidoorns, vlinders vlogen rond de stoffige paarse knoppen van de vlinderstruik die achter de werkplaats van George Johnson stonden. In een van de huizen aan de rand van zijn land stond een radio aan en hij hoorde nog meer vage stadsgeluiden, zoals je een stofzuiger hoort in een afgelegen kamer van een groot huis.

De platanen waren gegroeid, er stonden een Dennis F15 brandweerauto in de tuin en twee dubbeldekkers in de garage naast Alfies caravan. Zijn huurder George Johnson, die Jaguars uit de periode 1918-1930 repareerde in de werkplaats naast het hek, had afgelopen jaar een verouderde Routemaster gekocht die het Londense vervoersbedrijf goedkoop verkocht. Maar verder was er weinig veranderd aan het stukje land sinds Alfie het voor het eerst had gezien. Ook zonder bouwvergunning was het inmiddels heel wat waard en vanwege de absurde opwaartse spiraal van grondprijzen steeg de prijs nog iedere dag. Soms fantaseerde Alfie dat hij het verkocht had en van het geld een leuk flatje kocht, misschien in een van die chique nieuwbouwprojecten in Clerkenwell, maar de waarheid was dat hij dik tevreden was met zijn stekkie, zeker op dagen als deze, als de stad om hem heen ontwaakte, als vogels in de bomen zongen en als de zon zijn rug verwarmde. Loom bedacht hij dat hij langs het kanaal kon gaan wandelen om te zien of Morph wat nieuws gemaakt had en aan daar spelende kinderen te vragen of ze hem kenden. Hij zou eerst Toby Brown bellen, misschien had die zin om mee te gaan. Vandaag kon de dag zijn dat ze het spoor konden vinden dat naar de graffitiartiest leidde.

Alfie wist heel goed dat hij zichzelf veel pijn kon aandoen door in het verleden te gaan wroeten, maar hij had ontdekt dat hem dat absoluut niets kon schelen. Hij zou dit jaar drieëndertig worden. Hij was niet jong meer en wist verrekte goed dat hij bij lange na niet zo'n goede fotograaf was als zijn vader was geweest. Hij was technisch goed, had een goed oog en wist af en toe, met wat mazzel, die ene buitengewone foto te maken. Maar hij wist inmiddels genoeg over zichzelf en zijn werk om te erkennen dat hij niet het talent van een groot fotograaf had, de perfecte inschatting van een gevoel of een actie of een emotie of een landschap, of het vermogen om dat fotografisch vast te leggen. Zijn vader kon dat, Don McCullin kon dat, Larry Burrows had het in zijn vingers, Alfie niet. Ach ja, *c'est la vie*. Hij had ook nog nooit een prinses gezoend, was nooit astronaut of straaljagerpiloot geworden. Hij had zich hier ingegraven en beschermde zichzelf met een batterij gewoontes, bewaakte zijn evenwicht en dreef door het leven.

Zijn laatste vriendin had gezegd dat hij zo'n kluizenaar was die edelen vroeger in een uithoek van hun landgoed neerzetten. Het was bedoeld als grap, maar er zat een kern van waarheid in. Momenteel was zijn grootste ambitie een tentoonstelling van zijn korstmosfoto's in een kleine boekenzaal of aan de muren van een pub. In de Droge Valleien van Antarctica, waar het onvoorstelbaar koud was en geen enkele vorm van neerslag viel, waren er mossen die op een mooie dag één molecuul koolstofdioxide binnen kregen, één molecuul suiker aanmaakten en één molecuul zuurstof uitademden. Minieme vlekjes op stenen, duizenden jaren oud, elke eeuw een millimeter groeiend. Net als de korstmossen was Alfie tevreden met zijn marginale bestaan, maar de afgelopen week, op zoek naar Morph, leek hij uit een lange slaap te ontwaken. Voor het eerst sinds jaren had hij het idee dat de wereld vol ongekende mogelijkheden zat. Voor het eerst sinds jaren had hij het idee dat hij echt leefde.

Er toeterde een auto bij de ingang van zijn terrein. Alfie liep er met zijn glas jus d'orange in de hand naartoe, zich afvragend of het een vroege klant van George zou zijn. Toen hij de man in een lichtblauw pak en donkergeel T-shirt naast de zilverkleurige Audi bij het hek zag staan, riep hij: 'Doe geen moeite. Het is niet te koop!' Want er ging geen week voorbij dat er geen makelaar of vastgoedspeculant stopte en hem ervan probeerde te overtuigen dat hij toch écht moest verkopen, of zijn kaartje in de brievenbus bij het hek stopte.

'Meneer Flowers?' De man hield *The Independent* omhoog, zo gevouwen dat Alfies foto goed zichtbaar was. Hij was ergens in de veertig, dik, gebruind, had kort zwart haar en begon kaal te worden. 'Alfie Flowers?'

'Klopt.'

'Ik ben Robbie Ruane,' zei de man glimlachend door het hek heen tegen Alfie. 'Volgens mij zijn we allebei geïnteresseerd in Morph.'

'Is dat zo?'

'Toen ik deze foto zag, wist ik meteen dat ik je moest spreken.' De man haalde een kaartje uit de bovenste zak van zijn jasje en gaf het door het gaas aan Alfie. 'Ik heb een kleine galerie in Brick Lane. Stedelijke grafische kunst.'

Ineens voelde Alfie zich betrapt en kwetsbaar en belachelijk, met zijn blote onderbenen onder zijn badjas en het glas jus d'orange in zijn hand geklemd. Hij had zichzelf aan de wereld getoond en nu reageerde de wereld met deze engerd in zijn vlotte pak en zijn neppe glimlach.

'Ik wil graag over deze foto praten,' zei Robbie Ruane. 'Volgens mij is het een van de kunstwerken die onze wederzijdse vriend verderop langs het kanaal heeft gemaakt.'

'Vertegenwoordigt u hem, meneer Ruane? Bent u zijn agent?'

'Nog niet. Om eerlijk te zijn *hoop* ik zijn agent te worden. Naïeve kunst, spontane kunst, straatkunst uit het hart en de ballen, kunst die aansluit bij de anonimiteit van de stad en de menselijke aard – dat gaat het worden. Heel opwindend, heel opruiend, heel nu. Ik houd al langer een paar van die zogenoemde straatartiesten in de gaten en ben zeer geïnteresseerd in Morphs werk.'

'Het spijt me dat ik je moet teleurstellen, maar ik weet niet wie hij is.'

'Ik ook niet. Daarom loop ik iedere aanwijzing na. Daarom wilde ik, zodra ik je foto zag, met je praten.'

'Nou, we hebben gepraat.'

Robbie Ruane wapperde met zijn kaartje, dat hij nog steeds door het hek heen en weer haalde. 'Ik wil echt heel graag met Morph in contact komen. Ik loof zelfs, omdat ik behoorlijk wanhopig ben, een beloning uit.'

Er lag iets engs in de blik van deze man, iets manisch, hij leek op een junk die hard aan zijn volgende shot toe is. Alfie vroeg zich af of Robbie zich door Morphs patronen aangetrokken voelde. Of hij er gevoelig voor was, of hij erdoor gegrepen werd zonder te weten waarom.

'Ik ben fotograaf, meneer Ruane. Ik denk dat u me voor iemand anders houdt.'

'Jij hebt Morphs werk gevonden en er iets in gezien, net als ik. Als je iets weet, maakt niet uit wat, dan beloof ik dat je royaal beloond zal worden.'

Achter hem, op de plastic tafel naast zijn caravan ging Alfies mobiel over. 'Die moet ik opnemen,' zei Alfie. 'En als ik jou was, zou ik die dure slee van je daar weghalen voor mijn huurder verschijnt. Die heeft een korte, effectieve manier om mensen die de ingang blokkeren aan te pakken.'

Terwijl Alfie met een tintelende rug terugliep, riep Robbie Ruane dat hij zijn kaartje achter zou laten en dat ze elkaar snel weer zouden spreken, heel snel.

Toen Alfie zijn mobiel bereikte, ging die niet meer over. Hij pakte hem, luisterde zijn voicemail af en zag opgelucht dat Robbie Ruane in zijn auto stapte en wegreed. De stem van Toby Brown zei in zijn oor: 'Ik heb een paar veelbelovende lijntjes, Flowers. Bel me terug.'

Alfie belde hem terug.

'Ken je dat industrieterrein in Kentish Town?'

'Welk?'

'Regis Road, waar dat grote ups-gebouw staat.' Toby klonk buiten adem en opgewonden. 'Kom zo snel mogelijk.'

'Je hebt wat gevonden, hè?'

'Waag het niet om te gaan lopen en kom ook niet met de bus. Je neemt maar eens een taxi. Zeg tegen de chauffeur dat hij naar Pronto Delivery moet rijden, helemaal aan het eind van Regis Road. En dan nog wat. Als je hier niet snel bent, zijn ze allemaal verdwenen.'

'Wat is verdwenen?'

'Kom niet te laat,' zei Toby en hij verbrak de verbinding.

Op Pronto Delivery stond een groot pakhuis in de verste hoek van een driehoekig industrieterrein dat aan twee kanten begrensd werd door een wirwar van spoorlijnen. Toen Alfie in zijn taxi arriveerde, stond Toby Brown driftig rokend buiten bij het hek op hem te wachten. En hij zei, terwijl Alfie afrekende: 'Je bent laat. Waarom ben jij altijd laat, Alfie? En vergeet het bonnetje niet.'

'Wat is er nou aan de hand?'

'Kom maar mee en kijk.'

Ze liepen over de weg langs het pakhuis. Alfie vertelde over Robbie Ruane, en Toby zei dat hij klonk als een klootzak, maar een ongevaarlijke.

'Ik heb mijn agente gebeld,' zei Alfie. 'Ze zou wat rondvragen om te weten te komen of hij is wat hij beweert dat hij is.'

'Ik zou me over hem maar niet zo'n zorgen maken.'

'En stel dat hij Morph eerder vindt dan wij?'

'Waarom zou hij? Hij heeft dit ook niet gevonden,' zei Toby en hij duwde Alfie bij het pakhuis de hoek om, een plaatsje op waar meer dan twaalf witte vrachtauto's stonden. Mannen in laarzen, oliepakken en dikke rubberen handschoenen waren ze aan het wassen, liepen als mieren door elkaar met emmers, slangen en borstels, boenden de zijkanten en spoten ze af.

Toby stak een nieuwe sigaret op en vertelde Alfie dat hij hier vanochtend pas van gehoord had. 'De koerier die me een klotebiografie kwam brengen om te bespreken, is een vriend van me. Nou, niet echt een vriend, maar hij komt praktisch iedere dag iets brengen, er komt geen eind aan de rij boeken die ik moet bespreken, godzijdank, en dan kletsen we even. Hij vertelde me hierover, omdat hij dacht dat er misschien een verhaal in zat.'

Sommige vrachtwagens waren al schoon, hun witte zijkanten waren nog nat en glommen en er was nog vaag te zien wat erop geverfd was. Een paar mannen boenden de andere vrachtauto's schoon: met professionele schoonmaakmiddelen en enorme sponzen, met spuiten waar borstels aan zaten vielen ze op de graffiti aan, Morphs werk, dat midden op de zijkanten stond. De natte vrachtauto's dampten in het zonlicht. Water droop op het plaatsje, kringelde om de laarzen van de mannen en om de autobanden. Overal dreven eilandjes wit schuim.

Toby zei: 'Hij heeft op iedere vrachtauto die hier staat geschilderd. Dit zijn de laatste die nog schoongemaakt moeten worden – je bent nog maar net op tijd. Wat vind je ervan, Flowers? Zijn ze echt? Laten ze een belletje rinkelen in dat verwarde brein van je?'

Elk werk was dezelfde cartoon, in zwarte spuitbusverf, van een mollah die grijnzend de keel van een schaap, waar US ARMY op stond, doorsnijdt en ze waren allemaal omkranst door hetzelfde doornachtige, in elkaar grijpende patroon, fonkelend als draaiende, pulserende ringen versplinterd zwart glas op de witte zijkanten van de vrachtauto's.

'Een hele harde bel,' zei Alfie en hij zocht in zijn tas naar zijn camera.

Hij stelde de camera in, focuste op een nog zeeploze cartoon en concentreerde zich op de mollah en het schaap in het midden, de pulserende krans, pulserend op het ritme van het geklop achter zijn slapen en zijn ogen.

Toby zei: 'Ik heb al een plekje in het plaatselijke sufferdje gereserveerd. Een korte samenvatting van het werk van onze jongen en een paar smakelijke regels over deze wandaad. Tweehonderd makkelijk verdiende ponden, minus het drankje dan dat ik de tipgever nog verschuldigd ben. Ik zal je de helft geven.'

'Dat mag je houden,' zei Alfie en hij nam een foto, en vervolgens nog een. Het leek wel of hij probeerde om banen brandend zonlicht boven een deinende zee vast te leggen. Hij zoomde in en uit. Hij veranderde de belichting. Hij nam overzichtsfoto's van de mannen die bij de vrachtauto's werkten. De puls zat nu in zijn hoofd.

Toen Alfie zijn hele rolletje had volgeschoten, zei Toby: 'Er is nog iets wat je moet zien.' En hij nam hem mee het pakhuis in waar een jonge neger dozen met het opschrift MEDISCHE GOEDEREN – DRINGEND – BREEKBAAR achter in een schoongewassen vrachtauto schoof. Toby vroeg hem waar Barry was.

'Kantoor, binnen,' vertelde de man en hij schoof nog een doos in de vrachtauto.

Het kantoor was een langwerpige keet die achter een stapel lege pallets stond. Toby duwde de half glazen deur, waarop een papier met GEEN TOEGANG VOOR CHAUFFEURS was geprikt, zonder te kloppen open. Twee negerinnen zaten voor computers, praatten in hun headset en typten; een dikke, kale neger in een overhemd en bretels keek op van zijn klembord. Dat was Barry. Toby stelde Alfie voor en zei dat hij nog een keer de tape wilde bekijken.

'De politie heeft het origineel meegenomen,' zei Barry, terwijl hij een cassette in het videoapparaat stopte, 'dus het is maar goed dat ik een kopie heb gemaakt.'

Alfie vroeg: 'Je hebt hem op video?'

'Er hangen binnen en buiten beveiligingscamera's,' vertelde Barry. 'De klojo heeft de lenzen van twee buitencamera's vol verf gespoten, maar vergat de derde. Mijn baas is nu bij de zaak die geacht wordt de beelden van de camera's in de gaten te houden, om ze op hun donder te geven dat niemand wat gemerkt heeft.'

'Ruim twee minuten werkende artiest,' zei Toby tegen Alfie. 'Zet hem maar aan, Barry.'

Maar toen Barry de kleine televisie naast het videoapparaat aanzette, merkte Alfie dat, omdat hij Morphs werk al gefotografeerd had, de zwart-witbeelden pijn deden aan zijn ogen. Hij keek weg. Toby zuchtte en zei: 'Kun je het beeld stilzetten, Barry? Hier graag. Cool. Misschien kun je hier even naar kijken, Flowers?'

Alfie waagde een blik. Een korrelig beeld vanuit een hoek, hoog boven het driehoekige terrein, diepe schaduwen en de bovenkanten van geparkeerde vrachtauto's die op radioactieve grafstenen leken.

'Hier,' zei Toby en hij tikte met zijn wijsvinger rechts onderaan op het televisiescherm.

Alfie boog zich meer naar het scherm toe. Bleke vlekken werden een gezicht dat in de camera keek. Zijn mond proefde als de binnenkant van een ketel. Was dat een hand met een spuitbus, daar tegen de glanzende zijkant van een vrachtauto?

'Dit is de beste opname,' zei Toby. En vroeg toen, op een heel andere toon: 'Flowers? Gaat het wel?'

Alfie voelde een aanwezigheid achter zijn ogen, een moordenaar met een doodshoofd die uit de schaduw stapte en naar voren zweefde. Hij schoot naar achteren, weg van de televisie en toen zat hij ineens met zijn hoofd achterover in een stoel, kijkend naar de roodachtige plafondtegels. Er liepen allemaal mensen om hem heen en iemand, Toby Brown, zei: 'Dit heeft hij af en toe. Hij trekt wel weer bij als hij wat meer lucht krijgt.'

'Het gaat nu wel weer,' zei Alfie.

'Jij houdt echt niet van televisie, hè?' vroeg Barry.

'Je ziet eruit alsof je door de bliksem getroffen bent,' zei Toby. 'En toen onderuit bent gegaan.'

'Wees maar blij dat het maar kort duurde,' zei Alfie. Met een paar slokken mineraalwater uit een fles die een van de vrouwen hem had gegeven, werkte hij een halve fenobarbital en een halve valium naar binnen. Er trilde een vlammende pijn achter zijn linkeroog, maar verder voelde hij zich goed. Toen ze tussen de schoonmakers buiten in de zon stonden, zei hij tegen Toby: 'Ik weet niet of dit de prijs van een taxi waard was. Was dat de beste opname? Want eerlijk gezegd kan dat iedereen zijn.'

Toby haalde zijn schouders op. 'Misschien kan de politie er met haar geavanceerde computers wat beters van maken en alle bureaus op de hoogte stellen. Maar ik ben bang van niet.'

'Misschien kan Elliot er wat mee,' zei Alfie.

Elliot Johnson, George' neef, was freelancewebdesigner. Hij hielp vaak familieleden en had Alfie wel eens geholpen met het digitaliseren van zijn foto's.

Al lopend stak Toby een sigaret op en zei: 'Veel kwaad kan het niet.'

Alfie dacht hardop: 'Ik denk dat Morph vrachtauto's heeft uitgekozen, omdat ze door heel Londen rijden. Bewegende billboards met zijn werk, zeg maar. Maar waarom nou net dit koeriersbedrijf? Het zit totaal niet in de buurt van zijn vaste stek en hij zou een veel groter bereik hebben met UPS, dat hier pal naast zit. Die hebben honderden vrachtauto's.'

Toby haalde weer zijn schouders op. 'UPS-vrachtauto's zijn bruin – dan zie je de cartoons niet goed. En ik neem aan dat de bewaking veel scherper is bij UPS: die werken vierentwintig uur per dag, veel lastiger om tussen te glippen.'

'Zou kunnen.'

'We moeten er nu voor zorgen dat hij merkt dat je in hem geïnteresseerd bent. Op Fortress Road is een taxistandplaats. Jij moet naar huis om je foto's te ontwikkelen, ik moet naar huis om een paar alinea's onsterfelijk proza te schrijven. Heb je trouwens maandagavond al wat te doen?'

'Ik moet dan naar mijn sociaal werkster.'

'Zeg dat dan maar af. Je gaat naar een feest.'

'Want?'

'Ik ben een bezig baasje geweest. Zoek Morph hier, zoek hem daar, zoek hem verdomme overal. O, en trouwens, ik heb ook nog naar die talkshow van jou geluisterd, naar die presentator die, zoals jij zo mooi zei, "achter Morph aan zit". Blijkbaar is er afgesproken dat Morph met een hele kudde andere spuitartiesten zal verschijnen op een premièrefeest van – en dit zul je geweldig vinden – *The Elemental*.'

'Dat meen je niet.'

Alfie had even als fotograaf op de set van *The Elemental* gewerkt, een lowbudget-horrorvideoproductie. Maar al na twee weken was hij weggegaan, toen hij doorkreeg dat de directeur niet van plan was zijn uitgaven te betalen, alleen het vaste bedrag dat hem was toegezegd.

'Om maar eens iets vrij te citeren,' zei Toby, 'het is een kleine wereld, maar ik zou hem niet willen verven.'

4

De volgende dag, zondag, ging Alfie met de trein naar Kew, naar zijn oma. Dit deed hij wekelijks sinds ze naar een verzorgingstehuis was verhuisd. Afgelopen zondag, toen hij haar naar Morphs graffiti had gevraagd, had ze een van haar slechte dagen. Ze was in zichzelf gekeerd, had geweigerd om naar zijn foto's te kijken, had zijn vragen genegeerd en was boos geworden toen hij aangedrongen had. Hij hoopte dat ze vandaag beter zou zijn; toen hij vlak voor hij wegging het tehuis gebeld had, had de zuster gezegd dat zijn oma tijdens het ontbijt gezellig gebabbeld had en nu in de tuin een wandeling maakte.

Alfies oma was na de dood van Harry Walker steeds excentrieker geworden. Tegen die tijd waren alle drie zijn zonen getrouwd en woonden ze niet meer in het grote huis in Richmond, zij bleef er alleen achter. Langzamerhand werden er meer en meer kamers niet meer gebruikt. Ze kwam bijna niet meer buiten en bracht het grootste deel van de tijd in haar luie stoel door die in een hoek van de zitkamer stond, las romantische boeken of luisterde naar de radio, terwijl achter de openslaande tuindeuren het gras vermoste en de rozenstruiken, die ze zoveel uren toegewijd gesnoeid, bemest en tegen bladluis besproeid had, helemaal verwilderd waren. Steeds vaker wilde ze alleen over het verleden praten. Haar jeugd, de oorlog, de verkering met Alfies opa. Steeds vaker dacht ze dat Alfie haar zoon was – Alfies vader. Een louche aannemer maakte haar wijs dat er dringend reparaties aan het huis gedaan moesten worden en rekende tweeduizend pond voor een paar uur werk. Gelukkig had ze met een cheque betaald, zodat Alfie die kon blokkeren voor die geïnd was, maar het kostte nog bijna duizend pond om de olie te verwijderen die de man over de perfect geasfalteerde oprijlaan had gesproeid. Ze had nooit veel huishoudelijk werk gedaan, maar nu lag er overal een dikke stoflaag, pannen en vuile borden lagen in vet, koud water in de gootsteen van de grote betegelde keuken te weken en de koelkast was een vergaarbak van verlepte groenten en de resultaten van een uit de hand gelopen paddenstoelencultuur. Alfie regelde dat een vrouw uit de buurt twee keer per week kwam schoonmaken en dat ze de was deed. Hij kocht een magnetron, want hij had nachtmerries over het gasfornuis. Ze had dan een van de pitten aangezet, maar was vergeten het gas aan te steken en was weggegaan... Alfie en Harry's drie zonen probeerden haar over te halen om naar een kleiner huis of een aanleunwoning te verhuizen, maar daar wilde ze niets van weten. 'Ik ben hier gelukkig,' zei ze. 'Ik heb hier alles wat ik nodig heb. Waarom moet ik hier weg van jullie?'

De crisis kwam toen Alfie door de politie werd gebeld. Oma was op haar slippers en in haar ochtendjas gaan wandelen en drie kilometer van haar huis opgepakt, zo verward dat ze niet eens kon vertellen wat voor jaar het was, laat staan waar ze woonde. Nadat de diagnose – alzheimer in een vroeg stadium – was gesteld, volgde er familieberaad. Alfie en Joe, Harry's oudste zoon, sloegen de handen ineen. Het grote huis in Richmond, dat Harry's zonen na de dood van oma zouden erven, werd verhuurd. Dit inkomen, met de rente van het aanzienlijke bedrag dat ze had weggezet na de verkoop van het huis in Cambridge, was meer dan voldoende om het verzorgingstehuis te betalen.

Het verzorgingstehuis was een juweeltje in zijn soort, een grillig gebouwd, enorm victoriaans huis, een stuk van de weg af, met een lange, kronkelende oprijlaan tussen citroenbomen, en een enorme aangelegde tuin. Iedere kamer had een eigen badkamer en suite. De keukens waren smetteloos schoon, de menu's gevarieerd en verrassend en er was een winkeltje waar de bewoners snoep, sigaretten, tijdschriften en kranten konden kopen. Er werden tripjes georganiseerd naar de kust en naar het theater. Iedere vrijdagavond was er stijldansen in de grote lounge. Er werden kunstcursussen gegeven, lessen in bloemschikken en plaatselijke geschiedenis. Het was net zo luxe als een viersterrenhotel, alleen werden er nooit kamers gereserveerd en keek niemand ernaar uit om er te wonen.

Alfies oma woonde met andere verwarde en slecht ter been zijnde bewoners in een lang bijgebouw aan de achterkant van het huis; de kamers lagen aan weerskanten van een gang met koperen leuningen tegen de muren en deuropeningen op rolstoelbreedte. In de goed verlichte receptie bevestigde de jonge, mollige dienstdoende verpleegster uit Antigua dat Elizabeth Flowers een goede dag had en Alfie vond haar in haar luie stoel bij het raam. Haar grijze haar, niet langer geverfd, viel los op haar schouders. Alfie had, zoals altijd, een doos gebakjes meegenomen en ze koos een abrikozenflap die ze afwezig opat, terwijl Alfie over zijn belevenissen van die week vertelde. Hij wist niet hoeveel ze ervan begreep. Tegenwoordig leefde ze volledig in het verleden, raakte verder en verder van het heden los. Herinneringen en wat ze geleerd had in haar lange leven vergat ze meer en meer naarmate haar ziekte verergerde.

Ze wist allang niet meer wie Alfie was, verwarde hem met zijn vader of zijn opa, maar deze keer keek ze naar de foto's en leek belangstellend te luisteren toen hij uitlegde wat voor effect Morphs werk op hem had. Soms, zoals nu, leek ze behoorlijk bij de tijd en soms, zoals vorige zondag, staarde ze zonder een woord te zeggen in een onbereikbare verte. Maar het allerergste was als ze doodsbenauwd Alfies hand omklemde en er tranen uit haar ooghoeken biggelden, als ze zich bewust leek van wat er met haar gebeurde, maar niet in staat was haar angst onder woorden te brengen en Alfie haar ongemakkelijk probeerde te kalmeren. Nu luisterde en knikte ze en zei toen hij stilviel: 'Ik snap niet waarom je me dit vertelt, Michael. Je weet dat ik er niets mee te maken heb.'

'Waar hebt u niets mee te maken, omi? Waar was Michael bij betrokken? Heeft het iets met dit soort afbeeldingen en patronen te maken?'

'Nou probeer je... je weet wel, als die mannen.'

Toen ze niet op het woord kon komen dat ze zocht, trok ze gefrustreerd haar neus op en even zag Alfie het meisje dat ze ooit geweest was.

'Mannen?'

'Met hun hoge hoeden en konijnen.'

'Tovenaars?'

Ze knikte.

'Ik wil je niet voor de gek houden, omi.'

'Ik zou het ook maar niet proberen,' zei ze met wat ouderwetse scherpte in haar stem.

'Ik zou niet durven. Echt niet. Had Maurice ook van dit soort foto's?'

Alfie had de paperassen van zijn opa doorzocht toen hij hielp het huis in Richmond te ontruimen. Hij had gehoopt souvenirs uit opa's tijd in Irak te vinden: dagboeken, foto's, archeologische vondsten. Hij had gehoopt het manuscript op te diepen van de dissertatie waar zijn opa na zijn pensionering aan gewerkt had, of een aantal van zijn minutieuze tekeningen van stenen en scherven, maar blijkbaar was alles meegenomen door die twee mannen die na de begrafenis waren langsgekomen. Het enige wat Alfie vond was een stapel brieven en ansichtkaarten uit de verkeringstijd van zijn grootouders, lieve niemendalletjes, uitgewisseld tussen geliefden die door de oorlog van elkaar gescheiden waren.

Zijn oma zei: 'Hou er toch mee op, Michael. Je hebt een zoontje waar je aan moet denken. Die heeft zijn vader nodig. Die moet weer helemaal beter worden.'

Alfie begreep dat ze een ruzie herbeleefde die ze twintig jaar geleden met zijn vader had gehad. Hij vroeg: 'Had het iets met deze patronen te maken? Kijkt u nog eens goed, omi. Alstublieft. Herkent u ze? Heeft opa, Maurice, u ook wel eens zoiets laten zien?'

Er gleed een listige blik over zijn oma's gezicht. Ze glimlachte, legde een vinger tegen haar lippen en zei: 'Daar trap ik niet in.'

Ze klonk meisjesachtig. Haar ogen stonden helder. Ze had vrijwel al haar eigen tanden nog – Alfies familie, van beide kanten, kwam niet vaak bij de tandarts. Ze had sterke botten en een goede gezondheid. Haar geest mocht dan minder worden, haar lichaam werkte meedogenloos door, vernieuwde zich blindelings.

Alfie vroeg: 'Hoezo trapt u daar niet in?'

'Op dat gebied heb ik je nooit bedrogen.'

Alfie wist nu niet meer of ze dacht met zijn vader of met zijn opa te praten. Hij zei: 'Dat weet ik. Maar toch moet ik weten of dit dezelfde patronen zijn.'

'Ik heb het ze niet verteld.'

'Wat verteld, omi? Wie verteld?'

'Ze wilden alles, maar ik moest iets zelf houden, Maurice,' legde zijn oma uit. 'Je schreef zo prachtig over je avonturen in Irak en over je werk, ik kon ze niet alles meegeven. Dat was toch niet echt verkeerd van me, toch?'

'Bedoelt u brieven? Brieven van Maurice?'

Het stapeltje brieven lag met twee fotoalbums en andere souvenirs in een doos op het tafeltje naast het bed van zijn oma. Iedere week kwam er een vrijwilligster langs die probeerde haar geheugen op te frissen door haar verhalen te laten vertellen over de mensen op de oude foto's. En soms deed Alfie hetzelfde. Nu pakte hij de brieven onder de albums vandaan, trok de strik los die hij er vier jaar geleden om had gedaan en hield ze pal onder de neus van zijn oma. Opengescheurde enveloppen met groene en rode postzegels met het profiel van een overleden koning. Gelinieerd blauw papier, gekreukeld, dun luchtpostpapier. Inkt die bruin was verkleurd. Woorden, zinsdelen, soms zelfs hele zinnen die met het zwarte potlood van de censuur onleesbaar waren gemaakt. Alfie liet ze aan zijn oma zien, maar zij staarde er blanco naar en schudde haar hoofd toen hij vroeg of dit alles was wat ze voor de mannen, die de spullen van haar man waren komen ophalen, had achtergehouden.

'Ik kon ze echt niet alles meegeven. Zeg dat je me vergeeft. Alsjeblieft, zeg dat je me vergeeft...'

Alfie zei dat hij haar vergaf, natuurlijk vergaf hij haar. Hij geneerde zich, voelde zich een ploert, omdat hij wist dat hij te veel van haar vroeg, maar voelde ook een sprankje opwinding. Ze gingen in de tuin wandelen. Zijn oma probeerde de naam van iedere bloem die ze tegenkwamen te noemen. Soms had ze het goed. Ten slotte, net toen hij het had opgegeven om haar duidelijk te maken dat hij de volgende week weer zou komen, zei ze ineens: 'Ik heb ze nooit verraden.'

'Wie hebt u nooit verraden, omi?'

'In al die jaren heb ik de nomaden nooit verraden.'

'Nomaden? Welke nomaden? Wie zijn die nomaden?'

'Nooit,' zei ze, en ze kuste Alfie op zijn lippen en duwde zich zo stevig tegen hem aan dat hij bang was dat hij haar botten zou breken toen hij zich probeerde te bevrijden.

De trein die Alfie weer naar Londen bracht was bevolkt met kinderen, wandelwagens en ouders die beladen waren met uitpuilende tassen en rugzakken vol kinderspullen. Hij hing lui in een hoek achter in een wagon en dronk een lauwe bananenmilkshake, terwijl de drie treinstellen over de brug over de Theems kropen, kreunend vaart maakten, trillend vonken spoten op trajecten hoog boven de rode daken en boomtoppen van Chiswick, door Acton, Kensal en Hampstead, langs muren beschilderd met tags en uitbundige explosies van drie- en vierkleurige throw-ups. Het interieur van de wagon stond ook vol tags en naïeve gevoelsuitingen van scholieren. MARCUS IS GEK. MAXIE=LORRAINE. Iemand die zichzelf Venger noemde, had werkelijk overal in dikke letters met rode inkt zijn naam geschreven. Ook het raam naast Alfie was besmeurd, in het glas waren namen gekrast. Uitingen van macht. Advertenties van geheime identiteiten in geheime codes.

Alfie hing in zijn hoekje, een grote, wat vormeloze man, een soort beer die door zijn moeder niet helemaal goed in model was gelikt, met zijn blonde verwarde haar, roodgeruite shirt en flodderige, zwarte, corduroybroek, zijn tas tegen zijn buik gedrukt, grote voeten in vetersandalen; de veters waren lang en zaten in een dubbele knoop, er stak donker haar tussendoor. Hij dacht na over wat zijn oma had gezegd. Hij had een halve fenobarbital en een hele valium ingenomen om zichzelf te kalmeren en zijn gedachten gingen langzaam en rustig van punt naar punt, van station naar station.

Hij was er zeker van dat ze iets bekends in de patronen om Morphs cartoons had gezien. Hij was er ook zeker van dat ze iets dergelijks al eerder had gezien en dat ze in het verlengde daarvan aan haar man, zijn artefacten en zijn onafgemaakte dissertatie had moeten denken. Hij was er zeker van dat hij gelijk had, dat het patroon rondom Morphs cartoons iets met het werk van zijn opa te maken had, met het blad papier dat verstopt zat in het geheime vakje van zijn secretaire. Hij was er vrij zeker van dat zijn oma papieren van zijn opa achter had gehouden en dat ze dat voor de twee mannen die zijn studeerkamer hadden uitgeruimd, geheim had gehouden. Misschien waren dat alleen de brieven die hij nu bij zich had, maar erg waarschijnlijk leek hem dat niet, want de paar zinnen die hij gelezen had die eerste keer, toen hij als amateurinbreker op familiegeheimen stuitte, bevatten niet veel meer dan het gebruikelijke minnetaaltje tussen twee geliefden: dat zijn opa zo genoten had van de Cowardrevue en daarna van de wandeling langs de rivier, de gelukkige herinneringen aan hun picknick op Hampstead Heath, dat hij graag weer in Londen, bij zijn 'ondeugende liefste', wilde zijn – het gewone leven viel tussen de regels van de rozegekleurde liefdesverklaringen door te lezen. Alfie wist dat hij ze deze keer allemaal helemaal zou moeten lezen en ook de rest van oma's spullen door zou moeten ploegen. Alles wat ooit in het huis in Richmond had gestaan, stond bij Joe op zolder, waarschijnlijk moest hij daar ook naartoe.

De documenten en paperassen die Alfie niet had kunnen weggooien nadat zijn oma naar het verzorgingstehuis was verhuisd, had hij in een plastic krat gepropt die ergens in de caravan stond die hij als doka gebruikte. Gas-, elektriciteits- en telefoonrekeningen; chequeboekjes en afschriften van rekeningen die allang opgeheven waren; rekeningen van reparatiewerkzaamheden aan het huis in Cambridge; een plakboek met uitgeknipte recepten uit kranten en tijdschriften; een doos ansichtkaarten; schoolmeisjesopstellen en drie Letts-dagboeken; aktes van de kledingwinkel die haar ouders hadden voor de Eerste Wereldoorlog; een plastic zak vol zwart-wit- en sepiakleurige foto's van mensen in grappige kleding en hoeden. Alfie was het grootste deel van de avond de brieven aan het lezen en bekeek daarna de rest. Spreidde alles uit op de vloer van zijn caravan en hing bijna dubbelgevouwen op een hoekje van de bank terwijl hij de papieren uitzocht die hij op de overlappende oosterse karpetten had gelegd, die hij van zijn oma had gekregen nadat het huis in Cambridge was verkocht. Nachtvlinders vlogen tegen het raam achter hem, zijn schaduw bewoog over het lage plafond van de caravan, de radio op de volgestouwde boekenplank mompelde in zichzelf en een kop frambozenthee stond vergeten en koud naast zijn blote voeten.

Een prettige droefheid beving Alfie toen hij de stapel documenten en rekeningen doorwerkte, aan zijn vingers kwam het kleverige stof dat bij oude papieren hoort. Er waren veel foto's. Mannen en vrouwen dromden gewillig samen voor de cameralens of poseerden alleen, stijfjes, theatraal of komisch, staarden hem vanuit een verdwenen verleden glimlachend of fronsend aan, een bevroren moment dat inmiddels alle betekenis had verloren. Veel mensen stonden er vaker op, in verschillende kleren, in verschillende seizoenen, zittend op een kiezelstrand, op hun fiets voor een graanveld of onder een prieel van bloeiende rozen. Alfie nam aan dat het vrienden en familie van zijn oma waren, maar herkende niemand. Er was een verjaardagskaart aan oma van iemand die Essie heette, die had ondertekend met 'je enige, beste vriendin, voor nu en altijd'. En de overlijdensakte van zijn opa in een envelop met de rekening van de begrafenisondernemer, een rekening van de bloemist en een rekening van de cateraar – Alfie herinnerde zich dat hij toen onder de tafel in de eetkamer was gekropen, verborgen achter het stijve, overhangende, witte tafellaken, waar hij saucijzenbroodjes at en naar de voorbijlopende benen van mensen keek die na de begrafenis mee naar huis waren gegaan. En de orde van de begrafenisdienst, waar een rekening van een kluisje bij ingesloten zat. Het duurde even voor Alfie zich realiseerde dat hij had gevonden waar hij naar zocht.

5

Harriets instructies brachten haar naar de rand van de *London A-Z*, naar Enfield, naar een pub in een rijtje winkels, dat gegeseld werd door het lawaai en de dieselwind van de A10, de drukke verkeersader. Haar metgezel, Jack Nicholl, had een ontmoeting geregeld met een agente van MI5, Susan Blackmore, en haar informant in de Koerdische gemeenschap. 'Ze doet heel beschermend over die jongen,' had Nicholl gezegd. 'Als ze ook maar íéts niet vertrouwt, blaast ze de afspraak af, en kan ik geen nieuwe voor je regelen. Dus wees een braaf meisje en doe gewoon wat ze vraagt.'

Dus liet Harriet zich op het damestoilet door Susan Blackmore fouilleren. De MI5-agente controleerde ook haar handtas en confisqueerde haar mobiel voor zolang als het gesprek zou duren.

'Als ik alleen al het idéé heb dat mijn man gevolgd wordt, blaas ik dit meteen af,' zei ze.

'Dat begrijp ik.'

'En ik blaas het ook meteen af als ik denk dat iemand ons afluistert, ons op video vastlegt, of foto's maakt.'

'Je hoeft niet...'

'En ik ben erbij als je met hem praat. Daar valt niet aan te tornen.'

'Natuurlijk.'

Harriet bestelde twee koppen koffie en liep achter Susan Blackmore aan naar een tafeltje buiten. De MI5-agente was achter in de twintig, slechts een jaar of twee ouder dan Harriet. Ze droeg haar lichtbruine haar strak naar achteren in een staart, weg uit haar bleke, schoongeboende gezicht en ze droeg haar straatuniform: spijkerjasje, trainingsbroek en sportschoenen. Het enige wat ze nog nodig had om in een winkelstraat of bij de sociale dienst niet op te vallen was een baby in zo'n stevige wandelbuggy met een tros plastic tasjes van Iceland of Costco eraan. Ze ademde diep in en zei tegen Harriet: 'Hij riskeert zijn leven al voor mij. Hij hoeft niet ook nog eens door de Vrienden van Legoland in moeilijkheden te komen.'

'De Vrienden' was MI5's spotnaam voor MI6; Legoland was hun naam voor Vauxhall Cross. Harriet was bekend met de rivaliteit tussen de twee grootste Britse geheime diensten – MI6 vond dat MI5-agenten omhooggevallen politieagenten waren; MI5 vond dat MI6-agenten middelbareschoolamateurs waren die voor eigen roem en glorie spelletjes speelden – en maakte, hoopte ze, de juiste kalmerende geluidjes, zei dat ze heel goed begreep dat haar een grote gunst werd verleend en beloofde dat ze de informant niet in een lastig parket zou brengen. 'Ik wil hem alleen maar een paar simpele vragen stellen over een jongeman die volgens mij in zijn gemeenschap woont.'

'Die graffitiartiest.'

'Als je vriend niets van of over hem weet, is het gesprek meteen afgelopen.'

'Is het toegestaan dat ik wat meer over die jongeman van jou hoor? Bijvoorbeeld waarom je hem zoekt en wat je gaat doen als je hem gevonden hebt?'

'Dat weet ik eigenlijk zelf nog niet.'

Susan Blackmore keek Harriet scherp aan. 'Jij hoort niet echt bij de Vrienden, hè?'

Harriet vroeg zich af wat Nicholl deze vrouw had verteld en zei behoedzaam: 'De zaak lijkt meerdere diensten aan te gaan.'

Susan Blackmore glimlachte voor het eerst. 'En wat hebben ze je precies over mijn mannetje verteld?'

'Ik weet dat hij Koerd is en uit Irak komt. Hij stond op een van de dodenlijsten van Mukhatarat, vluchtte naar Turkije, kwam daar in moeilijkheden, vluchtte hiernaartoe en vroeg asiel aan. De afgelopen vijf jaar woont hij hier als erkend politiek vluchteling.'

Dit had Nicholl haar telefonisch verteld. Hij had ook gezegd dat het op dat moment vrij druk was, maar dat ze misschien over een dag of twee wat af konden spreken...

Susan Blackmore vertelde: 'Hij is ook dichter. Een nationalistisch dichter met een grote aanhang in Irak. Weet je iets van de Koerden en de Koerdische politiek?'

'Een paar jaar geleden zat ik in een restaurant op Upper Street in Islington. Het was 1 mei en er kwam een parade voorbij. Er liepen wel een stuk of zes verschillende Koerdische communistische en socialistische partijen mee.'

'Klopt, daar zijn er een heleboel van, maar ze willen in principe allemaal hetzelfde. De Koerden vormen een etnische groep wier moederland in delen van Turkije, Syrië, Irak en Iran ligt. Al vanaf het eind van de Eerste Wereldoorlog streven ze naar een onafhankelijke Koerdische staat. Verschillende groepen in Irak organiseerden een oproer na de Eerste Golfoorlog en er woedt al zo'n twintig jaar een burgeroorlog tussen de Turkse regering en de grootste separatistische partij, de PKK,' vertelde Susan Blackmore, die het als Peh Ka Ka uitsprak. 'De Partia Karkaris Koerdistan, zeg maar de Koerdische Arbeiderspartij. Nadat hij in 1999 was gearresteerd, deed de PKK-leider een vredesvoorstel en tegelijkertijd kregen de Koerden meer rechten, deels omdat de Turken graag bij de EG willen. Maar het is een instabiele wapenstilstand en de bevrijding van Irak heeft alles gecompliceerder gemaakt. De Turken handhaven een oude claim op de olievelden in Noord-Irak; de Koerden denken dat ze eindelijk hun onafhankelijke staat krijgen en de gewapende vleugel van de PKK, de KGK, Kongra-Gel, het Volkscongres van Koerdistan, ziet een kans om meer invloed te krijgen. De KGK heeft de wapenstilstand eenzijdig opgezegd en is begonnen met terroristische activiteiten in Zuidoost-Turkije. Wij volgen het allemaal zeer geïnteresseerd omdat Kongra-Gel veel van zijn geld uit de heroïnehandel krijgt.'

'En hoe past jouw man in dit plaatje? Aan welke kant staat hij?'

'Onze Vrienden hebben je echt niet veel verteld, hè?'

'Misschien vonden ze dat jij dat maar moest doen.'

'Misschien wel. Nou, behalve dichter, is hij ook de zwager van de leider van een politieke beweging in Zuidoost-Turkije die ijvert voor een vreedzame vestiging van een onafhankelijk moederland. Hij werkt parttime in een boekenwinkel in Green Lanes, waar hij opving dat een groepje heethoofden zijn zwager wilde vermoorden en tot martelaar wilde maken, een boegbeeld voor Kongra-Gels smerige oorlog. Hij kwam naar ons, wij hielpen de Turkse regering af te rekenen met de moordenaars-in-spe en het afgelopen jaar heeft hij ons op micropolitiek niveau tips en roddels doorgespeeld over meerdere Koerdische partijtjes en clubjes in Londen. Hij is een zeer goede bron,' zei Susan Blackmore, terwijl ze Harriet ijzig aankeek, 'en ik wil hem maar wat graag te vriend houden.'

'Of hij weet iets over de man die ik zoek,' zei Harriet, 'óf hij weet het niet. De rest interesseert me niet.'

'Ik weet zeker dat hij wat weet. Of je er wat aan hebt, is een andere zaak.'

'Dat is mijn zorg,' vond Harriet. 'Daar hoef jij je niet druk om te maken, en als jij het goed vindt dat ik hem een paar vragen stel, waarom bel je hem dan niet?'

'Omdat het zo niet werkt: ik bel hem alleen als ik het niet helemaal vertrouw. Wees maar gerust, volgens mij ben je oké. Je maat is andere koek, maar dat is mijn zorg.'

'Waarom hebben we hier afgesproken? Was dat jouw of zijn idee?'

'Volgens mij is Enfield niemands idee. Het is gewoon een van die plekken die er zijn, een gegeven, zoals mijn keuken. Waarom we hier zitten? Mijn mannetje werkt meer uit liefde dan voor geld in die boekwinkel. Hij werkt overdag als vorkheftruckchauffeur bij een van die nieuwbouwprojecten hier in de buurt,' zei Susan Blackmore en ze keek ondertussen op haar horloge, 'hij kan hier binnen vijf, hooguit tien minuten zijn, als zijn lunchpauze is begonnen. Laten wij ondertussen van de omgeving genieten.'

Harriet haalde nog twee koppen koffie. Vijftien minuten later arriveerde Susan Blackmores informant in een gedeukte, blauwe Nissan met een koperen tissuedooshouder op de hoedenplank en een ketting luchtverfrissers met dennengeur aan de achteruitkijkspiegel. Hij was ouder dan Harriet gedacht had. Er liepen zilveren streepjes door zijn zwarte haar en hij had een haviksneus en lange baardstoppels waar een scheerapparaat amper door zou komen. Hij heette, hoorde ze toen Susan Blackmore haar voorstelde, Şivan Ergüner.

'We doen dit vlug,' zei Şivan Ergüner. 'Zodat niemand ons ziet.'

'Als je niet met ons gezien wil worden,' zei Susan Blackmore, 'had je ergens anders moeten afspreken. De Tower bijvoorbeeld, of, weet ik veel, de dierentuin of zo.'

'Ik ben al in de dierentuin geweest,' deelde Şivan Ergüner mee. Hij lachte charmant. 'En behalve van het pinguïnhuis, was ik niet onder de indruk. En in het pinguïnhuis heb ik geen pinguïn gezien.'

'Je ziet er vermoeid uit,' vond Susan Blackmore.

'Maak je niet bezorgd, dat komt niet door mijn werk voor jou. Ik heb gisteren een dubbele dienst gedraaid. Nog een reden waarom ik dit kort wil houden.' Şivan Ergüner wendde zich glimlachend tot Harriet. 'Zo, dus jij wilt alles weten over die graffitiartiest die zichzelf Morph noemt. Mag ik weten waarom?'

'Hij ergert anderen. Weet je zijn echte naam?'

'Ik weet veel meer,' meldde Şivan Ergüner. Hij bietste een sigaret bij Susan Blackmore en hield haar pols vast toen hij naar het vlammetje van haar aansteker boog, maar keek met zijn gevoelige donkere ogen naar Harriet. Daar zaten hazelnootbruine en gouden vlekjes in en hij had wimpers waar ze een moord voor zou doen. 'Ik ontdekte dat ik die jongen ken. Hij kwam vroeger wel in de boekwinkel.'

Harriet, die heel goed wist dat informanten regelmatig hun opdrachtgevers naar de mond praatten in plaats van de waarheid te vertellen, vroeg: 'Weet je dat zeker? Kun je dat bewijzen?'

'Jij zou foto's van zijn werk bij je hebben. Kan ik die zien?'

Harriet haalde de envelop uit haar rugzak en liet Şivan Ergüner één foto van het werk van Morph zien. De man bestudeerde die en zei: 'Ja, ja, dit is van hem.'

Harriet vroeg: 'Hoe heet hij? Waar woont hij?'

'Ik ken hem niet als Morph, maar als Musa. Musa Karsu is zijn echte naam,' vertelde Şivan Ergüner glimlachend aan Harriet en Susan; hij genoot van hun aandacht. 'Hij heeft een poster voor de Turkse Communistische Arbeiderspartij gemaakt. Susan kent ze wel.'

'Die zijn volkomen ongevaarlijk,' zei Susan Blackmore.

Harriet vroeg Şivan Ergüner of Morph – Musa Karsu – nog steeds voor de Turkse Communistische Arbeiderspartij werkte. Ze vroeg of hij wist waar Karsu woonde en hoe hij eruitzag.

'Hij is zes-, misschien zeventien jaar, geen jongen meer, maar ook nog geen man. Ik zou zeggen dat hij er onopvallend uitziet, zwart haar, bruine ogen. Niets speciaals. Niet echt lang, misschien wat te zwaar. Ik denk dat hij ongeveer zo lang is als jij, Harriet. Zijn familie komt uit Iraaks Koerdistan, de zogenoemde veilige haven in het noorden van het land. Ergens in de bergen, ik weet niet precies waar. Weet je dat zijn vader en hij eenzelfde soort verleden als ik hebben? Afgelopen jaar zijn ze uit Irak gevlucht naar Diyarbakir, een stad in Zuidoost-Turkije waar veel Koerden wonen, trouwens ook andere vluchtelingen uit Irak.'

'Ze waren veehoeders,' zei Harriet. 'Ooit.'

'Ah, dat weet je. Maar kort nadat ze in Diyarbakir waren aangekomen werd Musa's vader door de Turkse politie gearresteerd. Die dacht dat hij iets met de Kongra-Gel te maken had. Ken je de Kongra-Gel?'

'Ik ben summier op de hoogte gebracht.'

'Het zijn criminelen, die weinig aanhang onder de bevolking hebben. Geld krijgen ze uit drugsmokkel en wapenhandel en de politie dacht dat Musa's vader daar ook bij betrokken was. Dat was niet zo, maar ze hebben hem behoorlijk gemarteld voor ze daarachter waren. Nadat ze hem hadden vrijgelaten, zo'n zes maanden geleden, is hij als politiek vluchteling hiernaartoe gekomen, met Musa.'

'Waar kan ik hem vinden?' vroeg Harriet.

Şivan Ergüner haalde zijn schouders op. 'Waar zitten die arme, ontheemde jongens?'

'Een adres zou een goed begin zijn.'

Şivan Ergüner haalde weer zijn schouders op. Het gebaar was overduidelijk. 'Wat wil je horen? Hij kwam hier illegaal met zijn vader en probeert politiek asiel te krijgen. Maar er is een probleem: zijn vader is overleden. Hartaanval. En Musa is nog minderjarig, hij is bang voor jullie autoriteiten. Hij is bang dat hij naar Turkije wordt teruggestuurd, of dat hij naar een van jullie geweldige opvangcentra moet terwijl ze uitzoeken wat ze met hem zullen gaan doen. Dus houdt hij zich gedeisd.'

'Heeft Morph – Musa – nog meer familie?'

'Hier? Ik zou het niet weten. Ik denk van niet. Hij kwam met zijn vader en zijn vader stierf. Volgens mij nog niet zo lang geleden. Een, twee maanden, niet langer. Soms kwam hij naar de boekwinkel. Ik kan me nog herinneren dat hij altijd aan het tekenen was. Bezeten. Hij tekende op alles. Hij tekende altijd. Meestal ge-zichten en patronen zoals deze,' zei Ergüner terwijl hij op de foto tikte. 'Hij krabbelde zelfs op de kranten die we in de winkel ver-kopen. Je moest het potlood uit zijn vingers trekken als je wilde dat hij ophield. Maar waarom zoek je hem? Ben je boos vanwe-ge die cartoons tegen de Amerikanen?'

'Ik wil hem vinden voor anderen hem vinden,' zei Harriet. 'Men-sen die hem kwaad zouden kunnen willen doen.'

'Wat voor mensen? Amerikanen?'

'Eerlijk gezegd: ja.'

'Vind ik niet zo voor de hand liggen,' zei Ergüner en hij stak een hand omhoog, met zijn middelvinger gekruist over de wijs-vinger. 'Jullie Britten en Amerikanen zijn zó close. Niet dat het mij wat kan schelen, want jullie hebben Saddam verjaagd en ik kan binnenkort naar huis. Ja, Susan, ik ga je binnenkort verlaten. Ver-velend, hè?'

'Hij houdt van plagen,' zei Susan tegen Harriet. 'Negeer het maar. Hij doet het voor het effect.'

Ergüner deed alsof hij een pijl uit zijn borst trok en knipoogde naar Harriet.

'Als je me niet kunt vertellen waar Musa woont,' zei Harriet, 'kun je me dan wel vertellen waar het kantoor van de Turkse Com-munistische Arbeiderspartij zit?'

Hij moest lachen. 'De Turkse Communistische Arbeiderspartij – wat een lange naam! – bestaat uit vijf of zes jongens die in pubs of bij hun voetbalclub afspreken. Ze maken ruzie met elkaar, schrijven brieven naar kranten, hangen posters op en verscheuren posters van hun rivalen.'

Harriet keek Susan aan en vroeg: 'Kan ik hun namen krijgen?'

'Daar hebben we het straks wel over.'

Wat betekende, wist Harriet: ik ga je die absoluut niet geven, want dat zou mijn eigen operatie in gevaar brengen.

'Er is nog iets,' zei Ergüner. 'Ik heb gehoord dat Musa veel met een dj van een piratenzender optrekt. Die dj wil hem beroemd ma-ken.'

'En je hebt wel een naam van die dj?'

'Tuurlijk. Hij noemt zich in de uitzendingen Shareef, maar zijn echte naam is Benjamin Barrett.'

'En waar woont deze Benjamin Barrett?'

'Die piratenzender heet Mister Fantastic FM. Meer weet ik niet.' Şivan Ergüner keek op zijn horloge, een nep-Rolex, en glimlachte. 'Ik heb een leuk gesprek met jullie gehad, dames, maar moet nu weer aan het werk.'

Nadat de man in zijn verroeste Nissan was gestapt en was weggereden, keken Harriet en Susan elkaar aan en barstten in lachen uit. Harriet vroeg: 'Is hij altijd zo?'

'Als je James Bond in de Argoscatalogus opzoekt, staat daar waarschijnlijk Şivans foto bij. Hij had geen politieke redenen om Turkije te verlaten; hij had een affaire met de vrouw van een van zijn zwagers – de man die die heethoofden wilden vermoorden. Ik weet bijna zeker dat hij met de dochter van de eigenaar van de boekwinkel naar bed gaat, maar zijn informatie is meestal prima, echt goed. Hij vindt roddelen heerlijk en hij vindt het heerlijk om het me allemaal te vertellen. Ik zal hem missen,' zei ze, 'als hij echt naar zijn moederland teruggaat. Toch hoop ik dat hij gaat, want als hij blijft, bestaat de kans dat hij iemand in de armen loopt die voor de heroïnebendes werkt.'

'Als blijkt dat ik wat aan de informatie heb,' zei Harriet en ze gaf de MI5-agente haar kaartje, 'dan heb je wat van me te goed.'

'Als je hulp nodig hebt,' zei Susan, 'bel me dan. MI6 doet wel alsof ze alles in die opvangcentra onder controle heeft, maar als je achter je man aan gaat, heb je veel meer aan ons.'

Met haar liefste glimlach informeerde Harriet: 'Probeer je me nu in te lijven?'

'Het aanbod ligt er. Voor als je er ooit op in wilt gaan. Ik vond het een leuke ontmoeting, Harriet. En ik hoop echt dat je wie en wat je zoekt, vindt.'

6

Het Holborn Safe Deposit Centre zetelde in de kelders van een bank die aan de zuidkant van Hatton Garden had gestaan tot een vijfhonderdpondsbom het gebouw tijdens het hoogtepunt van de Blitzoorlog geraakt had. De kelder, die anderhalve meter diep in de Londense aarde lag, overleefde de explosie en vanaf 1951 was deze van het kluizenbedrijf. Veel juweliers op Hatton Garden borgen er iedere avond hun handel in op, en de honderden gewonere klanten, die er hun schatten, belangrijke papieren en familieherinneringen bewaarden, wisten dat alles volledig verzekerd was bij de Lloyd's en dat de ruimte zelf beschermd werd door een ondoordringbare kooi van gewapend beton en staal, en van de modernste veiligheidsapparatuur voorzien was.

Alfie had dit allemaal gelezen in een folder die op de tafel in de wachtruimte van het kluizenbedrijf lag. Hij wachtte op de manager die nu Joe Walker en zijn juridisch adviseur aan het bellen was om bevestigd te krijgen dat Alfie de gevolmachtigde van zijn oma's bezittingen was. Vijftien minuten gingen voorbij, twintig. De kleine wachtkamer – witgeverfde betontegels, een vaalgroen tapijt, een gammele tafel en twee plastic stoelen – zag er net zo troosteloos uit als een politiecel. Alfie, die inmiddels verwachtte dat hij eruit gegooid zou worden, stond schuldbewust op toen de manager eindelijk terugkwam. Maar de lange, serieuze man, in een streepjespak met clubdas, verontschuldigde zich voor de vertraging, zei dat alles in orde was en nam Alfie mee naar een balie waar een jonge vrouw zijn paspoort controleerde, hem liet tekenen in een in leer gebonden register en hem vertelde dat meneer Kelly in de kelder op hem wachtte.

Alfie had de sleutel van zijn oma's kluisje niet kunnen vinden, maar dat bleek geen probleem. Als hij een klein bedrag betaalde, werd het slot eruit geboord. De jonge vrouw haalde Alfies creditcard door het apparaatje naast de telefoon en gaf hem een bonnetje. De manager begeleidde hem door een stalen deur, die veel weg had van de deur van een atoomschuilkelder, naar een teleurstellend kleine, goed verlichte ruimte met langs drie muren stalen kluisjes: een overzichtelijke, metallicgrijze puzzel van kleine en grote vierkanten en rechthoeken. Meneer Kelly, een kwieke oudere man met geelwit, platgeplakt haar, zette zijn met batterijen aangedreven boor op het slot en maakte vervolgens plaats voor Alfie.

De stalen ruimte achter het deurtje was ongeveer twee keer zo groot als een schoenendoos. Er lagen twee gelige mappen onder vier stapels kleine, in rode en blauwe stof gebonden dagboeken. Op iedere rug stond in Oost-Indische inkt met de hand het jaartal geschreven, ze waren per tien jaar met elastiekjes samengebonden, maar die elastiekjes waren van ouderdom allang vergaan.

Alfie ging niet in op het aanbod van de manager om in een kamertje alles te bekijken, maar zei dat hij alles mee wilde nemen. De manager pakte een Marks-en-Spencertas voor zijn schat en zei, terwijl ze op de lift wachtten die hen naar de wereld boven hun hoofden terug zou brengen: 'U begrijpt hopelijk dat, omdat we het slot hebben moeten forceren, de rest van de huurperiode vervalt. Gelukkig staan er nog maar een paar maanden open van het vijfentwintigjarige contract.'

'Wat zou er gebeurd zijn als ik niet achter het bestaan van de kluis was gekomen?'

'We proberen altijd contact op te nemen met de huurder als het eind van de huurperiode nadert. Als dat niet lukt, maken we de kluis open, veilen de waardevolle spullen en betalen daar onze kosten van.'

'Dus het is maar goed dat ik dat contract gevonden heb. Over een paar maanden zouden jullie de kluis open hebben gemaakt...'

En een stapel waardeloze paperassen hebben gevonden, die ze waarschijnlijk weggegooid zouden hebben.

'Als we een kluis moeten openbreken, meneer, proberen we eerst altijd contact te leggen met onze klant. U kunt me altijd bellen als u een nieuw contract wil,' zei de manager en hij wenste hem verder nog een prettige dag.

Alfie nam een taxi naar Islington. Hij voelde zich een spion die geheimen de grens over smokkelde en weerstond de verleiding om, al voordat hij in de caravan was en de gordijnen had dichtgetrokken, de dagboeken door te bladeren of de mappen te openen.

De dagboeken waren in een keurig handschrift geschreven, Alfie herkende het onmiddellijk, het was dat van zijn opa. Het begon op de dag dat Chamberlain Duitsland de oorlog verklaarde en eindigde eenenveertig jaar later, op 23 december 1980, vlak voor Maurice Flowers zijn fatale beroerte kreeg. De twee mappen zagen er veelbelovend uit, in beide zaten gebundelde gekopieerde papieren van persoonlijke aantekeningen die hij gemaakt had toen hij de leiding had over twee archeologische opgravingen in Noord-Irak, eind jaren dertig.

Alfie nam een halve valium om zijn zenuwen te kalmeren en bladerde door de inhoud van de eerste map over een opgraving in augustus of september 1936, zo'n negentig kilometer ten westen van Mosul, en over het oude Ninevé, waar de kerk en andere gebouwen van een christengemeenschap uit de vijfde eeuw werden blootgelegd. Er was een logboek over de dagelijkse voortgang van de opgraving, geannoteerd met beknopt commentaar over de moordende hitte en zandstormen. Een aantekening meldde laconiek dat een groep bandieten verjaagd was door 'aanhoudend schieten, zeker een kwartier lang, waardoor we bijna door onze munitie heen zijn'. Tot in detail werd de betaling aan arbeiders en water- en voedselhandelaren beschreven. Er zat een zorgvuldig getekende plattegrond van de opgraving bij, en inkttekeningen van vondsten.

En daar, tussen schetsen van gespen, broches en spelden, allerlei soorten mesjes en een crucifix, zat een petieterig nauwkeurige weergave van strepen en stippen tussen golvende lijnen: sommige gebruikte Morph rondom zijn cartoons.

Alfie voelde een knoop in zijn maag. Hij voelde een tinteling in zijn achterhoofd.

Volgens een korte noot onder aan de tekening was het een deel van een groter geheel, een zogenaamde glyph, die in de bovenkant van 'een anomale steen, ik denk veel ouder dan de materie waar het in zit' gekrast was. In de dagboeken werd deze steen niet genoemd, maar tussen de gefotokopieerde pagina's zaten een paar verkleurde foto's. Een jongeman op een kameel – de jonge opa van Alfie met puttees, een wijde korte broek en een tropenhelm. Een groep mannen in boernoes, die met een primitieve lift een steen uit een put hesen. Een overzichtsfoto van een opgraving, waarop mannen met houwelen en schoppen op verschillende plaatsen aan het werk waren. Een oude man met een verweerd gezicht, een lange, verwilderde baard en een waardige gelaatsuitdrukking, met een groot kleitablet voor zijn borst. Vier Europeanen met tropenhelmen die stijf naast een grote steen poseerden die op zijn kant in een greppel lag, aan één kant onregelmatig afgerond en met een lange, diagonale barst erin. Alfies opa was een kop groter dan de andere drie, die niet veel ouder dan tieners leken.

Op de achterkant van deze foto stond in een puntig schrift, niet van zijn opa, *Maurice, Clarence, Julius en David – Vier Nomaden en een bijzondere Steen.*

Alfie herinnerde zich wat zijn oma hem gisteren verteld had – dat ze de nomaden nooit had verraden. Hij herinnerde zich ook dat meneer Prentiss David heette. Hij staarde lang naar de foto, maar herkende in geen van de drie jongemannen naast zijn opa de jonge David Prentiss. Ook zag hij geen lijnen of tekens op de steen. Omdat er geen schaduwen op stonden, dacht hij dat de wat overbelichte foto 's middags gemaakt moest zijn.

De tweede opgraving vond twee jaar later plaats in een klein dal in het Zagrosgebergte in Noord-Irak. Er was weer een gedetailleerde plattegrond met de exacte locatie, een indeling van de tweede kerk, identiek aan de kerk die bij de eerste opgraving was blootgelegd, en ongeveer even oud. Deze keer meldde het dagboek ongewone regenval en mist en wolven die de lastpony's aanvielen. Er waren meerdere schetsen van delen van een glyph die gevonden waren op iets wat 'de zuil van Anselmus' genoemd werd, ontzettend verweerd, maar bijna identiek aan de inkervingen van de anomale steen bij de eerste opgraving. De expeditie had ook een verrassing opgeleverd: onder de kerk lag een stelsel van ondergrondse gewelven met schilderingen en snijwerk 'van aanzienlijke ouderdom' op de muren. Maurice Flowers had er een paar minutieus nagetekend, en tussen zijn weergaves van antilopen en steenbokken zaten 'voorbeelden van basisvormen van grote, abstracte patronen': strepen, roostervormen en stippenregens, zigzaggende en getande regenbogen en kromme lijnen, net een kindertekening van een zwerm zeemeeuwen.

Alfie vroeg zich ineens af of het stuk papier dat hij in zijn opa's bureau had gevonden misschien een kopie van een van die abstracte patronen was.

Hij bestudeerde nauwkeurig de gedetailleerde plattegrond van de drie ondergrondse gewelven, las een verslag van een mislukte poging om rotsblokken te verwijderen die een mogelijke doorgang naar andere gewelven blokkeerden en ontdekte dat er pagina's ontbraken in het logboekverslag. Ook hier foto's. Een korrelig zicht op met sneeuw bedekte bergen; een hobbelig weiland met op de achtergrond een steile rotswand; hetzelfde weiland, nu zonder beplanting maar met keurig gegraven kuilen; vier slordig opgestapelde, verweerde brokken steen. En, in een gewelf dat door schuin invallend licht verlicht werd, Alfies opa naast een langwerpige steen met een ronde top. De inkervingen op de bovenkant waren nog nét zichtbaar. Alfie kon geen details onderscheiden, ook niet onder wolframlicht en met een loep, maar hij durfde er zijn hele lap grond onder te verwedden dat de inkervingen een ingewikkeld patroon vormden, samengesteld uit dezelfde elementen als de grotschilderingen, als het snijwerk op de anomale steen, als op de zuil van Anselmus en als in Morphs graffiti en op de steenscherf die zijn vader aan Miriam Luttwak had gegeven.

Alfies blote voeten spanden en ontspanden zich ritmisch om de kwastjes aan de rand van een van de oosterse tapijten, terwijl hij diep nadacht. Zware, zwarte gordijnen bedekten de ramen achter hem. Naast zijn elleboog brandde een lamp; een geel-rode zijden doek (achtergelaten door zijn laatste vriendin) die eroverheen hing, dimde het licht.

Maurice Flowers had op twee plekken in Irak ingewikkelde patronen ontdekt, die hij glyphs noemde, op stenen en in grotschilderingen. Alfie wist niet veel van grotschilderingen, maar nam aan dat de schilderingen zeer oud moesten zijn – veel ouder dan de kerk die erop gestaan had –, tienduizenden jaren oud. Jaren later had blootstelling aan een vergelijkbaar patroon, een glyph, zijn

75

hersenen aangetast. Het had hem een vorm van epilepsie bezorgd en hem ontvankelijk gemaakt voor de glyphs die Morph gebruikte. Diens cartoons waren anti-Amerikaans, wat suggereerde, maar niet bewees, dat Morph uit Irak kwam. De drug die zijn opa rookte en die meneer Prentiss had voorgeschreven als onderdeel van Alfies behandeling na zijn verschrikkelijke aanval in de studeerkamer van zijn opa, kwam zeker uit Irak. Van een plant die haka heette en die ergens ten noorden van Bagdad groeide.

De haka werd nergens genoemd in de gefotokopieerde pagina's van Maurice Flowers' logboek dat hij tijdens de tweede opgraving had bijgehouden en er stond ook niets in over dat hij dacht dat glyphs meer dan historische betekenis hadden. Dat besef moest later zijn gekomen. Maar hoe had hij beseft dat de haka en de glyphs wat met elkaar te maken hadden? Misschien had iemand anders dat verband gelegd, bedacht Alfie – een van de 'Vier Nomads', bijvoorbeeld. Een van hen was bijna zeker David Prentiss, maar wie waren de andere twee? Leefden ze nog? Ze moesten nu dik in de tachtig zijn, maar het kon...

Hij bladerde door het derde deel van zijn opa's dagboeken, tevergeefs op zoek naar Nomads, toen zijn mobiel rinkelde. Toby Brown.

'Ik hoop dat je thuis bent, Flowers, want ik sta voor het hek.'

'Jezus – het feestje.'

Alfie was de party van *The Elemental* totaal vergeten, waar Morph beloofd had te verschijnen.

'Ik ben met de taxi, dus schiet een beetje op.'

'Geef me vijf minuten.'

Nadat er voor de derde keer in Alfies caravan was ingebroken, had hij samen met zijn huurder George Johnson een veilige plek voor zijn schatten gemaakt. Ooit was er een geul over de hele lengte van de garage gemaakt. Alfie en George hadden in een uiteinde een oude kluis met de deur naar boven gelegd, ze lasten er aan weerskanten stalen buizen tegenaan en vulden de geul op met drie ton beton. Een verborgen luik in de vloer van de garage tussen de twee caravans gaf toegang tot de kluisdeur. Alfie gebruikte een koevoet om het op te tillen, draaide het slot open, trok de deur omhoog en propte de mappen en dagboeken in het Marks & Spencertasje erin. Niet zo veilig als bij Holborn Safe Deposit

Centre, ook niet verzekerd bij de Lloyd's, maar wel het op een na beste.

In de taxi vroeg Toby Brown of Elliot nog wat van de video van Morphs gezicht had weten te maken. Alfie vertelde dat hij de band pas die ochtend aan Elliot had gegeven. 'Tja, want hoe moeten we onze jongen anders herkennen?' vroeg Toby zich af.

'Jij vertelde dat Adrian Welch een stel graffitiartiesten ingehuurd heeft om iets te laten zien. Als Morph daar ook is, weten we zodra hij aan het werk gaat wie hij is.'

Alfie had voorlopig besloten om Toby niets over zijn opa's log- en dagboeken te vertellen. Dat waren familiezaken, een soort parallel onderzoek dat helemaal los stond van de zoektocht naar Morph. Hij vertelde wel wat zijn agente, Lucinda Edelman, over Robbie Ruane verteld had.

'Laat ik maar met de deur in huis vallen: hij is tuig,' had Lucinda gezegd toen ze hem die ochtend gebeld had. Haar diepe, hese stem klonk als een twintigjarige sirene uit een oude *film noir*, maar in werkelijkheid was ze een akelig slanke vrouw van ergens in de zestig, met kastanjebruin, jongensachtig kortgeknipt haar, een bleek gepoederd gezicht en bloedrode lippen. Ze droeg vaak kleurige kleding, nu een zuurstokroze Chanel, sjaaltjes van Liberty, schoenen van luipaardvel en massa's gouden juwelen. Ze woonde in de buurt van haar kantoor op King's Road in een hofje in Chelsea met haar partner, een dertigjarige vrouw, die Russische kruidnagelsigaretten in een pijpje rookte en de meeste mannen onder de tafel dronk – ze maakte haar beste deals door onervaren foto- en reclamejongens eruit te drinken. In de jaren zestig had ze minstens de helft van de modefotografen in Londen vertegenwoordigd en hoewel haar meeste cliënten inmiddels overleden waren, hield ze hun nalatenschap nog in de gaten en zorgde ze voor hun nabestaanden, zoals Alfie, zonder de indruk te wekken dat ze hun een gunst verleende.

Ze vertelde dat Robbie Ruane een handelaar was die een paar belangrijke ontdekkingen op zijn naam had staan, maar ook de naam had dat hij naïeve, jonge talenten het vel over de oren haalde met wurgcontracten en afspraken. 'Op dit moment wordt hij door twee van zijn cliënten aangeklaagd. En door zijn verzekeraars. Blijkbaar heeft hij een schilderij verkocht dat zogenaamd verloren was gegaan in een overstroming. En hij heeft ook de gewoonte om zijn cliënten wijs te maken dat hij hun werk veel goedkoper heeft moeten verkopen dan hij in werkelijkheid heeft gedaan.'

'Dus hij is een oplichter.'

'Het grappige is dat hij dat helemaal niet nodig heeft. Hij heeft geld zat. Hij kocht – en verkocht – massa's vroege werken van de Brit Art-groep – hij schijnt nog steeds een prachtige Damien Hirst-vitrine te hebben. Als hij een oplichter is, is het niet uit geldnood. Het zit gewoon in zijn bloed.'

'Het lijkt wel of je hem bewondert, Lucinda.'

'Zonder een paar zwarte schapen in ons vak wordt het allemaal zo saai, lieverd. Akelig saai. En trouwens, zo blijft iedereen wakker. Maar, lieverd, blijf jij maar bij hem uit de buurt. Zoek geen contact met hem.'

Nadat Alfie dit allemaal verteld had, zei Toby: 'Mooi. Nou hebben we een ingangetje!'

'Hoezo?'

'Nou, we vinden Morph en die waarschuwen we dan voor Robbie Ruane. En we vragen hem natuurlijk om een exclusief interview dat in een van de zondagsbladen zal komen.'

'Hoewel we niets geregeld hebben.'

Toby haalde zijn schouders op. Hij hing onderuitgezakt op de achterbank, rookte een sigaret en blies de rook door het open raam naar buiten, een compromis met de niet rokende chauffeur. 'We kunnen altijd nog zeggen dat het moest wijken voor iets belangrijkers. Dat gebeurt constant. Het belangrijkste is dat we die knul aan het praten krijgen. O, trouwens, zorg dat je geen ruzie met Adrian Welch krijgt.'

'Waarom zou ik ruzie willen maken met Adrian Welch?'

'Omdat je nog geld van hem krijgt. Omdat je het idiote idee hebt dat de wereld een rechtvaardige wereld is en dat er voor alle zonden verantwoording moet worden afgelegd. Hou je kop erbij. Dit is veel belangrijker dan een paar honderd pond.'

De party was in hartje Hackney. In sommige straten van deze verloederde buurt had de middenklasse zich verschanst: ijverig repareerden ze hun victoriaanse huizen, geduldig verwijderden ze dagelijks het afval uit hun voortuintjes, enthousiast zetten ze een burgerwacht op en dienden ze verzoekschriften bij de gemeente in. Maar dit was een ander soort straat. Dit was een gedeelte van Londens Wild East, een troosteloze doodlopende straat met gesloten snoepwinkeltjes en pakhuizen, wachtend op de sloop of opdeling in trendy woon-werkeenheden. Het was acht uur 's avonds, de lucht was bewolkt, het schemerde net genoeg om de lantaarnpalen te activeren. Drie uitgebrande auto's stonden op hun velgen keurig achter elkaar. Er stond een supermarktkarretje boven op een berg puin. Twee verlopen figuren met doodsbleke gezichten stonden in de schaduw van een smalle steeg. Een van hen kauwde automatisch kauwgom en terwijl zijn kaken werkten, liep er donker vocht uit een mondhoek.

Muziek dreunde aan het eind van de doodlopende straat de koude, zanderige lucht in. Daar straalden schijnwerpers als een rij babyzonnen boven de stenen muur van een een-verdieping hoog fabrieksgebouw. In tegenstelling tot naburige panden waren de ramen hier niet dichtgespijkerd. Het was gekocht door een groep jonge architecten, stadspioniertypes, die een verbazend goedkoop, maar volledig uitgewoond pand in een onaantrekkelijke arbeiderswijk van voor de Industriële Revolutie verbouwd hadden tot een moderne wooneenheid. De beste reclame voor hun praktijk! Ze verhuurden de tuin en benedenverdieping aan productiemaatschappijen die het gebruikten als locatie voor politieseries en films over Mockney-gangsters die door arme afgestudeerden van de Royal Academie gespeeld werden. Vanavond werd er de party van *The Elemental* gehouden.

Toen hij uit de taxi stapte, herkende Alfie de muziek die uit het pand kwam, het was een bewerking van het oude reggaenummer van de Viceroys uit *The Elemental* waarin een hoopvolle vergelijking gemaakt wordt tussen de onderdrukte rastafari's en de drie profeten die Nebukadnezars vlammende brandoffer overleefd hadden. Schrijver/producer Adrian Welch had het aan het begin van iedere dag, voor de filmopnames begonnen, gedraaid om 'alle hoofden dezelfde kant op te krijgen'. *The Elemental* ging over een vuursalamander die door een stel tieners met een Ouijabord was opgeroepen, of door een tekst uit een oud boek hardop voor te lezen – dat wist Alfie niet meer precies. Het was zo'n film die uit ideeën van andere films was samengesteld. Alfie was er niet tot het eind van de opnames bij betrokken geweest, maar meende zich nog te herinneren dat de tieners stuk voor stuk een verschrikkelijke dood stierven door het vuur, tot de twee overlevenden de tegenspreuk vonden of ontdekten dat de salamander met natrium opgeblazen kon worden. Zoiets in ieder geval.

Een dj was druk met het nummer bezig. Een solo van de basgitaar speelde hij voor- en achterwaarts af en hij liet tegelijkertijd het koor, met een galmende echo, een klagend gejammer uitstoten. Het klonk als weerwolvengehuil...

Terwijl Toby de chauffeur betaalde en een sigaret opstak kwam er een zwarte taxi aanrijden en toen die met piepende remmen tot stilstand was gekomen, maakte de motor een bekend tikkend geluid, als een overspannen klok. Een jonge vrouw met weinig meer aan dan een wit T-shirt en een gouden ketting om werkte zich naar buiten en beende heupwiegend het hek door. 'Dank U, God, voor de showbusiness,' zei Toby met een wellustige blik toen ze achter haar aan liepen.

Aan het eind van de verlichte tuin hing de dj, een donkere jongen met een grote koptelefoon op, over zijn apparatuur en maakte hij zijn verkrachting van het reggaelied af. *Shadrach was a dreadlick, Meshach was a dredalock, also Abednego.* Even waren de hoge, melodieuze stemmen van de Viceroys luid en duidelijk te horen, tot ze verdronken in een moeras van uithalen en gegalm dat de lucht boven de feestvierders deed sidderen. Het gebruikelijke publiek bestaande uit mediamensen – acteurs, vrienden van acteurs, jonge schrijvers en cineasten, freaks die serieus geloofden dat het verkeerd was om beroemde, of rijke, of beroemde én rijke, ouders te hebben, en vogels van diverse pluimage die meestal minstens twee zwarte kledingstukken aanhadden – was aanwezig en dit alles werd opgevrolijkt door prachtige jongelui in chic Goa, goedkope tweedehands kleren en dure zonnebrillen. Een groep hangjongeren van de planeet Gothic hing in een hoek, onder hen waren een paar beeldschone meisjes, zo lang en graatmager als supermodellen, met paars haar, paarse oogschaduw en paarse lippen, met netkousen aan en een brede spijkerriem als rokje. Nerds droegen T-shirts met *I Survived The Elemental* in grote letters op hun borst. De hoofdrolspeelster, gekleed in een wijnkleurige ballonvormige jurk en met helrode lippenstift op, was met een ouder stel in gesprek. Een heer met grijs haar in een blazer en een mollige vrouw in een bloemetjesjurk en met een hoed op zo groot als een wagenwiel. Dat moesten de ouders van Adrian Welch zijn, die het geld hadden voorgeschoten voor de vijfentwintig minuten durende demo die uiteindelijk de filmtoelage van de Nationale Loterij had toegekend gekregen.

In zijn sjofele zwartleren jasje, witte shirt en zwarte broek, die hij die ochtend had aangetrokken voor zijn bezoek aan het Holborn Safe Deposit Centre, paste Alfie meer dan goed in dit gezelschap. Trouwens, Toby ook, in zijn dagelijkse uniform van gekreukt zwart en sigarettenas. De laatste graaide een fles Corona uit een van de olievaten vol fijngestampt ijs, zag dat Alfie Adrian Welch ontdekt had en zei: 'Denk erom, hè, als je dan per se met hem moet praten, blijf wel aardig.'

'Ik zou hem eigenlijk moeten vragen hoe Morph zich hiervoor heeft weten uit te nodigen.'

'Zorg er liever voor dat we er niet uitgegooid worden voor we dat joch gevonden hebben.'

Een deel van de tuin was afgezet met een rij aaneengesloten dranghekken waar posters van *The Elemental* aan waren gehangen, het gemene gezicht van het monster dat geheel uit de oranje CGI-vlammen bestond. Achter deze geïmproviseerde afscheiding probeerde Adrian Welch, een doorgeschoten hippie op leeftijd met blonde vlechtjes, een lang witkatoenen shirt en een legerbroek, een groep taggers die de feestgangers minachtend en achterdochtig bekeken op hun plaats te krijgen. Hun lichaamstaal was helemaal Travis Bickle: *You looking at me, fool?* De meesten hadden hun capuchons of petten zo diep over hun hoofden getrokken dat ze geen voorhoofd leken te hebben, en droegen wijde jeans of broeken met zakken die groot genoeg waren voor een paar spuitbussen van de dump. Sommigen hadden hun capuchons over een baseballpetje getrokken voor nog grotere anonimiteit. Ze spoten hun tags op elk glad oppervlak dat ze tegenkwamen en droomden ervan om complete treinstellen van boven tot onder met hun vierkleuren throw-up burners te bedekken, maar het echte taggen gebeurde privé, stiekem en anoniem.

Taggers gebruiken nooit hun echte naam. Hun tags zijn deel van hun straatuitrusting. Geheime identiteit, superheldenkleding. Maar hier, met hun uitpuilende plastic zakken vol spuitbussen tussen hun nieuwe sportschoenen – tijdens zijn speurtocht naar Morph had Alfie gemerkt dat taggers hun spullen nooit vervoerden in dingen die geld waard waren, voor het geval ze moesten vluchten en alles achter moesten laten – stonden de taggers zo nerveus als heremietkreeften zonder pantser in de schijnwerpers. Achter hen stonden houten tafels vol spuitbussen verf en dikke viltstiften, en een stel voordeurgrote canvasdoeken stond tegen de gele stenen tuinmuur. Een van de jochies kauwde met open mond kauwgom. Een ander had een pet op met blauwe brillenglazen eronder. Weer een ander had als een Palestijnse guerrillastrijder een rood-witgeruite das voor zijn mond en neus geslagen. En een, de oudste van het stel, stond er met gebogen schouders en zijn handen in de zakken van een met opgedroogde verf bespikkeld roodleren jasje bij. Allemaal deden ze alsof ze Adrian Welch niet zagen, die ze eindelijk op een rij had gekregen zodat hij ze allemaal tegelijk in beeld had op zijn digitale videocamera van Sony. Welch zei in zijn *faux* Essexaccent dat ze zich moesten ontspannen, dat ze hun gang konden gaan en lol moesten maken, dat ze aan de slag konden. Zijn vriendin, een stevige blondine in een nauwsluitend zwart mini-jurkje, deelde foto's van het monster uit, voor het geval de jochies de posters hadden gemist.

Toby nam een snelle slok van zijn bier, boog naar Alfie en riep boven de galmende herrie uit: 'Al enig idee wie onze knul is?'

'Als hij inderdaad uit Irak komt, moet hij een van de blanken zijn. Maar in ieder geval zeker niet die aan het eind van de rij.'

Die aan het eind van de rij was een magere jongen met een rozig gezicht, overduidelijk uit een keurig middenklassengezin in een voorstadje, in een wijde, op zijn heupen hangende jeans, een nethemd en met een bandana met doodshoofd om zijn hoofd gebonden, die probeerde een ijskoude hip-hop killersmentaliteit uit te stralen.

Alfie wees naar een trio socialewoningbouwjongeren met hoog opgetrokken schouders en ver naar voren getrokken capuchons, zodat je alleen het puntje van hun neus kon zien, en zei: 'Die zijn in ieder geval zeker hier opgegroeid.'

Dus bleven de vent in het roodleren jasje over en, Alfies beste kandidaat, de jongen met de rood-witgeruite das. Die kreeg in de gaten dat Alfie naar hem keek en keek bokkig met een *fuck-you*-blik terug. Alfie keek weg en zag in de menigte Robbie Ruane staan in een hertenleren jasje en een wit T-shirt. Hij keek door een getinte Versace-bril naar de feestgangers terwijl Adrian Welch zich langzaam, met de camera voor zijn gezicht, driehonderdzestig graden draaide, langs de nog lege canvasdoeken, de toeschouwers en de chagrijnige taggers.

Toby vroeg Alfie of het wel goed met hem ging.

'Zie je die vent met die zonnebril? Dat is Robbie Ruane.'

'O, o.'

'Als Morph hier is, moet een van ons Ruane tegenhouden, zodat hij er niet als eerste is.'

Adrian Welch zei tegen de taggers: 'Vrije stijl, kerels, wat jullie maar leuk vinden, zolang het maar wat met de salamander te maken heeft.'

'Salla-wie?'

'Wat zegt-ie?'

Twee socialewoningbouwjongeren porden elkaar met hun ellebogen en deden of ze vielen.

'Het vuurteken,' zei Adrian Welch. Omdat er even geen muziek was, klonk zijn stem luid en duidelijk. 'Het monster op de foto's die jullie hebben gekregen. Die van die kutposters.'

'*Dat* is helemaal geen monster!'

'We zullen je eens een *echt* monster laten zien, wacht maar.'

De socialewoningbouwjongeren stoeiden verder terwijl de andere taggers stiften en spuitbussen pakten om dikke strepen op het maagdelijke canvas trekken. Palestijnse Das bewerkte het puntje van een viltstift met een afgeplakt scheermesje, duwde de punt uit elkaar, liep naar het canvas en tekende een grote boog, en vervolgens nog een, zodat het een ellips werd die hij aan de buitenkant met spikkeltjes en stippen versierde; opspringende druppels à la Keith Haring, zodat er geen ruimte meer was voor Morphs kenmerkende kroon.

Geen enkele artiest maakte iets wat op het werk van Morph leek, helaas.

Met een tweede fles bier in zijn hand vroeg Toby aan Alfie waar hij aan dacht. Alfie haalde zijn schouders op.

'Helemaal mee eens,' vond Toby.

De graffitiartiesten waren nu goed op dreef, ze rammelden met hun spuitbussen, spoten brede lijnen, vulden die met dikke, kleurige verfklodders en trokken schaduwlijntjes. Hun schaduwen op het canvas, door de schijnwerpers, aapten hun bewegingen na. De meesten werkten met zwart, rood en geel, hoewel een van hen zijn doek vulde met een ingewikkeld patroon van groene en blauwe blokjes – ijsblokjes, allemaal met een kleine, knalrode vlam in het midden. Adrian Welch liep heen en weer met zijn camera tegen zijn gezicht geplakt, zijn vriendin hield hem bij een elleboog vast om te gidsen. Het rook zoetzuur naar acrylverf en drijfgas. Een paar feestvierders keken of namen foto's met hun digitale camera of hun mobiel, maar veruit de meesten negeerden de show. De dj werkte nog steeds aan zijn reggaesong. *Rastaman invisible, invisible yaeh, some kind of miracle, oh no no.* Eén doek bleef leeg, de sneeuwwitte rechthoek helemaal aan het eind van de rij.

'Onze jongen zit hier niet bij,' zei Toby. 'In ieder geval werkt er niemand in de beroemde stijl.'

'Misschien is hij wat verlaat.'

'Of misschien bestaat hij helemaal niet. Of zit hij in de gevangenis, of mocht hij van zijn moeder niet meer zo laat naar buiten. Het lijkt erop dat onze piratenclown het mis had,' zei Toby.

'Het lijkt erop dat we een heerlijke avond aan het verspillen zijn,' zei Robbie Ruane. 'Hoi, Alfie, ik wacht nog steeds op een telefoontje van je.'

'Ik moet nog iemand spreken,' zei Alfie en het lukte Toby op de een of andere manier om voor de kunsthandelaar te gaan staan, terwijl Alfie langs een paar gothics schoot die een met ijs gevulde oliedrum doorzochten, en zich naar de dranghekken werkte. Hij maakte er twee los, stapte door het gat en zei brutaal tegen Adrian Welch: 'Adrian! Ik moet je even spreken.'

Adrian Welch legde net de tagger die zijn doek vulde met de ijsblokjes op video vast. Zonder zijn gezicht van de camera weg te halen zei hij tegen Alfie dat hij daar later pas tijd voor had.

'Dit kan niet wachten. Ik wil wat over Morph weten.'

'Ik ben aan het *werk*, Alfie. *Comprende?* Ik neem dit op als extraatje voor de dvd. Waarom ga je niet lekker feestvieren?'

Toen hij verder wilde lopen greep Alfie hem net boven zijn elleboog (hij kon nog net de neiging onderdrukken om hem bij zijn blonde dreadlocks te grijpen) en zei in zijn oor: 'Hoe ben je met hem in contact gekomen?'

Adrian Welch liet zijn camera zakken en keek Alfie aan. Hij was achter in de twintig, zo'n kerel waar je een leuke avond mee kon hebben, maar die je leven zou ruïneren als je hem binnen liet, die opgegroeid was met het idee dat de wereld van hem was en dat als er dingen kapotgingen er nog genoeg andere dingen overbleven. Maar toch, hoewel niemand behoefte had aan zo'n halfbakken wanproduct als *The Elemental*, had hij die maar mooi gemaakt. De filmbusiness bleek de ideale plek voor zijn kortetermijncharme en onbeschaamde opdringerigheid; alle avonden die hij gelukzalig verdronken had in de Coronet of de Prince Charles, waren achteraf niet voor niets geweest.

'Als dit over het misverstand gaat over je honorarium, dan is het nu de verkeerde plek en de verkeerde tijd,' beet hij Alfie toe, en hij wenkte de man die als uitsmijter op de set werkte. 'Tom! Tom, help me even een handje, wil je!'

Tom, een vlezige man van middelbare leeftijd met een kaalgeschoren schedel, keek Adrian smalend aan en liep vervolgens weg.

'Ik neem aan dat je hem ook niet betaald hebt,' zei Alfie.

'Als dit een soort afpersing wordt...'

'Ik wil weten hoe je met Morph in contact bent gekomen. Als je me dat vertelt zal ik voor altijd verdwijnen.'

'Wie?'

Ze moesten boven het vliegtuigrampachtige geluid van de muziek uit schreeuwen. Alfie wees naar het witte canvas. 'Morph. De tagger die er niet is.'

'Wat wil je weten?'

'Hoe ben je met hem in contact gekomen?'

'Hij kwam met mij in contact. Of, wacht, nee dat was zijn manager.'

Alfie dacht aan Robbie Ruane en vroeg: 'Zijn manager?'

'Zo noemde hij zichzelf. Hij heet Shareef. Een vriend van Frankie Fingers, die staat daar,' zei Adrian Welch en hij wees naar de dj. 'Ze werken allebei voor dezelfde piraat, daar heeft Shareef ook van dit feest gehoord. Hij zei dat zijn mannetje de beroemdste tagger van Londen is en ik zei dat hij hem dan maar mee moest ne-

85

men. Maar dat heeft hij niet gedaan. En meer weet ik niet, dus als je me nu wilt excuseren.' En hij werkte zich uit Alfies greep. 'Ik moet werken.'

Terwijl Alfie dwars door de tuin naar de dj liep, galmde er ineens een uitbundig hoorngeschal, harder dan de muziek. Iedereen keek naar het hek op het moment dat het eerste schaap erdoorheen kwam, dat abrupt stilstond toen het al die mensen zag, maar de andere schapen verdrongen zich achter hem. Zwartkopschapen, pas geschoren, bleek en mager, met x-poten, gele ogen en gedraaide horens.

Een paar mensen lachten, ze dachten dat het bij de festiviteiten hoorde. Adrian Welch draaide zich met de videocamera nog tegen zijn gezicht om toen opnieuw hoorngeschal de reggaemuziek overstemde en buiten het hek ging er iets met een flits af. Mensen krompen ineen, gilden, juichten. De schapen stoven geschrokken alle kanten op, gevolgd door een opstijgende wolk van groene, zoetig ruikende rook. Op hun flanken stond met zwarte spuitbusverf een letter, ieder schaap een letter. Een paar mannen renden achter een schaap met de letter U aan. Een schaap met een O dook onder een tafel, gooide die om waardoor verf en stiften alle kanten op rolden. Een schaap met een uitroepteken pakte met zijn gele tanden de zoom van het jurkje van de hoofdrolspeelster; zij deinsde in paniek achteruit en viel op haar achterste terwijl een lange strook rode stof losliet. De drie socialewoningbouwjongeren weken achteruit toen een schaap met een N op hen afkwam. Een van hen richtte een spuitbus op het beest. Robbie Ruane werkte zich door de mensen naar voren en hield zijn Ixuscamera voor één oog. De reggaemuziek kraste toen twee schapen – met een S en een A – tegen de decks van de dj aanstormden. Adrian Welch richtte grinnikend zijn camera van de ene op de andere plek, terwijl mensen wegrenden voor de schapen of de schapen achtervolgden of vanaf een afstandje geamuseerd de puinhoop bekeken.

Alfie rende door de groene rook naar het hek. Hij wist gewoon zeker dat Morph er eindelijk was. Buiten maakte een oude landrover een scherpe bocht en stoof weg. De twee zwervers die hij eerder gezien had renden er in een komisch huppelpasje achteraan. De auto ging sneller rijden en verdween aan het eind van de straat de hoek om, met de twee mannen er nog steeds achteraan. Alfie pakte zijn agenda uit zijn cameratas en schreef er als een echte detective het kenteken van de landrover in. Toen werd het tijd om terug naar de tuin te gaan en Toby Brown te zoeken.

7

'George zal dit niet leuk vinden,' zei Toby. 'Ze schijten de hele boel onder.'

'Voor zover schijt schoon kan zijn, is schapenschijt heel schoon,' zei Alfie. 'Net als braakballen, trouwens. We kunnen het wegvegen als we de bestelling hebben afgeleverd.'

'Het lijkt meer op groen slijm,' vond Toby en hij keek al rijdend in zijn achteruitkijkspiegeltje. 'Daar zitten een paar behoorlijk zenuwachtige schapen bij, Flowers. Je zult het hele busje moeten schoonspuiten en met een paar ton desinfecterend middel moeten uitschrobben. Een sterk desinfecterend middel. En wat doe je trouwens als blijkt dat de eigenaar van de landrover niet de eigenaar van de schapen is?'

'Waarom zou hij dat niet zijn?'

'Misschien wil hij ze niet terug.'

'Waarom zou hij ze niet terug willen? Het zijn mooie schapen. Beroemde schapen. Artistiek gezien belangrijke schapen. Nou ja, dat zijn ze, zodra het ze lukt om in de goede volgorde naast elkaar te staan...'

'Als hij ze niet terug wil, wat ga je dan met die tien beesten doen?'

'Dan organiseer ik een barbecue en nodig ik iedereen die ik ken uit. Zelfs jou. Maar hij wil ze wel terug. Maak je niet bezorgd.'

Ze reden in George Johnsons gedeukte Transitbusje via de A13 Londen uit, langs wat er nog over was van de Fordfabrieken bij Dagenham, langs arbeidershuisjes, langs winkelcentra, langs industrieterreinen en langs omheind land met stapels autowrakken erop. De schapen drongen en botsten tegen elkaar achter in het busje, hoeven schraapten over de vloer toen ze naar iets eetbaars zochten onder de vloer.

Afgelopen nacht, na de party, had de dj niets willen vertellen over Shareef of Morph – hij dacht overduidelijk dat Alfie en Toby van de politie waren en keek minachtend naar de tien pond die Alfie hem aanbood voor het telefoonnummer van Shareef. De technici hadden de schapen in een afgesloten ruimte gedreven die provisorisch met de dranghekken was gemaakt en Alfie had de architecten, de eigenaars van de verbouwde fabriek, beloofd dat hij een goed onderdak voor de beesten zou vinden. Gelukkig zagen ze het grappige van de stunt in. Het hielp dat ze een mooi stukje in de *Evening Standard* konden verwachten van de hand van haar roddeljournalist, die er al was om het feest te verslaan.

Het was minder makkelijk geweest om George Johnson over te halen om uit te zoeken van wie de landrover was.

'Dat is moeilijker dan je denkt, hoor,' zei hij tegen Alfie.

Hij was een korte, dikke man van ergens in de zestig, gehuld in een oversized, regenbestendige jas van onbestemde kleur. De zakken puilden uit door het gewicht van moertjes, boutjes, allerlei maten schroeven, stukken touw en aangebroken rolletjes Polo-pepermunt. Hij was aan die pepermunt verslaafd geraakt toen hij tien jaar geleden na een hartaanval met roken was gestopt.

Alfie zei: 'Je belt even naar je politievriend en die belt even naar Kentekenregistratie. Wat is daar zo moeilijk aan?'

'Als dit nog de goeie oude tijd was, Alfie, dan had je gelijk. Maar tegenwoordig... wat dacht je van dagstaten en telefooncontroles en invulformulieren?'

'Je vriend kan een McGarrett verdienen. En jij trouwens ook. Denk er nog eens over.'

In het wervingstaaltje dat Alfie van George had opgepikt betekende een McGarrett vijftig pond – cash in het handje natuurlijk.

George wreef zijn knobbelneus tussen twee vingers heen en weer alsof hij een radiozender zocht die hem het antwoord zou geven. Hij friemelde altijd aan zijn geweldige reukorgaan dat, zo beweerde hij, niet alleen moeilijkheden of een slechte deal op kilometers afstand kon ruiken, maar ook het weer voorspellen. Hij

89

huurde al meer dan dertig jaar het stukje grond waar zijn keet op stond. Hij had het van Alfies vader gehuurd en daarvoor had hij het van meneer Chelab gehuurd, de man van wie Alfies vader de grond met pokeren had gewonnen, en daar weer voor van Ira Glass die het, wederom volgens George, aan meneer Chelab gegeven had om te voorkomen dat zijn armen en benen gebroken zouden worden toen hij achterliep met het terugbetalen van geld dat hij van meneer Chelab geleend had om iets in de herenmode te beginnen. Ira Glass had het na de oorlog goedkoop kunnen kopen toen het carrosseriebedrijf waar het van was, failliet ging. Maar hij had er nooit huizen op kunnen zetten om rijk te worden, omdat hij de verkeerde man van Stadsplanning had proberen om te kopen. De enige man van de commissie die niet corrupt was, waardoor Ira Glass een jaar in de gevangenis had gezeten. Daar had hij meneer Chelab ontmoet, een corrupte accountant, die af en toe wat voor de Krays deed, wat weer de reden was dat Ira Glass zo makkelijk afstand van zijn grond deed toen hij achterliep met afbetalen.

Hoewel George maar een hoekje van het land huurde, oefende hij een soort eigendomsrecht over de rest uit, zette de auto's die hij als hobby opknapte in de open garage en vroeg af en toe aan Alfie of die er bezwaar tegen had als een ver familielid van hem daar een paar dagen of maanden een auto of busje parkeerde. In ruil hiervoor deed George klusjes voor Alfie. Hij had bijvoorbeeld de electricien gevonden die elektriciteitskabels naar de caravans had doorgetrokken, en twee neven van hem hadden geholpen met het graven van de greppel voor de waterleiding. Alfie, die wist dat illegaal een nummerbord natrekken minstens een even grote klus was als greppels graven of kabels trekken, zei: 'Ik zou het niet vragen als het niet nodig was. En ik heb het echt heel erg nodig.'

'Zit je nog steeds achter die graffitikwibus aan?'

'Recht in de roos.'

'Zou die journalistenvriend van jou je niet helpen?'

'Die is meer boekbespreker dan journalist. Daarom vraag ik het jou, George. Je bent mijn laatste hoop.'

George stopte een Polo-pepermuntje in zijn mond en zuchtte. 'Omdat jij het bent, Alfie, zal ik kijken wat ik kan doen. En hoor eens, vat dit niet verkeerd op hoor, maar vind je niet dat je dat detectivegedoe een beetje te serieus neemt?'

Alfie en Toby verlieten de A13 en hobbelden over slechte wegge-tjes door een kaal landschap; geen stad, geen platteland. Slecht on-derhouden velden met distels en hutjes van golfijzer, een oud-roesthandelaar, een afvalcontainerbedrijf beveiligd met een stalen hekwerk, schrikdraad en videocamera's, en pakhuizen die heel goed telefooncentrales, magazijnen, elektronicafabrieken of ge-vangenissen konden zijn. Trucks met aanhangers en grote vracht-auto's verschenen uit het niets en lieten de Transit in hun stof-wolken achter. Uitgebrande auto's stonden tussen vlier- en braamstruiken. In heggen wapperden kapotte plastic tasjes. Uit sloten staken slordige stapels stenen. Het houten kantoortje en de overkapping van een allang gesloten benzinepomp zaten onder de graffiti – maar niet van Morph, voor zover Alfie in de gauwigheid kon zien.

Dit was bandietenland, verloren land waar gokbazen honden-gevechten en kickbokscompetities organiseerden en waar tweede-rangs gangstertjes hun tegenstanders met jachtgeweren uitdaag-den. Overal liepen elektriciteitskabels naar de vlakke horizon. Overal het stoffige teken van verkeer dat snel verder wil. De land-rover stond geregistreerd op een adres in deze Bermudadriehoek, maar de meeste weggetjes hier hadden geen naam, en leidden ner-gens naartoe, stopten bij het hek van een verlaten terrein vol rot-zooi, of bij een groepje wilde vijgenbomen waar iemand zwarte bouwtassen had neergegooid waaruit een of ander gif lekte.

Uiteindelijk stopten ze bij een melkpoederbedrijf en vroeg Alfie aan de bewaker bij het hek hoe ze moesten rijden. De man kon ze dat pas vertellen nadat hij uitgebreid met iemand aan de andere kant van zijn mobiel had overlegd. Ze moesten terug en bij de ben-zinepomp linksaf een weggetje op dat niet op de kaart stond, een stoffig karrenspoor met in het midden verdroogd gras en smalle vluchtstroken aan de linker- en rechterkant tussen slecht onder-houden, machinaal gesnoeide doornheggen. De schapen protes-teerden bij elke schok en bonkten van links naar rechts toen het busje langs een prachtig huis met kamperfoelie en witte rozen te-gen de muren hobbelde, langs een toegangspoort met daarachter een karrenspoor dat tussen vers geploegde velden naar een boer-derijtje aan de horizon leidde. Bij de poort hing naast een brie-venbus een gietijzeren bord met het adres: West End Field, het adres dat de vriend van George uit de kentekenregistratie getoverd had.

Het was een klein boerenbedrijf, grotendeels bestaande uit een groot veld dat in kleinere delen was opgedeeld met behulp van paaltjes en schrikdraad. Een gammele Austin Maxi stond op zijn velgen tussen uitgegroeide brandnetels naast een rij hutjes, vijf om precies te zijn, verschillend van grootte en allemaal in een andere primaire kleur geverfd. Vier kassen glommen zij aan zij in de zon. Er was een bok aan een ketting die met een ijzeren pen in de grond vastzat. Er scharrelden kippen. In het grootste veldje graasden schapen troosteloos in het dunne gras. Er stond een stacaravan met geraniums in plastic potten bij het trappetje naar de voordeur en daarnaast stond een groene landrover.

'Blijf hier zitten en laat de motor lopen,' zei Alfie tegen Toby.

'Dat dacht ik niet,' zei deze, zette de motor uit en deed zijn portier open. 'Het is hierbinnen zo heet dat ik zweet als een otter en naar schapen stink. Volgens mij stink ik vanaf nu altíjd naar schapen. Volgens mij moet ik naar een hutje op de hei verhuizen en als kluizenaar verder leven, ver weg van de mensen. Dus neem het me niet kwalijk dat ik uitstap en mijn longen trakteer op een sigaret.'

Alfie klom ook uit het busje. Ze stonden er allebei voor en keken naar de stacaravan, die rustig bakte in de zon. 'Misschien moet je toch het busje in, voor het geval dat,' zei Alfie. 'Of keer het in ieder geval.'

'Voor het geval dat iemand moeilijk gaat doen over een paar schapen?'

'Voor het geval dat dit een plek is waar lijken begraven worden,' zei Alfie en hij liep naar de poort. Hij zag geen bel, dus riep hij 'hallo'. Zijn stem was een lawaaierige onderbreking van de stilte.

Er kwam een man om de caravan heen lopen. Een lange, benige zwarte man, ergens in de veertig, met kort grijs haar. Hij had een gerafelde korte broek aan en slippers en had iets vast dat blonk in de zon toen hij het bewoog – een machete, wat de Jamaicanen een hartsvanger noemen. Hij vroeg: 'Wat kan ik voor jullie doen?'

'Meneer Barrett?'

'Wie wil dat weten?'

'Donald Barrett?' Alfie deed zijn best om naar het gezicht van de man te blijven kijken en niet naar zijn machete.

'Wat hebben jullie toch? Laat me toch met rust!'

'Ik heb uw schapen.'

De man bleef een paar meter van het hek staan en keek naar Alfie. Hij had een lichtgetinte huid, vosbruin. Sproeten rond zijn brede neus. Hij zei: 'Mijn schapen staan daar, in het veld, daar. Als je ze niet ziet, ben je nog gekker dan je eruitziet.'

Hij had een diepe, rustige stem en een vaste blik, maar hij had ook een machete.

Alfie, die zijn oksels vochtig voelde worden onder zijn zwartleren jasje, zei: 'U verkocht of verhuurde déze schapen aan iemand die Morph heet. Tien schapen, pas geschoren, er zijn verschillende letters op geverfd. Als dat geen belletje doet rinkelen, heb ik ze hier in het busje. U bent van harte welkom om te komen kijken.'

'Ik ken geen Morph.'

'Dat is grappig, want hij maakte van uw schapen een kruising van een kunstwerk en een politiek statement.'

De man keek indringend naar Alfie en zei toen: 'Heb je echt schapen in dat busje zitten?'

'Tien stuks.'

Toby voegde eraan toe: 'En volgens mij kun je ze vanaf hier ruiken.' Hij stond naast het busje en stak zijn tweede sigaret met de peuk van de eerste aan.

De man maakte een afwerend gebaar met zijn machete. 'Jullie zijn gek: rondrijden met schapen in de achterbak van dat ding op een snikhete dag. Die beesten gaan dood als je ze niet terugbrengt naar waar ze vandaan komen.'

'En daarom zijn we hier,' zei Alfie.

'Ik heb toch al gezegd dat ik schapen héb. Ik hoef er niet meer. En ik wil ook geen gedonder. Opdonderen dus. Jullie hebben hier niets te zoeken.'

'Ik kan u helpen ze terug te brengen naar waar ze horen, meneer Barrett,' zei Alfie, 'of ik kan ze hier loslaten en wegrijden. Dan kunt u achter ze aan.'

'Hoe weten jullie mijn naam eigenlijk? Zijn jullie van de politie? Of werken jullie voor die vrouw?'

'Welke vrouw?'

De man zei honend: ' "Welke vrouw?" Alsof jullie dat niet weten.'

'Ik werk voor niemand. Ik ben gewoon een bezorgde burger die zich bekommert om het welzijn van uw schapen. Het enige wat ik wil is ze aan u teruggeven en het even over Morph hebben. En anders maakt mijn vriend de deuren van het busje open en laat hij ze vrij.'

'Ik zei al dat ik geen Morph ken.'

'Shareef dan,' zei Alfie en hij zag dat de man die naam wel herkende.

Toby ramde op de zijkant van het busje. De schapen maakten paniekerige geluiden.

'Ze worden springerig,' zei Alfie.

'Ze willen rennen,' zei Toby en ramde nog een keer op de zijkant.

'Dit willen jullie niet echt,' zei de man. 'Dit is dierenmishandeling.'

'Dat is letters op hun flanken verven ook, net als ze loslaten in een groep mediageile rukkers,' zei Toby. 'U boft dat we niet van het Dierenbevrijdingsfront zijn.'

'Ik heb er helemaal niets mee te maken,' zei de man.

Alfie zei: 'Shareef zit niet in de problemen, en u ook niet, maar alleen omdat wij de schapen onder onze hoede hebben genomen, vóór de politie of het Bevrijdingsfront er was. In ruil voor onze hulp hoef ik alleen maar een paar antwoorden te hebben.'

De man sloeg met de platte kant van de machete tegen zijn dijbeen terwijl hij hierover nadacht. Toby friemelde aan de kruk van de achterdeur van de Transit. De schapen waren onrustig, lieten de auto heen en weer wiebelen.

'Oké,' zei de man. 'Maar dan moet je vriend ophouden met het mishandelen van die arme beesten.'

'Wij geven u de schapen terug en u vertelt me over Shareef en Morph,' zei Alfie. 'Afgesproken?'

'Ik weet niets van die Morph. Shareef, die heb ik geholpen en dan krijg ik jullie op m'n dak. Maar voor ik verder nog wat zeg, moeten we eerst voor de schapen zorgen.' En de man stapte naar voren en maakte de poort open. 'Rijd met je busje achteruit en laat ze vrij voor ze doodgaan van de hitte.'

Nadat de schapen met de rest van de kudde herenigd waren (ze huppelden in een slordige rij als OWSUAUTON! – alleen het uitroepteken stond op de goede plek – naar hun soortgenoten) bood Angus Barrett Alfie en Toby een kop thee aan. Ze zaten op plastic tuinstoelen op een armzalig grasveldje achter de stacaravan en praatten over Shareef. Ondertussen doopte Barrett de kip, die hij onthoofd had en waaruit hij met zijn machete de ingewanden verwijderd had (de kop, ongewoon klein, lag op een boomstronk als een offerande), in een emmer kokend water en trok handenvol vieze witte veren van het karkas.

Hij vertelde dat Shareef zijn neef was. 'Hij kwam gisteren. Dit land is van zijn vader, mijn oudere broer Donald. Ik beheer het voor hem. Shareef zei dat Donald had gezegd dat hij een paar schapen mocht lenen. Hij zei dat hij ze voor een publiciteitsstunt nodig had. Shareef – zo noemt hij zich sinds hij zich bekeerd heeft, daarvoor heette hij Benjamin – wil zo slecht mogelijk bekendstaan. Wat hij van plan was leek wel grappig, hij zei dat Donald het goed vond, dus heb ik hem geholpen.'

'U hebt dus geholpen met de schapen,' concludeerde Toby. 'En toen? Hebt u de landrover gereden?'

Barrett schudde zijn hoofd. 'Als het niet hoeft ga ik de stad niet in. Shareef kwam hier met een grote kerel die hij Watty noemde. Ze reden samen met de schapen weg en gisteravond laat brachten ze de landrover terug.'

Alfie vroeg: 'Hoe zag die grote kerel eruit?'

'Groot. Een bodybuilder of uitsmijter. Misschien allebei.'

Alfie vroeg: 'Had-ie niets Arabisch?'

'Hij was een eilander net als ik. Hij reed in een mooie oude Mercedes. En had een afgebroken tand herinner ik me nu. Dat zag ik toen hij even lachte. Hij zei trouwens niet veel. Nou, toen vroeg ik aan Shareef wanneer hij de schapen terug zou brengen en hij zei dat ik moest dimmen, dat hij ze de volgende dag meteen terug zou brengen. Ik zei dat hij dat ook maar beter kon doen en dat hij anders grote ruzie met zijn vader zou krijgen. Alleen kwam hij niet terug, hè. In plaats daarvan kwam die vrouw en die wilde van alles weten, en toen kwamen jullie en jullie willen ook van alles weten.'

Toby vroeg: 'En wat weet u van die vrouw?'

'Ik heb haar kaartje.'

Hij viste het uit een zak van zijn korte broek en gaf het aan Toby. Die las hardop: 'Harriet Crowley. Privédetective. Kennen wij een Harriet Crowley, Alfie?'

'Volgens mij niet.'

'Zij vroeg ook naar die vriend van Shareef,' vertelde Barrett. De half geplukte kip hing tussen zijn knieën en er lag een berg witte veren rond zijn voeten. 'Maar ze stonk naar politie, dus haar heb ik niets verteld. Ze gaf me haar kaartje en vroeg of ik d'r wilde bellen als ik me wat herinnerde. Ze zei dat ik er geld voor kon krijgen, alsof ik een verklikker ben of zo. Ze zei ook dat ik maar beter met haar kon samenwerken, anders zou ze ervoor zorgen dat ik problemen zou krijgen omdat ik schapen vervoerde zonder officiële papieren voor veetransport. Eerlijk waar, ik werd woedend. Nou, en toen kwamen jullie en vroegen naar dezelfde knul. Maar jullie hebben nog steeds niet verteld waarom jullie hem zoeken.'

Toby liet hem twee uitgescheurde krantenstukken zien – Alfies foto uit *The Independent* en het artikel van een halve pagina uit de *Camden Journal* –, vertelde wat er op de party was gebeurd en zei dat ze een vervolginterview wilden maken. 'Hij zoekt publiciteit. En wij kunnen hem daarbij helpen.'

Barrett trok een veer uit het slappe, witte, pukkelige vel van een kippenpoot. 'Dus jullie willen hem interviewen?'

'Hem en zijn vriend,' zei Toby.

En Alfie zei: 'Wat vindt u ervan, meneer Barrett? U kunt hem helpen.'

'Ik heb hem al meer dan genoeg geholpen.' Barrett trok nog een paar veren uit de kip. 'Hebben jullie iets bij je om op te schrijven?'

Toby gaf hem zijn agenda. Barrett schreef er een mobiel telefoonnummer in. 'Misschien wil hij met jullie praten, misschien niet. Maar hoe dan ook: kom hier nooit meer wat vragen.'

'Zeg,' vroeg Toby, 'wat doe jij hier eigenlijk, Angus? Je verstoppen?'

Angus Barrett lachte al zijn tanden bloot. 'Denk je dat ik een gangster ben, bleekscheet? Denk je dat ik een *yardie* ben? Een gemene penozeman?'

'Nou, je zei dat je liever niet de stad in ging, en dat je dacht dat we van de politie waren...'

Barrett lachte weer. 'Alle blanken zijn politie of immigratie-ambtenaren, en alle zwarten zijn gangsters, hè? Nou, de waarheid is dat ik voor mijn broer hier de boel draaiende houd, terwijl ik voor mezelf van alles op een rijtje zet. Ik was docent communicatiewetenschappen aan de universiteit van Middlesex, maar de stress werd me te veel. De bekende midlifecrisis, ik zal jullie er verder niet mee lastigvallen. Ik nam ontslag, mijn huwelijk liep op de klippen en mijn broer zei dat ik hiernaartoe kon. Hij heeft een paar mannetjes die zorgen voor de schapen en de kruiden die in deze kassen groeien, keukenkruiden voor Donalds restaurant. De schapen gaan er ook naartoe, het is moeilijk om in dit land aan goed schapenvlees te komen. Ik help die jongens een beetje en maak lange wandelingen en probeer poëzie te schrijven... sorry dat ik je moet teleurstellen.'

'Zeg jij maar sorry,' zei Alfie tegen Toby, 'voor je onnadenkende vooroordelen.'

Toby Brown liet het kerkhof van zijn nicotinegele tanden breeduit zien. 'Rot op, Alfie.'

'Heren, als jullie in de toekomst blijven samenwerken,' zei Angus Barrett, 'dan moeten jullie wat aan de dialogen gaan doen. En als jullie me nu willen excuseren, ik moet de beesten gaan voeren.'

Vlak nadat ze weggereden waren gooide Toby zijn agenda en mobiel in Alfies schoot en die toetste het nummer in dat Barrett opgeschreven had. De mobiel ging over, en over, en over, vervolgens klonk er wat gemorrel en ten slotte een slaperige stem: ''t Is er?'

'Is dit Shareef?'

'Wat moet je?'

Het busje passeerde een auto die op een van de vluchthavens geparkeerd stond. De chauffeur keek op een plattegrond die hij over zijn stuur had uitgespreid. Weer een slachtoffer van de Bermudadriehoek.

Alfie zei in de mobiel: 'Ik wil met je over Morph praten. Over zijn stunt van gisteren met die schapen, en over zijn graffiti. Je oom, Angus Barrett, heeft me je nummer gegeven en ik vroeg me af...'

De verbinding werd verbroken.

'Broekies moeten ook geen mannenwerk doen,' vond Toby. Hij griste zijn mobiel uit Alfies hand, drukte op de herhalingstoets en zei, met één hand sturend: 'Dit is Toby Brown van *The Indepen-dent*. Spreek ik met Shareef? Nee, dat was mijn collega. Hij maakt de plaatjes, ik schrijf de verhalen. Heb je toevallig dat stuk over koerierbusjes in de *Camden Journal* gelezen? Ja? Nou, dat was van mij en de foto's waren van mijn vriend. Hij maakte ook die prachtige foto van een kunstwerk van jouw vriend Morph in *The Independent*. Niet gezien? Ik kan je onmiddellijk een kopie be-zorgen als je me... Nee, dat begrijp ik. Nou, je kunt het ook be-kijken op de website. Ja, klopt. Ja, een wat langer stuk. Nee, dat verhaal kwam in de *Camden Journal* omdat ze het te plaatselijk vonden, maar dit hoogst originele stuntwerk met schapen is heel andere koek. Helaas is het op zichzelf onvoldoende voor het soort artikel dat wij graag willen maken, en daarom bel ik. Ja, een in-terview, absoluut. Ben jij zijn manager of zijn agent? Snap ik. Maar in ieder geval regel jij... Snap ik. Nee, ik begrijp het, maar weet je zeker dat... Als je er zo over denkt, doen wij ons best, maar je moet begrijpen dat ruimte op nieuwspagina's zeer beperkt is, het moet echt iets heel speciaals zijn... Ja, dat zeker. Ik kijk ernaar uit. Je hebt mijn telefoonnummer nodig,' zei Toby. Hij dreunde het nummer op, zei dat hij graag en heel binnenkort met Shareef wil-de praten, beëindigde het gesprek en zei tegen Alfie: 'En zo, broe-kie, werken echte journalisten.'

'Bravo. Wanneer heb je met hem afgesproken?'

'Niet meteen. Wat we wel meteen moeten doen is naar het Im-perial War Museum gaan, morgenochtend heel vroeg. Morph schijnt een nieuwe stunt voor te bereiden. Met een statement. Wij schrijven erover, *The Independent* plaatst het, en dan, omdat we bewezen hebben dat we echte journalisten zijn, mogen we met Sha-reef praten.'

'Klinkt als een test.'

'Hij is zwart,' zei Toby. 'Hij vertrouwt de media niet. En zo heeft hij ook nog een lolletje. Als we doen wat hij wil, krijgen we wat wíj willen. Maar misschien heb jij een beter idee...'

'Wat voor statement?'

'Wilde hij niet zeggen. Ik neem aan dat hij ons wil verrassen.'

Hij stopte bij de afslag, stak een sigaret in zijn mond, stak die op en sloeg links af, richting A13. Warme wind blies door de open raampjes naar binnen, maar dat hielp weinig tegen de schapenstank.

Alfie vroeg: 'Denk je echt dat je een verhaal over deze verrassing kunt plaatsen?'

'Dat hangt ervan af hoe goed de verrassing is. Maar hoe zit dat met die mysterieuze vrouw? Die privédetective? Moeten we haar bellen?'

'Volgens mij werkt ze voor Robbie Ruane.'

'Mee eens.'

'Hij dacht Morph gisteravond te treffen, en toen dat niet het geval bleek te zijn nam hij haar in de arm om erachter te komen waar de schapen vandaan kwamen. Net als wij hebben gedaan.'

'Met een beetje geluk lopen we nog steeds op ze voor. We hebben Shareefs mobiele nummer, we hebben hem gesproken, we hebben een soort afspraak.'

'En ondertussen is deze privédetective ook op zoek naar hem.'

'Dat ze succes moge hebben.'

Alfie zei: 'Zij heeft ingangen die wij niet hebben.'

'Maar wij zijn slimmer.'

'Shareef werkt voor die piratenzender, Mister Fantastic FM. Misschien moeten we die gaan zoeken...'

'Piratenzenders zijn niet zo makkelijk te vinden, hoor.'

'Ze moeten een studio hebben...'

'Het enige wat je nodig hebt is een paar decks, een mixer en een microfoon en een ingang voor een zender. Je kunt het overal neerzetten. In je keuken, in je slaapkamer, in je tuinhuisje. Ik heb ook al in die richting gedacht, Flowers, maar geloof me, het is veel eenvoudiger om Shareefs spelletje mee te spelen. We werken met hem samen, we strijken niemand die hij kent tegen de haren in, we zijn gewoon twee hele brave jongens. Wat we natuurlijk ook zijn.'

'En als dat nergens toe leidt?'

'Dan kunnen we altijd nog achter die piraat aan. Of we zoeken Shareefs vader, Donald Barrett, op en vragen waar zijn zoon woont.'

'Maar eerst moeten we het busje terugbrengen,' zei Alfie, 'en grondig schoonmaken.'

'De Lone Ranger en Tonto rijden door het ravijn,' declameerde Toby. 'Ze komen een bocht om en blijken recht op een groep Apaches in oorlogskleuren af te rijden. De Lone Ranger zegt tegen

Tonto: "Wat doen we nu?" En Tonto zegt: "Wat bedoel je met 'we', bleekgezicht?" '

'Ik hoopte dat je me zou helpen,' zei Alfie, 'want ik heb om vijf uur een afspraak.'

'En ík heb een afspraak met mijn tuin, een koud glas bier en een achthonderd pagina's dikke biografie van een zeer onbekende Italiaanse dichter. Met wie heb jij een afspraak, als ik vragen mag?'

'Familiezaken. Niets belangrijks.'

8

De man die Alfie naar de party was gevolgd had Harriet het kenteken gegeven van de landrover die de schapen had afgeleverd en zij had achterhaald dat ene Donald Barrett de eigenaar was. Dat was het makkelijke gedeelte. Maar toen Harriet bij het boerenbedrijfje net buiten Londen kwam dat Donald Barrett als adres had opgegeven, bleek dat hij daar niet woonde en dat de opzichter elke vraag van haar weigerde te beantwoorden.

Ze had ook al, tevergeefs, geprobeerd om Benjamin Barrett, alias Shareef, te lokaliseren. Als hij een van de pakweg twintig B. Barretts was die een woning met vaste telefoonlijn in Londen huurden, dan hoorde hij bij degenen die niet hadden opgenomen toen ze belde. En de vijf Benjamin Barretts die ze via haar contactpersoon bij een kredietmaatschappij had opgespoord waren geen van allen degene die ze zocht. De piraten-dj had blijkbaar geen creditcard, geen bankrekening, had nooit ergens een lening afgesloten en had óf een niet na te trekken mobiel, óf zat bij een maatschappij waar Harriët niemand had die tegen een kleine vergoeding het klantenbestand voor haar wilde nalopen. Ze had ook geen geluk gehad met het opsporen van Musa Karsu, alias Morph. Van een contactpersoon bij de Immigratiedienst had ze gehoord dat een zeventienjarige jongen, Musa Karsu genaamd, en zijn vader, Ahmed Karsu, zes maanden geleden illegaal het land waren binnengekomen. Ahmed Karsu, eenenveertig jaar, schoenmaker, had beweerd dat hij door de Turkse politie gemarteld was; medische rapporten en een rapport van Amnesty International bevestigden dit. Hij en zijn zoon hadden een flat in Harringay toegewezen gekregen en ontvingen een uitkering tot er een definitieve uitspraak over hun status was gedaan. Maar Ahmed was vijf weken geleden overleden aan een hartaanval, zijn zoon werd vermist en was op de risicolijst van de Sociale Dienst van Harringay gezet. De politie zocht hem, maar zoals Ergüner al gezegd had: hoe vind je zo'n arme dolende jongere?

Harriet bedacht dat het vast een stuk eenvoudiger was om Donald Barrett op te sporen. Hij had bezittingen, had bijna zeker een bankrekening en had in het verleden vast leningen afgesloten en allerlei andere controleerbare dingen gedaan die praktisch iedere volwassene doet. Een snelle zoektocht door haar cd-rombestand leverde meer dan honderd D. Barretts in en rondom Londen op. Nou kon ze uren verspillen door de hele lijst door te ploegen, maar ze kon die ook verkorten door eens goed na te denken. Ze had bijvoorbeeld naar de talkshow van Mister Fantastic FM geluisterd en dacht dat Benjamin Barrett nog vrij jong moest zijn; misschien woonde hij nog bij zijn ouders of was hij nog niet zo lang geleden op zichzelf gaan wonen. Wat ook zou verklaren waarom hij geen creditcard of bankrekening had. Ze zocht in een database die de kieslijsten van de afgelopen vijf jaar met elkaar kon vergelijken. Er bestond maar één adres waar ene Donald Barrett en ene Benjamin Barrett als kiesgerechtigden geregistreerd stonden. Harriet kon op pad.

Het was een imposante twee-onder-een-kapwoning in Stoke Newington. De elegante negerin die de deur opendeed bleek Benjamins stiefmoeder te zijn en leek niet erg verbaasd dat een blanke vrouw op zoek was naar haar stiefzoon. Hij was het afgelopen jaar op zichzelf gaan wonen, vertelde ze, maar ze wist niet precies waar. 'Donald weet dat wel. Hij betaalt de huur.'

Het telefoonnummer dat Harriet kreeg was in gesprek, maar het werkadres van Donald Barrett was maar vijf minuten daar vandaan. Een taxibedrijf op Stoke Newington High Street. De receptionist in het kleine kantoortje leidde Harriet naar een ruimte waar taxichauffeurs op hun ritjes wachtten, in oude stoelen hingen, kranten lazen of een spelletje domino deden. Ze rookten fanatiek en negeerden allemaal de televisie die in een hoek aan stond. Het kantoor van Donald Barrett bevond zich direct aan het eind van een kale trap. Hij was een lange, joviale man, hij draaide voortdurend van links naar rechts in zijn draaistoel achter zijn bureau met zijn handen over zijn buik gevouwen en luisterde naar Harriet die uitlegde dat zijn zoon zelf niet in moeilijkheden zat, maar een vriend had, een illegale immigrant, die zich mogelijk wél in de nesten aan het werken was. Dit duurde even, ook omdat zo ongeveer om de minuut een van de telefoontoestellen op het bureau van Donald Barrett rinkelde. Hij stak dan een witte gerimpelde hand met de palm naar voren naar Harriët op en zei dat hij echt moest opnemen. Vervolgens draaide hij zich op zijn stoel om, keek door het vuile raam naar de drukke weg, voerde zijn gesprek, draaide weer terug, hing op en vroeg glimlachend: 'Oké, waar waren we ook al weer gebleven?'

Harriet gaf hem een foto van een van Morphs graffitiwerken. 'De jongen die ik zoek spuit dit soort werk door deze hele buurt. Zijn straatnaam is Morph; zijn echte Musa Karsu. Ik moet hem vinden en ik denk dat hij een bekende of zelfs een vriend van uw zoon is. Daarom wil ik graag met Benjamin praten. Hem een paar vragen stellen.'

'Dus jij denkt dat mijn zoon degene die dit maakt kent.'

'Daarom wil ik met hem praten.' Er rinkelde een telefoon. Harriet wachtte tot Barrett hem opgenomen had. Toen hij ophing ging ze verder: 'Uw zoon zal nergens last mee krijgen, dat beloof ik. Het gaat me om zijn vriend.'

Daar moest Donald Barrett even over nadenken. Hij boog zich over de foto van Morphs werk en toonde zo zijn kale, gerimpelde schedel met nog wat hoefijzervormige haargroei, vooral boven zijn oren. Ineens leunde hij achterover, keek naar het plafond, wreef met zijn duimen in zijn ooghoeken en zei: 'Sorry, ik werd even duizelig.'

'Doet u vooral rustig aan, meneer Barrett.'

'Vlekken voor mijn ogen.'

'Heeft uw zoon het ooit wel eens over Morph gehad, of Musa Karsu?'

Barrett keek haar onderzoekend aan. 'Jij werkt voor de regering, hè? Douane of Immigratie, zoiets in elk geval.'

'Ik ben privédetective.' En ze legde een van haar kaartjes naast de foto.

'Ik neem aan dat, als ik niet meewerk, het de politie of erger wordt waar ik mee te maken krijg.'

'Ik ben vooral hier, meneer Barrett, om te voorkomen dat het zo ver komt.'

Een van de telefoons rinkelde. Donald Barrett pakte hem op en hing weer op, waardoor het rinkelen ophield. 'Ze zijn een ramp, die graffitispuiters. Ik heb een restaurant in Church Street, hier net om de hoek. Ik ben zelfs secretaris van de winkeliersvereniging van Church Street. Je kent de buurt wel: keurig en ambitieus. We zorgen voor kerstverlichting, we sponsoren de bingo, we willen niet dat de buurt verloedert. Die spuitende vandalen zijn een van de dingen waar we vanaf willen. Afgelopen maand hebben ze het al drie keer op mijn restaurant gemunt. Twee keer schreef een van hen met zilververf zijn naam op mijn deur en de derde keer spoot iemand iets wat hierop lijkt' – hij tikte met een wijsvinger op de foto – 'op een raam. Een week later stonden dezelfde soort dingen op de wagens van een koeriersbedrijf waar ik geld in heb zitten.'

'Pronto Delivery.'

Barrett glimlachte. 'Ik merk dat je "erbovenop zit". Je volgt alle sporen.'

'Eerlijk gezegd heb ik het in een plaatselijke krant gelezen.'

Alfie Flowers had de foto's gemaakt en zijn vriend Toby Brown had het verhaal geschreven. Toen ze het artikel had gelezen, had Harriet zich gerealiseerd dat deze twee mannen hun zoektocht naar Morph niet zo snel zouden opgeven. Ze besloot een oude vriend te vragen om Flowers vierentwintig uur per dag te laten observeren.

Donald Barrett ging verder: 'Ik heb het natuurlijk bij de politie gemeld, maar daar haalden ze hun schouders op, ze zeiden dat het ze ontzettend speet, maar dat ze niet de hele dag achter ondeugende kinderen aan konden rennen. En de knul die dit doet zou een bekende van mijn zoon zijn?'

'Daarom wil ik met Benjamin praten. Misschien weet hij waar ik die jongen kan vinden.'

'Hebt u kinderen, mevrouw Crowley?'

'Nog niet.'

'Als het zover is...' Er rinkelde weer een telefoon, Barrett nam op en hing weer op. 'Als het zover is, zul je met heel je hart van ze houden. Daar kun je helemaal niets tegen doen en dat wil je ook niet. En zolang ze klein zijn houden ze ook van jou, maar later...' Hij viel stil, dacht duidelijk aan iets vervelends. Deze grote, trotse man had plotseling last van een pijnlijke herinnering. 'Als ze volwassen worden, worden ze zelf iemand. Hebben ze je minder nodig. Hebben ze niet meer voor dezelfde dingen belangstelling als jij. Hebben ze ineens geheimen voor je, vertellen ze je niet meer alles. Wat ik probeer te zeggen is dat Benjamin mijn zoon is, maar dat hij ook zelf iemand is. Nadat zijn moeder overleed, en zeker nadat ik hertrouwd ben, heeft hij zich van me afgekeerd. Hij weigert naar de universiteit te gaan, hij heeft zijn eigen dromen. Eerlijk gezegd ben ik niet blij met wat hij heeft besloten te gaan doen, maar het is niet aan mij om hem tegen te houden. Ik geef toe dat hij met de politie in aanraking is geweest, maar alleen voor kleinere vergrijpen. En nadat hij zich afgelopen jaar bekeerde, leek het veel beter met hem te gaan.'

'Bekeerde?'

'Ik heb hem als baptist opgevoed, maar afgelopen jaar besloot hij moslim te worden. Ik heb niet geprotesteerd. We zijn tenslotte allemaal Gods schepselen en hij leek er volwassener van te worden. Hij heeft al meer dan een jaar geen problemen gehad, interesseert zich voor politiek en heeft dat baantje bij de radio. Ik ben trots op hem en dacht dat we meer begrip voor elkaar begonnen te krijgen. Of beter: dat dacht ik tot jij me dit liet zien.' En weer tikte Barrett met een wijsvinger op de foto van Morphs graffiti.

'Weet u naar welke moskee hij gaat?'

Harriet dacht dat ze wel wist waar Benjamin Barrett, een bekeerde, en Musa Kursa, een moslimvluchteling, elkaar ontmoet hadden.

Donald Barrett keek haar vanachter zijn bureau aan. 'Je zei dat hij geen problemen zou krijgen.'

'Ik ben op zoek naar Morph. En op dit moment is uw zoon mijn enige aanknopingspunt.'

'Toen hij afgelopen jaar achttien werd, zei Benjamin na onze gebruikelijke ruzie over of hij naar de universiteit moest of niet, dat hij wilde verhuizen. Hij wilde een eigen stekkie. Ik respecteerde zijn besluit, stortte de waarborg voor een huurflat, betaalde de eerste maand en zei dat hij vanaf toen op eigen benen stond. Maar natuurlijk was ik degene die de huur betaalde, omdat hij lang niet genoeg verdiende met zijn radiowerk, en zijn plannen om zo snel mogelijk beroemd te worden zijn tot nu toe mislukt. Toch ben ik blij dat ik hem kan helpen. Hij is mijn zoon en ik dacht dat hij eindelijk een verantwoordelijke volwassene aan het worden was. Maar als het klopt wat je net vertelde, dan is hij nog steeds boos op me. Hij zet me voor schut met die graffitispuiterij. Het koeriersbedrijf, mijn restaurant...' Donald Barrett schudde zijn hoofd en maakte dat sissende geluid tussen zijn tanden dat Jamaicanen maken als ze zich ergeren. 'Denk je dat ik er spijt van krijg, mevrouw Crowley, als ik je zijn adres geef? Ben ik dan net zo slecht als hij?'

'Dat is iets tussen u en Benjamin... dat is uw zaak, meneer Barrett. Maar ik denk van niet.'

Donald Barrett schreef iets op een memoblaadje en zei: 'Ik geef je dit alleen als je me belooft dat ik er geen spijt van krijg.'

Harriet keek hem recht aan. 'Ik ben op zoek naar zijn vriend.'

'Daar zal ik het dan mee moeten doen.' En hij gaf haar het blaadje.

Het adres was een victoriaans rijtjeshuis in een achterbuurtstraatje achter Green Lanes. Vier deurbellen naast de voordeur; drie overvolle vuilnisbakken, een met een kabelslot vastgezette scooter en een bord met naam en adres van een makelaar in de overwoekerde voortuin. Er zat graffiti op de stenen pilaar naast de deur, ongeveer zo groot als een hand, met de bekende stippen en lijnen in zilveren viltstift. Harriet pakte de spuitbus die ze tegenwoordig altijd bij zich had en spoot er zwarte verf over. Ze maakte kleine cirkels zodat ze de graffiti volledig bedekte. Een nutteloos gebaar, eigenlijk – wie weet hoeveel van die dingen Morph door Londen had gemaakt – maar toch voelde ze zich wat beter.

B. Barrett huurde het appartement op de bovenste verdieping. Niemand reageerde toen ze op zijn bel drukte, niemand reageerde toen ze op de andere bellen drukte. Een van de sloten op de voordeur kreeg ze met behulp van een haarspeld open. En met een flexibel aluminium plaatje van creditcardformaat maakte ze het Yaleslot open. Er stonden twee fietsen tegen de muur van een smal, donker halletje. Een gangtafeltje lag vol met menukaarten van af-haalrestaurants, kaartjes van taxibedrijven, gele enveloppen voor vorige huurders en nogal wat post voor meneer B. Barrett.

Harriet beklom de gammele trap, trok plastic handschoenen aan, peuterde opnieuw met een haarspeld het slot van het boven-ste appartement open, zag dat er verse krassen naast dat slot za-ten, en glipte naar binnen. De kleine woonkamer was helemaal overhoopgehaald. Cd's en boeken – misdaadromans, boeken over Black Power en soefisme, verklaringen van de koran, boeken over vergelijkende godsdienstwetenschappen, de *Rough Guide to Tur-key* – lagen tussen de vullingbolletjes en veren uit de opengereten kussens. De bank lag ondersteboven en de achterkant was losge-sneden, het houten frame was zichtbaar. Een zure lucht leidde Har-riet naar de kleine keuken. Daar lagen opengescheurde pakken rijst, meel en allerlei soorten bonen gebroederlijk in de gootsteen en de koelkastdeur stond open. De inhoud van het medicijnkast-je in de badkamer lag op de grond. In de slaapkamer was de ma-tras van het bed getrokken en opengesneden en de inhoud van een goedkope grenen kast lag door de hele ruimte.

Het verrotte slaapkamerschuifraam keek uit op een gebouw en een tuintje waar tussen het onkruid en het hoge gras een oude ap-pelboom stond. Een druk patroon in zwarte verf op het hout van het scheefgezakte tuinhek trok direct Harriets aandacht. Zelfs van-af hier zag ze dat het van Morph was. Vervolgens zag ze een man in het steegje achter het raam; een magere man in een oranje vei-ligheidsjas met een woeste baard en grijs schouderlang haar. Dood-stil staarde hij naar het huis en zijn mond bewoog automatisch heen en weer.

Een paar tellen keek Harriet hem recht aan voordat ze zich rea-liseerde wat hij was. Vervolgens schoot ze het appartement uit, ren-de de trap af, struikelde over een losliggend kleedje in het halletje, gooide de fietsen om en verloor haar evenwicht. Ze haalde de zoom van haar linnen rok open en kreeg olie aan haar handen toen ze zich van de fietsen bevrijdde, waardoor ze een keurige vingerafdruk op de voordeur achterliet toen ze die openrukte. Bij het hek keek ze van links naar rechts en zag tot haar grote schrik dat de man in de oranje jas midden op de weg recht op haar af rende, een beetje voorovergebogen en met zijn armen stijf langs zijn zij.

Een bezeten boer. Sinds die toestand in Nigeria, drie jaar geleden, had ze er geen meer gezien, maar dit was er beslist een. Gelukkig stond haar auto pal voor het huis. Ze trok het portier open, schoot naar binnen, vergrendelde de de deuren en kreeg de motor aan de praat, precies op het moment dat de man aan de kruk rammelde met zijn gezicht vlak bij het hare. Hij liet pas los toen ze vaart maakte. Ze raakte bijna een witte personenauto toen ze een scherpe bocht maakte op het kruispunt aan het eind van de straat en bonkte over verkeersdrempels toen ze door achterafstraatjes naar de grote doorgaande Seven Sisters Road racete. Toen ze er zeker van was dat ze niet werd achtervolgd, stuurde ze trillend van de adrenaline naar de kant. Haar vingers waren dik en gevoelloos toen ze snel een nummer op haar mobiel wilde intoetsen. Gedachten schoten door haar hoofd. Ze wist exact wat de aanwezigheid van die bezeten boer betekende en ze wist exact wat ze moest doen.

Clarence Ashburton nam ruim de tijd om op te nemen. Harriet stelde zich voor hoe de oude man moeizaam uit zijn stoel kwam en pijnlijk langzaam naar de gang liep, naar de telefoon, een zwart bakelieten toestel dat als een dikke pad op een tafeltje met leren bovenblad stond. Toen hij eindelijk de telefoon opnam, dwong ze zichzelf kalm te blijven en rustig vertelde ze hem wat ze gezien had en vroeg of hij via het gesloten videosysteem de straat en de achterkant van het huis wilde controleren.

'Je weet zeker dat het een bezeten boer was?'

'Absoluut. Alsjeblieft, Clarence, bekijk die cameraopnames.'

Een paar jaar geleden had ze persoonlijk het videosysteem en een alarmsysteem geïnstalleerd na een inbraak waarvan ze het vermoeden had dat de opdrachtgever meer in de nagelaten papieren en verslagen van de Nomads' Club geïnteresseerd was dan in de antiquiteiten, archeologische trofeeën en souvenirs van Clarence Ashburton.

'Geef me een minuutje,' zei hij. Maar het was behoorlijk veel later toen hij weer aan het apparaat kwam en vertelde dat er niets ongewoons op de banden te zien was.

Harriet zei: 'We hebben het er al eerder over gehad dat Carver Soborin misschien op zoek zou gaan naar de Nomads.'

'Als hij het idee had dat wij iets van waarde voor hem hadden, dan was hij al jaren geleden gekomen. En trouwens, die man zit veilig in een gesticht.'

'Het was echt een bezeten boer, Clarence. Óf Soborin zit niet meer vast óf iemand anders gebruikt zijn persoonlijke glyph.'

Het bleef even stil voordat Clarence vroeg: 'En wat ga je nu doen?'

'Ik ga nu bellen om direct bewaking voor je te regelen. Daarna kom ik naar je toe en houd onwelkome bezoekers tegen. Ik kan over een uurtje bij je zijn. Houd ondertussen ramen en deuren op slot.'

'Ik neem aan dat ik mijn revolver moet gaan opzoeken?'

'Als er iets gebeurt voordat ik er ben, wat ik niet verwacht, ga dan niet de held uithangen. Bel 999 en vraag naar de politie.'

'Dit zal Julius helemaal niet leuk vinden. Hij heeft er de pest aan als zijn dagritme doorbroken wordt. Ikzelf trouwens ook.'

'Doe de deuren en ramen op slot. En laat je revolver liggen waar die ligt.'

Harriet belde een vriend, Mark Mallett, en regelde vierentwintiguursbewaking voor het huis van Clarence Ashburton. Daarna werkte ze zich net zo lang door het gedigitaliseerde telefoonsysteem van Vauxhall Cross heen tot ze de voicemail van Jack Nicholl te pakken had. 'Ik wil je zo snel mogelijk spreken,' sprak ze in. 'Ik heb gegronde redenen om aan te nemen dat Carver Soborin in het land is en ik wil weten waarom.'

9

Alfie besloot een dutje te gaan doen in plaats van George' busje schoon te maken. Hierdoor was hij vijftien minuten te laat voor zijn afspraak met een archeoloog die in het Franks House werkte, de dependance in Hackney waar het British Museum een grote verzameling archeologische vondsten en etnische voorwerpen had opgeslagen. Ze ontmoetten elkaar in de smerige lobby van het fabriekachtige gebouw, waar dr. Robin Cole Alfies verontschuldigingen wegwuifde, waarschijnlijk omdat een paar minuten vroeger of later totaal onbelangrijk waren voor iemand die dingen van duizenden jaren oud bestudeerde. Hij nam hem mee naar boven, naar een hoekkamer met uitzicht op daken van kleine fabrieken en werkplaatsen langs het kanaal, torenflats en in de verte een kerktoren. Alfie legde uit dat hij erover dacht om iets te schrijven over zijn opa's archeologische expedities, terwijl Robin Cole fotokopieën van fragmenten uit het logboek van Maurice Flowers las en de steenscherf bestudeerde en iets zag wat Alfie nog niet gezien had: sporen van wit poeder in de ingesleten lijnen. De archeoloog was vooral geïnteresseerd in de schilderingen die Flowers op de muren van de grotten onder de ruïnes van de tweede kerk had gevonden en zei dat als ze echt waren, het de eerste schilderingen in die regio waren.

'En je hebt geen plattegrond of een aanwijzing gevonden waar die grotten precies liggen?' vroeg Robin Cole. Hij was een keurige, gebruinde, atletische man van achter in de vijftig, gekleed in een zwarte sweater en een vale Levi 501. Er hing een juweliersloep aan een zilveren ketting om zijn nek en er schitterden blauwe ogen achter een bril met een goudkleurig montuur.

Er had inderdaad een plattegrond tussen de pagina's van het tweede logboek gezeten, maar Alfie had besloten dat hij nog even niet wilde dat iemand de volledige waarheid kende. Hoezeer hij ook hulp nodig had. Dus vertelde hij de archeoloog dat hij alleen wist dat ze ergens in het noorden van Irak lagen.

'Helaas zijn de originele logboeken van mijn opa verloren gegaan. Deze fotokopieën zijn alles wat ik heb.'

Wat Robin Cole niet deerde. Vervolgens stelde hij vijftien minuten lang allerlei persoonlijke vragen over Maurice Flowers, zijn vrienden en de twee archeologische expedities. Alfie, die voor hij van huis ging een hersenverdovende dosis fenobarbital en Largactil had ingenomen om er absoluut zeker van te zijn dat hij zich niet te veel zou opwinden en een toeval zou krijgen, wilde dat deze ondervraging voorbij was. Hij zweette in zijn leren jasje en was ervan overtuigd dat er een flauwe, maar onmiskenbare schapenstrontgeur om hem heen hing, ondanks het feit dat hij gedoucht had en schone kleren had aangetrokken. Terwijl Cole hem naar details vroeg, kreeg Alfie zin om hem af te kappen, een foto van Morphs werk uit zijn cameratas te halen, uit te leggen wat het voor hem betekende en waarom hij dacht dat het wat met de patronen die zijn opa in Irak gevonden had te maken had. Maar dan zou de archeoloog waarschijnlijk denken dat hij een verfverkoper was. Bovendien zou hij een kans missen om erachter te komen waarom zijn opa zo in de glyphs geïnteresseerd was, dus zweette hij verder, hield zijn verhaal vol, zei dat hij alleen nog maar wat gebladerd had in zijn opa's papieren en mocht eindelijk zelf een vraag stellen: waren er nog meer voorbeelden bekend van patronen zoals in deze schetsen?

'Ik weet dat mijn opa zeer geïnteresseerd was in deze patronen. Tot aan zijn dood is hij ermee bezig geweest. En ik vroeg me af wat erover bekend is.'

Robin Cole vertelde hem dat dit soort abstracte kunst wijd verbreid was in het paleolithicum en neolithicum, dat afbeeldingen van dieren zeldzamer en veel belangrijker waren, zeker gezien hun vindplaats. Maar Alfie liet zich niet afleiden, hij hield vol dat zijn opa die patronen zo belangrijk had gevonden dat hij er zijn leven aan gewijd had. Uiteindelijk nam de archeoloog hem mee naar een kamer waar in drie meter hoge kasten duizenden metalen schuiflades zaten, allemaal met een keurig getypt kaartje in een plastic frontje dat aan de bovenkant uitstak en zo een handvat werd. Hij legde uit dat al die rijen duizenden fragmenten aardewerk uit de Romeinse tijd, de ijzertijd en het neolithicum bevatten. En enkele zeer oude fragmenten uit het Midden-Oosten en Noord-Europa. Hij trok een la open en zei: 'Ik denk dat hier wel iets in zit waar we wat aan hebben.'

Vanwege zijn ruime zelfmedicatie had Alfie het idee dat er een koude, dikke pad in zijn hersens rondsprong, maar zijn bloed kolkte plotseling woest toen hij de fragmenten ingebed in zwart schuimrubber bekeek. Het grootste, plat met een gebogen rand, was ongeveer zo groot als de helft van zijn handpalm. De tijd had de ruwe klei een roetkleur gegeven, maar in het witte tl-licht waren de patronen duidelijk zichtbaar.

Cole vroeg of hij de schetsen nog een keer mocht zien en wees op overeenkomsten tussen de patronen op de fragmenten en die op de anomale steen die Alfies opa in de overblijfselen van de eerste kerk had gevonden, op de zuil van Anselmus en op de grotschilderingen. Hij vertelde dat de scherven ongeveer 8000 jaar oud waren en gevonden waren tijdens een privé-expeditie bij Tell Abu Hureyra in Noord-Syrië. De eerste bewoners waren volken van de laat-paleolithische Natufia-cultuur, die 12.500 jaar tot 10.000 jaar geleden een groot gedeelte van het Midden-Oosten hadden bevolkt, van de mediterrane kust tot aan Zuidoost-Turkije. Ze bouwden ronde hutten op stenen fundamenten, teelden wilde grassen, hielden wilde honden en begroeven hun doden onder kalkstenen platen. Tell Abu Hureyra was vervolgens tijdenlang onbewoond geweest tot er een veel grotere neolithische nederzetting verscheen. De bewoners bouwden huizen van blokken gedroogde modder, verbouwden tarwe en andere gewassen, hielden dieren, weefden doeken en maakten, net voor de nederzetting opnieuw verlaten werd, aardewerk dat ze met abstracte patronen versierden.

'Er bestaan identieke motieven op losse kunstvoorwerpen en in de pariëtale kunst van zowel het neolithicum als het jong-paleolithicum,' vertelde Robert Cole. 'In het Midden-Oosten zijn van de

Natufia-cultuur schilderingen en gravures van dieren, mensen en abstracte patronen overgebleven. En dan de beroemde voorbeelden van veel oudere pariëtale kunst in de grotten van Noord-Europa, zoals Altamira, Lascaux, en natuurlijk de recente, zeer belangwekkende vondst hier in Engeland, in Church Hole in Nottinghamshire. Als je opa werkelijk identieke grotschilderingen in Irak gevonden heeft...'

Alfie zei dapper: 'Uit wat ik me nog vaag kan herinneren van mijn Latijnse lessen, heeft 'pariëtaal' iets met 'muren' te maken.'

'Kunst op grotmuren, ja, zoals schilderingen of beeldsnijkunst. Of op grote stenen, zoals die die je opa tijdens zijn eerste expeditie vond. Er staat een bijzonder mooi voorbeeld van een grote staande steen met geometrische motieven uit het neolithicum in Garvrinis, Bretagne.'

'Dus dit komt eigenlijk heel veel voor.' Alfie begreep het niet, hij probeerde om de pad in zijn hoofd heen te denken. Als patronen als de glyphs zoveel voorkwamen, waarom wisten archeologen dan niet wat ze konden veroorzaken? Misschien omdat ze niets wisten van de drug, van de haka?

Cole zei met glimmende ogen: 'Patronen als deze zijn wijd verspreid en worden al gevonden bij de vroegste kunst die mensen maakten. Dat wil niet zeggen dat de exemplaren die je opa gevonden heeft niet interessant zijn. Integendeel. Het lijkt erop dat hij het eerste bewijs van paleolithische steenkunst in Irak gevonden heeft en ik, maar ik ben geen expert, ken geen andere exemplaren die zulke drukke patronen vertonen als hij heeft getekend.'

'Dus ze lijken op andere patronen van ongeveer gelijke ouderdom, maar zijn alleen... intenser.'

'Heb je behalve die steenscherf nog andere dingen? Want dan zou ik die ook graag zien.'

'Mijn opa had vroeger een bescheiden verzameling, maar ik heb geen idee wat daarmee gebeurd is. En ik heb je al verteld dat zijn originele dagboeken verdwenen zijn. Zeg, kun je me misschien vertellen,' vroeg Alfie met klamme handen en hij koos voorzichtig zijn woorden, 'waar die patronen voor dienden? Ik bedoel, behalve voor versiering dan, waarom werden ze aangebracht?'

'Dat is een goede vraag. Veel van mijn collega's denken dat ze sjamaans zijn, wat ik niet geloof. De voorstellingen betekenden zeker wat voor de mensen die ze maakten, maar we weten niet wát, want de code is verloren gegaan.'

'Sjamaans? Zoals trance, visioenen?' Alfie kreeg het idee dat er ineens een leeuw of tijger – zwaar ademend, gevaarlijk, indrukwekkend – in de hoek tussen de ladekasten stond.

Cole zei ineens ingetogen: 'Ik ben bang dat het wat mij betreft in de categorie kinderverhalen valt. Als je serieus van plan bent om alles over de ontdekkingen van je opa naar boven te halen – en ik vind dat je dat moet doen, het kan zeer belangrijk zijn – dan hoop ik dat je niet te veel tijd besteedt aan oeverloze speculaties over sjamanisme en mysterieuze rites.'

'Maar kun je me er alsjeblieft wel iets over vertellen?' vroeg Alfie, die zag dat de archeoloog schrok van zijn vasthoudendheid. Het verraste hem zelf ook, maar hij kon de kans niet laten lopen. Hij dacht dat hij op het punt stond alles te begrijpen.

Cole keek hem aandachtig aan. 'Je zei dat je opa hier veel interesse voor had.'

'Ja, ja, dat klopt.'

'Had hij contact met andere veldwerkers? Heeft hij het er met anderen over gehad?'

De avond ervoor had Alfie alle dagboeken van zijn opa doorgeplozen, maar hij had niets gevonden over glyphs, drugs of Iraakse avonturen. Maar hij vermoedde dat de letter N die regelmatig opdook bij een datum voor Nomads stond en aangaf wanneer zijn opa de mannen zou ontmoeten die hem bij de twee opgravingen hadden geholpen.

Hij zei: 'Dat weet ik bijna zeker, maar net als de rest is ook zijn correspondentie verdwenen. Als je me wilt vertellen waarom sommige mensen denken dat deze patronen met het sjamanisme te maken hebben, zou me dat ontzettend helpen met de reconstructie van zijn werk.'

'Kom mee,' zei Cole. Alfies sandalen piepten op de gladde vloer toen hij achter de archeoloog de hele ruimte door liep naar de trap. Ondertussen legde Cole uit dat er wetenschappers waren die geloofden dat de abstracte patronen van de grotkunst afbeeldingen waren van lichtringen in de ogen en constanten vormden – entoptische fenomenen voortgekomen uit het menselijke visuele vermogen, onafhankelijk van licht van een externe bron.

'De lichtringen worden opgewekt door fysieke stimulatie,' vertelde hij. 'Je kunt ze zien door je ogen te sluiten en over je oogleden te wrijven. De constanten worden in de visuele hersenschors gevormd – het deel van de hersenen dat direct geprikkeld wordt door het netvlies. Mensen zien vaste vormen als hun bewustzijn beïnvloed wordt door psychotrope drugs of door moeheid, door vasten of pijn – alles wat hun bewustzijn kan veranderen ten opzichte van wat de vrijmaking van intern ontwikkelde beelden wordt genoemd.'

'Zoals dromen,' zei Alfie, die aan de levendige nachtmerries dacht die hij vanaf zijn ongeluk had.

'Kan, maar ik ben geen expert. Het punt is dat deze patronen diep in het menselijk zenuwstelsel verankerd zitten. Voor zover ik de theorie begrijp bestaat er een ruimtelijke relatie tussen het netvlies, onze lichtgevoelige oogballen en de visuele hersenschors. Licht stimuleert receptieve cellen zodra het op het netvlies valt en dat leidt tot het activeren van neuronen in de visuele hersenschors. Constanten worden opgewekt door dit proces om te keren – door de neuronen in de visuele hersenschors te activeren die op hun beurt het netvlies stimuleren. Dat is de eerste fase van een hallucinatorische ervaring. De tweede begint wanneer het subject probeert de entoptische fenomenen te begrijpen door ze naar bekende beelden te vertalen, de derde als de beelden helderder worden, wat vaak gepaard gaat met de illusie dat je in een tunnel of draaikolk valt, en de hallucinatie de realiteit verdringt. Tot dit punt heb ik er geen problemen mee. Het wordt ondersteund door solide neuropsychologische onderzoeken. Maar dat wil niet zeggen dat we het kunnen gebruiken om het belang van paleolithische kunst aan te tonen, om te beweren dat de patronen en beelden in steenkunst uitingen zijn van sjamaanse visioenen.'

Ze hadden flink wat trappen gelopen naar een grote verlaten ruimte die Alfie deed denken aan het scheikundelokaal van zijn oude school: lange, brede banken, glaskasten, zeven, bakjes en tassen vol viezigheid. Cole rommelde met een grote bos sleutels en vond uiteindelijk de twee die een deur naast een modern alarmsysteem openden. De ruimte erachter was de klimaatruimte: een raamloze kamer met een constante temperatuur en vochtigheidsgraad waar tere botten en ivoren artefacten in houten lades lagen opgeborgen, die hun inhoud een paar uur op de goede temperatuur zouden houden, mocht de airco uitvallen. Cole trok een la uit een kast, zette die op een tafeltje en vouwde de beschermdoek naar achteren.

'Wauw!' zei Alfie. Hij keek naar drie prachtig gemaakte stukken. In het grootste, een gebogen stuk mammoetivoor, waren twee rendieren gekrast.

'Prachtig, hè?' zei de archeoloog zacht. 'Het mannetje volgt het vrouwtje, hun koppen staan omhoog en hun geweien hangen achterover in een karakteristieke zwemhouding, alsof ze een rivier willen oversteken. Zie je dat de flank van het vrouwtje gearceerd is? Misschien is dat omdat het de dikke wintervacht voor moet stellen. Als ze een rivier overgestoken zijn, zit die dikke vacht vol water waardoor de dieren niet hard kunnen lopen en een makkelijke prooi voor de jagers zijn. Maar waarom is de flank van het mannetje, terwijl de vacht even dik is, niet gearceerd? Misschien omdat er alleen op vrouwtjes werd gejaagd? Of juist alleen op mannetjes? Dat weten we niet.'

'Want de man die dit gemaakt heeft is er niet meer om het uit te leggen,' vulde Alfie braaf aan.

'Precies. Daarom kan onze interpretatie van alle paleolithische kunst nooit meer dan beredeneerd giswerk zijn, verhalen dus. En die verhalen zullen worden aangepast aan nieuwe ontdekkingen en veranderde ideeën over hoe vroegere beschavingen samengesteld waren en zich ontwikkelden. Zo kunnen vroege etnografische overeenkomsten als jacht of vruchtbaarheidsmagie leiden tot het Franse structuralisme, kan het ruimtetijdperk de archoastronomie in beeld brengen en kan het computertijdperk stellen dat prehistorische kunst een manier is om informatie door te geven. De huidige gangbare theorie – dat veel voorbeelden van prehistorische abstracte kunst visioenen zijn van mensen die onder invloed van drugs sjamaanse rituelen ondergingen – gaat uit van de laatste interpretatie. Hij is niet meer of minder waar dan de andere theorieën. Helaas zijn op dit moment veel te veel naïeve studenten en wetenschappers op de rijdende trein gesprongen en menen ze overal in de steenkunst entoptische fenomenen en uitingen van sjamaanse rituelen en veranderingen te zien, zelfs in steenkunst zonder etnografische banden. Maar het enige wat we echt weten over paleolithische kunst is dat het belangrijk was voor de men-

116

sen die het maakten. Deze spullen waren zeer waardevol voor hun eigenaren,' vertelde Cole en hij liet Alfie zien dat een ander voorwerp in de la, een rendierschouderblad in de vorm van een speer met het profiel van een rennend paard erin gekrast, zorgvuldig was gerepareerd nadat de schacht was afgebroken, dat ook het reparatiewerk gebroken was en dat er vervolgens uit het andere deel reepjes waren gesneden om er naalden van te maken.

Alfie beloofde dat hij deze les ter harte zou nemen en Cole zei dat hij hem graag zou helpen met eventuele andere vragen. 'Als je nog wat ontdekt over de expedities van je opa, en helemaal als je aanwijzingen vindt over de locatie van deze grotten, laat het me dan weten. En ik heb een aantal collega's die zeker met je willen praten. Gezien de situatie in Irak op dit moment is het niet mogelijk om een expeditie uit te rusten, maar over een jaar of twee...'

Alfie zei vlug dat hij nog een andere afspraak had, bedankte de archeoloog voor zijn tijd en moeite en wandelde met een hoofd vol speculaties de De Beauvoir Road op. Hij liep een Vietnamees restaurant binnen (het was zeven uur 's avonds en hij had ineens razende honger) en wilde alles noteren wat Robin Cole hem verteld had over entoptische beelden, drugs en sjamanen. Ineengedoken aan het eind van een van de lange tafels in het restaurant met zijn warrige, korte strokleurige haar en zijn bleke gezicht, rood van opwinding, krabbelde hij in zijn notitieboekje en werkte ondertussen afwezig vegetarische noedels in scherpe saus naar binnen. Hij maakte aantekeningen alsof hij een echte journalist of rechercheur was. Hij probeerde de losse stukjes tot een geheel te vormen.

Het stukje steen dat hij van Miriam Luttwak had gekregen maakte het aannemelijk dat de patronen – de glyphs – iets met de verdwijning van zijn vader van doen hadden. En Mick Flowers had met de glyphs van doen omdat zíjn vader, Maurice Flowers, ze in Irak gevonden had en later had iemand, misschien Maurice Flowers, misschien iemand anders, het effect ontdekt dat ze hadden bij mensen die haka hadden gerookt of op een andere manier binnen hadden gekregen. Alfie schreef Nomads en de namen van zijn opa en vader in zijn boekje en trok er lijnen tussen zodat er een driehoek ontstond. Robin Cole had gezegd dat het mogelijk was dat de abstracte patronen in steenkunst entoptisch waren, patronen voortkomend uit het menselijk zenuwstelsel in de eerste fase van een hallucinatorisch experiment. Hij had uitvoerig uitgelegd dat het een theorie was, geen bewezen feit, maar Alfie dacht aan het zakje met grijs poeder van zijn opa, poeder dat hij best geproefd zou kunnen hebben voor hij naar het papier in zijn opa's bureau keek. Hij dacht aan de injecties van meneer Prentiss en de stevige joints die hij met zijn vader had gerookt. Aan de beelden die hij daarna in het vuur had gezien. Patronen die bedoeld waren om hem niet te laten schrikken van de glyphs of om hem er immuun voor te maken. Wat was het? Versterking van die patronen? Werkbare combinaties?

Alfie schreef David Prentiss' naam op en trok een lijn naar Nomads. Die twee mannen die alle spullen van zijn opa hadden meegenomen, hoorden er ook bij. Misschien waren zij de andere mannen op de foto van de eerste expeditie...

Hij schreef Julius en Clarence op. Hij verbond ook deze namen met Nomads. Zijn opa was dood. Zijn vader was dood. En hij wist dat meneer Prentiss ook dood was, omdat hij de man drie jaar na zijn blootstelling aan de glyph, na de dood van zijn vader, had willen opzoeken. Dat was in de zomervakantie geweest, toen zijn oma naar vrienden in Londen was en tegen Alfie had gezegd dat hij oud genoeg was om alleen thuis te blijven. Maar Alfie was met de eerste trein na de trein die zijn oma had genomen ook naar Londen gereisd en voelde zich een spion die op vijandelijk terrein infiltreert. De weg naar Chiswick was makkelijk te vinden, maar hij liep er twee spannende, frustrerende uren rond zonder meneer Prentiss' witte huis te vinden. Hij liep er zelfs twee keer voorbij voor hij zich realiseerde dat het nu roze was en dat de grote boom in de voortuin weg was. En nadat hij al zijn moed bij elkaar had geschraapt en aanbelde, vertelde de vrouw van middelbare leeftijd die opendeed dat de man die hij zocht drie jaar geleden overleden was.

Nu zette hij vraagtekens naast Julius en Clarence. Hij wist niet wie ze waren en had geen flauw idee hoe hij ze kon vinden. Hij kon natuurlijk de dagboeken van zijn opa nog een keer grondig herlezen, maar hij nam aan dat zijn opa de sleutel tot deze geheimen niet aan een gewoon dagboek zou toevertrouwen. Hij kon het natuurlijk aan oma vragen – ze wist ten slotte van de Nomads en misschien wist ze wie de mannen waren en of ze nog in leven waren – maar Alfie wist dat praten over haar man en zijn opgravingen haar altijd van streek bracht en hij voelde zich nog steeds schuldig over zijn laatste bezoek, over de manier waarop dat was geëindigd. Hij besloot dat hij haar alleen naar de Nomads zou vragen als hij geen aanwijzingen meer had; ondertussen was er nog de andere kant van zijn onderzoek: de zoektocht naar Morph. Die, zelfs als hij niet uit Irak kwam, beslist iets over de glyphs wist. Het was natuurlijk mogelijk dat zijn graffiti niets te maken had met de patronen op grotwanden of oude steenbrokken. Misschien maakte hij alleen maar na wat hij gezien had na het roken van een geestverruimende joint of na het innemen van lsd of Special K. Misschien was het allemaal toeval, behalve dan dat Morph nou net een patroon maakte dat kracht bezat. Een patroon dat aantrekkingskracht bezat en dat die aandacht vasthield. Een patroon dat het deel van Alfies hersenen prikkelde dat beschadigd was door zijn ongeluk. Een patroon intenser en levendiger dan de patronen die te vinden waren in de paleolithische en neolithische kunstcollectie in de dependance van het British Museum.

Een patroon, bedacht Alfie, dat achteruitwerkte, van buitenaf naar binnen. Entoptische beelden, vormconstanten, werden opgewekt door de menselijke hersenen. En als het vonken van hersenactiviteit waren, was het dan ook niet mogelijk dat het intense patroon van die entoptische beelden, de glyphs, op de een of andere manier basale menselijke emoties en gevoelens beïnvloedde? Fascinatie, angst, passie, honger en zo. Rook haka, concentreer je op een glyph en het dringt je hersenen binnen of het activeert iets wat er al zit.

Even leek alles bijna op zijn plaats te vallen. Hij was er bijna. Maar het moment ging voorbij. Hij bleef nog even zitten en pas toen hij er zeker van was dat het niet meer terug zou komen betaalde hij de rekening en vertrok naar Islington.

Hij zag niet dat de man die in een bushokje aan de overkant van de straat zat, opstond, zijn krant opvouwde en hem volgde.

10

Iets na tienen de volgende ochtend arriveerde Alfie bij de hoofdingang van het Imperial War Museum waar Toby al op hem wachtte. De journalist propte de dikke hardcover die hij aan het lezen
was in zijn tas, zo'n kakikleurige legertas die zo populair is onder
heavy-metalfans, en zei: 'Je bent laat.'

'Ze zijn net open. Heb je al iets bekends gezien?'

'Ik vond het beter om op jou en je röntgenstralen te wachten.'
Toby wierp een blik op Alfie. 'Gaat het wel goed met je, Flowers?
Je kijkt alsof je de loterij gewonnen hebt, maar je lot kwijt bent.'

Robin Cole had Alfie gebeld, net voor hij weg wilde gaan, om
te vertellen dat hij de aanwinstenlijst van het museum had bekeken en ontdekt had dat Maurice Flowers veel van de vondsten van
zijn eerste opgraving aan het museum had geschonken, maar dat
die tijdens de Tweede Wereldoorlog teruggehaald waren.

'Weet je toevallig,' had de archeoloog gevraagd, 'of je opa ooit
gewerkt heeft voor de geheime dienst of er contact mee heeft gehad?'

Alfie had gelogen, hij had gezegd dat hij geen flauw idee had,
had de archeoloog onderbroken toen die begon met het stellen
van een overduidelijk lange reeks vragen, had gezegd dat hij terug zou bellen als hij iets interessants had gevonden, maar dat hij
nu al laat was voor een afspraak... en had opgehangen met het
onbehaaglijke gevoel dat hij de zaak niet meer in de hand had.
Maar hij vroeg zich ook af of de glyphs en de mysterieuze Nomads wellicht iets te maken hadden met het werk dat zijn opa in

de oorlog voor de SOE had gedaan.

Hij zei tegen Toby: 'Ik denk dat ik door alles een beetje van slag ben. En ik ben gisteren nog twee uur bezig geweest met schapenstront afpoetsen van George' busje.'

'Welkom in de glamourwereld van de onderzoeksjournalistiek. Tja, het wordt hier waarschijnlijk een nutteloze onderneming, maar laten we maar beginnen.'

Terwijl ze tegen de klok in om het museum liepen zei Toby tegen Alfie dat als hij wat chagrijniger was dan anders dat was omdat hij slecht nieuws had gehad en een gigantische kater had. Gisteravond hadden hij en zijn ex, Alison, onder het genot van een paar flessen rode wijn een verhitte discussie gevoerd over wat er met de flat moest gebeuren die van hen beiden was en waar zij nog steeds in woonde. Er moest snel iets gebeuren, want ze had ontslag genomen bij Amnesty International en zou over drie weken naar Oxford verhuizen waar ze bij Oxfam ging werken.

'En toen zei ze dat ze iemand anders had. Een of ander kutterig dichtertje dat moderne Engelse literatuur doceert aan Oxford Brookes University.'

'Ze gaat verder,' zei Alfie. 'Goed voor haar.'

'Ze gaat naar Oxford, naar die klootzak,' zei Toby.

'Goed zo, houd jij alles maar lekker strak bij elkaar.'

'Dat zegt iemand die afgestudeerd is in hoe je het verleden niet los moet laten,' zei Toby vanachter de gekromde hand waarmee hij het aanstekervlammetje beschermde en zijn sigaret opstak.

'Wat vind je hiervan?' vroeg Alfie en hij gaf hem de uitdraai van de video die Elliot met zijn batterij pixelverwijderende programma's had bewerkt. Elliot had het hem gisteravond in de pub gegeven en hij had zich verontschuldigd, omdat hij er niet veel aan had kunnen verbeteren. Hij had er niet voor betaald willen worden, maar wilde wel een pint bier. En toen Alfie hem vroeg of hij misschien nog eens zoiets wilde doen, had hij geen nee gezegd.

Toby bestudeerde de digitale uitvergroting en zei: 'Het ziet er nog onscherper uit dan het al was. Ik kan nu niet eens zien of die kerel blank of zwart is.'

'Volgens Elliot heeft hij iets over zijn hoofd getrokken. Misschien een panty.'

'Een pantymasker. Hoe afdoende is dat?' En Toby gaf hem de

uitdraai terug. 'Maar je bent niet de enige die aan deze zaak werkt. Ik heb wat achtergrondonderzoek gedaan.'

'En je hebt wat gevonden! Wat?'

'Laten we eerst eens bekijken wat onze maniak van plan is. Als het minstens net zo goed is als die stunt met de schapen, en er geen dringender nieuws komt, accepteert de *Guardian* het artikel. Misschien plaatsen ze dan ook nog wel een van jouw kiekjes. Wat inhoudt dat, als Shareef zijn belofte houdt, we hem – en hopelijk ook Morph – binnenkort ontmoeten. Ik heb er trouwens niets op tegen,' zei Toby na een korte stilte, 'als je me op je knieën wilt bedanken, hoor. Het kostte me maar een dag.'

'Dat is mooi. Ik bedoel: fantastisch!'

Met een groeiend onbehaaglijk gevoel vroeg Alfie zich af wat Toby ontdekt kon hebben.

'Allereerst moeten we dat kutding vinden dat Morph hier verstopt zou hebben. Weet je zeker dat je nog niets gezien hebt wat die gekke hersenen van je kietelt?'

'Toch moet het hier ergens zijn.'

Ze waren om het hele museum heen gelopen en stonden stil naast de twee marinekanonnen bij de trap en pilaren van de hoofdingang.

'Geweldig,' zei Toby. 'Weet je wat hier vroeger zat?'

Alfie haalde een schouder op. Aan de andere bengelde zijn zware cameratas.

'Het Bedlam. Bethlehem Hospital. De plek waar ze alle mentale probleemgevallen van Londen stopten. Daarom is het zo gigantisch groot, en we weten niet eens waar we naar zoeken.'

Maar nadat ze in een korte rij achter toeristen en een eenzame veteraan in zijn regimentsjasje hadden gestaan om binnen te komen, zag Toby bijna onmiddellijk Morphs laatste kunstwerk. In een hoek van de grote zaal stonden bewapende voertuigen en veldwapens uitgestald en een omnibus uit begin twintigste eeuw (waar George Johnson zijn rechterarm voor gegeven zou hebben), en er lag een massieve groene v2-raket onder een stel gevechtsvliegtuigen; de originelen van de Airfix-modellen die Alfie in zijn jeugd verzameld had. Daar, tegen de gele muur van een nis waar vier keurig ingeklapte rolstoelen stonden, hing een perspex vitrinekastje, in tweeën gedeeld door een plankje waarop een versufte rat met een woestijncamouflagejasje aan op oranje bouwzand poseerde voor een foto van een brandende oliebron. Een miniatuurgeweer was aan een roze pootje gelijmd en een zonnebrilletje was op zijn koppetje gedrukt. Boven het plankje stond op een grote kaart in dikke zwarte letters tussen rode kronkels en strepen *Rattus Militus Desertus Americanus: Irak 2004*. In het bekende cursieve schrift stond er *Morph* onder.

Toby vroeg Alfie of het echt was. Of het iets in zijn hersenen raakte.

Alfie schudde zijn hoofd. 'Alle elementen zitten erin – de kronkels en de lijnen en de rest. Maar er gebeurt niets in me.'

'Misschien hoort er ook niets te gebeuren.'

'Of het is fake.'

'Nou, hier kwamen we in ieder geval voor,' zei Toby en hij keek rond om een van de suppoosten te alarmeren.

Gelukkig had de persjuf een gezond gevoel voor humor. Toby haalde haar over tot een korte verklaring namens het museum en Alfie kon een paar foto's maken voor de perspex vitrine werd weggehaald. Hij was makkelijk onbeschadigd van de muur te trekken.

'En vermeld dat, als meneer Morph zijn kunstwerk terug wil,' zei de persjuf, 'we het graag aan hem overhandigen als hij contact met ons opneemt.'

Toby belde met zijn contact bij de *Guardian*, kreeg de bevestiging dat het verhaal geplaatst zou worden en nam Alfie mee naar het gezellige café dat hij op de heenweg gezien had. Toby dronk een kop donkerbruine thee, at een uitsmijter en schreef zijn korte gesprek met de persjuf op, terwijl Alfie aan een glas mineraalwater nipte en zich nerveus afvroeg wat zijn vriend ontdekt had.

Eindelijk sloeg Toby zijn agenda dicht, stak een sigaret op, keek Alfie aan en zei: 'Je bent een raadsel, Flowers.'

'Hoezo?'

'Ik bedoel dat je niet verteld hebt dat het allemaal om drugs draaide.'

'Dat deed ik niet. Ik bedoel: dat doet het niet.'

'Dat is niet wat mijn contact beweert. Hij zegt dat het patroon waarmee Morph zijn cartoons versiert samengesteld is uit beelden die je ziet als je high bent. In het geval van de paleolithische sjamanen zou dat opium zijn geweest, moerashasj en iets geheimzinnigs, verloren in de loop der tijden, iets wat ze *hoama* of *soma* noemden. Gaat er een belletje rinkelen?'

'Wat voor contact? Met wie heb je gesproken?'

Toby stak een dreigende wijsvinger omhoog. De nagel was afgebeten en oranje van de nicotine. 'Nadat jij me jouw verhaal had toevertrouwd heb ik wat onderzoek gedaan op internet. Daar heb je vast wel van gehoord – heeft iets te maken met computers en soms is het bijzonder handig om informatie te verzamelen.'

'Dat vertelde Elliot me al. Wat heb je gevonden?'

'Ik googelde artikelen over prehistorische kunst en de meeste hadden het over trance, sjamaanse rituelen en er doken telkens basisvormen van entoptische beelden op. Deze grotartiesten waren zo vaak high dat ze het het...'

'Alsjeblieft, zeg het niet,' smeekte Alfie.

'... het stoned tijdperk hadden moeten noemen,' zei Toby met een uitgestreken gezicht. 'En de dingen die ze zagen als ze high waren, worden entoptische beelden of vormconstanten genoemd. Ik zie aan je dat je al het een en ander weet over entoptische beelden. Het is eigenlijk een beetje zielig – je lijkt net een hond die weet dat hij betrapt is en op zijn straf wacht.'

'Ik weet er pas sinds gisteren van,' bekende Alfie. Eerlijk gezegd voelde hij zich écht schuldig omdat hij zijn vriend misleid had, maar hij dacht wel dat hij er goed aan gedaan had. De dagboeken van zijn opa hadden niets met de zoektocht naar Morph te maken. Dat waren familiezaken. 'Ik was in het British Museum – nou, eigenlijk in een dependance ervan – en vroeg aan een expert wat hij van mijn steenscherf vond.'

'En heb je hem ook foto's van Morphs graffiti laten zien?'

'Volgens mij dacht hij dat ik knettergek was toen ik het hem probeerde uit te leggen.'

'Je bent inderdaad zo gek als een sok vol kikkers in een magnetron. Nou, laat ik eens een wilde gok doen. Die expert van jou keek even naar jouw kiezel en zei iets als: deze patronen zijn entoptische afbeeldingen, en toen kreeg je een informatief lesje over waarom ze in het stenen tijdperk zo vaak voorkwamen.'

'Eigenlijk zei hij alleen dat het mógelijk was dat ze entoptisch waren. En hij zei ook dat het onmogelijk was om te weten wat paleolithische of neolithische kunst betekende – waarom het werd gemaakt en waarvoor het diende.'

'Ken jij Jules nog? Jules Martens?'

'Die man die jouw recensie-exemplaren koopt.'

'Vroeger heb ik nog voor hem gewerkt. Hij is die vent naar wie alle boekverzamelaars toe gaan als ze alle boekverkopers al langs zijn geweest. Als je een boek absoluut moet hebben om je verzameling compleet te maken, als eBay geen uitkomst biedt en je persoonlijk tevergeefs bij veilingen van Bloomsbury Book Auctions en Phillips and Biblion hebt gezeten, als je elke tweedehandsboekenzaak hebt uitgeplozen en iedere boekenmarkt hebt afgesnuffeld, dan is Jules degene die je gelukkig kan maken. Hij is specialist in het vinden van het onvindbare en dat lukt hem met een legertje boekenspeurders dat in verschillende landen voor hem werkt. Dat deed ik ook toen ik kersvers in Londen arriveerde met de inkt nog nat op mijn diploma Engelse letterkunde en wilde beginnen als freelancejournalist.'

Alfie had ooit iets van Jules Martens gekocht: een foto uit 1975 van Mick Flowers, uitgeput en ongeschoren, in zijn legerjasje met de extra zakken, zijn favoriete Nikon op zijn borst, onderuitgezakt op een kale, lemen bank in de buurt van Phnom Penh, Cambodja. De foto die gemaakt was een uur voordat hij in zijn been geschoten zou worden door een sluipschutter die door de zijkant van de jeep waarin hij reisde had geschoten, had in de *Washington Post* gestaan bij een kort artikel over zijn gevaarlijke leven. Jules Martens had Alfie een vergeeld exemplaar van de krant laten zien en verteld dat een van zijn Amerikaanse contacten de weduwe van de maker van de foto gevonden had en dat Alfie van haar een afdruk van het originele negatief mocht maken. Alfie had de vergeelde krant gekocht en de onkosten van Jules Martens en de man die de weduwe had gevonden betaald, omdat Jules blijkbaar dacht dat hij Alfie een groot plezier had gedaan – het zou onbeleefd zijn geweest om niet te betalen. Maar toen Jules had voorgesteld om nog meer dingen voor hem te zoeken, had Alfie gezegd: bedankt, maar liever niet. Hij wist hoe de man werkte. Hij gooide een aasje uit en daarna zat je aan hem vast. Hij was zonder twijfel goed in wat hij deed, maar hij was ook een oplichter, zo hoffelijk en meelevend als een plastisch chirurg of een drugdealer. En ook net als zij een expert in het ontdekken en uitmelken van ijdelheid en begeerte. Alfie wilde van zo iemand niet afhankelijk worden, hij wilde geen gevangene worden van zijn vaders verleden. Destijds, vijf of zes jaar geleden, zat hij in wat zijn ex-vriendin zijn ontkenningsfase genoemd zou hebben. Destijds was hij druk bezig om zijn wankele evenwicht in evenwicht te houden. Dus betaalde hij Jules Martens, stuurde het negatief met een bedankbriefje terug naar de weduwe, borg de afdruk die hij gemaakt had op en probeerde die te vergeten.

Nu zei hij tegen Toby: 'Heb jij Jules Martens nog meer verteld? Over Morph en zo?'

'Ik moest hem wat achtergronddingen vertellen, maar ik heb geen namen genoemd.'

'Heb je hem over mijn opa en vader verteld? Over mijn familie?'

Alfie kreeg een bittere smaak in zijn mond, alsof er een koperen penny onder zijn tong lag.

Toby ging rechtop zitten en keek hem met een donkere blik aan. 'We kennen elkaar nu zo'n negen jaar. Jij was mijn huwelijksgetuige. Jij vroeg of ik je wilde helpen en, of je dat nu leuk vindt of niet, dat is precies wat ik aan het doen ben.'

'Wat ik je verteld heb, heb ik in vertrouwen verteld, Toby.'

'Jij sleept al jaren die geheime familiegeschiedenis in je hoofd mee en dan zie je op een dag die graffiti en komt alles naar boven borrelen als moerasgas. Ineens moet je er wat mee doen. Je moet en zal die knakker vinden die die graffiti gemaakt heeft en als je je realiseert dat dat je niet lukt kom je naar mij. Maar dan moet ik je wel helpen op jouw voorwaarden. Je geeft me onvolledige informatie en behandelt me als een werknemer in plaats van als een meelevende vriend. Nou, klojo, vergeet het maar. Als je wilt dat ik je help, dan vertrouw je er maar op dat ik het beste met je voor heb, en moet je je er maar bij neerleggen dat de dingen niet altijd gaan zoals jij verwacht. En als dat je niet bevalt, dan huur je maar iemand in, want ik ga me niet veranderen.'

Het lag niet in Alfies aard om lang boos te blijven, en hij wist trouwens heel goed dat Toby eigenlijk gelijk had. Dus zei hij: 'Nou, je hebt tenminste geen namen genoemd, het zal niet veel kwaad kunnen.'

'Ik heb helemaal geen gevoelige informatie doorgegeven. Ik ben niet helemaal achterlijk, Flowers! Ga er maar van uit dat ik weet wat ik doe.'

'Oké.'

'En waag het niet nog één keer met die hoe-durf-je-over-die-lijn-te-gaan-shitzooi te komen, want dan ben ik weg.'

'Misschien had je me moeten vertellen dat die expert van Jules Martens kwam.' En Alfie bedacht dat als hij de dagboeken van zijn opa ter sprake wilde brengen, het nu het moment was. Toby stak een nieuwe sigaret op. 'Jules heeft een ijzeren geheugen. Hij kan je precies vertellen wat hij tien jaar geleden op een bepaalde dag voor ontbijt heeft gehad. Hij zegt dat hij zich kan herinneren wat zijn eerste gesproken woordje was. En hij herinnert zich alles wat hij ge- of verkocht heeft. Toen ik hem foto's van Morphs graffiti liet zien en hem het verhaal vertelde – een verantwoorde verkorte versie –, noemde hij de naam van een verzamelaar aan wie hij soms literatuur verkocht. Ene Roger Anslinger, een soort freelance wetenschapper die van een fonds geld krijgt. Expert op het gebied van, zoals hij het noemt, de hogere sferen van het bewustzijn. Hij heeft een boek geschreven over de antropologie van het drugsgebruik en werkt nu aan een wetenschappelijke ontleding van de virtuele realiteit. Hij vertelde me dat het pad naar de hogere sferen van bewustzijn begint met vergrote pupillen en dat de staafjes en kegeltjes in het netvlies aan de achterkant van het oog de buitenposten van de hersenen zijn. "Opgesteld op de grens tussen bewustzijn en realiteit." Hij heeft een *zeer* indrukwekkende bibliotheek over alle mogelijke drugs, van droge medische studies tot pulpboeken uit 1950 en 1960 met titels als *Psychedelic Sex* en *Drugged into Sin*, veel over sjamanisme en hij vertelde me wat ik nu weet over paleolithische steenkunst en entoptische afbeeldingen. En hij heeft een boekje dat hij van Jules gekocht heeft. Volgens hem klinklare bagger, maar voor ons niet oninteressant.

Het is in eigen beheer uitgegeven door een halvegare, het zelfbenoemde hoofd van een sekte die begin jaren tachtig in de vs begon en zeven of acht jaar geleden onder scandaleuze omstandigheden ontbonden werd. De gebruikelijke verschrikkingen: hersenspoelingen, drugs, vrije liefde en minderjarige meisjes die flirthengelen – seks aan vreemden aanbieden – als rekruteringsmethode. En natuurlijk de bekende beschuldigingen van satanisme, babyoffers, seksueel kindermisbruik. Vlak nadat de FBI zijn commune was binnengevallen, pleegde de leider zelfmoord, maar op het hoogtepunt van zijn kortstondige roem publiceerde hij dit.' Toby trok uit zijn kaki legertas een dun stapeltje gekopieerde vellen. 'Dit is het pamflet dat Roger Anslinger van Jules kocht. Hij heeft het voor me gekopieerd.'

Op de voorpagina stond in handschrift *De Queeste Naar Haoma: Een Persoonlijk Verslag, van 'Antareus'* boven een naïeve tekening van een piramide met het Oog van Horus daarboven. In principe kon elk kind dat een beetje handig was dit tekenen, behalve de duidelijk entoptische afbeeldingen die er omheen stonden. Draaiende parallelle lijnen, vlekken, lichtstralen en in elkaar grijpende pijlpunten die heen en weer leken te gaan toen Alfie ernaar keek. Hetzelfde effect dat maakte dat Morphs graffiti leek te leven, leek hier de letters te cursiveren.

Na een tijdje zei Toby: 'Hallo! Aarde aan Alfie!'

Alfie keek op, hij had weer die sterke metaalsmaak in zijn mond en steken achter zijn ogen. Hij zei: 'Dit is het. Niet die dingen in die vitrine in het museum, maar dit wel.'

'Roger Anslinger zei ook al dat ze speciaal waren, maar ik zie het niet. Ik neem aan dat ik geen hoogste-staat-van-bewustzijnmens ben. Maar wat mí̱j interesseerde,' zei Toby terwijl hij snel door de gefotokopieerde pagina's bladerde, 'was een korte verwijzing naar een paar archeologische expedities in Irak waar ook dergelijke patronen waren gevonden, patronen die Antareus glyphs noemt.'

'Glyphs – zo noemde mijn opa ze ook!'

'Antareus noemt ook een andere expeditie in Irak, waarbij een stam seminomadische schaapherders, de Kefieden, ontdekt werd. Ze gebruikten bij hun religieuze ceremonies ook glyphs en een plant waar hoama of soma uit werd gewonnen. Omdat de data overeenkwamen met wat je me van je opa's avonturen had verteld, vroeg ik me af of deze je iets zeggen,' zei Toby en hij hield een vel papier pal voor Alfies neus.

Bovenaan stond een foto. Een slechte fotokopie van een vage foto, maar Alfie herkende het meteen. Vier mannen in vooroorlogse, koloniale kleding naast een grote steen en de ruïnes van een muur: de vier Nomads.

Alfies voorgevoel dat hij een aanval kon verwachten, werd sterker. Het leek alsof er iets vanuit de donkerte van zijn schedel naar buiten wilde, naar het licht. Hij grabbelde het flesje valiumtabletten uit zijn tas, schudde er een op zijn handpalm en wilde zijn glas mineraalwater pakken... En hij staarde naar de glasscherven die in een waterplas tussen zijn sandalen glinsterden. Hij hoorde Toby zeggen: 'Flowers? Zeg eens wat! Gaat het goed?'

'Het gaat goed.' De aanval was voorbij, Alfie voelde zich weer goed, helder en leeg. Hij slikte de valium zonder water door, verontschuldigde zich bij de serveerster die met doekjes en stoffer en blik aan kwam lopen en zei tegen Toby: 'Ik moet wat frisse lucht hebben. Laten we een stukje wandelen en ondertussen praten.'

Hij voelde zich wat licht in zijn hoofd en ongeveer een stap achter op de rest van de wereld, maar dat kwam door de valium. Tegelijkertijd voelde hij zich klaarwakker, strijdlustig en opgewonden. Toby en hij liepen door de stofwolken en uitlaatgassen over Lambert Road naar Blackfriars Bridge. 'Die Antareus,' begon hij. 'Die man die dat pamflet had geschreven, de leider van die sekte. Die heette in het echt Christopher Prentiss, hè?'

'Hoe weet jij dat nou weer? Wist je het soms al? Hoort dit bij dat geheimzinnige gedoe van je?'

'Ik wist niets van die sekte, eerlijk waar. Het was een soort raden met voorkennis.'

'Wat voor voorkennis.'

'Vertel me eerst wat Antareus schreef over die mysterieuze drug, die haoma, dan vertel ik daarna.'

En weer dacht hij aan het grijze poeder dat zijn opa door zijn tabak mengde. Haka. Hetzelfde plantenextract als dat waarmee meneer Prentiss hem injecteerde, hetzelfde extract als dat waarmee zijn vader hun joints kruidde als deel van hun ritueel. De laatste herinnering aan zijn vader was die keer op het strand dat ze samen een joint rookten en dat hij in het vuur staarde en zijn vader de bezwering van meneer Prentiss mompelde...

Toby vertelde: 'Het meeste weet ik van Roger Anslinger en van een paar uur googelen. Zo'n vierduizend jaar geleden viel een herdersvolk, de Indo-Iraniërs of Aryanen, in twee groepen uiteen. Een groep trok naar het zuiden en streek neer in de vallei van de Indus, de andere bleef in het oorspronkelijke thuisland in Centraal-

Azië, ten noorden van India en ten westen van China. In de vroegst geschreven bronnen van beide groepen wordt een drug genoemd die een belangrijke rol in hun godsdienst speelde. In de Indiase *Rig Veda* wordt het soma genoemd; in de Iraanse *Avesta* haoma. De meeste wetenschappers menen dat soma en haoma twee namen voor hetzelfde zijn, maar niemand weet wat het was.'

'Maar er zijn theorieën. Antareus had ook een theorie.'

'Er zijn tig theorieën,' wist Toby. 'Dat het een alcoholisch drankje was, dat het een soort rabarber was, gebroken en gegist in honing, dat het een soort hasj was, of een soort wijn. Er bestaat een wijn uit het Amazonegebied – als je daar wat van drinkt ga je volkomen uit je dak. Ene R. Gordon Wasson meende dat het de vliegenzwam was. Hij was bankier op Wall Street en amateurmycoloog en bevriend met Aldous Huxley. Hij ging op expeditie naar Mexico en Rusland en nam deel aan een onderzoek van de CIA, MK-ULTRA, waarin allerlei drugs getest werden om te kijken of ze ingezet konden worden bij clandestiene operaties en ondervragingen – van alles, van caffeïne tot lsd. De CIA was al veel eerder enthousiast over lsd dan de hippies. Maar goed, Wasson was daarbij betrokken, en hij beweerde dat de vliegenzwam soma of haoma was, hoewel er vrij sterk bewijs bestaat dat het van een plant kwam en niet van een paddenstoel. Misschien ginseng, of harmel, of Syrische wijnruit. Roger Anslinger denkt Syrische wijnruit. Hij vertelde dat het in de thuislanden van beide Indo-Iraanse groepen groeit en dat het zaad psychoactieve betazuren bevat, wat dat ook moge zijn.'

'En over Antareus? Wat was het einde van zijn queeste?'

'Hij beweert de bron van de originele soma of haoma te hebben ontdekt – de stam uit Noord-Irak, de Kefieden. Gaat er een belletje rinkelen?'

Alfie schudde zijn hoofd. 'Zei hij waar ze precies vandaan kwamen en wat het voor drug was?'

'Tuurlijk niet. Dat doen ze nooit. Ze geloven dat ze volgens de traditie van Paracelsus werken – je weet wel: kennis is macht en het ontsluiten van een bron een zonde tegen de natuur. Er staat een heleboel bullshit in zijn boekje over de sleutel naar het enige pad tot verlichting, maar hij geeft geen enkele aanwijzing wat die mag zijn. Want als hij dat zou doen, bederft hij de illusie. Hij heeft vrijwel zeker deze patronen en een of andere drug in zijn sekterituelen gebruikt, maar behalve de naam van deze, wel of niet bestaande, stam heeft hij zorgvuldig geen enkel feit weggegeven. Misschien staat er nog iets zinnigs tussen de bekende flauwekul over Atlantis en Stonehenge en de piramides, maar als ik dat ga lezen krijg ik altijd enorme hoofdpijn. En erover nadenken wil ik al helemaal niet. Wat wel interessant is, is een lang stuk over zijn vader – hoe die hem probeerde tegen te houden om de verlichting te bereiken omdat hij deel uitmaakte van een samenzwering die de waarheid wilde wegstoppen. Iets wat de Nomads' Club werd genoemd. Gaat er nu een belletje rinkelen?'

Gelukkig hoefde Alfie niet direct te reageren omdat er vier politieauto's met sirene en zwaailicht langsscheurden en hij zijn ogen moest sluiten en zijn handen over zijn oren moest leggen tot ze voorbij waren.

'Weer vals alarm, natuurlijk,' zei Toby toen ze verder liepen. 'Hopelijk.'

Het geluid van sirenes was heel gewoon in de stad, op ieder moment van de dag. Een vogel in een miezerig bosje naast Alfies grond had ooit eens een politiesirene nagedaan, of was het een autoalarm, of een mobiel? Maar vier wagens met sirene, pal achter elkaar aan richting het centrum van Londen, was toch iets anders. Iets meer dan een jaar na de invasie in Irak was de hele stad nerveus en bang, lette iedereen als een slapeloze huiseigenaar op alle kleine dingetjes en verwachtte men dat er wat ging gebeuren...

'De foto die je me liet zien – daar had mijn opa een afdruk van.' Alfie wachtte even om Toby de gelegenheid te geven te vragen waar hij die foto had gezien, maar het moment ging voorbij. 'Op de achterkant stonden vier voornamen. Een was Maurice, mijn opa. Een andere was David.'

'David Prentiss.'

'Dat denk ik. En verder Clarence en Julius. Ik weet niet wie dat zijn. Maar die vier noemden zichzelf de Nomads.'

'Dus die kerels groeven spullen op in Irak, nog voor de Tweede Wereldoorlog, en een van de dingen die ze opgroeven was dat stuk papier dat jouw hersenen verneukte.'

'Niet dat papier. Wat erop getekend of op gekopieerd was.'

'En je kunt je niet herinneren wat erop stond?'

'Nee. Maar een paar dagen later had ik dat ongeluk en nam

mijn vader me mee naar David Prentiss omdat die me misschien kon helpen.'

Toby keek Alfie onderzoekend aan. 'Misschien wordt het eens tijd dat je me alles vertelt.'

'Dat ga ik nu doen.'

Alfie wist nog dat het hem allemaal niets meer kon schelen toen hij met zijn vader in de grote, wagenziek makende Rover van zijn opa naar Londen reed. Het voelde alsof hij in een film speelde die in zijn hoofd werd afgespeeld, een film die hij zich de rest van zijn leven zou herinneren. Hij wist ook nog dat zijn vader zei, toen ze over de rustige hoofdstraat van Chiswick reden, dat wat meneer Prentiss ook ging doen, hoe raar het misschien ook leek, dat hij het deed om hem beter te maken. Hij zou minder last krijgen van zijn hoofd. En wat er ook gebeurde, Alfie mocht er niets van aan zijn oma vertellen.

'Kunnen we dat afspreken, baas?'

Alfie knikte.

'Met je hand op je hart?'

Alfie wist nog dat zijn vader zachtjes had aangedrongen, wist nog hoe bang hij was toen meneer Prentiss opendeed nadat zijn vader aan een koperen ring naast de voordeur getrokken had. Meneer Prentiss, heel lang en heel mager, gekleed in een oud tweedpak, gaf Mick Flowers een hand en zei: 'We zijn heel blij dat je dit onder vrienden wilt houden, Michael. Een dokter zou lastige vragen hebben gesteld en een verkeerde medicatie hebben voorgeschreven.'

Hij keek Alfie met zijn trieste blauwe ogen indringend aan vanaf zijn grote hoogte, zei dat hij de jongen moest zijn over wie hij zoveel gehoord had en dat ze binnen moesten komen.

Terwijl meneer Prentiss hen voorging door een donkere gang waar een antieke staande klok zo hard tikte dat het leek alsof er marmeren knikkers van de trap af stuiterden, vroeg Alfies vader naar ene Emily, hoe het met haar ging.

'Helaas heeft ze weer zware hoofdpijn en ze moest naar bed.'

'En haar dochter? Het moet erg moeilijk voor haar zijn.'

'Daar wil ik het niet over hebben, als je het niet erg vindt,' zei meneer Prentiss. 'We gaan naar de bibliotheek, ik heb alles al klaargezet.'

De bibliotheek was een vierkante, schemerige kamer met twee wanden vol boeken op mahonieplanken. Achter een sofa van oud rood leer boden twee openslaande deuren uitzicht op de tuin. Er brandde een vuur op het ijzeren rooster in de grote marmeren haard. Daarboven hing een groot olieverfschilderij, door de jaren heen donker geworden, van een ruiter met een speer die in volle galop in een stenige woestijn op een leeuw joeg.

'Mooi schilderij, hè?' vroeg meneer Prentiss aan Alfie. 'Het is een portret van mijn vader, gemaakt door Dante Gabriël Rossetti. Mijn vader vocht als soldaat in Abessinië en hij heeft echt een leeuw gedood toen hij daar was. De kop van het beest in kwestie heeft jaren in de gang gehangen, maar er kwam helaas de mot in en ik moest hem verbranden. Heb je ooit wel eens een leeuwenkop verbrand, jongeman?'

Alfie schudde van nee en vroeg zich af of hij voor de gek werd gehouden.

Meneer Prentiss' lachje klonk als een krakende deur in de wind. 'Ik zou het niet aanbevelen. Heel moeilijk, het verbranden van een leeuwenkop. En de buren klaagden over de stank.'

Mick Flowers zei tegen Alfie dat hij in de tuin moest gaan spelen. 'Meneer Prentiss en ik moeten even met elkaar praten.'

'Ik dacht dat alles rond was,' zei meneer Prentiss.

'Ik wil nog wat zeggen voor we beginnen,' meldde Mick Flowers. 'Ik wil dat helder hebben.' Hij stond met zijn armen over elkaar, keek vastbesloten en zei tegen Alfie dat het maar een paar minuten zou duren.

Het was begin januari, koud en vochtig en troosteloos. Een bemost paadje liep tussen de keurig onderhouden bloembedden met bevroren rozentakken naar kromgetrokken fruitbomen die voor een rode, bakstenen muur stonden. In een hoek stond een klein tuinhuisje waarin licht brandde dat op planten met groene bladeren in een grote bak met zand en grind viel. Er zat een ijzeren traliehek in de muur waarachter een pad naar de oever van een brede rivier liep – Alfie dacht dat het de Theems was.

Er roeide een man in een skiff voorbij, buigend en strekkend, buigend en strekkend als een opwindspeelgoedje. Hij was bang, boos en alleen. Hij had iets stoms gedaan en dat had hem pijn gedaan. Zijn vader had gezegd dat meneer Prentiss wist hoe hij hem beter moest maken, maar Alfie wist dat zijn oma daar anders over dacht. Hij had haar en zijn vader gisteravond horen ruziën. Alfie was uit zijn kamer naar de trap geslopen en had de stemmen achter de dichte woonkamerdeur gehoord. Die van zijn oma rustig en kalm, die van zijn vader opgewonden en overslaand – Alfie zag hem in gedachten door de kamer ijsberen, dat deed hij altijd als hij ruzie met zijn moeder had. Alfie kon niet verstaan waar het over ging, maar hij voelde gewoon dat het over hem ging, en het voelde niet fijn. Over wat er ging gebeuren. Daar zat hij in zijn pyjama in de kou boven aan de trap, hij sloeg zijn armen om zijn romp en hoorde zijn oma zeggen dat ze wilde dat Maurice nooit betrokken was geraakt bij die afgrijselijke dingen, dat het een obsessie voor hem was geworden en nu... Haar stem brak, zijn vaders stem mompelde zacht iets aardigs, toen klonk haar stem weer boos en hard.

'Jouw zoon heeft aanvallen, Michael. Epileptische aanvallen! We moeten een dokter bellen, ik weet niet waarom ik dat niet allang heb gedaan. Stel dat hij er iets blijvends aan overhoudt...'

Zijn vader zei iets wat Alfie niet kon verstaan. Het gesprek ging zachtjes verder achter de gesloten deur tot zijn oma heel luid en duidelijk zei: 'Je moet dat gore ding verbranden.'

'Eerst moet David Prentiss het gezien hebben.' En meer hoorde Alfie niet. Hij moet flauwgevallen zijn of bewusteloos zijn geweest, want het eerste wat hij zich vervolgens herinnerde was dat hij in zijn bed lag en dat zijn vader over hem heen gebogen stond, zijn silhouet afgetekend tegen het schijnsel van het bedlampje, en hij zei dat alles goed zou komen, dat ze naar iemand zouden gaan die hem kon helpen.

Maar Alfie vertrouwde de oude man waar ze naartoe gingen niet. Hij dacht dat hij iets met die twee mannen te maken had die de spullen van zijn opa waren komen halen. Hij schopte steentjes door het traliehek, staarde naar de koude rivier en voelde zich misselijk, beroerd en ontzettend alleen. Alsof de hele wereld tegen hem was – en hij was ook bang, bang voor die oude man, bang dat die iets zou doen wat net zo slecht was als kijken naar dat vel papier.

Dat was het moment waarop een meisje achter hem opdook en met een hoog stemmetje zei: 'Ik weet wie jij bent.'

'O, ja?' Net als alle jongens van zijn leeftijd was Alfie niet geïnteresseerd in kleine meisjes, maar deze leek verbijsterend zelfverzekerd en alwetend. Het was klein, dun meisje in een katoenen jurk, niet ouder dan een jaar of vijf, ze keek brutaal naar Alfie, er glom afschuw in haar ogen.

'Ik ben Harriet,' vertelde ze. 'Ik woon hier met mijn mammie en opa. En jij, ben jij een spion?'

'Nee,' zei Alfie. Hij probeerde het honend te zeggen, maar voelde zijn gezicht gloeien. 'Mijn vader is een vriend van meneer Prentiss. Ik wacht hier...'

'Een spion! Een gemene spion!' zong het meisje huppelend en triomfantelijk.

Alfie herinnerde zich dat meneer Prentiss ineens in de openslaande deuren stond en tegen het meisje zei: 'Ga jij eens wat doen, liever. Ga je moeder eens zoeken. Jongeheer Flowers en ik moeten even samen wat doen. Toch, jongeheer?'

'Ik heb hem betrapt,' zei het meisje trots.

'Tuurlijk deed je dat. En ik beloof dat ik hem in de gaten zal houden,' zei meneer Prentiss, die Alfie wenkte, die op zijn beurt met een stekende druk op zijn achterhoofd door de tuin naar het huis sjokte. Hij had het gevoel dat hij voor de klas werd geroepen wegens een onbeduidend vergrijp. Hij herinnerde zich nog heel goed dat hij daar midden op het kale oosterse tapijt stond, hoe warm hij het had en hoe hij niet naar zijn vader of meneer Prentiss wilde kijken, terwijl de oude man de deuren dichttrok, op slot draaide en de zware fluwelen gordijnen sloot. Even werd de kamer alleen door het haardvuur verlicht, toen knipte meneer Prentiss de leeslamp aan die op een laag tafeltje tussen foto's in zilveren lijstjes stond.

Mick Flowers stond aan de rand van het licht, zijn gezicht half in de schaduw, hij glimlachte naar zijn zoon en zei: 'Je hoeft niet bang te zijn.'

Maar Alfie was al bang. Zijn huid prikte en zijn bloed klopte onaangenaam in zijn oren toen meneer Prentiss zich over hem heen boog, een mouw van zijn trui oprolde en de boord van zijn overhemd losknoopte. De handen van de oude man waren koud en droog. Hij rolde ook de overhemdsmouw op en vroeg hem of hij wel eens eerder een injectie had gehad.

Alfie staarde hem met droge mond aan, hij kon niet denken.

'Je bent toch afgelopen jaar tegen tetanus ingeënt,' zei zijn vader.

'Nou, dit gaat precies hetzelfde,' vertelde meneer Prentiss. 'Ga maar zitten, hier graag.'

Nadat hij Alfie op een lage stoel had gezet liep meneer Prentiss naar de andere kant van de kamer en kwam terug met een rond blad dat hij op het tafeltje zette waardoor hij een stel foto's verschoof. Hij pakte een fles met een heldere vloeistof van het blad, draaide de dop eraf, drukte een prop watten tegen de opening, draaide de fles even om en wreef met de watten toen over Alfies arm. Alfie rook alcohol, voelde het stukje natgemaakte huid koud en droog worden, zag dat meneer Prentiss een klein bruin flesje pakte en een injectienaald met een glazen reservoirtje en was bang – de top van de naald glom in het lamplicht. De oude man schudde het bruine flesje, hield het omgekeerd tussen duim en wijsvinger, prikte met de naald dwars door het rubberen dopje heen en zoog wat van de heldere vloeistof in het glazen reservoir. Hij keek ernaar en zei: 'Als je zo goed zou willen zijn, Michael.'

Mick Flowers ging achter Alfie staan, legde zijn handen op zijn schouders en drukte hem zachtjes tegen zijn dijbenen. Alfie verzette zich in zijn vaders greep, ontzet door zijn verraad.

'Kijk maar ergens anders naar,' adviseerde meneer Prentiss, maar Alfie zag vanuit een ooghoek hoe de injectienaald tegen de bleke huid van zijn arm drukte. De huid gaf mee. Alfie voelde een prik en voelde dat er onder zijn huid zich iets kouds verspreidde terwijl meneer Prentiss het reservoir leegspoot. Hij zag dat er een donkerrode bloeddruppel achterbleef toen de naald uit zijn arm werd gehaald. Meneer Prentiss depte de druppel met wat watten weg, masseerde Alfies arm met zijn koude, benige vingers en zei: 'Nou, dat viel wel mee, hè?'

'Is het dan al klaar? Mag ik weg?'

'Nog niet helemaal,' zei meneer Prentiss. Hij ging recht tegenover Alfie in een stoel zitten, hield zijn kin met een hand zo vast dat hij wel in het kristal móést kijken dat de oude man aan een zilveren ketting voor zijn ogen liet schommelen. Het was lang, dun en driehoekig en hing met de punt naar beneden, de bovenkant versierd met kleine vierkante facetten en in zilver ingelegd. Flitsen regenboogkleurig licht schoten erdoorheen terwijl het ongeveer vijftien centimeter voor Alfies gezicht heen en weer schommelde. Meneer Prentiss praatte met een lage stem, zei zacht dat Alfie naar het kristal moest kijken, dat hij zich op het kristal moest concentreren, dat hij zich moest voorstellen dat alleen het kristal in de kamer was, verder niets...

Continu zacht pratend liet hij het kristal heen en weer schommelen, het licht weerkaatste in de hoeken, er schoten kleuren doorheen, het werd allemaal een geheel, een kabbelend beekje in de zon.

'Oké,' zei meneer Prentiss na een tijdje. 'Je mag hem loslaten.'

Het leek of hij vanuit een andere kamer sprak. Of eigenlijk leek het er meer op dat Alfie helemaal alleen in de ruimte was, alsof hij tegelijkertijd in en buiten het kristal was. Meneer Prentiss liet hem vellen papier zien met allemaal grappige figuren erop, hij vroeg of hij er iets in zag bewegen, of hij wist wat het waren en of ze hem aan iets deden denken.

'Ze lijken op het aardewerk. Van opa.'

Alfie voelde dat hij de woorden vormde en uitsprak, maar het was alsof iemand anders het zei. Hij was niet meer bang. Hij voelde zich lekker doezelig. Alsof hij een lange wandeling door het veld had gemaakt en bij het haardvuur op oma en thee en koekjes wachtte.

Zachtjes vroeg meneer Prentiss: 'Denk je er nog wel eens aan?'

'Soms, als ik mijn ogen dichtdoe. En als ik me raar voel.'

Mick Flowers begon te vragen of Alfie zich nog kon herinneren wat er was gebeurd, maar meneer Prentiss zei dat het geen zin had om daarover te praten.

'Wat gebeurd is, is gebeurd. We willen nu dat je beter wordt,' zei hij, en hij legde Alfie uit dat dit soort patronen soms in je hoofd kwamen en daar bleven zitten. 'Ze kunnen je denkvermogen in de war sturen. Ik denk dat er zoiets in jouw hoofd zit, Alfie. Ik ga proberen om dat weg te halen. Het is geen stuk van jou, dus het zal geen pijn doen. En daarna voel je je een stuk beter.'

Meneer Prentiss praatte en praatte, zei steeds op íéts andere manieren hetzelfde, zijn stem leek op water dat over stenen stroomde, een gemompel dat geen woorden meer gebruikte – in ieder geval geen woorden die Alfie kende. Hij zag verwarde beelden, onder meer dat hij in het haardvuur staarde en in die gele hitte levende dingen als vissen in een aquarium zag rondzwemmen, dat hij op een brug stond en naar de vissen in de rivier eronder keek, malse bruine forellen die met hun vinnen flapperden terwijl ze zich door de groene wuivende waterplanten werkten...

En toen werd hij wakker en ontdekte dat hij in de auto zat. Hij zag in de donkerte buiten lantaarnpalen en verlichte ramen van huizen voorbijflitsen en zag zijn vader rokend achter het stuur zitten, naar hem kijken en vragen hoe hij zich voelde.

Alfie was een beetje verward. Hij voelde zich goed. Hij was in slaap gevallen, maar nu was hij wakker en voelde zich goed.

Zijn vader keek opgelucht en zei: 'Dat heb je goed gedaan, baas.'

'Ben ik nu beter?'

'Dat hoop ik. Op den duur, denk ik.'

'Ik voel me raar.'

'Dat hoort bij de behandeling, Alfie. Maar dat verdwijnt en dan voel je je weer net als altijd.'

Ze gingen nog twee keer naar meneer Prentiss. Iedere keer kreeg Alfie een injectie met de heldere vloeistof en moest hij het licht in het schommelende kristal volgen. Hij zag de beelden in het vuur zwemmen en naderhand werd hij in de auto wakker, op weg naar huis. Zijn nachtmerries verdwenen en hij had geen aanvallen meer. Hij wist niet meer wanneer de afspraakjes met zijn vader waren begonnen, en de hakajoints. Hij dacht ergens in de zomervakantie. En toen verdween zijn vader en kreeg hij weer aanvallen en nam zijn oma hem mee naar het Addenbrooke's Hospital in Cambridge waar ontdekt werd dat hij atypische, semi-epileptische aanvallen had en fenobarbital voorgeschreven kreeg. Het medicijn verminderde de kracht van de aanvallen en het aantal, maar, in tegenstelling tot bij de behandeling van meneer Prentiss, verdwenen ze niet.

'Die drug,' zei Toby. 'Heeft jouw vader of David Prentiss zich ooit laten ontvallen waar die vandaan kwam?'

'Mijn opa vertelde dat het van een plant kwam, de haka, die ergens ten noorden van Bagdad groeit.'

'Dat vertelde je opa? Ik dacht dat die overleden was voor jij dat ongeluk had.'

'Hij rookte het.'

'Hij rookte het?'

'In een pijp. Hij mixte dat grijze poeder of stof door zijn pijp-tabak.'

'En voor zover jij weet noemde hij het nooit haoma of soma? En had hij het nooit over die stam, de Kefieden?'

'Volgens mij niet. Of ik ben het vergeten. Het is lang geleden. Maar het moet haast wel dezelfde drug zijn, denk je niet?'

Alfie en Toby stonden naast elkaar op de Blackfriars Bridge. On-der hen werd het vloed en stroomde het water als bruine zijde naar Waterloo Bridge, het Shellgebouw en de kathedraal op Charing Cross. Aan de overkant bescheen het zonlicht de bovenste lijn van het London Eye.

Toby zei: 'Je hebt me nog niet verteld hoe jij wist dat Antareus de schuilnaam van de zoon van David Prentiss was.'

'Dat vertelde dat meisje,' zei Alfie en hij dacht terug aan zijn derde en laatste bezoek aan meneer Prentiss. Net als tijdens het eerste en tweede bezoek moest hij eerst in de tuin spelen terwijl zijn vader en meneer Prentiss praatten over waar ze zo nodig over moesten praten. Hij herinnerde zich narcissen in het frisse maart-se zonlicht, en kromme rozentwijgen met jonge rode blaadjes die zich net ontvouwden. Hij herinnerde zich dat het meisje zich ver-stopt had achter een appelboom, dat ze hem wenkte en fluisterend vertelde dat ze spionnetje speelde.

'Mammie zegt dat ik niet met je mag praten, maar ze kan me niet tegenhouden, want ze ligt in bed. Ze heeft altijd ontzettende hoofdpijnen. Dan wordt ze ziek en moet in het donker gaan rus-ten. En ik ben ontsnapt.' Ze droeg een blauwe overall en een ge-le trui. Ze keek hem brutaal en uitdagend aan.

'Waarom mag jij niet van haar met mij praten?'

'Omdat ze je vader een griezel vindt,' zei ze alsof dat doodnor-maal was. 'Ik vroeg haar of hij een spion was en ze zei ja.'

Alfie lachte, wat een belachelijk idee. 'Hij is geen spion. Hij is een fotojournalist, een beroemde. Hij maakt foto's van oorlogen en die worden in kranten en bladen over de hele wereld geplaatst.'

'Mijn mammie zei dat hij niet te vertrouwen is en ik vroeg waar-om, omdat hij spion was? En toen zei ze ja. Dus toen je hier vo-rige keer was kon ik niet komen, maar nu heeft ze hoofdpijn en ben ik ontsnapt. Mijn pappie is ook beroemd. Maar die is er nu niet. Die is in Amerika.'

Dat was het moment waarop Alfie hoorde dat Christopher Prentiss de vader van het meisje was, dat hij weg was om iets heel belangrijks te gaan doen en dat hij misschien heel lang weg zou blijven. 'Daarom heb ik mijn moeders achternaam,' had het meisje verteld. 'Omdat ze niet mogen weten wie ik in het echt ben.'

Alfie zei tegen Toby: 'Ik denk dat Christopher Prentiss de drug van zijn vader heeft gestolen, en kopieën van de glyphs, en dat hij naar Amerika is gevlucht.'

'Zijn vader, David Prentiss. Leeft die nog?'

Alfie schudde zijn hoofd. 'Volgens mij is hij in de tijd gestorven dat mijn vader verdween.'

'Je kijkt heel raar, Flowers. Nog gekker dan anders, bedoel ik.'

'Toen mijn vader vermist werd, brandde zijn huurflat in Londen helemaal uit. Misschien hebben de mensen die mijn vader hebben laten verdwijnen en zijn flat in brand hebben gestoken ook David Prentiss vermoord.'

'Of misschien was het gewoon een oude man die een hartaanval kreeg.'

'En misschien hebben ze ook de andere twee Nomads vermoord. Clarence en Julius.'

'Dan moet je de krantenarchieven nalopen,' zei Toby. 'Als David Prentiss vermoord werd, heeft iemand dat opgeschreven. En als die drie oudjes tegelijkertijd uit de weg geruimd zijn, was dat voorpaginanieuws.'

'Of ze hebben het in de doofpot gestopt.'

'Waarom zouden ze dat doen? Of is er nog meer dat je me niet verteld hebt?'

'Ik zal die kranten nakijken.'

'En die Julius en Clarence? Weet je wie dat zijn? Als ze niet door Smersh of THRUSH vermoord zijn, kunnen ze nog steeds in leven zijn.'

Alfie schudde weer zijn hoofd. 'De foto is lang geleden gemaakt. Ze zijn waarschijnlijk ook dood.'

Toby stak weer een sigaret op en beschermde het vlammetje van zijn aansteker tegen de warme wind die over de rivier blies. 'Dus we hebben die patronen, die glyphs, die uit Irak komen. En die drug, haka, die misschien wel, misschien niet het mythische haoma of soma is, en die ook uit Irak komt. De glyphs zijn gevormd door entoptische beelden of vormconstanten. Entoptische beelden zie je ook als je net high wordt. Je hersenen verslappen en zenden signalen uit die als patronen op je netvlies verschijnen, wat precies het tegenovergestelde is van hoe het normaal gaat. En de behandeling die jij kreeg en de rituelen uit Antareus' nonsensboekje suggereren dat de glyphs alleen werken als je high bent. Nee, je moet high van de haka zijn. Anders werkt het niet.'

'Je zult wel weer boos op me worden,' zei Alfie.

'Heb je nog meer op te biechten?'

'Toen ik dat papier uit mijn opa's bureau pakte, lag er nog wat. Een leren buidel waar het poeder in zat dat opa mixte met zijn pijptabak.'

'Dus misschien heb je er wat van genomen voor je naar dat papier keek, wat er dan ook op stond.'

'Dat kan ik me niet meer herinneren, maar ik neem aan dat ik dat gedaan heb. Want anders had dat patroon geen invloed op me gehad, denk je ook niet?'

'Je werd high en vervolgens kreeg een of andere glyph greep op je hersenen.'

'Dat denk ik.'

'Maar nu werken die glyphs bij jou zonder de drug.'

'Ik ben er inderdaad zeer gevoelig voor.'

'Omdat ze een permanente greep op je hebben. Bij gewone mensen zijn entoptische patronen hallucinaties die door drugs worden opgewekt. Maar bij jou werkt het precies andersom: entoptische patronen laten jóú hallucineren.'

'Niet alle oude entoptische patronen. Alleen de glyphs. Daarom betwijfel ik of dat wat we in het museum zagen door Morph gemaakt is. Het patroon was uit de goede dingen samengesteld, maar het deed me niets.'

'Misschien had Morph zijn dag niet. Of misschien zijn niet al zijn patronen glyphs. Het punt is,' zei Toby, 'dat het patroon dat hij in zijn graffiti gebruikt op jou effect heeft. En dan moet het zo'n glyph zijn.'

'Dat neem ik aan.'

'Nou, dan weet Morph ook meer van glyphs. De vraag is waar hij dat geleerd heeft.'

'Als hij uit Irak komt...'

'Wat we niet weten. Hij kan uit Amerika komen, hij kan een ex-lid van Antareus' ondeugende sekte zijn, hij kan een van hun kinderen zijn. Nou ja, als Shareef zich aan zijn belofte houdt, dan weten we dat binnenkort. Nu ga je naar huis en ga je de foto's die je in het museum hebt gemaakt ontwikkelen en dan breng je die als de sodemieter naar de *Guardian*.' Toby schreef iets in zijn agenda, scheurde het blaadje eruit en gaf dat aan Alfie. 'Vraag naar deze man, dan regelt die de koerier. En ik ga naar die gezellige pub aan de andere kant van deze brug, daar zal ik een pint London Pride bestellen, in de zon gaan zitten en ons avontuur van vandaag opschrijven. En dan ga ik ook naar de *Guardian* op Farringdon Road en lever mijn kopij in.'

Er voer een rondvaartboot onder de brug door, muziek dreunde, de banken waren bijna allemaal leeg. De bruine rivier blonk, zonlicht schitterde op de windingen en knopen, de uitsteeksels en maalstroom. Twee woonschuiten naast de Oxotoren deinden rustig op en neer. De gebouwen langs de rivier stonden scherp afgetekend tegen de blauwe lucht.

Toby grinnikte naar Alfie. 'Op dit soort dagen is het onmogelijk om niet van deze vieze, oude stad te houden!'

11

Harriet had met haar MI6-contact, Jack Nicholl, in het nieuwe restaurant in St. Jamespark afgesproken. Een ovaal, houten bouwwerk dat als een gestrande walvis vanachter een heuveltje oprees. Toen ze precies op tijd arriveerde, zat hij al op de veranda aan een tafeltje dat op het meer uitkeek en at een gekookt ei met beboterde toast. Een keurig opgevouwen *Guardian* lag naast zijn elleboog op het tafeltje. Toen ze die zag liggen wist Harriet dat het gesprek niet zou gaan zoals zij wilde. Jack leek haar geen *Guardian*-lezer; er kon maar één reden zijn waarom hij de krant had meegenomen.

Hij stond op om haar te begroeten en verontschuldigde zich dat hij al ontbijt had besteld. Hij droeg een streepjespak en een das met ingeweven, op elkaar staande AK-47's, ongetwijfeld een cadeautje van een vriendin. 'Ik word over een halfuurtje op Whitehall verwacht, weer een briefing over onze zorgen. Laat me alsjeblieft gastvrouw spelen,' zei hij en hij schonk haar een kop thee in. 'Het is verse. Losse blaadjes, niet jouw theezakjestroep. Ik neem aan dat je de *Guardian* van vandaag gelezen hebt.'

Harriet wuifde de ober weg die met een menu naar haar toe wilde komen en zei: 'Als je dat artikel over het Imperial War Museum bedoelt, dat stelt niets voor. En daar wilde ik het niet met je over hebben.'

Nicholl glimlachte. 'Maar ik vind dat we het daar wel over moeten hebben. Meneer Flowers lijkt dichter en dichter bij Morph te komen.'

'Er is nog een andere speler. En die is stukken gevaarlijker dan Alfie Flowers.'

'Maar eerst Flowers.' Nicholl dipte een stuk toast in de dooier en beet dat met zijn witte tanden af.

Harriet zei tegen beter weten in: 'Ik wil het over Carver Soborin hebben.'

Nicholl negeerde het. 'Die streek in het Imperial War Museum. Is er iets wat ik moet weten, iets wat de krant niet gehaald heeft? Bijvoorbeeld hoe Flowers en zijn journalist dit überhaupt wisten? Hebben ze contact met Morph gehad?'

Harriet nam even de tijd om haar zorgen weg te drukken. Zij bepaalde nu niet de agenda; zij had om dit gesprek gevraagd. Als ze zijn vragen beantwoordde kreeg ze misschien een kans om naar haar onderwerp terug te keren.

'Volgens mij hebben ze met een vriend van hem contact gehad,' zei ze, en ze vertelde over de party waar Morph zou verschijnen, over de stunt met de schapen en dat Alfie Flowers en Toby Brown de beesten terug hadden gebracht. 'Ze zullen de landrover nagetrokken hebben, net als ik gedaan heb. Ze hebben lang gepraat met de man die het boerderijtje beheert en hadden iemand aan de telefoon toen ze wegreden. Helaas weet ik niet wie dat was en ook niet waar ze het over hadden, omdat ze de mobiel van Brown gebruikten. En tegen de tijd dat de man die ze volgde in de gaten kreeg wat er aan de hand was en een tap geregeld had was het gesprek bijna afgelopen. Hij hoorde iemand iets zeggen over het maken van een groot statement en Flowers journalistenvriend vervolgens zijn mobiele nummer doorgeven.'

'Tegen wie had hij het? Morph?'

'Kan, maar ik denk eerder dat het een vriend van hem was, ene Benjamin Barrett. Dat is de zoon van de eigenaar van het boerderijtje waar de schapen vandaan kwamen, en van de landrover waarmee ze vervoerd zijn. Volgens de Koerdische informant van jouw MI5-contact is hij dj of mc bij een piratenzender, Mister Fantastic FM, waar hij onder de naam Shareef werkt. Ik googelde naar de radiozender, heb hun website bekeken en las dat Shareef daar een talkshow heeft. Ik heb er gisteren naar geluisterd. Hij had het tien minuten over Morph, zijn graffiti en de politieke stunt met die schapen op de party en zei tegen zijn luisteraars dat ze een nieuw product van wat hij protestkunst noemde in het Imperial War Museum moesten gaan bekijken.'

'En zo is Flowers er ook achter gekomen?'

'Om tien uur 's ochtends stonden ze voor het museum, het was net open. Shareefs programma was de avond ervoor.'

Harriet had ernaar geluisterd terwijl ze naar het huis van Clarence Ashburton reed om de nieuwe veiligheidsmaatregelen te controleren.

Nicholl vroeg: 'Je hebt een mannetje op Flowers en zijn vriend gezet. Mag ik weten wie dat is?'

'Je hebt nooit meer aangeboden om me te helpen.'

'Wat wil je nou horen, Harriet? Ik heb je verzoek naar boven doorgegeven, er werd me gezegd dat ze het zouden bekijken en ik wacht nog steeds op antwoord.'

'Maar ondertussen moest ik Alfie Flowers in de gaten houden voor het geval hij op iets bruikbaars zou stuiten. En ik heb ook mijn eigen onderzoek. Dus huurde ik een paar ex-collega's van me in om hem te volgen. Maak je niet bezorgd: ik heb ze uit eigen zak betaald, het kost het ministerie geen cent. En ik heb ze niets over de glyphs verteld. Wat hen betreft is het simpel surveillancewerk.'

'Die "ex-collega's" van jou, werken die toevallig voor het detectivebureau van Graham Taylor?'

'Je hebt mijn dossier gelezen. Ik voel me gevleid.'

'Volgens mij doen ze meestal verzekeringsclaims. Kunnen ze dit soort werk wel aan?'

'Een groot deel van hun werk bestaat uit surveilleren.'

'Je had het over een tap op een mobiel. Ze hadden dus de beschikking over een frequentiescanner?'

Harriet knikte.

'Hm, ik dacht dat die illegaal waren na Camillagate. Goed kut overigens. Een paar amateurtjes luisteren met een scanner de Prins van Wales en zijn liefje af en ineens moeten wij iedere keer een container formulieren invullen als we *onze* doelen willen afluisteren. Maar wet is wet.'

'Als dat je dwarszit, regel dan een officiële tap voor Flowers' mobiel. En voor zijn vaste lijn.'

'O, ík maak me geen zorgen over futiliteiten. Maar als ik jou was, zou ik er goed voor zorgen dat je vrienden niet gesnapt worden. Ik ben bang dat ik ze niet kan helpen als ze moeilijkheden met de politie krijgen.'

'Ze weten wat ze doen.'

'Het lijkt erop dat Flowers ook weet wat hij doet.' Jack Nicholl nam een slokje thee en bette zijn lippen met een hoek van zijn servet. 'Volgens mij heb je het niet helemaal onder controle, Harriet. Of doe ik je nu onrecht?'

'Als Flowers een afspraak met Morph heeft, zit ik hem boven op zijn nek. Daar kun je op rekenen.'

'Was alles in deze zaak maar zo zeker als jij, Harriet.'

Harriet glimlachte. 'Dat beschouw ik als een compliment.'

Nicholl glimlachte terug. 'Prima. Nou, en nu die dj-vriend van Morph. Heb je hem gesproken?'

'Nog niet.' Harriet legde uit dat ze Benjamin Barretts adres van zijn vader had gekregen en dat ze, toen ze in zijn flat had ingebroken, had ontdekt dat die al grondig door iemand was onderzocht. Ze vertelde over de man die ze in het steegje achter het huis had gezien en over de man die haar tot in haar auto achtervolgd had.

'En je bent er zeker van dat het een bezeten boer was?' vroeg Nicholl. 'Geen drugsverslaafde of zo? Het wás tenslotte vlak bij Green Lanes.'

'Ik zie heus wel het verschil.' Ze herinnerde zich nog levendig hoe in Lagos een bende bezeten boeren haar, de soldaten en de politie achtervolgde toen ze Carver Soborin wilden arresteren. De bezeten boeren, in de steek gelaten in de hete Afrikaanse nacht, renden met hun hoofden vooruit en met van die rare stramme passen, alsof ze constant naar voren zouden vallen. Ze bleven rennen, ook toen de soldaten gingen schieten. 'Dat betekent dat minstens één Brits onderdaan terug is gekomen. Misschien wel meer... de man die Flowers naar die party volgde meldde dat toen de landrover die de schapen daar afleverde wegreed, hij door twee mannen achterna werd gezeten. Toen stond ik er niet bij stil, maar nu ben ik er zeker van dat dat ook bezeten boeren waren.'

'Laten we eens aannemen dat je gelijk hebt...'

'Laten we ons eens beperken tot de feiten,' vond Harriet. 'Ik weet dat Carver Soborin hier is, hier in Londen, en ik weet waar hij zit. Dat kostte me niet veel tijd, trouwens. Hij had altijd al een voorkeur voor de goede dingen des levens en dat beperkte de zoektocht aanzienlijk. Hij zit in het Dorchester met Rölf Most, die psychiater die die privékliniek heeft waarin hij na het Nigeriaanse incident opgenomen is. Dr. Most is een goede vriend van de vrouw van Carver Soborin. Je weet vast nog wel dat ze Zwitsers onderdaan was die haar geboorteland ontvlucht is met de meeste fondsen van de Mind's I, voor de grond te heet onder haar voeten werd. Dr. Most zelf is ook in Zwitserland geboren, maar emigreerde naar Amerika en werd dertig jaar geleden Amerikaans staatsburger. Hij zat in de directie van dezelfde liefdadigheidsinstellingen als mevrouw Soborin en was, net als zij, lid van iets wat de Swiss-American Friendship Foundation heette. Ik denk dat Carver Soborin en hij in Londen zijn voor Morph. Ze zijn erachter gekomen dat Morph en Benjamin Barrett iets met elkaar te maken hebben, maar tot op heden hebben ze hem niet te pakken gekregen – tot gisteren was hij in ieder geval nog op zijn piratenzender te horen. Ze hebben wel zijn flat doorzocht en er een paar boeren achtergelaten voor het geval hij terug zou komen en ik ben recht in hun val gelopen. Maar daar gaat het nu niet om. Het punt is dat alles weer opnieuw begint. Volgens mij...'

'Harriet, alsjeblieft. Er zitten hier burgers te eten.'

Harriet boog zich over het tafeltje en fluisterde: 'Volgens mij zitten Soborin en Most achter Morph aan en willen ze alles weten van wat hij over de glyphs weet. We moeten hem vóór hen vinden, want het is heel goed mogelijk dat hij ze naar de vindplaats leidt. De MI5-informant vertelde dat Morph en zijn vader hier asiel hadden aangevraagd nadat ze vanuit Turkije aankwamen, maar dat ze oorspronkelijk uit Irak kwamen. Het is duidelijk dat ze iets te maken hebben met de schaapherders waar de Nomads' Club voor de Tweede Wereldoorlog is geweest. Als Soborin en Most hem vinden...'

'Dr. Most is dr. Soborins psychiater, niet zijn zakenpartner. Waarom zou hij wat te maken willen hebben met deze folie à deux? Als het dat al is.'

'Soborin werd geobsedeerd door de glyphs toen hij Christopher Prentiss behandelde en volgens mij heeft Most diezelfde obsessie. Zo gaat dat met glyphs. Die gaan in je kop zitten. Die veranderen je geest. Het is net een virusinfectie: ze gebruiken ons om zichzelf te vermenigvuldigen.'

'Zoals dat gedicht over ellende die van mens tot mens wordt doorgegeven. Diep als een zandbank.'

'Als jij gezien had wat ik in Nigeria gezien heb, zou je niet zo luchthartig doen. De ziekenhuizen zaten vol kinderen die hun verstand kwijt waren. Kinderen aan bedden vastgeketend om te voorkomen dat ze hun eigen ogen uitkrabden. Kinderen die het gelukt was zichzelf blind te krabben. Rijen catatonische kinderen op hun matjes, die niet eens bewogen om de vliegen rond hun ogen en monden weg te jagen. Wegkwijnend omdat ze niet wilden eten, en er was geen geld om ze aan infusen te leggen. Stervend aan geïnfecteerde doorligplekken. Moeders die hun kinderen wilden laten eten. Die arme vrouwen huilden, ze wisten al dat hun kinderen verloren waren, dat het levende doden waren. Dat gebeurde er de laatste keer dat iemand de glyphs wilde gebruiken, meneer Nicholl.'

Nicholl liet zonder een spier te vertrekken de volle kracht van haar woede op zich afkomen en zei: 'Ik heb dat rapport gelezen en ik geloof meteen dat de werkelijkheid nog veel erger was. Helaas...'

'En dan heb ik het nog niet over de stank en de geluiden gehad. Heb jij wel eens een kind horen gillen dat met zijn eigen vingers zijn ogen had uitgekrabd?'

'Helaas is het mij uit handen genomen.' Nicholl draaide zijn handen met de palmen naar boven om te laten zien dat die inderdaad leeg waren.

Harriet had zoiets half en half wel verwacht, maar het kwam toch nog hard aan. Ze zei: 'Iemand wil dat Most en Soborin Morph vinden, hè? Daarom wil MI6 me niet helpen. En daarom, hoewel je me eerst aanmoedigde, wil je me nu tegenhouden.'

'Het spijt me.'

'Zijn wij het, of de Amerikanen?'

'Laten we zeggen dat het een taak van de grote alliantie is om overal op de oude, arme wereld democratie te brengen. En meer mag ik je niet vertellen. Ik heb al op mijn donder gekregen omdat ik je met die Koerdische informant in contact heb gebracht.'

'Het moeten de Amerikanen zijn. En het is geen officieel standpunt, want dan zouden ze alle hulp van je krijgen die je kon geven.'

'We proberen neutraal te blijven,' gaf Nicholl toe. 'En we hebben Soborin en Most absoluut niets over Morph verteld. Misschien heeft een knipseldienst het originele krantenartikel doorgestuurd, misschien hebben ze het op internet gevonden. Maar dat maakt niet uit: ze zijn hier en ik heb opdracht gekregen om jou bij ze weg te houden. En mijn superieuren zouden graag zien dat jij stopt met je zoektocht naar Morph. We willen geen toestanden.'

'Dus jij noemt wat er in Lagos gebeurd is een toestand?'

'Als ik je kon helpen, Harriet, dan zou ik dat meteen doen. Maar nogmaals: het is me uit handen genomen.'

'Wat is de rol van de CIA hierin? Is die open of bedekt? Hebben ze echte agenten op Soborin en Most gezet, of is het iemand van een particulier bedrijf? Waarschijnlijk het laatste.' Harriets gedachten wervelden door haar hoofd. 'Ten slotte was Mind's I een particulier bedrijf, een dekmantel van de CIA. En de chocoladedrank die in Lagos werd getest, de drank gekruid met Soborins drug, de advertenties met de glyphs, het was allemaal een CIA-operatie, zogenaamd een commercieel avontuur. Wil je echt dat hier ook zoiets gaat gebeuren?'

'Nou, ik heb je gewaarschuwd dat je moet ophouden,' zei Nicholl. Hij legde een twintigpondbiljet op tafel en stond op. 'En dus heb ik mijn werk gedaan. En jij het jouwe, Harriet. Als je tenminste je verstand gebruikt.'

Harriet realiseerde zich dat hij zijn woorden zéér zorgvuldig gekozen had. Ze had een waarschuwing gekregen, geen bevel... Ze stond ook op en vroeg: 'Wat gebeurt er als ik niet ophoud?'

Jack Nicholl keek haar recht aan, zijn glimlach zat weer op zijn plek. 'Ik heb die dossiers echt gelezen. En ik heb grote bewondering voor wat je in Nigeria hebt gedaan.'

'Wie helpt Soborin en Most? Alleen een naam, Nicholl, meer vraag ik niet.'

Jack Nicholl keek haar peilend aan en zei toen heel rustig: 'Check een schandaaltje met onder meer een undercoveragent in Peshawar, afgelopen oktober.'

'Peshawar in Pakistan?'

'Leuk je weer eens gesproken te hebben, Harriet. Probeer alsjeblieft niet in moeilijkheden te komen.' En toen hij de onderste treden van de verandatrap bereikt had draaide hij zich om en zei: 'Succes.'

En weg was hij, en Harriet was alleen.

12

Het eerste wat Alfie donderdagochtend deed was de *Guardian* kopen, het artikel over het Imperial War Museum zoeken en lezen terwijl hij naar zijn landje liep en het bij zijn ontbijt nog een keer lezen. Vier korte kolommen onder een van zijn foto's van het pseudokunstwerk op de negende pagina van het Nationale Nieuwskatern, met als titel *Rat Dringt Museum Binnen*. Onder het stuk stond de naam van Toby's vriend, onder de foto die van Alfie. Ze waren voor een kleurenafdruk gegaan en alhoewel die een beetje opgerekt was om in de beschikbare ruimte te passen en het bloed net een tintje té was, was het geen slechte weergave. Alfie voelde zich plezierig optimistisch terwijl hij rondscharrelde en wat klusjes deed, stiekem wachtend op een telefoontje van Toby om te vertellen dat Shareef had gebeld en dat ze een afspraak hadden.

Hij wiedde een paar uur onkruid in de harde bodem van zijn land, dronk ongeveer vier liter ijsthee voor zijn waterhuishouding en at pitabrood, hummus en olijven als lunch. Het was inmiddels ruim na tweeën en Toby had nog steeds niet gebeld. Toch maakte Alfie zich nog geen zorgen. Hij zette de radio op Mister Fantastic FM, waar Shareef net met zijn talkshow was begonnen. De dj zou waarschijnlijk pas na de uitzending Toby bellen.

Alfie nam de radio mee naar de donkere kamer en luisterde terwijl hij een definitieve afdruk van een van zijn foto's probeerde te maken. Shareef was niet eens zo slecht, hij zette een overtuigende gewone-man-van-de-straatact neer toen hij de aanhoudings- en fouilleeracties van de politie besprak: waren die echt nodig gezien de huidige angst voor terrorisme, of waren ze een nieuw excuus om minderheden te pesten? 'Ik heb zo mijn eigen mening, maar eerst wil ik wat van jullie horen,' zei hij tegen zijn luisteraars. Hij klonk als een redelijke jongeman uit Noord-Londen. Ontspannen en met een prettige stem vleide hij de verlegen en moeilijk pratende bellers, daagde hij de agressieve bellers uit tot ze te agressief werden en hij hun vertelde dat ze onzin uitkraamden en hen uit de uitzending draaide, hij lachte als kinderen zijn programma probeerden te saboteren met duidelijk ingestudeerde raps, lachte om zichzelf als hij een reclame voor de zender verhaspelde, kondigde een nieuw onderwerp aan en herinnerde zijn luisteraars aan het grote nieuws van gisteren: de plaatselijke graffitiartiest Morph zorgde voor een sensatie door een anti-oorlogkunstwerk het Imperial War Museum binnen te smokkelen.

'Jullie hoorden het hier voor het eerst. Nu kunnen jullie er in de *Guardian* van vandaag over lezen. Jullie weten dat ik normaal gesproken geen reclame maak voor de zogenaamde "liberale" nieuwsmedia, maar deze ene keer vraag ik jullie om die krant te kopen en te lezen hoe het establishment reageerde toen onze Morph de stem van de straat naar de stoffige vitrines van een van Engelands blanke topinstellingen bracht.'

Alfie luisterde aandachtig, zijn huid tintelde, hij bewoog een afdruk heen en weer in een bak met ontwikkelvloeistof terwijl Shareef het kunststuk beschreef en de nep-Latijnse tag vertaalde.

'De Amerikaanse Woestijn Leger Rat, begrijpen jullie dat? Ratten zijn vieze beesten die ziektes en epidemieën verspreiden, en deze rat verspreidt de ziekte Amerikanitis naar de landen van onze broeders. Stel je voor dat hij daar staat voor een brandende oliebron. We weten waar hij van leeft: hij zuigt de olie met zijn twee rattentanden uit de grond zoals een vampier bloed uit de nek van een maagd zuigt. We weten dat olie de reden van de oorlog was,' rapte Shareef steeds nadrukkelijker terwijl hij doortierde met de bekende anti-Bush-, anti-Blair- en anti-oorlogleuzen, zijn luisteraars opriep om het museum te bellen en te eisen dat het kunststuk teruggeplaatst zou worden, en om brieven naar de *Guardian* te schrijven. 'Ik weet dat sommigen van jullie het niet met mijn man Morph eens zijn. Ik weet dat sommigen van jullie zijn werk maar niets vinden. Sommigen van jullie hebben zijn werk expres overgeverfd, weggevaagd. Ik wil dat jullie ook bellen en me vertellen waarom jullie de stem van de waarheid tot zwijgen willen brengen.'

Alfie vond het hierna moeilijk om zich op zijn werk te concentreren, ook omdat de strepen en scheuren in de foto die hij aan het ontwikkelen was een beetje op een glyph gingen lijken: heldere schildvormen lichtten op vanaf de drukke ondergrond, zwermden overal naartoe uit in het gedimde rode licht van de donkere kamer. Hij trok de gordijnen dicht, ging op zijn bed liggen, viel onder Shareefs programma in slaap en werd pas weer wakker door de beltoon van zijn mobiel.

'Nou,' meldde Toby, 'het balletje rolt.'

'Hebben we een afspraak?'

'Morgen, om vier uur, in een of andere sportschool op Kingsland Road.'

'En Morph? Hoe zit het daarmee?'

'Shareef zei dat hij ons eerst wilde zien. Zien of we het waard waren.'

'Dus we zijn geen steek opgeschoten,' zei Alfie. Hij zat slaperig op de rand van zijn bed, met een hoofd vol watten en met hoofdpijn. Zijn korte haar piekte van het zweet en zijn t-shirt plakte onaangenaam aan zijn rug.

'We zijn een stapje verder.'

'Heb je zijn programma gehoord? Van Shareef bedoel ik.'

'Hij weet het wel te brengen, hè?'

'Ik ben eronder in slaap gevallen,' bekende Alfie.

Toby lachte. 'Zo slecht vond ik het nou ook weer niet. Het zou me niet verbazen als hij binnenkort een aanbod van een legale zender krijgt.'

'Ik ben in slaap gevallen toen er telefoontjes binnenkwamen, nadat hij het over ons stuk over het museum had gehad. Weet jij of Morph misschien nog gebeld heeft?'

'Het is een talkshow. Stem van de straat en zo.'

'Maar waarom liet Shareef de man die hij zo promoot dan niet zijn zegje doen? Waarom interviewt hij hem niet? Of laat hij hem zijn statement uitdragen? Heeft Morph ooit wel eens in zijn programma gezeten?'

'En wat bedoel je nou precies?'

Het idee was voor het eerst bij Alfie opgekomen toen hij het neppatroon op de kaart in de vitrine had gezien. En nu hij Shareefs talkshow had gehoord, wist hij gewoon dat hij gelijk had. 'Ten eerste: Angus Barrett vertelde ons dat Shareef die schapen had weggehaald met zo'n bodybuilderstype, ene Watty. En Watty kan Morph niet zijn, want de persoon op de bewakingsvideo van het koeriersbedrijf is slank. Hij kan blank of zwart zijn, dat is niet te zien door die kous over zijn hoofd, maar hij is zeker geen bodybuilder. Ten tweede: die stunt met de schapen kon iedereen doen. Dat had niets met glyphs te maken. En ten derde: dat ding in het museum – het patroon op die kaart was nep.'

'Bedoel je dat Shareef die schapenstunt zonder Morph deed, en dat kunststuk in het museum ook? En die graffiti dan?'

'Die graffiti zijn echt, maar het patroon op de kaart niet. Volgens mij hebben we met twee artiesten te maken. Morph, wie hij dan ook wezen mag, maakte de graffiti, maar Shareef regelde de schapenstunt en dat nepding in het War Museum. Volgens mij is Morph een paar keer vriendschappelijk met Shareef opgetrokken, maar nu niet meer en probeert Shareef dat te verbergen.'

Na een stilte zei Toby: 'Dat is zeker iets wat we Shareef moeten vragen als we hem spreken. Maar daar zul je een beleefde, indirecte manier voor moeten bedenken. Voorlopig is hij ons enige aanknopingspunt. We kunnen het ons niet veroorloven hem af te zeiken.'

'Zal ik doen. Ik heb zelf ook nog nieuws,' zei Alfie en hij vertelde dat hij de dag ervoor een tijdje de archieven van de *Guardian* had doorgespit en een artikel over de dood van David Prentiss had gevonden. 'Hij werd aangereden door een doorrijder, was zwaar gewond en stierf aan een zware hartaanval in de ambulance die hem naar het ziekenhuis bracht.' Dit zeggende herinnerde Alfie zich nog heel goed de lange, slanke, oude man die op hem neer had gekeken toen ze elkaar voor het eerst ontmoetten. En zijn tweedpak en zijn krakende lach.

'En jij denkt dat dat ongeluk geen ongeluk was? Dat iemand hem opzettelijk heeft aangereden?'

'Hij stierf op dezelfde dag dat iemand de flat van mijn vader in brand heeft gestoken. Het zou kunnen dat de mensen met wie mijn vader in Libanon zaken deed er verantwoordelijk voor zijn.'

'Kan,' zei Toby. 'Maar zolang je geen harde bewijzen hebt die die twee zaken met elkaar verbinden, blijft het toeval. Je kunt je beter bezig gaan houden met onze afspraak met Shareef. Schrijf op wat je hem wilt vragen, dan kunnen we dat morgen doornemen.'

Nadat Toby had opgehangen had Alfie behoefte aan frisse lucht. Aan de andere kant van de grote, open garage repareerde George Johnson zijn bus. Die had afgelopen weekend ergens in Epping Forest een race gereden, en hoewel hij voor één keer op eigen kracht terug was gereden kwam de stoom uit de radiator toen hij moeizaam over het stuk land hobbelde. Nu waren de vleugels van de stompe motorkap eraf gehaald, lagen de onderdelen van de koelwaterpomp op een dekzeil op de vloer en schraapte George bij de werkbank met een ijzerborstel olie van een grote metalen ring. Zodra hij Alfie zag, liep hij naar hem toe en vroeg: 'Hebben jij en je schrijversvriend toevallig iemand kwaad gemaakt met die graffitimaker die jullie zoeken?'

'Hoe bedoel je?'

'Misschien is het niets, maar misschien ook wel, en daarom vraag ik het. Er staan namelijk een paar kerels in het park, verkleed als zwervers. Wat ze misschien ook zijn, alleen waren ze er gisteren ook, en ze waren er vanochtend al weer heel vroeg.'

Het was het begin van de avond en de zon hing pal boven de daken van de huizen aan de achterkant van het terrein. Alfie tuurde door een opening tussen de bomen en bosjes die tussen het terrein en het spoor stonden, en zag in het park aan de andere kant van de weg iets glinsteren tussen de schommels en klimrekken van het speeltuintje waar tegenwoordig nog maar een paar kinderen speelden. Hij zag twee mannen onder aan de glijbaan zitten, dicht bij elkaar omdat ze een fles samen deelden. De fles die het zonlicht recht in zijn ogen had gereflecteerd.

'Ik denk dat ik maar even met ze ga praten,' zei hij tegen George.

'En ik denk dat ik dan maar even meega.'

'Ik weet voor wie ze werken. Ze zijn niet gevaarlijk,' zei Alfie; hij beende zijn terrein af, stak de spoorbrug over en liep het park in.

De twee sjofele, uiterst bleke mannen stonden op toen hij dichterbij kwam, draaiden zich op hun hakken om en liepen allebei stram weg, als twee mechanische soldaten. Alfie vroeg of ze even wilden wachten, hij zei dat hij alleen maar kort iets wilde zeggen, maar toen zetten ze het op een lopen. Ze hielden hun hoofden laag, hingen iets voorover en renden met hun armen stijf tegen hun zij gedrukt, renden het park uit, renden midden op de straat, renden veel te hard voor Alfie, die geen enkele kans had op zijn sandalen.

'Zeg tegen Ruane dat ik hem niet wil helpen!' riep hij hun achterna.

De echo rolde via de huizen rond het park terug, maar de mannen doken de hoek om en verdwenen. Een vrouw die op de trap van een van de huizen een boek zat te lezen keek op. Alfie wandelde terug naar het speeltuintje en ontdekte onder aan de glijbaan waar de mannen hadden gezeten, tientallen suikerzakjes, allemaal opengescheurd en leeg. Junkies, dacht hij, met een hoge suikerspiegel. Als dat de hulp was die Robbie Ruane zich kon permitteren, dan was het niet gek dat hij zo wanhopig op zoek was naar nieuw talent.

George Johnson wachtte Alfie op bij het hek van zijn terrein, met in zijn hand een moersleutel zo lang als zijn arm. Alfie vertelde hem over Robbie Ruane en zijn interesse voor Morphs graffiti. 'Deze mannen, of twee die er precies op leken, hingen ook al rond bij die party waar ik was. Volgens mij hoopt Ruane dat ik hem naar Morph breng.'

'Als ik die hufters nog een keer zie, bel ik een paar maten en dan zullen we ze eens wat laten zien,' zei George en hij zwaaide met de moersleutel alsof het een honkbalknuppel was om te laten zien wat hij bedoelde.

Alfie belde Toby en vertelde wat er gebeurd was.

'Dat hoeft geen probleem te worden. Ze waren te voet, hè, zei je?'

'Ja.'

'Dan lenen we morgen dat busje weer van je vriend. We rijden net zolang rond tot we zeker weten dat we niet gevolgd worden en gaan dan naar de afspraak met Shareef.'

'Geen probleem,' vond George, toen Alfie vroeg of hij de Transit nog een keer mocht lenen. 'Als je er maar geen schapen meer in stopt.'

'Erewoord. En ik vroeg me ook af,' en Alfie liet de steenscherf zien, 'of je misschien ooit iets als dit gezien hebt.'

George poetste zijn bril met een stukje van zijn vest schoon, zette hem op en staarde naar het stukje zwartgeworden steen, de zilveren setting, het ingekraste patroon. Alfie legde uit dat het van zijn vader was geweest. 'Heeft hij het ooit met je over iets als dit gehad? Over oude stenen of potten, of grotschilderingen?'

'Wat? Een soort archeologie? Donder op, Alfie. We hadden het over paarden en honden. Hij had een zwak voor hazewinden, die vader van jou. We zijn een paar keer naar Walthamstow geweest toen dat nog wat voorstelde.' George, met zijn vuisten in de zakken van zijn versleten vest, keek langs Alfie in het verleden. Hij zei: 'Natuurlijk hield hij nog meer van de paarden. Hij had altijd tips voor me. En de helft van zijn tips waren meestal goed. Het probleem was, zoals hijzelf ook zei, dat je nooit wist welke helft.'

Alfie liet de steenscherf aan de ketting heen en weer schommelen. 'Je hebt nooit iets gezien wat hierop leek, in de caravan? Nadat hij... verdween?'

George schudde zijn hoofd. 'Heb je het daar gevonden?'

'Ik heb het een tijdje terug van een kennis van hem gekregen. Een paar jaar geleden, eerlijk gezegd.'

'Een vriendin wed ik. Hij heeft het in filigraan laten zetten en het aan haar gegeven om te dragen.'

'Zoiets.'

'Hij was onweerstaanbaar voor de vrouwtjes,' zei George met een brede glimlach. 'Soms wachtten ze in zijn auto, zijn vriendinnetjes, als hij langskwam voor een babbeltje en de huur. Ze waren meestal mooi. Modellen en zo. Maar de politie heeft zijn caravan toch helemaal doorzocht? Nadat hij verdwenen was.'

'Is dat zo?'

Het was de eerste keer dat Alfie dat hoorde, maar hij had dan ook nog nooit echt met George over Mick Flowers gepraat. George en hij hadden een rare vriendschap, ze praatten over het weer en de regering, de laatste misdaden van parkeerwachters ten opzichte van hardwerkende arbeiders en de laatste schandaaltjes over het gemeentebestuur (George hield het wel en wee van het gemeentebestuur bij alsof het een soap was), maar ze hadden het nooit echt over het verleden gehad. Ze hadden het nooit gehad over wat er na de verdwijning van Alfies vader gebeurd was.

George zei: 'Er kwamen er een paar rondgluren. Burgerkleren. Waarschijnlijk van Scotland Yard, maar ik weet niet meer of ze me dat verteld hebben.'

'Zijn ze in de caravan geweest?'

'Ik neem aan van wel. Ze hebben overal alles doorzocht. En toen zei je oma dat ik er een hangslot op moest doen en dat deed ik en toen kwam jij een paar jaar later.'

'Zeiden ze waar ze naar zochten?'

George haalde zijn schouders op. 'Ik nam aan dat ze naar aanwijzingen zochten over waar je vader was geweest en over wat hij van plan was. Een duistere zaak, jongen.'

'Weet ik.'

'Als je vader iets dergelijks in zijn caravan verstopt had, zal de politie het wel meegenomen hebben, als bewijs en zo. Als je geluk hebt, hebben ze het nog. Als iemand verdwijnt zoals je vader verdween, houdt de politie alles vast dat als bewijs kan dienen. Het is meer dan twintig jaar geleden, maar misschien heb je geluk.'

Alfie zei dat het zeker de moeite van het proberen waard was, maar dat hij er zeker van was dat de mannen die de caravan hadden doorzocht, niet van de politie waren. Agenten zouden de liefdesbrieven hebben meegenomen die Alfie jaren later in de suikerpot gevonden had. Nee, die twee mannen van wie George abusievelijk dacht dat het agenten in burger waren, waren wat anders. Misschien werkten ze voor de Nomads. Of misschien waren het Russische agenten, of mensen van de Britse geheime dienst. Maar wat ze ook waren, Alfie wist dat ze maar in één ding geïnteresseerd waren.

De glyphs.

13

Vrijdag, iets na drieën, klopte Graham Taylor, eigenaar van het detectivebureau dat Harriet assisteerde met het schaduwen van Alfie Flowers en Rölf Mosts legertje gekken, op de deur van haar hotelkamer.

'Ik heb wat meegenomen,' zei hij toen ze hem binnenliet en hield een Starbuckstas omhoog. 'Koffie en donuts. Ik wed dat ik er een tiende voor betaald heb van wat ze er hier voor rekenen.'

'Ik heb helaas geen tijd,' zei Harriet terwijl ze haar jasje aantrok. Ze had een crèmekleurige zijden blouse aan en haar beste broekpak. Haar mobiel zat aan haar riem, de microfoon zat op de kraag van haar jasje en het oorknopje in haar linkeroor. 'Alfie Flowers en Toby Brown hebben om vier uur een afspraak met Benjamin Barrett. Ik zit hier vanaf het moment dat Larry Macpherson een stukje ging wandelen, en als ik nu niet wegga ben ik te laat. Bedankt dat je dit wilt doen trouwens, je hebt mijn leven gered.'

Larry Macpherson was de bodyguard van Carver Soborin en Rölf Most, en waarschijnlijk werkte hij ook voor de CIA. Harriet had de tip van Nicholl nagetrokken. Macpherson was een Amerikaanse ex-soldaat die bij de marine en de Special Forces had gediend. Een paar jaar na de Eerste Golfoorlog nam hij ontslag (er stond een heleboel, meestal denigrerend, geroddel over dit gedeelte van zijn carrière op een internetsite van ex-leden van de Amerikaanse Special Forces) en werd freelance veiligheidsadviseur, hij adviseerde bedrijven over antiterroristische maatregelen. Hij had kort gezeten voor creditcardfraude en dook in 2001 in Afghanistan op waar hij, waarschijnlijk met de Noordelijke Alliantie, tegen de Taliban vocht en beweerde dat hij een legeropslagplaats van al-Queda gelokaliseerd had. Het afgelopen jaar was hij in Peshawar gearresteerd door de Pakistaanse geheime dienst en ervan beschuldigd dat hij Afghaanse vluchtelingen martelde voor informatie over de hoge leden van al-Queda, waarschijnlijk omdat hij aasde op de beloningen die de Amerikaanse overheid uitgeloofd had voor hun arrestatie. Er waren geruchten dat hij clandestien voor de CIA werkte toen hij gearresteerd werd. Zeker was dat hij na drie weken gevangenis uit het land werd gezet en onmiddellijk voor Universal Risk Management ging werken, een bedrijf met sterke banden met de CIA, dat huurtroepen en veiligheidspersoneel naar Irak uitzond, zogenaamde burgercontractanten die namens de tijdelijke Iraakse regering provinciale buitenposten bemanden en olievelden en krachtcentrales bewaakten. En nu was hij dan in Londen, op jacht naar Soborin en Most, mogelijk in opdracht van de CIA. Het enige positieve was dat als de CIA een zwaargewicht als Macpherson op twee psychiaters zette, dat mogelijk inhield dat de jacht op Morph niets bruikbaars had opgeleverd en de bemoeienis teruggeschroefd was, wat weer betekende dat Harriet nog een kans had om Morph als eerste te vinden.

'Ik zou het niet moeten zeggen, maar betaald worden om in een luxe hotel rond te hangen is paarlen voor de zwijnen werpen.' Graham Taylor keek de kamer door, die Hollywoodachtig ingericht was: nepantieke meubels en tonnen verguldsel en brokaat. 'Je moet trouwens aardig in je slappe was zitten als je dit kunt betalen én al mijn mensen inhuurt.'

'Ik hoef aan jou geen verantwoording af te leggen, Graham.'

Maar de kosten van Grahams mensen en de vijfhonderd pond per nacht die het hotel kostte, deed de financiële situatie van Harriet schrikbarend snel verslechteren. Over een paar weken zou ze blut zijn. Gelukkig was het bijna zeker dat haar zoektocht naar Morph niet zo lang zou duren. Een van Grahams mensen had mobiele gesprekken tussen Flowers en zijn journalistenvriend onderschept over een afspraak die middag met Benjamin Barrett, Morphs kompaan. Harriet wilde daar zo dicht mogelijk bij in de buurt zijn, maar een uur geleden, toen ze op het punt stond om te vertrekken, besloot Larry Macpherson wat te gaan wandelen. Twee van Grahams mensen schaduwden hem, dus had Harriet Soborin en Most in de gaten moeten houden tot Graham Taylor het kwam overnemen.

Graham was een intelligente, onverstoorbare ex-diender, bijna onzichtbaar in een confectiepak. Harriet had drie jaar bij hem gewerkt, haar eerste baan na haar afstuderen. Zijn bureau was gespecialiseerd in industriële schadeclaims – zijn mensen ondervroegen eisers en hun collega's, legden mensen die met pseudorugklachten vuilnisbakken buiten zetten, ramen lapten of voetbalden op video vast en volgden mensen die hadden gezworen dat ze veel te veel last van hun letsel hadden om ooit nog te kunnen werken. Het was eerlijk werk en Harriet had voldoende straatwijsheid en sociale vaardigheden opgedaan om haar eigen eenvrouwsbedrijf te beginnen. Graham en zij waren vrienden gebleven en speelden elkaar soms zaken door. Nu werkte hij voor haar.

'Als je financiële moeilijkheden hebt, dan lossen we die wel op,' zei Graham, en hij beet in een donut en morste poedersuiker op zijn stropdas. 'Je zou bijvoorbeeld weer voor me kunnen komen werken.'

Harriet glimlachte. 'Ik zal erover denken.'

Graham nam weer een hap en vroeg of ze hem de situatie nog even precies wilde uitleggen. 'Het is alweer een tijdje geleden dat ik aan deze kant van een zaak stond.'

Harriet wees naar de Sony-laptop die op de vergulde tafel stond. Graham zette een leesbrilletje op en bestudeerde het scherm. Dat toonde afwisselend het zicht op twee verschillende hotelgangen. Ze vertelde hem van de videocamera die de deur van de suite van Soborin en Most in de gaten hield en van de camera die de kamerdeur van Macpherson bewaakte.

'Ze zitten tegenover elkaar en drie verdiepingen boven ons, wat ons genoeg tijd geeft om, als we zien dat ze hun kamer verlaten, de trap af te rennen en als eerste in de lobby te zijn.'

Het had maar een paar minuten gekost om de twee kleine videocamera's te installeren. Hun hoge positie en het flatterende effect van hun kleine lenzen liet de twee verschillende opnames van dezelfde hotelgang eruitzien als een Duitse expressionistische film.

Graham keek Harriet over zijn brilletje heen aan. 'En dat is het?'

'Dat is het, tenzij je iets bedenkt om in die kamers te komen om er wat te verbergen, of om in het hotelbestand in te breken. Janice en ik hielden om de beurt de camera's in de gaten en Alan stond voor het hotel.'

Janice was een kettingrookster en hield bittere monologen over haar ex, maar haar gezelschap was veel beter dan dat van de kwijlende Alan met de spanielogen.

Graham vroeg: 'Heeft Alan problemen gegeven?'

'Behalve zijn afwijking om naar mijn borsten te staren als hij tegen me praat?'

'Daar bedoelt hij niets mee. Vijfendertig en die arme gozer woont nog steeds bij zijn ouders. Maar ik zal niet ontkennen dat hij een paar persoonlijkheidsprobleempjes heeft. Maar hij is ook een kei met een videocamera.'

'Vast wel. Maar goed, hij zit nu met Janice achter Macpherson aan, en ik moet ergens anders zijn, dus ik ben heel blij dat je me uit de brand komt helpen.'

'Ik hoop dat het goed gaat. Dat dossier dat je me gaf suggereerde dat meneer Macpherson een bijdehante gozer is.'

'Ik heb gezegd dat als ze alleen al het vermoeden kregen dat Macpherson ze door had, ze onmiddellijk terug moesten komen.'

'En je andere doelen? Zijn die in hun suite?'

'Most en Soborin gingen naar de eetzaal om te ontbijten en kwamen een uur later terug. Vanaf dat moment zitten ze op hun kamer, de lunch hebben ze daar gegeten.'

'Verlaten ze wel eens het hotel?'

'Gisteren is Most in het park gaan joggen, we hadden toen hier net de boel opgezet. Verder zijn ze binnengebleven.'

'Geen bezoek?'

'Niemand. Natuurlijk kunnen ze van alles telefonisch regelen, dat weten we niet. En ze waren al minstens twee dagen in Londen voor ik erachter kwam. Geen flauw idee wat ze in die tijd gedaan hebben.' Ze keek op haar horloge. Het was tien voor halfvier. 'Ik moet nu echt weg.'

'Jij gaat de straat op, inhaleert uitlaatgassen voor een of andere sportschool in Hackney en hoopt meneer Barrett te kunnen volgen naar de potten met goud onder aan de regenboog, terwijl ik hier riant in weelde baad en naar de vervelendste film van de hele wereld op je laptop moet kijken. Zoals ik al zei: het is paarlen voor de zwijnen werpen.'

'Als er iets gebeurt, maakt niet uit wat, bel me dan direct.'

Graham zat op een hoek van het grote, vierkante bed, nam een slok koffie en keek Harriet over het kartonnen bekertje aan. 'Weet je zeker dat je een behoorlijke portie veldwerk aankunt? Janice vertelde me dat je hier al bent sinds de camera's geïnstalleerd zijn. Ik hoop dat je het niet erg vindt dat ik het zeg, maar je ziet er een beetje uitgezakt uit.'

'Ik voel me prima. En jouw beste veldwerker dekt me.'

'Michelle is inderdaad de beste. Bijna net zo goed als ik, eeuwen geleden dan. Ik geloof trouwens dat er wat gaat gebeuren.'

Rölf Most verliet zijn kamer. Hij had hetzelfde helblauwe trainingspak als gisteren aan, toen hij langzaam rond de Serpentine in Hyde Park had gejogd.

'Ziet ernaar uit dat hij gaat joggen,' zei Harriet terwijl ze haar rugzakje pakte en naar de kamerdeur liep. 'Ik zal hem naar beneden volgen, zodat jij vanuit hier de boel in de gaten kunt houden.'

'En wat als die andere het ook in zijn hoofd haalt om weg te gaan?'

'Ik betwijfel of Carver Soborin ergens alleen naartoe gaat.' En Harriet stond op de gang, met een extra stoot adrenaline in haar lijf omdat ze eigenlijk al bezig was met de verschillende mogelijkheden om Benjamin Barrett te schaduwen. Maar toen ze naar beneden liep, naar de lobby, begon de mobiel op haar heup te trillen. Het was Janice die vertelde dat Alan en zij Larry Macpherson kwijt waren.

'Hij ging een pub binnen. Alan ging achter hem aan, maar hij moet er direct dwars doorheen gelopen zijn en via de achterdeur naar buiten zijn gegaan.'

'Wanneer was dat?'

'Zo'n tien minuten geleden. We hebben nog vluchtig rondgekeken, maar hij was al weg.'

'Denk je dat hij jullie in de gaten had?'

'Weet ik niet. Het kan,' zei Janice, 'maar we hielden goed afstand. Ik bedoel: we weten heel goed hoe we iemand moeten schaduwen.'

'Larry Macpherson is een prof. Hij kan de truc met de pub uit gewoonte hebben gedaan,' zei Harriet. Maar ze kreeg het gevoel dat sommige dingen uit de hand begonnen te lopen. Ze vroeg zich al af of de man misschien een afleidingsmanoeuvre had uitgehaald om de bewaking bij Most weg te halen.

Janice vroeg: 'Wat wil je dat we nu doen?'

'Direct terug naar het hotel. Most gaat zo joggen en dan kunnen jullie hem in de gaten houden voor het geval dat hij met iemand heeft afgesproken.'

Harriet belde Michelle, de veldwerkster die Flowers volgde en zei dat ze misschien wat te laat zou komen. Ze kwam net op tijd in de lobby om de psychiater uit de lift te zien komen en naar de deuren te zien lopen. Een korte, dikke man met een zonnebril op en met pluizig wit haar, net het jongere broertje van de kerstman in zijn blauwe designtrainingspak en nieuwe sportschoenen. Hij liep langs de etalage van de winkel waar de gasten dure cadeaus konden kopen. Harriet wachtte een halve minuut voor ze hem begon te volgen en bleef wat verder achter toen de psychiater over Park Lane naar een zebrapad liep. Ze liepen in zuidelijke richting, dezelfde kant op als het verkeer. Ze concentreerde zich volledig op haar doelwit en zag het witte Volkswagenbusje niet dat achter haar opdook tot het plotseling voor haar de stoep op reed. De zijdeur gleed open en daar zat Larry Macpherson glimlachend boven een automatisch pistool dat op haar gericht was en hij zei: 'Denk je dat je mee gaat werken, juffie Crowley, of moet ik je dwingen?'

14

Elliot Johnson zei: 'Als hij op dit moment een afspraak met jullie heeft, hoe kan het dan dat ik hem nu op de radio hoor?'

'Omdat hij ons in de tang heeft. Omdat hij wil dat wij er eerder zijn dan hij en dat we gaan beven van angst in de nabijheid van zijn intimiderende gespierde vriendjes, tot het hem belieft ons met zijn aanwezigheid te verblijden,' zei Toby.

'Zolang hij in de lucht is, heeft het geen zin om naar binnen te gaan,' vond Alfie.

'Geloof ons nou maar, jongeman,' zei Toby. 'Wij hebben de levenservaring en weten dat geduld de eerste en grootste deugd is.'

Het was vijf over vier 's middags. Alfie Flowers, Toby Brown en Elliot Johnson zaten in het busje dat naast een gele streep geparkeerd stond voor de Majestic sportschool. Elliot zat achter het stuur, Toby hing tegen het raampje en Alfie zat tussen hen in geklemd. De radio stond op Mister Fantastic FM 94.7. Shareefs talkshow was afgelopen, de reclames voor Red Stripe-bier en clubavonden in pubs en buurthuizen waren net uitgezonden en op dit moment droeg Shareef de microfoon over aan de volgende dj, een vrouw die zichzelf Sugar Silk noemde, kletste met haar over zijn eigen show en vroeg wat zij ging doen.

'Misschien is hij allang binnen,' bedacht Elliot. 'Misschien zendt hij vanuit hier uit. Piraten kunnen overal vandaan uitzenden. Daar gaat het juist om. Het is doe-het-zelfradio.'

Elliot was een aardige, slungelige jongen met lang graankleurig haar in een staart en met een pony, in een camouflagebroek en een ruimzittend T-shirt. Hij hing diep onderuitgezakt met zijn versleten Converse All-Stars aan weerskanten van het stuur op het dashboard, zijn knieën tot aan zijn borst opgetrokken. Het was Alfies idee geweest om hem erbij te halen. Op het terrein had Elliot het busje achteruit de garage in gereden en was Alfie via de achterdeuren naar binnen gekropen, zodat iemand die de boel in de gaten hield hem niet zou kunnen zien. Daarna hadden ze Toby in een pub in Upper Street opgepikt en waren ze op een omslachtige manier naar Kingsland Road gereden. Ze stonden inmiddels een halfuurtje voor het Majestic. Elliot werd steeds zenuwachtiger en Toby rookte fanatiek zijn sigaret en bladerde door een dikke biografie van George Savile (1633-1695), eerste markies van Halifax, essayist en ijverig antikatholiek lid van het hof van Karel II. Ondertussen hield Alfie de sportschool in de gaten en dacht aan de twee vergrotingen van foto's van zijn opa die Elliot hem gegeven had.

Op één foto stonden de vier Nomads en de anomale steen; op de andere stond Alfies opa naast de steen in de grot. Digitale vergroting had onthuld dat de ingewikkelde patronen op beide stenen identiek waren. Alfie had Elliot laten zweren niets aan Toby te vertellen. Maar had hij gelijk als hij dacht dat de patronen op de stenen hetzelfde waren als de patronen die Morph gebruikte in zijn graffiti?

'Het heeft niets met Morph te maken,' had Alfie gelogen. 'Puur familiezaken. Dus houd je mond, oké?'

Nu vroeg Elliot: 'Vinden jullie ook niet dat een van jullie naar binnen moet om even rond te kijken?'

'Shareef wil ons net zo graag ontmoeten als wij hem,' zei Alfie. Hij had een halve valium genomen, net genoeg om de scherpe kantjes van de wereld af te halen en een soort boeddhistisch evenwicht te bereiken.

'Hij wil dat we zijn protégé beroemd maken,' zei Toby en hij sloeg een bladzijde om. Hij had zijn zwartlinnen jasje aan over een zwart T-shirt met vale zwarte 501-motieven. De voorkant van het T-shirt en de revers van het jasje zaten onder de sigarettenas. 'Als het eropaan komt, is hij degene die op óns moet wachten. En, misschien is het jullie ontgaan, maar hij is nog steeds op de radio. Geduld, jonge sprinkhaan.'

Shareefs en Sugar Silks gebabbel werd midden in een zin afgekapt en er was alleen nog ruis. Toen Toby de radio beter wilde afstemmen greep Elliot zijn pols en zei: 'Ze wisselen van zender. Dat doen ze steeds, daarom vallen ze zo vaak weg. Weten jullie oude, wijze mannen dat niet?'

Sugar Silk kwam weer in de lucht en meldde haar luisteraars dat het, nadat Shareef iedereen had opgefokt, tijd was om te chillen met twee uur liefdesrock. 'En vergeet niet: laat je pistolen alsjeblieft thuis, waag je niet in de gevaarlijke zone!' En ze verdween voor de reclames.

Elliot vertelde: 'Ze wisselen steeds van zender. Ze hebben ergens op een centrale plek een studio en boven op flatgebouwen een stel zwakke zenders. Op die manier kunnen de Feds alleen maar de zenders opsporen en in beslag nemen en is het veel moeilijker om erachter te komen waar de piraten hun studio hebben en hun decks en mixtafels en de rest van het kostbare spul.'

Toby keek hem aan. 'De Feds? Wie zijn dat?'

'De autoriteiten. De wet.'

'Hij neemt je in de maling,' zei Alfie.

'Jij hebt te veel Amerikaanse series gezien,' vond Toby, hij sloeg zijn boek dicht en propte het in zijn kaki tas. 'Maar hij heeft op één punt wel gelijk: Shareef is klaar en kan in principe overal zitten. Je weet wat we afgesproken hebben, hè Alfie? Ik voer het woord. Jij maakt de foto's en houdt je mond dicht.'

'Zolang jij de goede vragen stelt.'

'Ik heb jouw lijst toch?'

'Ik dacht dat we het daar nog over moesten hebben.'

'Waarom? Elliot, je weet wat je moet doen?'

Elliot rekte zich glimlachend uit in zijn stoel en zei: 'Ik houd de wacht en kijk wie er in en uit lopen. En als jullie afspraak voorbij is, komen jullie naar buiten met die gozer en schudden zijn hand, zodat ik weet wie hij is en dan doe ik mijn best om hem te volgen.'

'Met het busje als hij in een auto stapt, lopend als hij dat niet doet,' zei Toby. 'En als hij is waar hij moet zijn, bel je ons en dan komen we naar je toe.'

'En stel dat hij de achterdeur neemt? Of dat hij besluit om helemaal niet weg te gaan als jullie weggaan?'

'Als hij de achterdeur neemt, sprinten wij naar de voordeur, springen in het busje en weg zijn we. En als hij nergens naartoe gaat, blijven we net zo lang zitten tot hij wel ergens naartoe gaat.'

Alfie zei: 'Dat klinkt alsof we pas beslissen als het zover is.'

'Dat is omdat we pas beslissen als het zover is,' zei Toby.

'Jullie oude, wijze mannen moeten daarbinnen wel voorzichtig zijn,' vond Elliot.

'Hij wil met ons praten,' zei Alfie. 'Waarom moeten wij dan voorzichtig zijn?'

Maar hij begreep het wel toen Toby en hij de drukke straat overstaken. De ingang van de Majestic sportschool zat ingeklemd tussen een nagelstudio en een fastfoodfiliaal dat kippen verkocht: een rode deur met daarachter een halletje dat leidde naar een grote, raamloze ruimte die door zoemende fluorescerende lampen verlicht werd die onder een laag plafond met lekkagevlekken hingen. De geur van verschaalde, warme lucht, vermengd met die van zweet, vloerbedekking en massageolie deed Alfie aan de gymzaal van zijn middelbare school denken. Dit was geen sportschool die fitnesscentrum werd genoemd, zo'n plek waar yuppen op en in dure renapparaten, roeiapparaten en vaststaande fietsen voor een rij tv's zich in het zweet werken, met een sauna en een binnenbad, verse bloemen, massa's blank hout en knappe receptionistes in trainingspak. Dit was een spierfabriek, een plek waar mannen kwamen om serieus te werken aan het herscheppen van hun lichaam. Een man lag plat op zijn rug op een beklede bank en drukte met trillende armen en een verwrongen gezicht een staaf die aan weerszijden met metalen schijven verzwaard was. Andere mannen werkten aan de levellers en pushup-apparaten die eruitzagen alsof ze zo uit een autofabriek kwamen. Zware veren werden gespannen en ontspannen, staven gingen van voor naar achter, metalen schijven stegen en daalden in stalen kokers. Een man plantte korte, krachtige stoten in een canvas, met zwart tape omwikkelde boksbal die een andere man stevig tegen zijn lijf in balans hield. Een man danste voor een grote, oude spiegel binnen de wiegende cirkel van zijn springtouw. De groene tapijttegels zaten vol ingetrapte kauwgom. Hiphopmuziek kwam uit de speakers pal onder het plafond en concurreerde met de lawaaierige apparaten en kreunende mannen, die grimmig ploeterden alsof ze deelnamen aan een masturbatiewedstrijd.

Naast de deur was een soort barretje met een blad van formica met houtmotief, planken met plastic potjes met vitaminepillen en aminozuurpillen, en flesjes proteïnedrankjes. De reus die achter de bar mango's en bananen in dobbelsteentjes sneed, wees met zijn mes naar Alfie en Toby en zei dat zij de afspraak van Shareef moesten zijn.

'En dan ben jij Watty,' zei Toby.

De glimlach van de man was een streep. Hij was ergens in de twintig en droeg een wit Adidas-trainingspak en een zwart nethemd. Gouden kettingen om zijn nek. Zijn gespierde armen glommen van de olie en om zijn geschoren hoofd was een rode doek gewikkeld die achter in zijn nek was vastgeknoopt. 'Dus jij kent me?'

'Je bent beroemd in schapenroofkringen,' zei Toby.

'Ik heb gehoord dat jullie ze hebben teruggebracht. Mooi werk. Ik zei tegen Shareef dat wij dat moesten doen, maar voor hij die beesten bij elkaar had, kwamen jullie al in actie.'

'En Morph?' vroeg Toby. 'Had die ook iets te maken met die stunt?'

Watty keek naar Alfie en vroeg: 'Hoeveel druk jij?'

'Druk?'

'Druk. Drukken,' zei Watty. Hij tilde de snijplank op en veegde met zijn mes de dobbelsteentjes fruit in een enorme blender.

'Je bedoelt gewichten?'

'Wat anders? Tuurlijk gewichten.' Met een lepel strooide Watty wit poeder uit een grote plastic pot over het fruit en hij goot er vervolgens een halve liter melk bij. Hij keek Alfie aan terwijl hij het deksel op de blender drukte en zei: 'Ik haal driehonderdentwintig. En jij?'

'Geen idee. Ik heb het nog nooit gedaan.'

Watty's glimlach werd breder. 'Ik mag jou wel,' zei hij en hij draaide aan de schakelknop van de blender.

Toby vroeg hard, om boven het geluid van de blender uit te komen: 'Komt jouw vriend Shareef nog?'

Watty zette de blender uit, bestudeerde de schuimende gele massa en zette de blender weer aan. Hij zei tegen Alfie: 'Je bent een grote man, maar je ziet er soft uit. Je kunt vast niet eens je eigen gewicht liften. Hoeveel is dat? Honderdzeventig, honderdtachtig?'

Alfie glimlachte. 'Je probeert me te stangen, hè?'

Toby haalde zijn pakje sigaretten tevoorschijn. 'We hebben niet veel tijd. We zijn drukbezette journalisten: het nieuws schrijft zich-zelf niet. Als Shareef niet gauw komt, moeten we verder naar het volgende nieuws.'

'Hier wordt niet gerookt,' zei Watty. Hij draaide de kan van de blender los en bood die Alfie aan.

'Ik heb zelf,' zei Alfie en hij liet zijn flesje bananenmilkshake zien.

Watty haalde zijn schouders op en vroeg aan Toby: 'Wil jij hier wat van?'

Toby keek hem met toegeknepen ogen aan. 'Als er geen nicoti-ne in zit, ben ik niet geïnteresseerd.'

'Dit is puur natuur.' En Watty zette de kan tegen zijn lippen en nam een grote slok van het schuimend gele goedje.

'Dat is nicotine ook. Een van die kleine wonderen van Moeder Natuur waardoor je denkt dat er misschien toch een God bestaat. In tegenstelling tot dit spul...' Toby pakte de plastic pot en bestu-deerde het etiket. 'Kreatine. Probeer me alsjeblieft niet wijs te ma-ken dat dit van een boom uit het regenwoud komt.'

'Het is goed voor je spieren. Ik wed dat ik je binnen een maand in vorm heb. Laat me je trainen, drink mijn speciale mix, deze hier, eet dagelijks een pond eiwitten – de proteïne die het makkelijkst verteert – en bergen gekookte kip en gebakken aardappelen.'

'Klinkt walgelijk,' vond Toby. 'Ik houd het maar op mijn eigen speciale dieet van koffie, sigaretten en overwerkte zenuwen. Zeg, misschien kun jij onze weddenschap oplossen: heeft Morph nou geholpen met die schapen, of hebben Shareef en jij het alleen ge-daan?'

'Man, dat probeer ik te vergeten! Wat stonken die kutbeesten, zeg! En een van die krengen heeft me ook nog gebeten! Niemand heeft me ooit verteld dat die beesten konden bijten.' Watty nam nog een grote slok van zijn speciale mix, veegde zijn lippen met een onderarm af en zei tegen Alfie: 'Eén maand van mijn onver-deelde aandacht en je kunt je eigen gewicht liften, iets wat elke weldenkende man zou moeten kunnen.'

De reus was duidelijk niet van plan antwoord te geven, bedacht Alfie. Iedere keer als Toby naar Morph vroeg stapte hij op een an-der onderwerp over. En omdat hij geen antwoord wilde geven, be-tekende dat dat hij meer wist en zijn best deed om dat te verber-gen. Alfie besloot wat amateurpsychologie op hem los te laten, pakte zijn Nikon en zei nonchalant: 'Mag ik een paar foto's maken terwijl we wachten?'

'Waarvan? Van hier?'

'Van jou, eerlijk gezegd.' Alfie zette de flitser op de camera, zette die aan en zei terwijl de flitser zoemde: 'Ik ben fotograaf. Ik maak foto's van typische Londenaars in hun natuurlijke omgeving. Waar ze doen wat ze altijd doen.'

'Dus jij vindt dat ik een typische Londenaar ben?'

'Een hele echte. Van top tot teen.'

Watty probeerde zijn interesse niet eens te verbergen. 'En wat doe je met de foto's? Verkoop je die?'

'Als me dat lukt.' De flitser was startklaar. Alfie hield de Nikon voor zijn ogen, focuste en nam een foto van de reus.

Watty knipperde met zijn ogen en vroeg: 'Moet ik niet poseren of zo?'

'Ik wil een echt beeld. Waarom maak je niet nog wat van je speciale mix? Toby, wil je een beetje aan de kant gaan? Ik wil een mooi shot van onze vriend achter zijn bar.'

'Misschien moet je een foto nemen als ik met gewichten bezig ben,' stelde Watty voor.

'Iedereen kan gewichten tillen. Zelfs een stel uitgezakte blanke kerels zoals wij. Nee, wat ik mooi vond was zoals je bezig was met dat grote mes en dat fruit. Ongedwongen, alsof je het je hele leven al doet.'

Watty pakte zijn grote mes en ging er eens goed voor staan met een grote, domme grijns op zijn gezicht. 'Zo bedoel je?'

'Niet naar de camera kijken. Ga maar gewoon aan de slag. Doe alsof ik er niet ben. Dat bedoel ik met echt beeld.'

Terwijl de reus een mango halveerde en in blokjes sneed, nam Alfie een paar foto's en maakte bemoedigende geluidjes. Hij zette de flitser uit – hij had hem alleen aangezet om Watty's aandacht te krijgen – en werkte nu in het licht van de fluorescerende lampen. De twee mannen met de boksbal waren gestopt en keken toe en de dansende man met zijn springtouw keek in de spiegel naar hen, maar de andere mannen werkten gewoon aan hun apparaten door, tilden hun gewichten en letten alleen op hun eigen prestaties.

Alfie vroeg: 'Drink je veel van dat spul?'

Watty sneed een banaan klein. 'Iedere dag een halve liter.'

Toby, die direct begrepen had wat Alfie van plan was, hield zich op de achtergrond. Hij keek rustig toe hoe Alfie nog een foto nam en vroeg: 'Maak je het altijd hetzelfde?'

'Hangt ervan af wat er op de markt te krijgen is. Ik koop wat er die dag goedkoop is groot in. De truc zit 'm in de mix. In de juiste balans. Want sommige soorten fruit zijn zurig, andere alkalisch. Je moet goed opletten dat de balans niet naar één kant doorslaat, dan neemt je maag de goede stoffen niet op.' Hij zag dat Alfie nog een foto nam en vroeg verlegen: 'Mag ik ze zien als je klaar bent?'

Alfie had zijn camera gepakt om Watty ontspannen te krijgen zodat hij makkelijker zou praten. Maar hij kreeg er nu zin in, hij zag iets moois in de glimmende contouren van de gespierde armen van de reus, het natte lemmet van het mes en de weerschijn van het vettige houtmotiefformica van de toog. Hij kon het belichten voor het afdrukken om het bleke fluorescerende licht beter uit te laten komen...

Hij zei: 'Ik zal je een stel afdrukken opsturen. Als je er een ophangt, moet je me dat laten weten, dan kom ik die signeren. Ik heb een paar mooie shots gemaakt, dus blijf gewoon doen wat je doet. Maak je dat spul alleen voor jezelf of ook voor anderen?'

'Iedereen die drie pond in de doos gooit, mag er zoveel van drinken als hij wil.'

'Klinkt goed.' Alfie maakte een mooie close-up van Watty's hand met het mes. 'En dit hier is allemaal van jou?'

'Van mij?' Watty grinnikte. 'Helemaal niet. Ik ben alleen maar de manager.'

'Van wie is het dan? Van Shareef?'

'Van Shareefs vader, eigenlijk. Shareef gebruikt het vooral om met mensen af te spreken. Hij doet z'n werk op een plek waar gewerkt wordt. Slim van hem.'

'Ik heb naar zijn talkshow geluisterd. Hij is inderdaad slim. Hij doet vast van alles. Hij doet die talkshow, hij heeft Morph...'

'Dat is zijn grote klus op dit moment. Of beter: dat was het.'

'Was het?'

Maar Watty keek naar iets achter Alfie en zei: 'Hoi, Shareef. Wat zei je?'

Een slungelige zwarte tiener in een trainingspak van glanzende violetkleurige stof, met een grote zonnebril en een wit kalotje op, liep naar hen toe. Hij had een aktetas in zijn hand en bewoog op een trillerige, wiegende manier alsof zijn suède schoenen te klein waren. Hij gaf Watty een ingewikkelde handdruk, onder andere met hun handpalmen en daarna hun knokkels tegen elkaar. 'Jep, Watty. Heb je last van deze mensen gehad?'

'Hij maakt foto's van me. Cool.'

Vanachter zijn brillenglazen keek Shareef naar Alfie en Toby en zei dat hij hoopte dat hij ze niet te lang had laten wachten. Hij had eerst iets anders moeten afhandelen.

'We hebben een boel geleerd over het goede van fruit,' vertelde Toby.

Shareef zette zijn zonnebril af. Hij had hoge jukbeenderen en grote glanzende ogen en straalde een stuurse, ernstige onschuld uit. Hij keek naar Toby alsof hij teleurgesteld was in wat hij zag en zei: 'Allereerst wil ik een perskaart of zo zien.'

Toby pakte zijn portefeuille, sloeg die open en hield hem voor Shareefs gezicht. 'Dit is mijn journalistenkaart – van de Vereniging van Journalisten. Ik heb ook nog een donorkaart voor je als je wilt zien dat ik een oppassende, brave jongen ben.'

Shareef keek hem vorsend aan en zei: 'We praten in mijn kantoor.'

Dat was een klein kamertje met stapels kartonnen dozen, een tafeltje en een paar plastic stoelen. Terwijl hij ging zitten zei Toby: 'Ik hoorde dat je een echte ondernemer bent.'

Shareef zette zijn aktetas op het tafeltje, haalde er de kleinste mobiel uit die Alfie ooit gezien had en zette die op de aktetas. Hij droeg twee aan elkaar vastzittende gouden ringen als een boksbal om zijn wijs- en middelvinger. 'Ik zit in meerdere zaken. Wat is dat?'

'Mijn aantekenboekje,' zei Toby en hij klapte het open. 'Ik citeer je liever niet verkeerd. Om te beginnen: vertel eens hoe Morph en jij elkaar ontmoet hebben.'

Shareef strekte zijn armen en draaide zijn handpalmen naar voren alsof hij iets wegdrukte. 'Ho, ho, kalm aan.'

'Ik dacht dat we het over Morph zouden hebben, dat ik het volledige verhaal zou krijgen. Hoe je hem ontmoet hebt, hoe jullie samen...'

'Maar allereerst moet ik er zeker van zijn dat ik jullie kan vertrouwen.'

'Ik dacht dat we dat gehad hadden. Mijn vriend Alfie en ik hebben Morph al veel aandacht gegeven. Het eerste verhaal over zijn werk – dat was van ons. Ook het verslag van wat hij met die busjes heeft gedaan en dat stuk over het museum. Dat hebben we geschreven en in een nationale krant gekregen. Het enige wat we daarvoor terug willen is een babbeltje met je getalenteerde vriend.'

Shareef knikte ernstig, zonder glimlach. 'Ik vind het geweldig wat jullie hebben gedaan, echt waar, daarom zijn jullie ook hier. Maar nu moet ik weten of jullie me kunnen helpen deze zaak naar het volgende niveau te tillen.'

'Het volgende niveau?'

'Ik wil Morph als een instituut neerzetten. Hij moet groeien. Hij moet een persoonlijkheid worden. Hij moet meer dan een bezienswaardigheid worden die goed is voor vijftien minuten in het journaal. Begrijpen jullie me?'

'Waarom leg je het me niet even uit?' stelde Toby voor.

'Hij moet het in de media op alle niveaus gaan maken. Hij moet een handelsnaam worden. Zoals mensen die het over reggae hebben, het over Bob Marley hebben. Snap je? Die man is al jaren dood, al voor ik geboren werd, en toch denken mensen het eerst aan hem als het over reggae gaat. Vooral blanken, die nooit gehoord hebben van Black Twang, Vybz Kartel of Tipper Irie.'

Toby zei: 'Dus als mensen het over taggers hebben, taggers die ageren tegen wat er in Irak gebeurt, wil jij dat ze het over Morph hebben.'

'Precies! Daarom moet ik weten hoe jullie me kunnen helpen. Daarom moet ik weten wie jullie zijn, wie jullie kennen, wat jullie kunnen doen.'

'Je weet al wat we kunnen,' zei Toby. 'Je weet dat we geïnteresseerd zijn en je weet ook dat we je kunnen helpen. Wat wij van jou willen, als we deze zaak naar het volgende niveau gaan tillen, is een ontmoeting met Morph. We willen hem interviewen. We moeten meer over hem weten, we willen een menselijk gezicht op de beroemde en controversiële tagger plakken, we willen de mensen laten weten wie hij is, waar hij vandaan komt, waarom hij doet wat hij doet...'

'Sorry.' Shareef glimlachte voor het eerst. Hij glimlachte en schudde zijn hoofd. 'Morph geeft geen interviews. Als je hem wat wilt vragen, gaat het via mij. En voor jullie met jullie vragen beginnen, wil ik weten waar jullie dit stuk gaan plaatsen.'

Toby keek Alfie met een het-is-toch-niet-te-gelovenblik aan en zei: 'Het werkt zo: hoe beter het materiaal, hoe beter het verhaal, hoe groter de krant. En als je een goed verhaal wilt, moet je ons iets interessants of controversieels geven. Iets waaraan we het verhaal kunnen ophangen, iets wat de lezer pakt.'

Shareef dacht hier even over na. 'Oké, dat begrijp ik. En omdat jullie al bruikbare artikelen gepubliceerd hebben, zal ik jullie wat geven. Ik neem aan dat jullie het stuk in GO of *Vogue* kunnen plaatsen?'

Toby keek weer even naar Alfie en zei: 'Waarom niet?'

Shareef leunde achterover in zijn stoel, keek Toby en Alfie aan en haakte zijn vingers in elkaar. Die waren lang en slank, met keurig onderhouden nagels. 'Dat taggen, dat is maar één aspect. Dat noemen ze een manier van uiten. Net zoals met die schapen en dat ding in het Imperial. Een manier om aandacht te trekken. Maar hij is niet alleen een tagger. Hij is veel meer.'

'Wat je eigenlijk bedoelt is dat je het medium niet belangrijker moet maken dan de boodschap.' Alfie zag dat Toby nog niets had opgeschreven.

Shareef zei: 'Wat ik bedoel is dat hij een artiest is.'

Toby vroeg: 'Is hij echt tegen wat er in Irak gebeurt, of is dat ook een maniertje?'

Shareef keek hem aan.

'Want daar gaan zijn cartoons over. En ook de schapen en dat ding in het Imperial War Museum.'

'O, hij staat voor de volle honderd procent achter wat hij zegt.'

'Misschien omdat hij uit Irak komt?'

Shareef wachtte even en glimlachte toen weer. 'Tuurlijk. Waarom niet?'

Alfie leunde naar voren, wilde Shareef vragen uit welk deel van Irak Morph precies kwam – uit het noorden? Uit de bergen daar? Maar Toby was hem voor: 'Waarom woont hij in Londen? Is hij een vluchteling? Is hij hier legaal of illegaal?'

Shareef haalde zijn schouders op. 'Wat maakt het uit hoe hij

174

hier is. Hij is hier en hij maakt zijn statement over hoe hij denkt over zijn vaderland.'

Toby zei: 'Je vindt dat je je vriend moet beschermen. Dat begrijp ik. Maar ik wil hem niet aan de autoriteiten uitleveren. Ik stel zoveel vragen omdat ik op zoek ben naar een kapstok. Als hij hiernaartoe kwam omdat hij vond dat hij in Irak niet meer veilig was, of – nog beter – omdat hij iets gedaan had waardoor hij een politiek vluchteling werd, dan wordt het artikel een stuk interessanter en veel verkoopbaarder.'

'Inderdaad, hij ís een politiek vluchteling. Of eigenlijk is zijn vader dat.'

'Wat heeft zijn vader gedaan?'

'Hij werd gearresteerd. Belandde in de gevangenis.'

'Ken je de details?'

'Ik weet dat dat niet in Irak was, maar ergens in Turkije. Ze waren namelijk van Irak naar Turkije gevlucht, daar kwamen ze in de problemen en toen zijn ze hiernaartoe gekomen.'

'Morphs vader werd in Turkije gearresteerd,' zei Toby en hij schreef in zijn aantekenboekje.

'Morph zei dat het een vergissing was, dat de politie dacht dat hij iemand anders was. Maar misschien kun je opschrijven dat het wegens politieke opruiing of zo was.'

'Laten we ons tot de feiten beperken. Waarom gingen ze uit Irak weg?'

Shareef haalde zijn schouders weer op. 'Vanwege de situatie daar, waarom anders?'

'Geen specifieke reden?'

Weer haalde Shareef zijn schouders op. 'Ze gingen naar Turkije en daar werd Morphs vader gearresteerd.'

'Omdat de Turkse politie dacht dat hij iemand anders was. Weet je toevallig wie ze dachten dat hij was?'

'Waarschijnlijk iemand die ze wilden arresteren.'

'Hoe lang zat hij in de gevangenis?'

'Een jaar ongeveer, misschien wat korter. Toen ontdekten de Turken dat ze fout zaten en lieten ze hem vrij.'

'En toen kwam hij hiernaartoe, met zijn zoon. Kan ik met hem praten?'

'Nee, en niet omdat ik dat niet wil. De man is dood. Hij kreeg een paar weken geleden een hartaanval en stierf. Nou weten jullie waarom Morph doet wat hij doet en volgens mij hoeven jullie niet meer te weten.'

Alfie kon zich niet meer inhouden. Hij had geen geduld meer met deze jonge patser in zijn dure trainingspak met zijn aktetas en zijn halve antwoorden. Hij zei: 'Wij zijn niet de enigen die op zoek zijn naar Morph.'

'Let maar niet op mijn vriend,' zei Toby en hij keek Alfie vernietigend aan. 'Hij is fotograaf. Hij ziet dingen in Morphs werk die ik niet zie. Hij is er helemaal vol van.'

'Een galerie-eigenaar, Robbie Ruane, betaalt mensen om mij te volgen,' ging Alfie verder. 'Ik durf te wedden dat hij jou ook laat volgen.'

Shareef zei niets, maar door de manier waarop hij naar Alfie keek, wist Alfie dat hij een punt had gescoord.

'Hij wilde dat ik Morph voor hem zou opsporen, en toen ik dat weigerde zette hij mannetjes op me. Misschien komt hij ook nog met jou praten. Als hij dat doet, maak dan niet de fout hem te vertrouwen. Hij zoekt Morph omdat hij een deal met hem wil maken, achter jouw rug om.'

'Je hoeft me niets over hem te vertellen, en hij heeft mij harder nodig dan ik hem,' zei Shareef stoer. Maar zijn ogen stonden waakzaam. 'Hij weet dat als hij een deal met Morph wil, hij dan bij mij moet zijn. Net zoals jullie naar mij gekomen zijn.'

Alfie haalde uit zijn cameratas de digitaal vergrote foto van de anomale steen en de vier Nomads en schoof die naar Shareef.

'Hé, Alfie,' zei Toby. 'Ophouden.'

Alfie negeerde hem en zei tegen Shareef: 'Kijk eens heel goed.'

Shareef keek even naar de foto en haalde zijn schouders op.

Alfie zei: 'Dat patroon op die steen... hetzelfde patroon schildert Morph om zijn cartoons.'

Shareef keek nu goed. 'Waar gaat dit over?'

'Op de foto staat een steen die mijn opa ongeveer zeventig jaar geleden in Irak gevonden heeft. Dus, snap je, Morph en ik hebben iets gemeen. En ik wed dat hij er heel graag over wil praten.'

'Hij praat alleen maar met mij. En zelfs dan praat hij niet veel. Wil je weten waarom hij doet wat hij doet?' Hij glimlachte en haalde zijn schouders op. 'Daarom is hij een genie. Omdat hij is wat hij is. Het komt voort uit zijn leven, het ís zijn leven.'

'Mijn leven en zijn leven lijken elkaar te kruisen,' zei Alfie. 'Daarom moeten we met hem praten.'

Shareef schudde zijn hoofd. 'Jullie kunnen met mij praten, maar alleen over hoe jullie hem verder kunnen helpen. Als jullie dat willen, kunnen jullie me bellen. Maar nu, als jullie me willen excuseren, moet ik andere zaken gaan regelen. Vinden jullie zelf de weg naar buiten of zal ik Watty vragen om jullie te helpen?'

15

Dr. Rölf Most klauterde ook het busje in, buiten adem en gelukkig, glimlachte naar Harriet en zei: 'We hebben een mooie vis gevangen.'

Harriet zat met haar handen in haar schoot, met witte plastic bandjes losjes om haar polsen gebonden. Larry Macpherson had haar op de achterbank geduwd, haar met één vloeiende beweging de plastic boeien omgedaan, de mobiel van haar heup en het oortje uit haar oor getrokken, de simkaart verwijderd en nu hield hij die tussen duim en wijsvinger. Hij had haar rugzak doorzocht, zorgvuldig alles bekeken – een stel ondergoed, tandenborstel, tandpasta en lippenstift, twee paperbacks, autosleutels, sleutels van haar flat, agenda, pepperspray – toen Rölf Most de deur van het busje opentrok. Nu maakte hij plaats voor zijn baas en haalde zijn automatische pistool uit zijn broek.

'Dat is niet nodig,' zei Most rustig en hij ging tegenover Harriet zitten.

'Ik mag hopen van niet,' zei Macpherson, maar de loop van zijn pistool bleef op haar buik gericht. Hij was niet groot, maar wel zeer aanwezig, breedgeschouderd in een blauw denim jasje over een zwart t-shirt, een zwarte broek en glimmend gepoetste zwarte schoenen. Zwart achterovergekamd haar, wangen geschonden door acne, ogen verstopt achter een spiegelende zonnebril. Hij had een Breitling Navitimer om zijn linkerpols, een grote doodskopsring om zijn rechtermiddelvinger en een klein gouden ringetje in zijn linkeroor.

De chauffeur, een pezige man met strokleurig haar en een knauwend Schots accent, wilde weten waar hij naartoe moest rijden.

'Als ik met mevrouw Crowley klaar ben, wil ik eerst naar de rivier en vervolgens naar de plek waar het doelwit zich voor ons probeert te verstoppen,' zei Most. 'Tot die tijd rijd je maar wat rond.'

Terwijl het busje zich weer in het verkeer wrong, begon de psychiater zich voor te stellen, maar Harriet onderbrak hem: 'Ik weet wie u bent.' Haar mond was kurkdroog en haar hart bonkte, maar ze voelde zich verrassend kalm. 'Moet u niet voor uw patiënt zorgen?'

'Dr. Soborin heeft roomservice en zijn legpuzzels en vooral zijn Ganzfeld Stimulation. Hij is zo gelukkig als een kind. Wil je mij alsjeblieft vertellen, juffie Crowley, wat je met de jongen die zichzelf Morph noemt hebt gedaan? Waar je hem verbergt?'

Harriet haalde haar schouders op. Zolang ze niets vertelde, hoopte ze dat ze haar in leven zouden laten. En dan bleef er een kans, hoe klein ook, om te ontsnappen. De zonneschermpjes van de zijraampjes werden neergelaten. Het waren van die dingen die ouders kopen om hun kinderen tegen verbranden te beschermen, lichtblauw gekleurd met leuke striphelden erop. Daar zat ze, met geboeide handen, bekeken door een moordenaar met een automatisch pistool in zijn hand, en een man die bijna zeker gek was, en een publiek van krankzinnig lief kijkende striphonden en -katten.

Rölf Most glimlachte. Hij had een wit sikje, rode lippen en rossige wangen. 'Ik weet dat jij weet over wie ik het heb.'

Harriet haalde weer haar schouders op.

'Of misschien zoek je hem nog. En laat je me daarom sinds gisteren schaduwen.'

'Ik weet niet waar je het over hebt.'

'Je gaat toch niet ontkennen dat jij die videocamera's hebt opgehangen. Meneer Macpherson ontdekte ze bijna meteen, natuurlijk.'

'Ik weet dat ik op Park Lane liep toen jouw mannetje me met een pistool in zijn hand beval in dit busje te komen zitten en me deze omdeed.' Harriet tilde haar polsen met de plastic boeien omhoog. 'Wat ik eigenlijk behoorlijk onbeleefd vind. Ik neem aan dat je een vriendelijk babbeltje met me wilt maken, dus waarom maak je me niet los?'

Ze probeerde de toon luchtig te houden, probeerde te laten zien dat ze niet bang was, dat ze dacht dat hij een redelijk mens was.

'Die zijn voor je eigen bescherming,' zei Macpherson met een vlakke stem, maar onmiskenbaar dreigend. 'Als je niet geboeid bent, zou je iets heel doms kunnen willen gaan proberen en dan moet ik je pijn doen.'

Harriet keek naar Most en zei: 'Ik hoopte dat we een prettig gesprek konden hebben over onze wederzijdse belangen.'

De psychiater keek haar nadenkend aan en plukte ondertussen aan zijn sikje. Zijn bleke blauwe ogen stonden scherp en helder, maar niet gefocust, alsof hij afgeleid werd door een innerlijke dialoog. Uiteindelijk zei hij: 'Hoe is het trouwens met de Nomads' Club? Ben jij ooit nog lid geworden, of hanteren ze nog steeds die idiote regel dat vrouwen geen lid mogen worden?'

'Je weet heel goed dat de Nomads' Club jaren geleden ontbonden is.'

'Officieel ja, na die ongelukkige en uit de hand gelopen actie in Libanon. Onofficieel liggen ze, volgens mij, nog altijd comfortabel in bed bij de geheime dienst. Zelfs als je geen lid bent, dien je wel haar belangen. Ook al heeft je contact bij MI6, meneer Jonathon Nicholl, je verteld dat je op moet houden.' Most wachtte even, maar toen Harriet niet reageerde, ging hij verder: 'Misschien omdat je wilt goed maken wat je vader deed.'

'Ik heb mijn vader amper gekend.'

'Uiteraard. Je vader liep weg en je moeder heeft je opgevoed. Pleegde ze geen zelfmoord toen jij een tiener was? En ontdekte je een paar jaar later niet dat je vader criminele dingen heeft gedaan waarvoor hij gearresteerd en gestraft werd en dat hij kort daarna zelfmoord pleegde?'

Harriet en Most raakten allebei uit balans toen het busje een hoek om ging. Macpherson bleef roerloos zitten, het pistool bleef op Harriet gericht, zijn ogen bleven onzichtbaar achter de spiegelglazen.

Harriet zei: 'Je suggereert verbanden die er niet zijn, Most. Zonden van de ouders die op de schouders van hun kinderen drukken, dat is zelfs Freud te gek. Het is nog erger dan waanzin. Het is zo'n goedkoop praatje dat je krijgt van een waarzegster met een kristallen bol en een nepzigeuneraccent nadat je met je Visacard betaald hebt.'

'Toch heb ik een teer punt geraakt, hè?' zei Most met een glimlach. Hij praatte zacht en zangerig, met een Atlantisch accent. 'Jouw vader misbruikte de glyphs en maakte een gigantische puinhoop van zijn eigen leven en dat van zijn aanhangers. En jij bent bezorgd, nee, je bent bang, dat jij zijn zwakheid geërfd hebt. Je bent bang dat je misschien net zo gek bent als hij was. Dat is jouw drijfveer: jezelf bewijzen dat je beter bent dan je geboorte doet vermoeden.'

'U weet helemaal niets van en over me.'

'Ik weet heel veel over je vader. En ik kijk naar jou, Harriet, en ik zie dat jij het kind van die man bent. Je doet of je heel kalm en resoluut bent, maar daaronder zie ik angst en wanhoop. Ik zie iemand die bang is dat ze de neigingen van haar arme, gekke vader en haar suïcidale moeder heeft geërfd. Ik zie iemand die zo wanhopig beter wil zijn dat ze een direct bevel van haar MI6-contactpersoon negeert.'

'Mijn vader was niet gek door een foutje in zijn genen, dr. Most. Hij werd gek omdat hij te lang aan de glyphs was blootgesteld. Zoals je zou moeten weten, omdat je patiënt, dr. Soborin, ook psychische schade opliep door blootstelling aan glyphs, net zoals de meeste mensen die voor hem bij Mind's I gewerkt hebben. Hoe zit het trouwens met jezelf? Je hebt er toch ook mee gewerkt? Daarom ben je hier. Voordat je mij gaat diagnostiseren, dokter, stel ik voor dat je eerst jezelf eens goed onder de loep neemt.'

Most negeerde dit en zei suikerzoet: 'Ik snap heel goed waarom je niet naar meneer Nicholl luistert. Jij hebt een sterk ontwikkeld plichtsbesef en moreel gevoel. Daarom vind jij dat je de wereld moet verbeteren, ook als dat inhoudt dat je een bevel moet negeren. Daarom heb je meneer Nicholl niet alles verteld wat je weet van die graffitiartiest, die Morph. Je hebt verteld wat je moest vertellen, nét voldoende om te bewijzen dat je goed werk deed, maar je hebt een heleboel niet verteld, hè? Omdat je denkt dat je een hogere zaak dan de belangen van de Britse regering dient.'

'Als je deze plastic boeien afdoet, wil ik dolgraag de zaak waar ik aan werk met je bespreken.'

'Jij bent helemaal niet in de positie om een deal te maken. Maar als je me eerlijk alles vertelt wat je weet, dan zal dat jou en de jouwen veel leed besparen. Hoe is het trouwens met Julius Ward en Clarence Ashburton? Wonen ze nog altijd in dat huis in Zuid-Londen? Misschien ga ik er wel even langs om te kijken of ze een jonge gast in huis hebben en om uit te vissen wat ze van deze zaak weten.'

Harriet keek in zijn fletse, blauwe ogen en zei: 'Zij hebben hier helemaal niets mee te maken.'

'Maar daar heb je Morph verstopt, hè? Dat moet haast wel, want we hebben je flat in Barbican al doorzocht en hem daar niet gevonden. Zo zonde, overigens, dat zo'n knappe meid alleen woont.'

'Dat is wel heel goedkoop, Most.'

'Misschien woon je alleen, omdat dat bij jouw idee van reinheid hoort. Om de wereld te kunnen redden moet je boven het normale leven staan.'

Het busje maakte weer een bocht. De zon scheen aan de andere kant van de stripkatten en -honden. Harriet zag taxi's en auto's en een rode bus, mensen die langs kantoren en pubs liepen. Leven, maar een paar meter van haar verwijderd en toch onmetelijk ver van haar vandaan.

'Je verspilt je tijd,' vond Larry Macpherson. 'Je krijgt van haar nooit antwoord op je vragen. Dat is niet erg, want ze weet niets wat wij niet weten. Laat me haar koud maken en dumpen.' Hij draaide het pistool nu zo dat de loop tussen Harriets ogen gericht was. Harriet voelde een elektrische schok door haar hoofd gaan. Ze keek naar het gezicht van de man, niet naar het pistool, maar daar werd ze niet veel wijzer van.

'Nee, nee,' zei Most. 'We doen het op mijn manier. Ik wil geen lastige vragen van de geheime dienst of de politie. En wie weet, misschien horen we toch wat nieuws.'

Even leek het erop dat Macpherson zou tegensputteren. Maar toen stak hij het pistool in zijn broek, trok van onder zijn stoel een aluminium, plat koffertje tevoorschijn, zette dat op zijn knieën en knipte het open. Hij haalde er een zwarte Sennheiser-koptelefoon uit, zo'n ding dat dj's vaak ophebben, en zette die op Harriets oren. Hij duwde de stekker in een goedkope cd-speler en zette die naast haar. Vervolgens pakte hij een rol grijs papierplakband, scheurde er twee stukjes vanaf, hield met zijn duim en wijsvinger het ooglid van Harriets rechteroog omhoog en plakte dat vast, zodat ze haar oog niet meer dicht kon doen. Met haar linkeroog deed hij hetzelfde. Toen leunde hij achterover en zag hoe ze scheel ging kijken omdat ze met haar ogen wilde knipperen, maar dat niet kon. Het lawaai van de motor en van het verkeer rondom het busje klonk gedempt, maar werd niet volledig door de koptelefoon buitengesloten.

Nu pakte Rölf Most iets uit het koffertje; een kleine zwarte cilinder met een verstuiver. Hij pakte ook een plastic operatiehandschoen, wurmde zijn rechterhand erin en zei: 'Houd haar stil.'

Larry Macpherson hield Harriets kin in een ijzeren greep en de psychiater spoot koud vocht in haar neusgaten.

'Ik weet zeker dat je weet wat het is,' zei hij, terwijl hij voorzichtig de handschoen afstroopte en deze met de zwarte cilinder in het koffertje stopte.

Harriets neusgaten waren verdoofd door de spray, maar ze kon het achter in haar keel proeven. Een misselijkmakende, olieachtige smaak verspreidde zich vanuit haar keel over haar tong. Oké, ze wist wat het was.

'Dat was de uitvinding van dr. Soborin,' vertelde Most en hij haalde weer iets uit het koffertje. 'En dit is de mijne.'

Het zag eruit als een ouderwets straalpistool, met een pistoolkolf en een oplichtende, afgedekte lens.

'Ik noem het een glyphpistool,' vertelde Most en hij richtte het op Harriet. Hij glimlachte toen hij haar bijna onmerkbaar zag terugdeinzen. 'Dit is een veel snellere manier. Krachtiger en intenser.'

Larry Macphersons ijzeren greep draaide haar hoofd, zodat ze nu Rölf Most aankeek. De psychiater hield de lens van zijn glyphpistool op ongeveer dertig centimeter van haar ogen. 'Ik kan niet beloven dat dit geen pijn doet,' zei hij en hij haalde de trekker over.

16

Toen ze de Majestic uit liepen vroeg Toby aan Alfie: 'Wat was dat daarnet allemaal?'

'Ik denk dat hij een beter aanbod heeft gekregen. Waarschijnlijk van Robbie Ruane.'

'Dat denk ik ook. Dat ettertje heeft ons alleen maar gebruikt om de marktwaarde van zijn vriend te verhogen. Maar wat ik bedoelde was: waar komt die foto vandaan? Ik dacht dat de spullen van je opa door zijn collega's waren meegenomen.'

Alfie koos zijn woorden zorgvuldig. Dit was niet het moment of de plek om Toby te vertellen over de dagboeken en logboeken die hij in de kluis had gevonden. 'Het bleek dat mijn oma er nog een paar had. Onder andere een van het pamflet van Antareus – de foto van de vier Nomads. Daarop onthullen ze een steen met een patroon erin gekrast. Ik vond dat dat patroon erg leek op dat wat Morph gebruikt om zijn graffiti heen. Maar dat wist ik niet zeker tot Elliot de foto digitaal vergrootte.'

'En nou denk je dat het helpt bewijzen dat er een verband is tussen het werk van je opa en dat van Morph.'

'Ik dacht dat het Shareef kon interesseren,' zei Alfie terwijl ze de buitendeur openduwden en het zonlicht en het drukke verkeer in stapten op Kingsland Road.

'Shareef is een tienerpooier die de zwarte Malcolm McLaren wil worden,' zei Toby nadat hij een sigaret had opgestoken. 'Hij is niet in de glyphs geïnteresseerd. Het interesseert hem alleen maar voor hoeveel hij ze kan verkopen. Waar is Elliot?'

Het witte busje was weg. Alfie en Toby liepen naar de plek waar het geparkeerd had gestaan en speurden de straat af. Het witte busje bleef weg.

'Ik moest daar weg,' vertelde Elliot toen Alfie hem op zijn mobiel belde. 'Er kwamen parkeerwachten de straat in, dus het leek me beter om rondjes om het blok te gaan rijden en te wachten tot jullie naar buiten kwamen.'

'Nou, we zijn buiten!'

'Vraag hem waarom hij ons niet belde,' zei Toby.

'Waarom belde je ons niet?'

'Jullie zaten in gesprek! Zeg tegen Toby dat-ie een beetje rustig moet blijven. Ik kom er zo aan.'

'Rustig blijven?' zei Toby toen Alfie de boodschap had overgebracht. 'Jezus, hoe kan ik rústig blijven als ik me net realiseer dat ik een hippie grotemensenwerk laat doen?'

Aan de andere kant van de drukke straat kwam Shareef naar buiten, wachtte bij de stoeprand, zette zijn aktetas tussen zijn voeten, keek in noordelijke richting de straat af en hield zijn kleine mobiel tegen zijn oor. Een gehavende blauwe Mercedes zwenkte uit het verkeer en kwam met piepende remmen voor hem tot stilstand. De manager van Majestic, Watty, zat achter het stuur. Shareef stapte in en zei iets tegen de reus, die Alfie en Toby breed toelachte voor hij in zuidelijke richting naar de city reed.

Twee minuten later arriveerde de witte Transit. Nadat Alfie en Toby waren ingestapt, begon Elliot over de parkeerwachten, maar Toby kapte hem af, zei dat hij zijn oude roestbak moest keren en achter een blauwe Mercedes aan moest. Elliot wachtte op een gaatje in het verkeer, maakte een spectaculaire draai en beantwoordde met een sierlijk handgebaar het getoeter en de lichtsignalen van een truck die boven op zijn remmen moest.

'Niet te geloven,' zei Toby. Hij zat met twee handen in zijn haar en staarde door de vuile voorruit naar het verkeer voor hen.

'Wat had ik tegen die parkeerwachten moeten zeggen,' vroeg Elliot. ' "Ik weet dat ik bij een gele streep geparkeerd sta, maar geef me alsjeblieft geen boete, want ik ben een privédetective en werk aan een belangrijke zaak?" '

'Waarom niet?' vond Toby.

'Ik zou die boete heus wel hebben gekregen.'

'En Flowers zou betaald hebben.'

'O, zou ik dat?' vroeg Alfie.

Toby zei: 'Jij bent bezig met een belangrijke speurtocht. De prijs van een parkeerbon is een klein bedrag in vergelijking met de kennis die je zoekt, bla, bla.'

'Dat hadden jullie me moeten zeggen toen ik van jullie bij die gele streep moest parkeren.'

Alfie zei: 'Weet je nog dat we wel zouden zien hoe het liep?'

Elliot zei: 'Wat is er met die Mercedes?'

Toby zei: 'Het is een donkerblauwe, vier deuren, twee Jamaicanen erin, een kleine, een grote.'

'Daar is-ie,' zei Alfie en hij wees naar de Mercedes toen ze erlangs reden.'

Hij stond voor de nieuwe moskee, net achter de brug over het Grand Union Canal. Watty zat nog achter het stuur, zijn hoofd achterover, een baseballpetje over zijn ogen getrokken, hij luisterde naar hardcoremuziek waar de wagen van op zijn schokbrekers trilde. Geen spoor van Shareef.

Elliot vond honderd meter verderop ook een parkeerplek en zei: 'Als jullie vriend in de moskee zit, hoe lang denken jullie dat dat gaat duren?'

Toby draaide aan de achteruitkijkspiegel zodat hij de blauwe Mercedes kon zien. 'Waarom ga je het hem niet even vragen?'

'Want ik hoop dat dit niet te lang gaat duren. Cassie en ik zouden vanavond uitgaan. Niets speciaals, gewoon met een paar vrienden naar Camden, misschien een bandje luisteren. Maar ze zou van tevoren koken en ik heb beloofd dat ik rond zeven uur bij haar ben.'

'Als je ons werkelijk op het uur van de waarheid wilt verlaten, dan zul je uit moeten stappen,' zei Toby.

'Alsof ik jullie oudjes ermee kan vertrouwen. Ik bedoel: denk maar aan de schapen.'

'De schapen waren Alfies idee.'

'Ik beloof dat hier geen schapen bij in het spel komen,' zei Alfie.

Elliot keek op zijn horloge. 'Ik kan nog wel een uurtje blijven... Wat denken jullie dat hij daarbinnen doet?'

'Aangezien dat een moskee is,' begon Toby, 'neem ik aan dat hij er geen bingo speelt.'

'Ik dacht dat jij het over een Jamaicaan had.'

'Nou en? Kan hij dan alleen een rastafari zijn? Schaam je, kleine sprinkhaan.'

Elliot haalde zijn schouders op. 'Ik had niet verwacht dat die moslim was.'

'Misschien is hij bekeerd, net zoals die gozer die met zijn schoen dat vliegtuig wilde opblazen,' zei Toby en hij stak een nieuwe sigaret op. 'We kunnen nu met echte clandestiene dingen te maken krijgen. Denk hier goed over na, Flowers. Deze Shareef is een moslimbekeerling die met een geheimzinnige Irakees optrekt die anti-Amerikacartoons door heel Londen schildert. Waarschijnlijk ontmoeten ze elkaar in deze moskee. Misschien zelfs nu, op dit moment.'

Alfie zei: 'Omdat hij een moslim is, hoeft hij nog geen terrorist te zijn.'

'Morphs graffiti is duidelijk geen gewone graffiti. Het kan onderdeel van een complot zijn om de War Against Terrorism te ondermijnen.'

'Hij maakt een grapje,' zei Alfie tegen Elliot.

Toby zoog tevreden aan zijn sigaret en zei: 'Zelfs al klopt de helft maar, dan is het een geweldig verhaal. Jongens, ik ben rijk. Volgens mij heb ik zojuist de navelstreng blootgelegd. Als ik dit opschrijf, kan ik mijn eigen prijs bepalen.'

Alfie vroeg heel kalmpjes: 'Dus jij wil hierover gaan schrijven?'

'Ik héb er al over geschreven – daarom wilde Shareef ook met ons praten. En je mag die trouwehondenblik rustig van je gezicht af halen, ik beloof dat ik geen woord over jou zal schrijven.'

'Dat zou ik inderdaad maar niet doen.'

'Op mijn koude, zwarte journalistenhart.'

'Trouwens, ik geloof toch niet dat hij daar Morph ontmoet.'

'Toch niet weer die Shareef-is-Morph-onzin, hè?'

'Hoe meer ik erover denk, hoe zekerder ik weet dat Morph de originele graffiti maakte, maar dat hij niets van doen heeft met die schapen en dat nepding in het Imperial. Watty zei dat Morph een grote zaak van Shareef wás. Niet is, wás. Volgens mij wil Morph helemaal niet beroemd worden, of van zijn werk leven. Volgens mij was dat helemaal Shareefs idee en vindt Morph dat maar niets.'

Elliot zei: 'Die Shareef, hè? Is dat een kleine jongen in een paars trainingspak? Dan loopt hij op dit moment de moskee uit, naar de Mercedes.'

17

Er volgde een heftige en krachtige lichtuitbarsting die in Harriets hersenen leek te branden; en toen was het over en liet Macpherson haar kin los en leunde achterover. Ze was verblind door felwitte nabeelden, maar ze voelde zich buitengewoon rustig. Ze wist precies wat Mosts glyphpistool met haar gedaan had. Haar visuele hersenschors was eerst geprikkeld door de drug die ze via haar neusslijmvlies binnen had gekregen en vervolgens in volle werking gezet door glyphs, die ontworpen waren om een specifiek neuraal gebied te hyperactiveren en om haar bewustzijn in een bepaalde richting te dwingen. Ze wist zeker dat het een fascinatieglyph moest zijn, waarschijnlijk een variant van de fascinatieglyph die Soborin in Nigeria had gebruikt. Fascinatieglyphs konden een klakkeloos ontzag of verbazing voor een mystieke ervaring veroorzaken, maar meestal veroorzaakten ze niet meer dan visuele aandacht. Ze zorgden ervoor dat de dingen die ze omraamden of die eronder verborgen waren veel interessanter en belangrijker werden dan ze eigenlijk waren. De Nomads' Club had ze in de Tweede Wereldoorlog gebruikt om propaganda die achter de nazilinies gedropt zou worden seksueel te kleuren; Carver Soborin had ze gebruikt in de experimentele advertentiecampagne die zo verschrikkelijk uit de hand was gelopen; Morph had er één gebruikt om aandacht op zijn cartoons te vestigen. Vele jaren van biofeedbacktrainingen hadden Harriet immuun gemaakt voor de standaardfascinatieglyphs, en nu hoopte ze maar dat die training haar ook immuun had gemaakt voor de glyphs die Most in haar hersenen geschoten had.

De psychiater leunde naar voren en trok de stukjes tape weg die haar ogen openhielden. Dat deed hij zo snel dat ze niet eens tijd had om achteruit te deinzen. Twee heftige pijnschokjes en ze kon weer met haar oogleden knipperen. De felle nabeelden verbleekten tot rustige, bewegende vormen. De striphonden en -katten leken zich naar haar toe en van haar af te buigen.

'Rustig maar,' zei Rölf Most. 'Ik heb je niet genoeg gegeven om down te worden, je staat alleen voor alles open.'

Heldere vormen zwommen voor zijn mond terwijl hij uitlegde dat het glyphpistool zo'n tienduizend kleine, krachtige lichtuitstralende dioden bevatte die door het pistool werden gelanceerd. Dat activeerde een glyph die de aandacht van het slachtoffer opeiste en vervolgens deed waartoe hij geprogrammeerd was. Hij schoot zijn complexe beelden met tweeënzeventig omwentelingen per seconde naar de hersenen, die daar onbewust werden opgenomen.

'Ik vind onbewuste beelden het effectiefst. Ongetwijfeld omdat er geen vervormingen optreden doordat het bewustzijn wil begrijpen wat het ziet.'

De mobiel van Larry Macpherson ging af. De huurling luisterde even en zei toen: 'De bijeenkomst is afgelopen en mijn mannetje volgt zijn doelwit.'

'En Flowers?' wilde Most weten.

Macpherson herhaalde de vraag in zijn mobiel en zei: 'Toen mijn mannetje hem voor het laatst zag, stond hij met zijn journalistenvriendje Brown voor de sportschool te praten. De gozer die hen erheen bracht is al eerder weggegaan. Het lijkt erop dat we toch weer geluk hebben. We hebben het doelwit weer helemaal voor onszelf.'

De nabeelden waren overal waar Harriet keek. Alsof ze de wereld bekeek vanuit een exotisch aquarium met stekelige kronen en roosters, met stippen die als vliegen rondvlogen en slangachtige rondingen die in ongrijpbare vormen uitvloeiden...

Entoptische beelden. Constante vormen. Lichtringen. Visuele waarneming.

Harriet kende het volledige traject, ze wist dat ze werden opgewekt door willekeurig rondvliegende neuronen in haar visuele hersenschors, een nawerking van de drug en de glyphs. Desondanks leken ze een eigen leven te leiden. Schommelend, wriemelend en kruipend maakten ze vormen en vage gezichten en dieren, terwijl haar hersenen ondertussen hard werkten om de patronen te decoderen, om er iets zinnigs van te maken. Toen ze heel jong was had ze een vaak terugkerende droom... nou, niet echt een droom, maar een sluimerbeeld dat voorafging aan de echte slaap. In het donker achter haar oogleden groeiden entoptische beelden; ze explodeerden, namen vormen en gestaltes aan, werden gezichten die grinnikten en haar aangaapten voor ze, net als mensen die uit een raam stapten, stuk voor stuk verdwenen. Allemaal keken ze haar even aan voor ze plaatsmaakten voor de volgende. De gezichten werden steeds grotesker tot er één, de allerengste, recht op haar af zweefde en ze met een schok wakker werd, alsof ze vanaf grote hoogte in haar eigen bed gevallen was.

Haar opa had haar geleerd hoe ze die droom onder controle kon houden; en veel later had de biofeedbacktraining van Clarence Ashburton op die lessen voortgebouwd. Nu, in het busje, gedrogeerd en half van de wereld, gebruikte Harriet die kennis om haar beschermdier op te roepen uit de dansende beelden van de entoptische beelden. Het kostte haar niet veel concentratie om hem te vinden: de kleine witte muis met grote oren, grote menselijke ogen en een lieve glimlach keek haar aan vanachter Mosts sneeuwkleurige sikje toen die vooroverleunde om de cd-speler aan te zetten, die op de koptelefoon aangesloten was.

In haar oren begon een fluisterstem haar te vertellen hoe slecht ze was, hoe slecht de wereld was, hoe veel erger het nog zou worden...

'Dit doet me helemaal niets,' hoorde ze zichzelf zeggen, maar Most glimlachte en stak waarschuwend een vinger op, zei dat als ze niet rustig bleef hij Macpherson zijn gang zou laten gaan.

Harriet bleef rustig. De stem fluisterde liefjes en insinuerend in haar hoofd, zei dat ze waardeloos was, dat haar hele leven waardeloos was, dat ze alleen nog maar recht had op rampzalige, grijze ellende zonder plezier, zonder hoop... Ze vond het lachwekkend en kleinzerig, een zelfhulpbandje uit de hel, en haar lieve kleine muis leek het met haar eens te zijn. Die wenkte en lachte naar haar en dook steeds op plekken op waar haar zoekende blik op viel. Dan zat hij op het pistool van Macpherson, dan weer bij het achteruitkijkspiegeltje. Ze wilde zich op zijn capriolen focussen, maar de stripkatten en -honden aan de randen van haar blikveld leidden haar af, werden gedrochten. Ze kon er niets aan doen. Ze werd bang dat de zoetgevooisde stem door haar verdediging zou breken zoals een slang over een drempel glijdt, en de verse wonden zou bereiken die het glyphpistool in haar hersenen had gebrand en haar bewuste denken zou uitschakelen.

En nu bereikte ze het derde hallucinatieniveau. Het busje leek uitgerekt te worden, het werd een eindeloze gang. Het centrum van haar blikveld was helder, aan de randen draaide alles en werd alles onduidelijk, een draaiende maalstroom omgeven door flikkerende hekwerken als testbeelden op de televisie waarin gedrochten lonkten en gilden, een tunnel van levend licht, zoals die waar die astronaut in stortte in die film van Kubrick. Haar beschermmuis had zich ergens in het flikkerende hekwerk verstopt – af en toe ving ze een glimp van hem op – maar ze wist dat ze niet te goed moest kijken vanwege de andere dingen die daar leefden, dingen nog erger dan de stripgedrochten. Daarom probeerde ze zich te concentreren op de weg naar de werkelijkheid aan het eind van de tunnel, de wereld van gewone straten achter de ramen van het busje, een duidelijk, helder pad, niet groter dan haar handpalm...

Nadat Harriets opa overleden was, waren zij en haar moeder verhuisd van Londen naar een boerderij in Suffolk. Haar moeder wilde alles ontlopen wat herinnerde aan haar man en dacht dat Harriet op het platteland gelukkiger zou zijn dan in Londen. In een hoek van de ommuurde tuin van de boerderij, verborgen tussen wilde grassen, brandnetels en wortels, lagen de resten van een oude put, een cirkel van afgebrokkelde stenen van ongeveer een meter hoog. Er lag een platte steen op die Harriet opzijduwde als ze wilde praten met de vreemde, fascinerende donkerte op de bodem. Er groeiden varens en mossen tussen de stenen en ze ontdekte er ooit een kleine pad in een scheur, zijn ogen zwart als de stenen, zijn huid goud en bruin gevlekt. Er zat altijd water in de put; zelfs in de heetste, droogste zomers voelde ze de verkoelende lucht als ze zich over de steenresten heen boog. En als de zon dan pal boven haar stond zag ze zo'n zestig centimeter lager haar hoofd weerspiegeld in het water met daarnaast de wolken die als statige schepen door de lucht zeilden. Ze verbeeldde zich dan dat ze door een magische poort naar de lucht van een andere wereld keek.

En daar leek het nu een beetje op, terwijl de stem zijn vergif in haar hoofd druppelde en zij zich wanhopig probeerde te concentreren op het smalle pad naar de zonverlichte realiteit aan het einde van de tunnel van dwarrelende hekwerken. Hekwerken die ieder moment bij haar naar binnen dreigden te tuimelen en haar zouden insluiten. Ze had er geen flauw idee van hoe lang dit duurde. Later berekende ze dat het niet langer dan vijftien of twintig minuten kon zijn geweest, maar nu leken het uren: de gecombineerde werking van de drug en de glyphs rekte zowel de tijd als de ruimte op.

Ondanks haar beste bedoelingen zou Harriet zichzelf en de reële wereld volledig kwijt zijn geweest als Macphersons mobiel niet was gaan rinkelen. De vrolijke beginnoten van 'Born in the USA' rukten haar uit haar trance. De huurling zei tegen Most: 'Blijkbaar volgen Flowers en zijn vrienden toch het doelwit.'

'En je zei net dat ze uit elkaar waren gegaan na die afspraak!'

Harriet probeerde op het gezicht van Most te focussen. Voor het eerst klonk de psychiater bezorgd.

'Deden ze ook. Mijn mannetje volgde het doelwit naar een moskee en daar doken Flowers en zijn vrienden ook weer op. Mijn mannetje wist niet precies wat er gebeurde, dus hij hield zich wat op de achtergrond. Het doelwit verliet de moskee en reed weg, Flowers en zijn vrienden gingen erachteraan. Het doelwit stopte een eindje verder en nou vraagt mijn mannetje wat hij moet doen: ook erachteraan, of ingrijpen?'

Harriet zag dat Most daarover nadacht. Het was alsof ze naar iemand op de televisie keek, aan de andere kant van een treinwagon. De psychiater trok aan zijn sikje en zei: 'Flowers hoopt ongetwijfeld dat het doelwit hem naar de jongen brengt, net als wij. Dit is heel vervelend.'

'Moeten we dit wel in haar bijzijn bespreken?'

'Zij zweeft op dit moment ergens anders. En we moeten nu meteen een besluit nemen.'

'Tot we weten of het doelwit wel of niet naar de jongen gaat, kunnen we niets doen, dat kan het spoor afbreken.'

'Maar toch. Nu hij met Flowers gepraat heeft moeten wij hem

ook zo snel mogelijk spreken. Misschien hebben ze een deal gemaakt.'

'In dat geval kunnen we beter wachten tot hij teruggaat naar
die flat, zijn schuilplaats. Als Flowers en zijn maten daar dan ook
zijn, vallen we binnen en grijpen we ze, en dan kun jij naar het
doelwit en doen wat je moet doen.'

'En als hij met die jongen ergens in het openbaar afspreekt? En
Flowers ernaartoe gaat?'

Macpherson haalde zijn schouders op. 'Dan doen we niets, kijken we wat er gebeurt en wachten we tot die jongen ergens naartoe gaat waar we hem zo onopvallend mogelijk kunnen pakken. En
als hij dan toevallig in het gezelschap van Flowers is, ach, ik denk
niet dat hij en zijn vrienden ons veel problemen zullen opleveren.'

'En dat is allemaal, zoals jij dat noemt, te doen?'

'Geloof me, het zijn allemaal amateurs. Maar wat doen we met
haar?'

'Mevrouw Crowley is ook een amateur. En volgens mij helemaal
van de wereld. We zullen haar er bij de dichtstbijzijnde brug uit
zetten.' Mosts gezicht toornde boven Harriet uit als de maan toen
hij de koptelefoon van haar hoofd haalde en zachtjes zei: 'Ik wil
maar twee dingen van je weten en dan zijn we klaar. Werk je mee?'

Harriet knikte. Ze wist wie hij was en wat hij met haar had gedaan, ze wist dat ze helemaal niets hoefde te zeggen, maar ze was
totaal niet meer bang of ongerust en het leek makkelijker om met
hem samen te werken...

De psychiater klopte geruststellend op haar hand. Zijn witte
haar leek op softijs in een hoorntje en hij keek haar vaderlijk aan.
Zijn rode lippen bewogen boven zijn sikje.

'We weten alles al over Morphs vriend, Harriet. We weten van
Benjamin Barrett. Hij probeerde zich voor ons te verstoppen, maar
we hebben hem weer gevonden en sindsdien volgen we hem in de
hoop dat hij ons naar Morph brengt. Daarom weten we ook dat
Flowers hem net gesproken heeft. Ik wil weten: waarom stuurde
jij Flowers naar Barrett? En: waar hebben ze het over gehad?'

Harriet was de draad kwijt. Ze wist dat Alfie Flowers en zijn
journalistenvriend Benjamin Barrett zouden ontmoeten – ze was
naar hun ontmoetingsplek onderweg geweest – maar ze wist niet
waarom.

Most vroeg: 'Wat voor deal wilde je Barrett voorstellen? Of moet ik zeggen: wat voor deal wilde de Nomads' Club voorstellen?'

Harriet hoorde zichzelf zeggen: 'Er is helemaal geen deal.'

'O? En waarom heeft Flowers dan met Barrett afgesproken?'

Ze schudde haar hoofd.

Macpherson zei: 'Misschien heb je haar te veel spul gegeven, zijn haar hersenen te week. Zelfs als ze iets weet, kan ze nu niets vertellen.'

Most sloeg met vlakke hand twee keer in Harriets gezicht. 'Kijk me aan, Harriet. Kijk naar mij.'

Ze keek naar hem. Hij leek nu veel dichterbij, en de hekwerken die de hele tijd om haar heen zweefden en flikkerden, verbleekten, werden kleiner...

'Zweer je op de nagedachtenis van je lieve overleden vader dat Flowers niets met jou of met de Nomads' Club te maken heeft?'

Harriet haalde haar schouders op. Ze wist niet waar ze moest beginnen om Alfie Flowers' connectie met de Nomads uit te leggen.

'Ja of nee.'

'Op de een of andere...'

'Week,' zei Macpherson rustig. 'Zoals ze nu is, kan ik haar nu koud maken en realiseert ze zich pas over tien minuten dat ze dood is.'

Most negeerde hem en zei tegen Harriet: 'Dus Flowers werkt niet direct voor je. Hij doet zelf een parallel onderzoek.'

Harriet knikte.

'Jij bent naar Morph op zoek, en hij ook.'

Ze knikte weer.

'Waar is Morph? Weet je waar hij is?'

Ze schudde haar hoofd.

'Heb je hem al ontmoet?'

'Nee.'

'Heb je met hem gesproken?'

'Nee.'

'Heb je met zijn vriend Benjamin Barrett gesproken?'

Ze schudde weer haar hoofd.

'Is hij een gast van Julius Ward en Clarence Ashburton?'

Weer schudde ze haar hoofd.

Macpherson zei: 'Ze weet geen moer, dok. Laat me haar koud maken en dumpen. Dan kunnen we op het doelwit af voor die anderen de boel verneuken.'

'We laten haar gaan,' zei Most. En tegen de chauffeur: 'Rij tot aan de brug, daar laten we haar vrij.'

Macpherson zei: 'Je denkt toch niet dat ze het zelf zal doen?'

'Als ze het nu niet doet, dan doet ze het binnenkort.'

'Het is veel makkelijker als ik het nu doe.'

'Maar op deze manier is het veel netter. Trouwens, zij is niet ons echte probleem, en die anderen ook niet. De Nomads' Club is een bejaardenclub. Door haar dood zullen de laatste twee leden dat ook gaan inzien.' Hij keek Harriet recht aan en zei: 'We brengen je naar een plek waar je een einde aan al je pijn kunt maken. Je hoeft maar één stap in de lucht te zetten. Eén stap en dan hoef je nooit meer iets te doen. Eén stap en al je pijn is verdwenen. Begrijp je me, Harriet?'

Ze knikte. Ze kwam weer een beetje op aarde. De hekwerken draaiden nu alleen nog aan de randen van haar blikveld. De striphonden en -katten waren weer redelijk gewone stripkatten en -honden. Ze zag in een ooghoek een laatste flits van haar beschermmuis, maar het witte beestje met zijn onschuldige, menselijke glimlach glipte weg toen ze hem wilde aankijken. Hij verdween als een gebarsten zeepbel. Ze voelde een golf van spijt door zich heen trekken. Ze had zoveel aan hem te danken. Hij had haar geholpen om zich te concentreren en had voorkomen dat ze overweldigd werd door de gedrochten en vormen die de entoptische beelden bewoonden.

Het busje reed naar de stoeprand. Larry Macpherson had ineens een vlindermes in zijn handen en sneed de plastic boeien om Harriets polsen door. Vervolgens greep hij de kraag van haar jasje, trok met zijn andere hand het zijportier open en duwde haar de straat op.

Harriet viel op handen en knieën. Heel rustig, beetje bij beetje, lukte het haar om overeind te komen. De stoeptegels deinden onder haar voeten en ze stond vlak bij de drukke verkeersstroom te wiebelen. Het lijkt vast of ik dronken ben, dacht ze, of dat mijn onhandige lijf niet mee wil werken en dat ik het alleen maar op pure wilskracht onder controle kan houden. Ze wist dat ze het zich inbeeldde dat alles om haar heen deinde en draaide, veroorzaakt door haar geschokte, verwoeste zenuwen en ze wist dat ze, als ze dat wilde, rechtop kon staan en weg kon lopen, maar ze bewoog zich als een zeeman op een boot in een storm. Toen ze tegen een muurtje stootte, greep ze de stenen vast en leunde er dankbaar tegenaan.

Het muurtje stond aan het eind van een verhoging, de lucht was zo dichtbij als een kelderplafond, de rivier slingerde er beneden langs, werd een brede stroom die in het heldere centrum van de wereld leek te tuimelen. Het was zó makkelijk om nog een stukje verder naar voren te leunen, om de dalende grond te volgen en zachtjes in de stevige omhelzing van de rivier weg te zakken. Alsof ze in een veren bed zou vallen. Maar dat was niet haar idee, dat was het idee van de stem die in haar bewustzijn gleed als een slang over de drempel.

Godverdomme, dacht Harriet. Misschien zei ze het zelfs wel hardop, want een man die langsliep keek haar verbaasd aan. Ze haalde diep adem en deed dat nog een keer. Ze probeerde te focussen. Ze stond op de Blackfriars Bridge, zag stroomafwaarts de ranke Millennium Bridge en St. Paul's Cathedral op de ene oever en het Tate Modern op de andere. Het witte busje stond wat verderop, achter haar op de busbaan, de waarschuwingslichten knipperden. Larry Macpherson stond ernaast met zijn automatische pistool. Godverdomme, hij ook, dacht Harriet; ze draaide zich om en liep weg. Iemand anders zou misschien gedacht hebben dat die stem zijn eigen stem was. Iemand anders zou er misschien naar geluisterd hebben. Iemand anders zou gesprongen zijn, of naar huis zijn gegaan en de inhoud van zijn medicijnkastje hebben ingenomen, of in een warm bad gestapt zijn en zijn polsen hebben doorgesneden. Maar zij wist wat echt was en wat niet.

Dit bleef ze tegen zichzelf zeggen terwijl ze over de brug naar de zuidelijke oever liep, en dat ze het goed deed, dat ze alleen maar iedere keer de ene voet voor de andere moest zetten. Haar rug stond helemaal stijf, wachtte op een kogel of op de ijzeren greep van Macpherson, maar toen ze aan de andere kant van de brug achteromkeek, was het witte busje verdwenen.

Ze hadden haar laten gaan! Of ze geloofden dat de glyph, de drug en de tape hun werk hadden gedaan, dat ze zo zwak en weerloos was, dat ze die verraderlijke stem had binnengelaten en zijn werk had laten doen, of het kon ze geen bal schelen wat er met haar gebeurde. Ik zal die arrogante klootzakken eens laten schrikken, dacht ze, en ze zocht naar haar mobiel. Twee keer zocht ze in alle zakken van haar jasje tot ze zich herinnerde dat Macpherson die had afgenomen. Hij had haar strak aangekeken met haar simkaart tussen zijn vingers. Hij had ook haar rugzak gepakt, maar dat was niet erg, ze had altijd in haar bh een biljet van twintig pond zittten. Dat wisselde ze in de pub naast de brug, ze belde Graham Taylor en vroeg of hij haar kon komen ophalen. Ondertussen moest Alfie Flowers Grahams veldwerker naar Shareef gebracht hebben, moesten ze elkaar al gesproken hebben...

Harriet duwde de glazen deuren van de pub open toen ze zich ineens met ijzingwekkende helderheid realiseerde waar Macphersons telefoontje en dat idiote gesprek met Most over gingen. Ze realiseerde zich dat Graham Taylors veldwerker Alfie Flowers aan het volgen was, en dat Macpherson iemand Shareef liet volgen – en dat ze elkaar allemaal zouden ontmoeten...

18

'Blijf er drie wagens achter hangen,' adviseerde Toby Elliot, die achter de blauwe Mercedes aan ging. Beide auto's reden in zuidelijke richting over Kingsland Road.

Elliot zei: 'Dat is echt van die oudemannenwijsheid.'

Toby zei: 'Volgens mij heb ik het uit *Miami Vice*. Waarschijnlijk de beste politieserie van de jaren tachtig, maar ik denk niet dat jij er ooit van gehoord hebt, kleine sprinkhaan.'

'Nou, mijn vader heeft een paar afleveringen op dvd.'

'Oef,' zei Toby en hij trok een denkbeeldige pijl uit zijn borstkas.

De Transit volgde de Mercedes toen die linksaf Commercial Street op draaide, weer links Fashion Street insloeg en daarna rechtsaf de eenrichtingsstraat Brick Lane in.

'Zoek naar iets wat Urban Graphics heet,' zei Alfie, die zenuwachtig door een raampje naar buiten keek.

Dat lag pal naast de oude brouwerij, in een rijtje winkels. Alfie en Toby sprintten het busje uit, zodra Elliot een parkeerplek gevonden had. Ze waren net op tijd om Watty en Shareef de galerie te zien binnengaan.

Toby keek naar Alfie. 'Weer iets wat je me niet verteld hebt?'

'Robbie Ruane gaf me zijn kaartje, die keer dat hij bij mijn terrein was.'

'En dit is zijn adres. Keurig.'

Alfie zei: 'Ik moet toegeven dat het erop lijkt dat je gelijk krijgt over Shareef. Hij gebruikte ons om Morph beroemd te maken en nu probeert hij een betere deal met Robbie Ruane te sluiten.'

'Je zult ook moeten toegeven dat je ernaast zat toen je dacht dat Shareef en Morph geen vrienden meer waren. Shareef zou zijn tijd niet verspillen met een deal als hij weet dat Morph niet wil meewerken.'

Alfie schudde zijn hoofd. 'Als hij Robbie Ruane ervan kan overtuigen dat Morph een kluizenaar is, die niet graag over zijn werk praat, dan kan Shareef nog heel lang neppers maken en verkopen. Net zolang tot er geen vraag meer naar is.'

'Als je gelijk hebt, waarom volgen we hem dan? Elliot heeft een date en ik moet een boek uitlezen. Die ouwe George Savile Halifax gaat nu eindelijk die katholieken hard aanpakken.'

'Ik hoop dat ik geen gelijk heb. Misschien is Morph echt een kluizenaar. Of wil Shareef een deal met Ruane maken zodat hij met een dik pak bankbiljetten voor Morphs gezicht kan wapperen en hem ervan kan overtuigen dat ze het goede doen.'

Toby keek ineens met een serieus gezicht naar Alfie. 'Je wilt hem écht heel graag vinden, hè?'

'Ik wil weten wat hij van die glyphs weet.'

Ze klauterden het busje weer in en hielden via de zijspiegel de galerie in de gaten. Toen Elliot op zijn horloge keek, uitgebreid gaapte en zich ongegeneerd uitrekte, keek Toby op uit zijn boek en merkte op: 'Ik hoop niet dat het nu al je bedtijd is.'

'Ik heb vannacht niet veel geslapen. Er waren drie helikopters die maar rondjes bleven draaien. Geen politieheli's, maar van die grote legerheli's. Die met twee rotoren. Vliegen veel lager dan politie- of burgerheli's mogen vliegen.'

'Chinooks,' wist Toby. 'Die koleredingen hebben mij ook wakker gemaakt. Heeft waarschijnlijk met die terroristische dreiging te maken waar ze het steeds over hebben. Ik heb gehoord dat ze het noodcommunicatiecentrum onder Holborn gereactiveerd hebben en dat ze de bunkers onder Whitehall en Bethnal Green aan het opknappen zijn. En er bestaan plannen om in geval van grote rampen binnen een uur troepen naar sleutelposities te mobiliseren, zodat die de verkeersstroom kunnen leiden. Als er zo'n smerige bom afgaat in het centrum van Londen, wil je niet dat miljoenen radioactief besmette mensen naar de graafschappen vluchten. Laat die radioactief besmette mensen maar lekker thuisblijven. Idem dito wat betreft biologische wapens. Als je probeert na dit soort rampen uit Londen te komen, word je door een sluipschutter of een gevechtsheli tot staan gebracht.'

'Er is iets grondig mis met mijn leven,' zei Alfie. 'Ik ben pas tweeëndertig, ik zou midden in de wereld moeten staan, plezier moeten maken. In plaats daarvan moet ik naar jouw bullshit samenzweringstheorieën luisteren.'

'Dit is honderd procent bullshit-vrij. Ik heb het van een vriend die op Binnenlandse Zaken werkt. Hij zegt dat iedereen daar behoorlijk doordraait. Hij zegt dat ze allemaal thuis overlevingspakketten hebben staan. Flessen water, gevriesdroogd eten, een zaklantaarn en een medicijnkistje. Vlak naast de voordeur, zodat ze ze meteen mee kunnen grissen als de nood aan de man komt.'

'En jij gelooft hem,' wilde Alfie weten.

'Waarom zou ik hem niet geloven?'

'Bijvoorbeeld omdat jíj geen overlevingspakket bij je hebt.'

'O, maar ik heb iets veel beters.' En Toby stak twee vingers in het borstzakje van zijn jasje en haalde er een plastic buisje uit, hij liet Elliot en Alfie de twee tabletten zien die erin zaten. 'Natriumcyanide. Kijk maar.'

'Je bent gek,' zei Elliot.

Toby liet zijn slechte tanden zien. 'Eentje is meer dan genoeg om een paard te vellen. Als het misloopt, zit ik in de kroeg voor de langste insluiting van de geschiedenis. En als het écht mocht mislopen, dan ga ik deze oplossen in de allerduurste whisky die ik kan betalen en mag iedereen die eruit wil stappen een slokje van me hebben.'

'Jezus,' zei Elliot.

'Hij maakt een grapje,' zei Alfie. 'Het zijn vast aspirines of zo.'

Toby rammelde met het buisje en zei: 'Ik heb ze van een vriend gekregen die werkt bij de School voor Tropische Ziektes. Hij vertelde dat als je een van deze jongens in een fles azijn oplost, het genoeg is om een compleet wespennest binnen tien minuten uit te roeien.'

'Wat, aspirines?' vroeg Elliot.

'Hij bedoelt cyanide. En hij maakt nog steeds grapjes.'

Toby zag iets in de zijspiegel. 'Shareef komt uit de galerie.'

Elliot startte de Transit toen de blauwe Mercedes voorbijreed.

'Over dat spul hoor je geen grapjes te maken.'

Toby stak weer eens een sigaret op. 'Waarom niet?'

'Omdat het vroeg of laat een keer gaat gebeuren,' zei Elliot op dodelijke toon.

Ze volgden de Mercedes in noordelijke richting door Shoreditch naar een wijk met woonhuizen en flatgebouwen langs het Grand Union Canal, niet ver van Franks House. De Mercedes reed een parkeerterrein tussen twee flatgebouwen op; Elliot parkeerde zo'n honderd meter verderop, naast een rij garages. Terwijl Shareef en Watty naar een van de flats liepen zei hij: 'Laat dit maar aan mij over,' en wilde uit het busje klauteren.

Toby vroeg: 'Hoezo: aan jou overlaten?'

'Jullie willen toch weten wat die gozers gaan doen? En jullie kunnen ze niet volgen, want ze kennen jullie. Mij kennen ze niet.'

Toby keek Elliot na die over het parkeerterrein liep en zei tegen Alfie: 'Die gaat het helemaal verkloten, hij heeft ze niets te bieden.'

Alfie vroeg: 'Dat spul – is dat echt cyanide?'

'Als de bom barst, mag je naar me toe komen. Dan kun je voor de eerste en laatste keer van je leven breken met die geheelonthouding van je.'

'Elliot heeft gelijk. Het is niet grappig. Wat doe je nou?'

Toby had het portier opengedaan. 'Aangezien jij niet kunt rijden, ga ik vast achter het stuur zitten voor het geval we snel weg moeten.'

Nadat Toby aan de voorkant om het busje was gelopen en achter het stuur was gaan zitten vroeg Alfie: 'Waarom zouden we snel weg moeten?'

Toby stak weer een sigaret op. 'Ik heb het rare idee dat we in de Twilight Zone belanden.'

'Je bent zenuwachtig!'

'Dit is wat enerverender dan een boek bespreken. Ik bedoel: je weet dat je bij een boekpresentatie een ontevreden auteur kunt tegenkomen, omdat je zijn boek niet de hemel in hebt geprezen. Maar die doet over het algemeen niet meer dan je vuil aankijken of je zijn rug toedraaien. Een vriend van me heeft eens een glas witte wijn in zijn gezicht gesmeten gekregen, maar dat is zo ongeveer het ergste wat ik me kan herinneren. Wat ga jij nou doen?'

Alfie spoelde een halve valium door zijn keel met een slok bananenmilkshake. 'Ik bewaak mijn balans.'

'Als het nog heftiger wordt, wil ik daar ook wat van hebben.'

Zo'n zes minuten later kwam Elliot opgewonden en buiten adem aanlopen. Hij leunde door Alfies open raampje naar binnen en zei: 'Nou, ik heb het gedaan.'

Toby zei: 'Ik hoop dat je bedoelt dat je weet waar ze naartoe gingen.'

'Het ging veel makkelijker dan ik had gedacht. Ik stond in de lift met hen en een oude vrouw met zo'n boodschappentas op wieltjes die er op de tiende verdieping uit moest. Shareef, zijn vriend en ik gingen helemaal omhoog, naar de vijftiende. Daar zitten ze, nummer 1509, op de hoek. Ze kijken uit over het kanaal.'

Alfie vroeg: 'En ze vermoeden niets?'

'Ze werden wat pissig toen ze doorkregen dat ik niet uit de lift zou gaan voor zij uitgestapt waren. Maar toen we eruit waren, gingen zij de ene kant op en ik de andere. En toen ze door de branddeur waren, sloop ik daar gauw naar terug. Die had een raam, dus kon ik zien waar ze naartoe gingen. Ik denk dat ze gekraakt hebben. De complete bovenste verdieping is óf opgeknapt óf een gigantische puinhoop. Er zaten nieuwe spijkers in de deur van hun flat, volgens mij zat er een nieuwe plaat op en een nieuw slot in. Nou, wat gaan we doen? Zijn we klaar voor vandaag?'

'Ga jij maar naar je leuke avond met Cassie,' zei Alfie. 'Wij blijven nog even.'

'Ik heb George beloofd het busje terug te brengen.'

'We zullen er goed voor zorgen,' beloofde Alfie en hij vroeg ook nog of Elliot een taxi nodig had.

Elliot zei dat dat niet hoefde, hij had genoeg tijd om naar de Angel te lopen en de ondergrondse te nemen. 'En, o ja, dat zou ik bijna vergeten. Toen ik met Shareef en zijn vriend in de lift stond zag ik graffiti die heel goed van jullie gozer kan zijn geweest.'

'Weet je dat zeker?' wilde Alfie weten.

'Ik zag het vanuit mijn ooghoek, want ik wilde niet dat ze merkten dat ik het gezien had. Maar ja, vrij zeker.'

Nadat Elliot vertrokken was, vroeg Toby: 'Dus nu gaan we hier wortel schieten en pistachenootjes eten, net als echte detectives?'

'Ik vind dat we ernaartoe moeten.'

'We hebben al geprobeerd om met Shareef te praten en dat liep erop uit dat hij ons met Watty bedreigde.'

'We kunnen zeggen dat we weten dat hij met Ruane een deal wil sluiten, hoewel Morph zoiets niet wil. Dat we weten dat Morph en hij geen vrienden meer zijn en dat hij dat wil verbergen, dat we weten dat die schapenstunt en die stunt in het Imperial zijn werk waren, niet van Morph. Dat hij daarom niet met ons in zee wilde en niet deed wat was afgesproken nadat we Morphs naam in de kranten hadden gekregen.'

Alfie had dit overdacht in de tijd dat ze op Elliot wachtten. Hij was nagegaan wat er in zijn eerste gesprek met Shareef mis was gegaan en had besloten dat hij niet verder kwam als hij alleen maar uitlegde waarom hij met Morph wilde praten. Wat hij moest doen was helder krijgen wat er volgens hem allemaal gebeurde, een verhaal maken van wat hij wist en van wat hij dacht dat hij wist. Vervolgens moest hij Shareef daarmee confronteren en hem de keus laten.

'We zeggen dat hij de keus heeft: óf hij vertelt over Morph – hoe ze elkaar ontmoet hebben, waar Morph vandaan komt, zijn echte naam – óf wij gaan naar Robbie Ruane en vertellen hem alles wat we weten. Dus: óf hij helpt ons óf wij helpen Ruane.'

'En als Watty ons uit het raam smijt?'

'Misschien kun jij hier blijven. Dan kan ik tegen Shareef zeggen dat jij op me wacht, dat jij Ruane zult bellen als ik niet heelhuids terugkom.'

'Ga je dat echt doen? Ruane helpen, bedoel ik.'

Alfie schudde zijn hoofd. 'Tuurlijk niet. Mijn agente zegt dat Robbie Ruane een oplichter is, en we hebben hem ontmoet en weten dus allebei dat hij niet te vertrouwen is. Maar als Shareef gelooft dat we naar Ruane zullen stappen, dat we hem gaan vertellen wat we weten en hem willen helpen Morph te vinden...'

'Zal hij bang zijn dat zijn deal niet doorgaat, dat Ruane met ons in zee zal gaan en dat we Morph bij hem weg trekken.' Toby glimlachte. 'Geen slecht plan, maar je beseft toch wel dat je er waarschijnlijk niet verder mee komt?'

'Hem volgen heeft ons ook niet echt verder gebracht, hè? Misschien weet Shareef waar Morph is, misschien ook niet, maar hij zal ons nooit naar hem toe brengen.'

'Elliot zag die graffiti. Misschien zit Morph daarboven met Shareef. Hebben ze een pizza in de oven geschoven en wachten ze op het nieuws van zes uur.'

'Nog een reden waarom ik naar Shareef wil. Maar zelfs als die graffiti echt is, bewijst dat alleen maar dat Morph hier ooit geweest is. Het betekent niet dat hij hier terugkomt.'

Dat was het moment dat de zwarte Range Rover opdook, boven op de rem stond en vlak voor het busje tot stilstand kwam. Er verschenen koplampen in het achteruitkijkspiegeltje – er stond een andere auto achter hen – toen de chauffeur van de Range Rover uitstapte, in twee stappen bij het busje was, het portier naast Toby opentrok en met de loop van een geweer voor zijn gezicht zwaaide.

Toen Graham Taylor Harriet terugreed vanaf Blackfriars Bridge praatte hij in de headset van zijn handsfree mobiel. Hij had contact met Michelle, de veldwerker die Alfie Flowers en Benjamin Barrett vanaf de sportschool op Kingsland Road volgde. Hij vertelde Harriet dat Flowers en zijn vrienden Barrett van een adres in Brick Lane waren gevolgd naar een gemeenteflat in Hackney en dat iemand anders hen volgde: een onbekende blanke man, blond, in een zwarte Range Rover. Hij vertelde dat de chauffeur van Flowers' Transit Benjamin Barrett en zijn vriend een flatgebouw in was gevolgd en tien minuten later weer naar buiten was gekomen, kort met Flowers en die journalist Brown had gepraat en toen was weggegaan.

'Michelle vermoedt dat hij erachter is gekomen waar Benjamin Barrett zich verschuilt.'

Harriet hing in de stoel van haar gebutste Peugeot 205. Vieze warme lucht blies in haar gezicht door het raampje dat Graham had ingeslagen om daarna de motor met losgetrokken draadjes aan de praat te krijgen – de sleutels zaten in haar tasje, haar tasje zat in haar rugzak en die rugzak had Larry Macpherson. De drug van Most raakte uitgewerkt en dat viel niet mee: de ene keer rilde ze, de andere keer had ze het bloedheet, er klopte een zeurderige hoofdpijn achter haar ogen en ze had nog steeds af en toe spookbeelden van de glyphs. Vage dobbers dreven door haar blikveld, in haar ooghoeken pulseerden vormen, die verdwenen als ze er beter naar wilde kijken.

Ze vroeg: 'Waar is de Range Rover? In de buurt van Alfie Flowers en zijn vriend?'

'Die komt daar net aan. Maar Michelle is achter Flowers en Barrett aan, naar het flatgebouw.'

'Die wacht op Larry Macpherson en Rölf Most. Graham, we kunnen Alfie Flowers daar niet alleen laten zitten. Michelle zal haar dekking moeten opgeven. Ze moet hem gaan waarschuwen...'

Graham luisterde naar zijn headset.

Harriet zag zijn gezichtsuitdrukking veranderen en vroeg: 'Wat is er mis?'

'Slecht nieuws,' zei hij en hij vertelde dat de Range Rover en een wit Volkswagenbusje zojuist Flowers' busje ingesloten hadden, dat Flowers en Brown onder bedreiging van een geweer overgestapt waren in het Volkswagenbusje, dat dat recht op de ingang van het flatgebouw afreed... Hij pauzeerde even en ging toen verder: 'Most en de blonde man, de chauffeur van de Rover, zijn nu binnen. Er zit een derde man achter het stuur, waarschijnlijk houdt hij de gevangenen in de gaten.'

'Is dat Larry Macpherson? Blauw spijkerjasje, zwart haar?'

Graham vroeg het Michelle en zei: 'Ze zegt dat de chauffeur rood haar heeft en een camouflage-t-shirt.'

'En verder is er niemand in dat busje? Alleen de chauffeur, Alfie Flowers en Toby Brown?'

'Dat denkt ze. Ze weet het niet zeker.'

'We moeten daar zo snel mogelijk naartoe.'

Graham was een goede chauffeur, door de politie opgeleid, maar in het spitsuur tussen Clerkenwell en Shoreditch kostte het hem twintig minuten om bij het flatgebouw te komen. Michelle wachtte op hen aan het eind van een aantal garages die haaks op de flats stonden. Een slanke, jonge, zwarte vrouw in leren motorkleding, rustig en competent, vertelde Harriet dat de situatie niet veranderd was: Flowers en Brown werden nog steeds in het busje vastgehouden en voor zover zij wist waren dr. Most en de blonde man nog steeds binnen.

Harriet keek om een hoekje naar het busje, maar kon niet zien wie erin zaten, omdat het met de achterkant naar haar toe stond en de stripkatten-en-striphondenzonwering op de zijramen naar beneden was. Ze zei: 'Geen vierde man? Die is moeilijk te missen:

goed gebouwd, blauw spijkerjasje en zwarte broek, spiegelglazen. Hij zou ook in dat busje moeten zitten.'

'Ik heb alleen Most en de chauffeur gezien. En de chauffeur zit nog op zijn plek, met Flowers en Brown.' En Michelle wees naar het busje voor de ingang van het flatgebouw. 'Als er nog iemand is, heb ík hem niet gezien.'

Graham zei: 'Macpherson zal waarschijnlijk de achterkant van de flats in de gaten houden. Voor het geval Benjamin Barrett probeert te ontsnappen.'

Harriet moest toegeven dat dat mogelijk was, maar ze had het vage gevoel dat er iets niet klopte. Ze zweette in het warme zonlicht en probeerde te denken, ondanks haar stekende hoofdpijn. Ze vroeg Michelle of ze er zeker van was dat de man die Barrett gevolgd had, haar niet gezien had.

'Daarom heb ik een motor. Als je met een auto iemand volgt die iets vermoedt, dan let zo iemand op auto's. Mij ziet hij niet.'

'Ze weet wat ze doet,' zei Graham tegen Harriet.

'Maar het verbaast me dat Flowers en zijn vriend die Range Rover niet hebben gezien, die hen volgde,' vond Michelle.

Harriet zei: 'Dat zijn zulke onnozelaars. Die hebben echt geen idee waar ze in terechtgekomen zijn. Die hebben nooit gedacht dat ze gevolgd zouden kunnen worden.'

Graham vroeg: 'Die dr. Most, wil die hun wat aandoen?'

'Bijna zeker, ja.'

'En Benjamin Barrett?'

'Heel zeker. Ik weet wat je denkt, Graham, maar de politie bellen is geen goed idee. Het kan een belegering worden. Mensen kunnen geraakt worden.'

'Er kunnen mensen geraakt worden als we de politie níét bellen.'

Harriet keek naar de voorkant van het gebouw, een rooster van beige panelen en ramen die in de middagzon reflecteerden. Vijftien verdiepingen, geen enkele kans dat ze erachter konden komen waar Barrett woonde, het zou minstens een uur kosten om een van-deur-tot-deuronderzoek te doen...

Ze zei: 'Als het de politie al lukt om Most te arresteren, dan zullen ze hem niet lang vast kunnen houden. Hij geniet immuniteit – hooggeplaatste mensen weten dat hij Morph zoekt en hebben hem vrij spel gegeven. De politie zal hem moeten laten gaan, en dan, als hij al niet Macpherson of iemand anders verteld heeft waar Morph mogelijk te vinden is, gaat hij naar hem toe. En dan zorgt hij er natuurlijk voor dat hij al onze achtervolgers afgeschud heeft voor hijzelf op zoek gaat. Maar als we hem nu opwachten, kunnen we hem volgen naar de schuilplaats van Morph. En dán bellen we de politie.'

Graham schudde zijn hoofd. 'Zelfs al moet de politie Rölf Most weer vrijlaten, dan hebben we in ieder geval Flowers en zijn vriend gered, en natuurlijk Barrett en zíjn vriend.'

'Het is te laat om Barrett te helpen, Graham. Inmiddels zal Most hem wel aan de praat hebben gekregen over Morph. Als we hier blijven, kunnen we hem straks volgen...'

'De politie bellen is de enige juiste beslissing,' zei Graham en hij pakte zijn mobiel. 'Ik merk dat je er veel te veel bij betrokken bent, je bent het perspectief verloren. Maar later...'

Michelle slaakte een gilletje.

Harriet draaide zich om, keek naar boven en zag een grote, donkere schaduw van het dak van het flatgebouw tuimelen, een schaduw in de vorm van een mens viel met het hoofd naar beneden langs de ramen vol zonlicht. Iets, een schoen?, draaide weg terwijl de man door de lucht zoefde en op het dak van het busje viel. De wagen schokte van de smak, het glas in de voorruit en zijraampjes explodeerde met een geluid alsof iemand een opgeblazen zakje liet knappen, de echo rolde langs de hele voorkant van het gebouw. Duiven vlogen verschrikt van het dak en Harriet begon over het parkeerterrein te rennen.

Het had wel wat weg van een auto-ongeluk – een enorme schok, brekend en vallend glas en daarna een dodelijke stilte. Alfie en Toby hadden op de banken achter in het busje gelegen, hun handen achter hun rug gebonden. Nu kropen ze overeind, bergen gebroken glas vielen van hun schouders, zagen dat het dak ingedeukt en doorgebogen was, en dat de chauffeur, onder het bloed omdat hij een diepe hoofdwond had, tevergeefs een airbag probeerde weg te duwen.

En toen zagen ze een blonde vrouw aan het portier naast Alfie trekken, een man trok het portier naast de chauffeur open en gaf hem een paar klappen met een rubberen stok. Dat maakte een hol geluid en de chauffeur viel opzij en bleef stil liggen. De man leunde voorover en klopte hem vlug af. Hij sloeg zijn spijkerjasje open en haalde het pistool eruit waarmee hij een paar minuten eerder Toby had bedreigd. Toen Toby geprobeerd had met hem te praten.

De zijdeur ging moeizaam open en Alfie en Toby klauterden voorzichtig naar buiten. Het lichaam van een man lag op zijn buik op het dak van het busje, in een diepe kuil. Het was Watty, zijn gezicht lag naar de kant van Alfie gedraaid, opgezwollen en vol blauwe plekken, een oog half dicht in een soort knipoog. Een arm was minstens zes keer gebroken. Zijn witte trainingsbroek kleurde rood van het bloed.

Alfie keek weg en de grijsharige man die de chauffeur buiten westen had geslagen zei dat hij zich om moest draaien en sneed de plastic handboeien door. De blonde vrouw pakte een zwart rugzakje van een van de stoelen en keek er even snel in. Toen Alfie zijn cameratas pakte, vroeg ze: 'Waar is Benjamin Barrett?'

Toby vroeg terwijl de grijsharige man zijn boeien doorsneed: 'En wie zijn jullie?'

De vrouw liep naar Alfie toe. Lang en slank in een donker broekpak, maar een paar centimeter korter dan hij en ze herhaalde: 'Benjamin Barrett. Waar is hij?'

Ze keek hem diep in de ogen.

Heel even wilde Alfie toegeven, maar toen won de voorzichtigheid het van zijn angst. 'Waarom zoeken jullie hem?'

'Omdat ik hem wil redden, als het me tenminste lukt. Waar is hij?'

De grijsharige man zei tegen de vrouw dat ze op de politie moesten wachten, maar ze schudde haar hoofd, zei dat het tegen die tijd veel te laat was. 'Ze hebben deze arme jongen zelfmoord laten plegen, en waarschijnlijk hebben ze ook afgerekend met Barrett. Maar als we nu naar binnen gaan is er een klein kansje dat we hem nog kunnen redden.'

Toby schudde wat glas uit zijn haar. 'Als jullie geen politie zijn, voor wie werken jullie dan? Kunnen jullie iets van een ID-bewijs laten zien?'

'Ik ben Harriet Crowley en dit is Graham Taylor. Graham en

zijn mensen werken voor mij en ik werk voor de Nomads' Club,' zei de vrouw terwijl ze Alfie recht aankeek.

Die klap kwam hard aan, als een onverwachte ijskoude winterwind. Hij zei: 'Dan denk ik dat we elkaar kunnen helpen.'

Harriet Crowley zei: 'Jullie hebben geen flauw benul waar jullie ingestapt zijn. Vertel me maar gewoon waar Benjamin Barrett zich schuilhoudt. Ik doe de rest.'

Alfie haalde diep adem en zei: 'Misschien weet ik dan niet alles, maar ik weet wel dat er daarbinnen interessante dingen voor ons allebei zijn. We gaan samen.'

Harriet keek hem lang aan voor ze zei: 'Hierna moeten wij eens goed met elkaar praten.'

'Absoluut.'

In het halletje ramde Harriet op de knoppen van de lift en ze stapte achteruit toen de deur openging. De grijsharige man, Graham Taylor, hield het pistool dat hij van de chauffeur van het busje had afgepakt in de aanslag, maar deed zijn arm weer omlaag toen er een gezin uit stapte – vader, moeder en drie dochters, de vrouwen in zwarte chadors die alleen hun ogen vrijlieten, de man in een keurige pied de poule. In de lift, toen Alfie op het knopje van de vijftiende verdieping had gedrukt, vroeg Harriet of Most nog iets tegen hen had gezegd nadat ze uit hun busje waren getrokken.

Toby moest zijn aansteker met twee handen vasthouden toen hij zijn sigaret wilde aansteken. 'Bedoel je die gozer met dat witte haar? Die vroeg waar Benjamin Barrett was. En omdat die andere man zijn pistool op ons gericht had, hebben we het verteld.'

'Zei hij ook nog wat hij wilde gaan doen?'

Alfie zei: 'Hij zei dat hij erg graag met me wilde praten.'

Dat was niet helemaal waar. Het had er wel op geleken, iets als 'ik kijk ernaar uit om eens gezellig met je te babbelen'. Alfie huiverde toen hij aan de blik van de man terugdacht. Hij hing in een hoek van de lift en zocht in zijn cameratas naar pillen. Hij voelde weer die donkere druk achter zijn ogen en proefde de scherpe metalige smaak achter in zijn mond: tekens dat als hij niet uitkeek, hij een aanval zou krijgen. Met een slok bananenmilkshake spoelde hij een tablet fenobarbital naar binnen. Ondertussen zei Toby: 'Ze hebben Watty laten springen, hè? Ik bedoel: ik heb nooit voor een hulpdienst gewerkt, maar we hebben hem een paar uur geleden nog gesproken en hij leek me geen zelfmoordtype. Ze dwongen hem te springen en zeiden tegen Shareef dat hij de volgende zou zijn als hij niet vertelde wat ze wilden weten.'

Harriet zei: 'Rölf Most heeft andere methodes om je over te halen. Hij heeft waarschijnlijk die arme man laten springen, omdat hij daartoe in staat was.'

Ze bekeek de graffiti op de muren. *Rhoda did Kwame 31/5/04.* Namen in sierletters, met zwarte, rode of zilveren stift. Ingewikkelde, niet ontcijferbare krullen en lijnen, die net zo goed tags van marsmannetjes zouden kunnen zijn. Al snel zag Alfie waar Harriet naar keek: een van Morphs cartoons. Alleen de cartoon, geen omlijsting, geen glyphs eromheen, een silhouet geknipt uit de foto die in april op de voorpagina van iedere krant had gestaan: een gekruisigde man met een kap op, balancerend met uitgestrekte armen op een doos, de Christusfiguur van de Abu Ghraib-gevangenis.

Harriet zag dat Alfie het ook had gezien. Even keken ze elkaar aan, toen keek zij weg en zei Alfie: 'Jij wilt hem ook vinden.'

Ze knikte. 'Ja, en het liefst vóór Rölf Most.'

Grahams mobiel begon te rinkelen toen ze uit de lift op de vijftiende verdieping stapten. Hij luisterde en vertelde Harriet dat Michelle meldde dat Most en de blonde man het flatgebouw verlaten hadden. 'Ze moeten de trap genomen hebben, of een andere lift. Ze vinden zo het busje.'

Harriet draaide zich naar Alfie om. 'Waar is hij?'

'Flat 1509, in de hoek...'

Ze rende al, smeet een branddeur open. Alfie rende achter Graham en Toby aan die weer achter haar aan renden door een gang verlicht met tl-buizen. De meeste deuren waren dicht getimmerd. Er lagen grote waterplassen op de betonnen vloer. Harriet bonkte op de deur van 1509 en riep: 'Benjamin? Benjamin Barrett? Je hoeft niet bang te zijn. We komen je helpen.' Ze hield even op, luisterde of er antwoord kwam, maar nee, en zei tegen Graham: 'De deur zit op slot en ik hoor binnen iemand huilen.'

'Hij noemt zichzelf Shareef,' vertelde Alfie.

'Shareef,' riep Harriet. 'Ik weet wat ze met je gedaan hebben. Ze hebben je gedrogeerd, ze hebben met een lamp in je ogen geschenen. Ik weet dat je je nu knap beroerd voelt, maar ik kan je helpen.' Weer wachtte ze op een antwoord en weer kwam het niet, dus ging ze door: 'Ik kan je echt helpen, Shareef. Je hoeft alleen maar de deur open te doen.'

Iemand huilde nog harder in de flat, een woordeloze jammerklacht waarvan Alfies nekharen rechtovereind gingen staan.

'Shareef? Ik ben Alfie Flowers. Je kunt naar buiten komen, het is veilig. Dan kunnen we praten als je dat wilt.'

Ergens achter de deur klonk een hard geluid.

Harriet gilde: 'Shareef! Niet naar die stem luisteren. Hoor je me? Luister er niet naar.'

Weer een hard geluid. De tl-buizen in de gang gingen uit.

Graham duwde Harriet aan de kant en trapte ter hoogte van het slot tegen de deur. Toen de deur openvloog zei hij: 'Hier wachten,' en stapte de gang in met het pistool in de aanslag.

Toen hij een minuut later naar buiten kwam keek hij grimmig. Harriet zei: 'Shit!' en drong langs hem naar binnen.

Graham vroeg aan Alfie en Toby: 'Weten jullie hoe die knul, Benjamin Barrett, Shareef, of weet ik veel, weten jullie hoe die eruitziet?'

'Laat mij maar,' zei Alfie.

Drijvend boven zijn angst door de valium liep hij achter Graham het hete, schemerige halletje in. Het rook er naar gebraden vlees, alsof er een stuk vlees te lang in de oven lag en de stank werd erger toen Graham een deur opende en zei: 'Hij is hier.'

Alfie wilde niet kijken, maar wist dat het moest. Shareef lag op de vloer van het lege slaapkamertje, naast een lage tafel vol elektronica. Zijn lichaam in het trendy trainingspak leek een boog; hij steunde op zijn hielen en de achterkant van zijn hoofd. Alfie zag een dikke oranje elektriciteitskabel tussen zijn witte tanden en sliertjes grijze rook. Hij stapte achteruit het kamertje uit. 'Ja, dat is hem.'

'Hij heeft zo te zien de kabel van een radiozender opgegeten,' zei Graham.

Terwijl Toby vertelde dat Shareef dj bij een piratenzender was, zag Alfie in het gangetje iets donkers fonkelen. Hij liep ernaartoe, langs de keukendeur naar een l-vormige woonkamer die door een kaal peertje aan het plafond verlicht werd. Er stond een bank met een verfrommelde slaapzak erop. Een tv en een geluidsbox stonden naast elkaar op omgedraaide melkkratten, een goedkoop grenen tafeltje bezweek bijna onder de lege pizzadozen en piepschuimen bekers, viltstiften en ongeopende verfspuitbussen, plastic vellen en scheermesjes en operatiescalpels. Een raam zonder gordijnen keek uit op het kanaal en de vervallen fabrieken en de andere torenflats. Maar Alfie zag er niets van, want overal op de muren waren cartoons omkranst door warrelende glyphs, boven op elkaar en onrustig als een zwerm bijen.

Achter hem zei Harriet: 'Na al die jaren heb je er nog steeds last van, hè?'

Alfie trok zich los van de warrelende glyphs en keek haar aan.

Met een vlug lachje zei ze: 'Blijkbaar is de behandeling destijds toch niet zo aangeslagen.'

Alfie had het ineens door. 'Jij bent de kleindochter van meneer Prentiss.'

Hij herinnerde zich nog goed hoe het kleine meisje in die winterse tuin achter hem was opgedoken, hem een spion had genoemd en ondeugend en blij had rondgesprongen.

Vanuit de deuropening zei Toby: 'Wat betekent dat je de dochter bent van Christopher Prentiss, ook bekend onder de naam Antareus.'

Alfie vertelde: 'We hebben dat pamflet gevonden dat je vader gepubliceerd heeft.'

Harriets gezichtsuitdrukking veranderde niet, maar haar blik werd harder. 'Mijn vader heeft mijn moeder en mij vlak na mijn geboorte verlaten. En als je ook maar een heel klein beetje over hem weet, dan snap je waarom ik de achternaam van mijn moeder draag.'

Toby zei: 'Voor jullie is het een soort familiereünie, hè? Maar hoe passen die slechte mannen hierin? Hebben die iets te maken met de Nomads' Club?'

Harriet: 'Rölf Most is een psychiater die ene Carver Soborin behandelt. En die Carver Soborin was de psychiater van mijn vader.'

Toby bedacht: 'Most moet van Soborin over de glyphs gehoord hebben en Soborin heeft dat van jouw vader gehoord. En je vader had ze van je opa gestolen.'

Hij pakte een plastic vel van de afgeladen tafel en hield dat in het licht dat door het raam zonder gordijnen naar binnen viel. Alfie zag de vorm die eruit gesneden was en herkende deze: het was een van Morphs cartoons, de cowboy in rodeozit op een kruisraket; de randen zaten onder de zwarte spuitbusverf.

'Hier hebben we het een andere keer over,' zei Harriet. 'Eerst moeten we achter Most aan, voordat hij Morph te pakken krijgt.'

Alfie zei: 'Hij heeft iets met Shareef gedaan. Iets waardoor hij zelfmoord heeft gepleegd.'

Harriet knikte. 'En nadat hij hem alles verteld heeft wat hij van Morph wist.'

'En Watty – die man die van het dak sprong. Dat deed Most ook.'

'Hij gebruikte de glyphs,' wist Harriet. 'Hij injecteerde eerst een drug en liet ze vervolgens naar wat een fascinatieglyph wordt genoemd kijken om ze in een ontvankelijke bui te krijgen. Daarna ondervroeg hij ze en toen ze hem niets meer konden vertellen zei hij dat ze zelfmoord moesten plegen.'

Toby floot een paar maten van de beginmuziek van *The Twilight Zone* en snuffelde tussen de plastic vellen. Harriet negeerde hem en zei tegen Alfie: 'Want daar gaat het allemaal om. Most wil alles weten wat Morph over de glyphs weet. En daarom moeten we Morph vinden voor hij dat doet.'

Toby vroeg: 'Wie bedoelen we met "we", bleekscheet?'

Alfie keek hem kwaad aan en zei tegen Harriet: 'Hij bedoelt dat we graag helpen.'

Graham stond buiten te wachten. 'Ze zitten in de zwarte Range Rover. Op dit moment rijden ze in zuidelijke richting op Shoreditch High Street. Michelle zit achter ze.'

'Je hoeft niet mee te gaan, Graham,' zei Harriet. 'Je hebt al meer dan genoeg gedaan. Als je hier wilt blijven en op de politie wilt wachten...'

Graham glimlachte. 'Ik zou niet weten hoe ik dit hier moest verklaren. Trouwens, ik denk dat ík beter kan rijden. Jij ziet er een beetje moe uit.'

19

Grahams mobiel ging af toen ze uit het flatgebouw kwamen. Harriet baande zich een weg door het groepje mensen dat om het busje stond. De anderen kwamen achter haar aan. Kinderen stonden op daken van auto's om alles beter te kunnen zien en er stonden mensen voor hun ramen op verschillende verdiepingen van het gebouw aan de andere kant van het parkeerterrein. Ze hoorden sirenes dichterbij komen. In de lift hadden de drie mannen zonder iets te zeggen om haar heen gestaan. Denkend aan wat ze in de flat had gezien, bereidde ze haar volgende stap voor. Ze was kwaad en bezorgd, vond dat de dood van Benjamin Barrett en zijn vriend haar schuld waren, was er zeker van dat Barrett Most had verteld waar hij Morph kon vinden en wist dat ze meteen achter de psychiater aan moest én iets moest bedenken om hem voor te zijn...

Haar troefkaart was Michelle, die achter hem aan zat, maar nu zei Graham in zijn headset: 'Het is jouw schuld niet.' En tegen Harriet: 'Ze hebben de Range Rover bij de dubbele gele strepen bij Liverpool Street Station geparkeerd. Michelle is ze naar binnen gevolgd, maar onder aan de trap stond Macpherson haar op te wachten. Hij tikte op haar schouder en toen ze omkeek, maakte hij het pistoolgebaar met twee vingers en richtte recht op haar gezicht.'

Een ijspriem prikte in Harriets hart. 'Is ze ongedeerd?'

'Ze is vreselijk geschrokken, maar verder oké. Ze vertelde dat de klootzak naar haar knipoogde en in de mensenmassa verdween.

Ze liep meteen naar buiten en heeft de andere uitgangen in de gaten gehouden om te zien of ze daar verschenen, maar ze hebben waarschijnlijk de metro genomen.'

'Shit. Ze moeten op zoiets bedacht zijn geweest vanaf het moment dat ze doorhadden dat deze twee Shareef probeerden te volgen.'

Toby, de journalist, wees met een rol plastic vellen die hij uit de flat had meegenomen naar Harriet en zei: 'Je gaat ons toch niet de schuld geven, hè!'

'Natuurlijk krijgen jullie niet de schuld! Jullie zijn gewoon van die idioten die geen idee hebben waar ze in terechtgekomen zijn.'

Na een korte stilte zei Graham: 'De chauffeur van dat busje heeft ze waarschijnlijk over ons verteld. Het is niemands schuld. Dit soort dingen gebeuren nou eenmaal.'

Harriet bedacht dat het hopeloos was om het spoor van Most op Liverpool Street op te willen pakken, maar er was nog een andere kans. Ze zei tegen Graham: 'Zeg tegen Michelle dat ze naar het Dorcester Hotel gaat. Als ze weg willen, zal iemand Soborin moeten ophalen. Dan kan ze die volgen.'

'En ondertussen,' bedacht Graham, 'kunnen ze Morph oppikken. Of iemand anders waar Barrett ze over heeft verteld.'

'O,' zei Alfie. 'Robbie Ruane. We moeten Ruane waarschuwen.'

'Wie is Robbie Ruane?' vroeg Harriet.

'Na de Majestic sportschool en voordat hij hier was, is Shareef – Benjamin Barrett – bij een kunsthandelaar, Robbie Ruane, langs geweest.'

Graham vroeg: 'Heeft hij een zaak op Brick Lane?'

Alfie knikte. 'Urban Graphics. Hij kwam bij mij toen hij die foto van Morphs graffiti in *The Independent* had gezien. Hij wilde me helpen Morph te vinden.'

Harriet zei langzaam: 'Dus deze kunsthandelaar is ook op zoek naar Morph?'

'Hij denkt dat Morph de volgende Damien Hirst kan worden.' Alfie zocht iets in zijn cameratas, een kaartje. 'Dit stopte hij in mijn brievenbus.' En gaf het kaartje aan Harriet.

Ze leende Grahams mobiel en toetste het nummer van de galerie in. De telefoon aan de andere kant van de lijn ging over en ze kreeg een antwoordapparaat. Toen ze Ruanes mobiele nummer probeerde, kreeg ze de voicemail.

Graham vroeg: 'Denk jij wat ik denk?'

Harriet zei: 'Nadat Most me naar de glyph had laten kijken, zette hij Macpherson op Brick Lane af. Die ondervroeg Ruane, Most kwam hiernaartoe en ondervroeg Barrett en op het station zagen ze elkaar weer...'

Ze renden naar haar auto. Flowers en Brown persten zich op de achterbank; Harriet ging voorin op de passagiersstoel zitten, Graham kroop achter het stuur. De auto scheurde weg. Toby streek de plastic vellen die hij had meegenomen glad en gaf ze aan Alfie. Die zei: 'Het lijkt wel alsof iemand een mal wilde maken voor de patronen om deze cartoons.' Harriet en hij keken naar Alfie, die naar de vellen keek. Toby vroeg: 'Zijn het de echte?'

Alfie schudde zijn hoofd. 'Het is niet af. Maar het ziet er echt uit.'

Harriet keek naar de twee mannen. De journalist helemaal in het zwart gekleed en met zwart haar dat in zijn gladde, bleke gezicht viel. Alfie had zich half omgedraaid en bekeek de plastic vellen die hij tegen het raam hield; een grote, breedgeschouderde man, die zweette in zijn hawaïshirt met gitaren, palmbomen en hoeladanseressen. 'Als jullie denken dat dit iets betekent, kunnen jullie me dat beter nu vertellen.'

Toby zei: 'Flowers denkt dat Shareef Morphs werk is gaan namaken, omdat Morph en hij geen vrienden meer zijn en hij een goede deal met Ruane niet wilde mislopen.'

'De glyphs op de muren van de flat waren echt,' zei Alfie.

Toby haalde zijn schouders op. 'Dan is Morph daar een keer met Shareef geweest, maar is hij allang vertrokken.'

Harriet dacht hardop: 'Maar dat was de flat van Benjamin Barrett niet, dat was zijn schuiladres. Ik ben erachter gekomen waar hij echt woonde. Dat adres hield Most in de gaten.'

Toby zei: 'Weet je nog wat Elliot over die piratenradiozenders vertelde, Alfie? Ze hadden hun studio op een vaste plek en zenders op verschillende locaties. Misschien zocht Morph onderdak en bracht Shareef hem naar het kraakpand waar een van de zenders van Mister Fantastic FM op staat. En kregen ze ruzie of zo en Morph vertrok...'

'En toen had Shareef een schuilplek nodig en gebruikte hij dezelfde flat,' vulde Harriet aan.

'En nam Watty als bodyguard mee,' zei Toby. 'Nou, dat heeft enorm geholpen.'

Graham verminderde vaart toen hij langs Urban Graphics reed, keek naar de voetgangers en parkeerde langs de stoeprand, maar liet de motor draaien.

Harriet zei: 'Ik ga kijken. Verder blijft iedereen in de auto.'

Graham zei: 'Ik moet eigenlijk met je mee. Minstens een van hen is gewapend.'

'Daarom wil ik dat pistool hebben dat je van Mosts chauffeur hebt afgepakt.'

Het was een Mark III 9mm Browning High Power, de militaire uitvoering met een metalen greep, precies hetzelfde type als die waarmee Harriet had geoefend op het militaire oefenterrein vlak bij Reading voor ze naar Nigeria ging. Ze controleerde of de kamer gevuld was, hield het pistool tegen haar bovenbeen en liep naar de galerie.

Op de spiegelruit van de zaak stond in grote rode, krullende verfletters URBAN GRAPHICS, binnen brandde er geen licht. Harriets silhouet kwam haar in de glazen deur tegemoet. Ze leek precies op haar eigen geest. De deur zat niet op slot. Haar hakken tikten galmend op de witte vloer toen ze naar binnen stapte, naar links en rechts keek en iets weg zag glippen. Ze trok haar pistool, maar wat ze had gezien was slechts het wegsterven van de glyph waarnaar ze zelf had moeten kijken: een warreling van stippen die even duidelijk en scherp in de lucht hing en vervolgens langzaam verdween. Een manshoog beeld van oudroest stond midden op de strak witte vloer, tegels omrand met kleurige stippen zaten keurig tegen een muur. Harriet zag dat de stippen kauwgom waren, die iemand nauwgezet met primaire kleuren beschilderd had. Achterin stond een bureau – een plaat van zandgestraald staal op betonblokken – en een stoel die gestolen leek te zijn uit het ruimteschip *Enterprise*, en een wenteltrap leidde naar de eerste verdieping.

Onder aan de trap lagen twee huishoudhandschoenen, die een chemisch geurtje hadden dat Harriet ergens van kende. Ze stond daar een volle minuut, luisterend naar de stilte, voor ze Robbie Ruanes naam durfde te roepen. Haar stem echode door de ruimte. Geen antwoord.

Ze liep de trap op met het pistool in de aanslag en de geur werd sterker, bijtender en voelde dik aan in haar mond en neus. Ze kreeg er een stekende hoofdpijn van achter haar ogen. Er dook een beeld uit het verleden op, de herinnering aan het ontleden van een witte rat in de biologieles op school, en ze wist dat ze formaldehyde rook.

Op de eerste verdieping was aan de ene kant, onder een zolderslaapkamer, een kleine keuken die deed denken aan de cockpit van een vliegtuig. Aan de andere kant was het woongedeelte: een zwartleren bank tegenover een breedbeeld-tv, daartussenin een glazen koffietafel op een koeienvel, een boekenplank volgestouwd met kunstboeken, schilderijen aan de muur, de grootste lavalamp die ze ooit gezien had en daarachter een groot, vrijstaand aquarium, waarnaast een man knielde die diep in gebed verzonken leek.

Er rolde iets langs haar ruggengraat naar beneden. Ze merkte dat ze op de vloer zat, het pistool lag in haar schoot en er liepen bezige mieren door haar blikveld. Even viel ze weg. Shock. Voorzichtig stond ze weer op en probeerde de stippen en warrelende lijnen weg te knipperen. Haar schedel voelde koud aan. De stilte in de flat voelde dichter, alsof ze kilometersdiep in de oceaan zat; ze maakte een sprongetje van schrik toen de grote koelkast in de keuken aansloeg, maar dat bracht haar ook weer een beetje bij de tijd.

'Meneer Ruane?'

Ze stapte naar voren, keek over de Browning heen naar de man en zag dat hij in een pijnlijke hoek gebogen zat, dat zijn armen met elektriciteitssnoer op zijn rug gebonden waren en dat zijn hoofd in het water van het aquarium hing. Een zwart lam, met gebroken ogen, een doorweekte vacht en stinkend naar de formaldehyde lag stijf op de berkenhouten vloer voor het aquarium en de dode man. Er lag ook een grote plas bloed, met grillige, witte dingen erin. Menselijke vingers. Eén vinger had een gouden ring om.

Robbie Ruane was gemarteld. En toen hij alles verteld had wat hij wist van Morph, of toen het duidelijk werd dat hij niets bruikbaars wist, was hij vermoord. Verdronken in de formaldehyde. Het werkte snel en was barbaars. Harriet was er zeker van dat het het werk van Macpherson was. Volgens een krantenartikel over zijn arrestatie in Peshawar hadden twee Afghaanse gevangenen hun pinken verloren tijdens zijn dienst.

Beneden vond ze op het bureau een mandarijnkleurige iMac en een grote, in leer gebonden agenda vol uitnodigingen voor feesten, galerieopeningen en boekpresentaties waar Robbie Ruane nooit meer naartoe zou gaan. Even overwoog ze zijn computer te doorzoeken, maar ze wist eigenlijk vrij zeker dat de kunsthandelaar weinig bruikbaars wist. Macpherson had gewoon een los draadje weggewerkt. Ze propte de Browning in haar jaszak, pakte met een zakdoek de telefoonhoorn op, belde de politie en maakte dat ze wegkwam.

'Naar de Nomads,' zei ze tegen Graham, nadat ze verteld had wat ze aangetroffen had.

Alfie zei: 'Dus die bestaan.'

'Amper.'

'En jij hoort daarbij.'

Harriet schudde haar hoofd. 'Het is een zeer ouderwetse club. Alleen mannen.'

Toby vroeg: 'En waarom gaan we ernaartoe?'

'Voor jullie eigen bescherming,' zei Harriet. 'Als Rölf Most niet van Barrett heeft gehoord waar Morph zit, dan gaat hij zeker naar jullie op zoek.'

Alfie wilde van alles weten over de Nomads' Club. De arme kerel hing gekromd over zijn cameratas op de achterbank en probeerde uit alle macht er iets van te begrijpen. Hij vroeg: 'Mijn vader werkte voor hen, hè? Toen hij verdween, bedoel ik.'

'Je kunt ze zo meteen alles vragen,' zei Harriet. Haar hoofd bonkte en entoptische beelden vlogen in en uit haar ooghoeken.

'Die vrienden van mijn opa, leven die nog steeds?'

'Twee.'

'Wie nog meer.'

'Verder niemand.'

Toby vroeg: 'Niet meer? En die twee mannen – die moeten ergens in de tachtig zijn. Moeten die ons beschermen?'

'De mannen die ik heb ingehuurd zullen jullie beschermen. Nu even geen vragen meer, oké? Ik moet even nadenken.'

Ze had rust nodig, moest even ophouden met vechten en kalmeren, even vergeten. Rölf Most had gewonnen – wat had het nog voor zin om door te gaan? Ze schudde haar hoofd, wist dat deze gedachte een echo van de stem was, de slang die over de drempel gleed, maar ze had echt even rust nodig...

Ze zaten vast in de normale verkeersspits in de buurt van Elephant and Castle toen de mobiel van Graham afging. Hij gaf hem aan Harriet. Het was Janice. Ze zei tegen Harriet dat er brandalarm in het hotel was geweest en dat het hele gebouw was geëvacueerd.

'Waar is Soborin?'

Harriet voelde zich raar kalm. Alsof het ergste al gebeurd was en de rest alleen maar details waren.

'Die zoeken we nu.'

'Laat maar. Die is allang verdwenen.' Harriet zette de mobiel uit en vertelde aan Graham wat er gebeurd was. Ze leunde achterover in haar stoel, sloot haar ogen voor de drukke wereld en zei teleurgesteld: 'Ze zijn ons de hele tijd steeds een stap voor geweest.'

20

De Nomads' Club zetelde in een doodgewoon vrijstaand huis van rode baksteen in de buurt van Tooting Common, half verstopt achter een lage muur en een verwilderde heg. Achter de ramen brandde geen licht. Er stond een kleine vrachtauto voor de voordeur, de laadklep was vol zand geschept, een geïmproviseerde hindernis. De vrachtauto reed naar voren om de Peugeot door te laten, en reed direct weer terug terwijl Graham Taylor parkeerde voor garagedeuren waar de verf van afbladderde.

Iedereen stapte uit en uit het niets verscheen er ineens een man in een zwarte broek, een zwart kogelvrij vest en een zwarte muts in de schaduw van de deuren. Harriet Crowley gaf hem een hand en zachtjes pratend liepen ze naar de voordeur. Toby vroeg aan Alfie: 'Waar denk je aan?'

Alfie keek naar het huis, naar het silhouet tegen de donkerwordende avondlucht. 'Volgens mij missen we nog een paar torens, wat mist, vleermuizen...'

'En een ophaalbrug over een slotgracht vol haaien.' Toby's gezicht werd door zijn aansteker verlicht toen hij een sigaret opstak. 'En wat vind je van onze nieuwe vrienden? Denk je dat ze te vertrouwen zijn?'

De valium die Alfie uren geleden in had genomen had de schokken van de afgelopen uren redelijk afgestompt: onder schot gehouden worden, Watty die op het busje klapt, Shareefs lichaam. Hij voelde zich rustig, zijn gedachten bewogen zich makkelijk en langzaam door een prettig aanvoelende mist, er waren nergens scherpe randjes. Hij had Morph niet gevonden, maar wel de Nomads' Club en hij vond dat zelfs beter. 'Ik denk dat ze hetzelfde willen als wij. Ik denk dat we in wezen allemaal aan dezelfde kant staan.'

Toby schudde zijn hoofd. 'Misschien willen ze wel wat wij willen, maar ik weet niet of we aan dezelfde kant staan. Ik bedoel, je hebt jaren niets van deze lui gehoord, ze hebben je niet eens voor Most gewaarschuwd...'

'Maar ze hebben ons wel gered, dat vergoedt een hoop.'

'Pas nadat Watty besloot het busje voor zijn zwanenzang uit te kiezen. Wat hadden zij daar trouwens te zoeken?'

'Ik denk dat ze Shareef volgden en hoopten dat hij ze naar Morph zou brengen, net als wij hoopten.'

'Of ze volgden ons.'

'Waarom vraag je het niet?'

'Eerlijk gezegd vind ik dat jij het praatwerk maar moet doen. Ik weet het, ik weet het, het is niets voor mij om mijn mond te houden, maar jouw opa en vader waren hier ooit bij betrokken en jij dus ook.'

'Jij wilt dat ik ze vraag of ze ons gebruikten om Morph te vinden. Nog meer?'

'Ik vind dat je ze naar alles moet vragen.'

Alfie glimlachte. 'Doe ik.'

De man in het zwart nam Graham mee naar de zijkant van het huis en Harriet liep met Alfie en Toby via de voordeur en een met hout afgetimmerde gang naar een groot, schaars verlicht vertrek waar de leden van de Nomads' Club op hen wachtten. Langs twee wanden stonden boekenkasten met glazen deuren, er was een donkere, eiken vloer met oosterse tapijten en in een erker hingen zware, roodfluwelen gordijnen. In de hoek stond een staande klok met een prachtig versierde voorkant die niet alleen de tijd aangaf, maar ook de maanstanden en de belangrijkste sterrenbeelden. Een laptop op een bureau met een plaatje van een sterrenhemel als screensaver stond onder een groot olieverfschilderij van een Europese man in een soort bedoeïenengewaad, één hand op de degenknop van zijn halvemaanszwaard, de andere hield de teugel van een somber kijkende kameel vast.

Twee oude mannen zaten in armstoelen ieder aan een kant van

een grote haard met groene tegels en een mahoniehouten schoorsteenmantel. Toen Harriet, Alfie en Toby naar hen toe liepen, stond een van de mannen moeizaam op. Met beide handen duwde hij zichzelf uit de stoel. Hij had een ouderwets streepjespak aan, stond stram rechtop als een soldaat bij een oorlogsmonument, had een bos wit haar dat rechtovereind stond alsof hij geëlektrocuteerd was en hij had een ziekenfondsbrilletje op.

Alfie had hem meer dan twintig jaar geleden voor het laatst gezien, toen hij had geholpen met het opruimen van Maurice Flowers' spullen en paperassen.

Nadat Harriet Alfie en Toby had voorgesteld stak de oude man zijn hand uit en zei: 'Ik ben Ashburton, meneer Flowers. Clarence Ashburton. Ik moet me voor de omstandigheden verontschuldigen, maar ik ben blij dat ik u eindelijk ontmoet.'

'U hebt mijn opa gekend.'

'Inderdaad.' Ashburton stond daar nog steeds met uitgestoken hand en keek naar niets in het bijzonder. Alfie realiseerde zich dat de man blind was, stapte naar voren en drukte de uitgestoken hand. Clarence Ashburton deed dat verrassend krachtig. Hij zei hard tegen de andere oude man: 'Wakker worden, Julian. Hij is er.'

De andere oude man was een kale, verschrompelde kabouter met een ooglap over zijn linkeroog en een geruite sjaal over zijn schouders. Er hing een zak heldere vloeistof ondersteboven aan een infuusstandaard op wieltjes, vanwaaruit een lange plastic buis naar een plastic aderingang onder een pleister op zijn dunne onderarm liep. Hij bewoog even en zonder zijn goede oog open te doen zei hij: 'Je weet heel goed dat ik nooit slaap. Is dat de jongen?'

'Met meneer Brown, de journalist.' Clarence Ashburton zei tegen Alfie en Toby: 'Laat ik jullie aan dr. Julius Ward voorstellen. Hij en ik zijn, en dat vind ik vervelend om te moeten zeggen, de laatste Nomads.'

'Zeg dat ze gaan zitten,' zei Julius Ward, 'en schenk ons allemaal een glas cognac in. Ik ben een ouderwetse dokter,' zei hij en hij keek Alfie en Toby aan, 'en geloof in de helende kracht van een goede borrel.'

Toen ze allemaal zaten en Harriet een zilveren blad met een kristallen karaf en cognacglazen op een leren poef had gezet en de cognac had ingeschonken (Alfie hoefde de zijne niet), zei Ashburton dat hij hoopte dat ze de ongelukkige omstandigheden even achter zich konden laten, en vroeg Harriet om Julius en zichzelf bij te praten.

Ze gaf een kort, duidelijk overzicht van wat er in het flatgebouw gebeurd was, haar ontdekking van het lichaam van Ruane en hoe Most en zijn handlangers aan hun achtervolgster ontsnapt waren en Soborin uit het hotel hadden gehaald. Toen ze klaar was zei Julius Ward: 'Wat een puinhoop. Het is geen verwijt, lieverd, maar je hebt er een behoorlijk zootje van gemaakt.'

'Je mag me ontslaan wanneer je maar wilt,' zei Harriet kalm.

'Ze heeft onder ongelooflijk moeilijke omstandigheden haar uiterste best gedaan,' vond Ashburton. 'Het moge duidelijk zijn dat onze tegenstander misschien gek is, maar in ieder geval veel machtiger is dan we aanvankelijk aannamen.'

'Larry Macpherson helpt hem,' zei Harriet. 'Dat is geen excuus voor wat er is gebeurd, maar het verklaart wel een hoop.'

Ward deed zijn goede oog open, keek Alfie aan en deed het weer dicht. Hij hield zijn cognacglas met twee handen vast, als een kind met een lage suikerspiegel dat een lolly vasthoudt. 'Laten we eens horen wat meneer Flowers te vertellen heeft. Daarom is hij toch hier? Misschien weet hij dingen die wij niet weten.'

'Dat betwijfel ik,' zei Harriet. 'Ik heb hem en zijn vriend meegenomen, omdat ik bang ben dat ze zichzelf anders laten vermoorden.'

Alfie koos zijn woorden zorgvuldig. De valium stompte zijn opwinding over de Nomads' Club af, het was te vergelijken met het rinkelen van een telefoon in een andere kamer. 'Ik denk dat Toby en ik nog niet de helft weten van wat jullie weten. Dus waarom vertellen jullie niet eerst jullie verhaal? Als er leemtes zijn, kunnen wij die misschien opvullen.'

Ashburton haakte hier onmiddellijk op in. 'Dus je geeft toe dat jullie minder op tafel kunnen leggen dan wij. Dan stel ik voor dat u, voor we het over uw quid pro quo-voorstel hebben, ons eerst vertelt hoe uw vriend en u achter de relatie tussen Morph en meneer Barrett zijn gekomen.'

Alfie keek naar Toby, die zijn schouders ophaalde en een grote slok cognac nam. 'Dat was heel eenvoudig,' begon Alfie. 'Ik zag een van Morphs cartoons en wist dat de glyph die hij als omkransing had gebruikt echt was. Toby en ik kwamen erachter dat hij op een party werd verwacht, maar daar had Benjamin Barrett een stunt met schapen bedacht. We traceerden de schapen, kregen Barretts mobiele nummer en maakten een afspraak. Toen hij ons niets bruikbaars vertelde, zijn we hem gevolgd. We hoopten dat hij ons naar Morph zou brengen. Wat we niet wisten was dat jullie hem ook volgden – of ons volgden, dat is ons nog niet helemaal duidelijk.'

'En jullie wisten ook niets van Most,' zei Harriet. 'Daarom wilde ik jullie uit de problemen houden.'

Alfie ging verder: 'Verder weten we – denken we – dat Shareef en Morph ruzie kregen. We denken dat de schapenstunt geheel het werk van Shareef was, en ook die stunt in het Imperial War Museum. En zonet hebben we plastic vellen in zijn schuilplaats gevonden. Het lijkt erop dat hij geoefend heeft om Morphs cartoons na te maken. Als ik hier niet aan begonnen was omdat ik graffiti met eenzelfde glyph gezien had, had ik best kunnen geloven dat Shareef alles gemaakt had. Dat Morph helemaal niet bestaat.'

'Hij bestaat,' zei Harriet. 'Ik heb iemand gesproken die hem kent en ik heb zijn immigratiedossier gezien. Zijn echte naam is Musa Karsu. Hij kwam hier met zijn vader, voor politiek asiel.'

Alfie vroeg: 'Heb je met zijn vader gesproken? Weet die iets van de glyphs?'

Harriet schudde haar hoofd. 'Die overleed zes weken geleden. Hartaanval.'

Julius Ward vroeg: 'Hoe wist u dat die glyph in Morphs graffiti echt was, meneer Flowers? En hoe wist u dat de dingen die Barrett gemaakt had niet echt waren?'

'Volgens mij weet u dat heel goed.'

'Hebt u nog steeds last van epileptische aanvallen?'

'Niet vaak.'

'En als u ze hebt, zijn ze dan zwaar?'

'De tijd dat ik weg ben is maar een paar seconden. Soms krijg ik een aura of een voorgevoel voor een aanval. Maar soms ook niet.'

'Wat voor medicatie schrijven uw doktoren voor?'

'Fenobarbital.'

'En dat helpt?'

'Min of meer. Ik gebruik ook valium en soms een ander kalmeringsmiddel.'

'Heb ik gelijk als ik denk dat de reden waarom u Morph wilt vinden is dat u meer over uw toestand hoopt te horen? Dat de reden waarom u hiernaartoe wilde komen is dat u op genezing hoopt?'

De oude man was veel scherper dan hij eruitzag.

Alfie gaf toe: 'Dat is één reden.'

Ward zei: 'We kunnen u niet genezen, meneer Flowers. Ik ben bang dat er geen remedie is voor wat u overkomen is. De beschadiging is blijvend.'

Hij keek Alfie met zijn goede oog aan. Iedereen rond de haard keek hem aan. Alfie haalde diep adem en vroeg: 'Jullie weten wat er met me gebeurd is?'

'U vond iets wat uw opa had verstopt: een kopie van een zeer krachtige glyph en een kleine voorraad poederextract van een plant,' vertelde Clarence Ashburton. 'We nemen aan dat u van dat extract geproefd hebt, onder invloed raakte van de psychotrope drug die erin zat en toen naar de glyph keek. Er volgde een zware epileptische aanval. En nog erger: de combinatie van de drug en de glyph heeft een permanente beschadiging aan uw visuele hersenschors veroorzaakt.'

'Hij knikt,' vertelde Ward. 'Dit weet hij allemaal al.'

'Ik dacht al dat het zoiets moest zijn,' zei Alfie. 'Maar nu weet ik het zeker.'

Hij voelde zich diep teleurgesteld, voelde een steek in zijn hart. Hij had gehoopt dat Morph hem niet alleen had kunnen helpen begrijpen wat hem overkomen was, maar ook dat hij geweten zou hebben hoe hij kon genezen, of dat hij iemand kende die hem zou kunnen helpen. Toch zou je kunnen zeggen dat het zo was gegaan: hij was Morph gaan zoeken en had in plaats daarvan zijn familiegeschiedenis achterhaald en de Nomads' Club gevonden. Helaas vertelden ze dat er geen remedie bestond, dat er niets gedaan kon worden aan wat de glyphs hadden aangericht...

Ward zei: 'We kunnen u niet genezen. Niemand kan dat. Maar we kunnen u wel helpen, net zoals David Prentiss u ooit geholpen heeft. We hebben een kleine voorraad van de hiervoor benodigde drug.'

'Haka.'

'Sommigen noemen het zo. Als u dat wilt, kunnen we uw gewenning aan fenobarbital afbouwen en dit middel vervangen door de behandeling van David Prentiss.'

Ashburton zei: 'Uw oma had meer vertrouwen in de medische wetenschap. Nadat uw vader overleed, wilde ze niets meer met ons te maken hebben en liet ze ons beloven dat we geen contact met u zouden opnemen. Tot de dag van vandaag hebben we haar wens gerespecteerd, maar als u wilt dat we u helpen, doen we dat graag.'

'Die behandeling – is die beter dan fenobarbital?'

Ward zei: 'Volgens mij zijn er minder bijwerkingen.'

'Maar het geneest me niet.'

'Het spijt me, meneer Flowers. Ik kan geen wonderen verrichten en haka is geen wonderplant.'

'Ik herinner me dat mijn opa ooit vertelde dat haka in de voetsporen van Adam en Eva zou groeien, nadat die uit de Hof van Eden waren verbannen – en dat dat ergens ten noorden van Bagdad ligt.'

'Uw opa was een goed mens en een briljant geleerde, maar ook een onverbeterlijke romanticus,' zei Ashburton met een klein lachje.

Het licht van de tafellamp reflecteerde in de donkere brillenglazen van de blinde man en rond de koperen voet stonden foto's in zilveren en leren fotolijstjes. Zodra hij was gaan zitten, werd Alfies blik onmiddellijk getrokken naar een foto met vier mannen voor een grote steen. Nu leunde hij naar voren en zei: 'Ik weet dat mijn opa de glyphs vond toen hij rond 1930 in Irak werkte, en ik weet ook dat haka gebruikt werd bij religieuze ceremoniën van een seminomadenvolk, de Kefieden. Zijn Morph en zijn vader lid van die stam? Komen ze uit Irak?'

Harriet zei: 'Volgens mij hoeven we daar nu niet op in te gaan.'

Ze zat stijf rechtop in haar stoel met een hand beschermend langs haar gezicht tegen het lamplicht. Ze had haar cognac niet aangeraakt.

Ashburton zei: 'Wat heeft je opa precies verteld over zijn werk?'

'Heel weinig, en ik herinner me nog minder. Maar ik ken een van de foto's hier op tafel, die met die vier mannen en wat mijn opa de anomale steen noemde. Die is gemaakt op een archeologische expeditie die hij leidde, ergens rond 1930. Hij is een van die mannen, David Prentiss is een andere en volgens mij zijn jullie die andere twee. Jullie groeven de overblijfselen van een religieuze gemeenschap uit de vijfde eeuw op en ontdekten een grote steen, veel ouder dan de kerk waar hij in stond, met eigenaardige patronen – een glyph. Mijn opa hoorde van een andere afgraving waar glyphs gevonden zouden zijn en bij die afgraving ontdekte hij een grottenstelsel. Daarbinnen vond hij rotsschilderingen en een tweelingexemplaar van die anomale steen.'

Toby leegde zijn cognacglas, zette het neer, pakte het glas dat Alfie niet had aangeraakt en zei: 'Ik neem aan dat dit allemaal van dezelfde geheimzinnige plek komt als waar je die foto vandaan hebt die je Shareef liet zien.'

'Ik vond een kopie van mijn opa's dagboek. Die had mijn oma gemaakt,' gaf Alfie toe.

'Jij ontdekte waar jouw opa die glyphs die jouw hoofd gek maakten, vandaan had en je vond het niet nodig om me dat te vertellen?'

'Het waren familiezaken.'

'Uiteindelijk is alles familiezaken,' zei Toby met zijn ogen strak op Alfie gericht.

'Het zijn zaken van de Nomads' Club,' zei Ashburton zacht, 'en we zijn dankbaar voor jullie hulp. Willen jullie nu onze kant van het verhaal horen?'

'Ontzettend graag,' zei Toby, 'hoewel ik het vage vermoeden krijg dat ik er nooit iets over zal kunnen schrijven.'

Harriet zei: 'Geen woord.'

Julius Ward vroeg: 'Gaat het een beetje, lieverd?'

Ze wapperde met een hand. 'Alleen een beetje moe. Het was een hele lange dag.'

'Als je even wilt rusten...'

'We moeten gaan besluiten wat we gaan doen. Schiet op, Clarence. Nu ze hier zijn, kunnen ze net zo goed het hele verhaal horen.'

En Clarence Ashburton begon: 'Uw opa, meneer Flowers, hielp olievelden te exploiteren in het noorden van Irak, in de buurt van de stad Mosul. Hij was een hartstochtelijk amateurarcheoloog en

in de jaren dertig van de twintigste eeuw was Irak een archeolo-
gisch paradijs. Het is het thuisland van vele vroege beschavingen.
De Soemeriërs, het Babylonische en het Assyrische rijk, de Perzi-
sche dynastieën... Het is een land waar de geschiedenis vlak onder de grond leeft. Tijd gaat er de diepte in. Toen de bewoners van
Engeland nog in dierenvellen rondliepen en zichzelf met planten-
sappen beschilderden, werd Mesopotamië geregeerd door een grote bureaucratie die ons de kalender en de basis van onze wiskun-
de naliet. Het schrift werd hier uitgevonden, landbouw werd in
de buurt uitgevonden, enkele van de eerste steden van de wereld
werden hier gebouwd. Hoe dan ook, uw opa leidde een aantal
kleinere archeologische expedities, en in 1936 nodigde een stel
jonge leden van de Nomads' Club hem uit om mee te gaan naar
de opgraving van een kerk van een vijfde-eeuwse christelijke sekte.'

Alfie zei: 'Dus jullie waren niet de eerste leden van de Nomads.'

'Eigenlijk,' vertelde Ashburton, 'is de Nomads' Club ruim een
eeuw ouder dan de vondst van de glyphs. Hij werd in 1818 opgericht door zeven adellijke onderzoekers, die om de twee jaar bij
elkaar kwamen om hun reizen te bespreken. Dat deden ze in een
bovenkamer van een koffiehuis op de Strand en ze hielden dat tot
1842 vol, tot een van de oprichters – mijn eigen betovergrootva-
der – op Borneo aan malaria overleed. Hij liet een groot deel van
zijn rijkdom aan de Nomads na, die daarvan een bescheiden huis
in Soho kochten, waar ze vanaf toen bijeenkwamen en waar ze
een bibliotheek en een kaartenkamer opzetten.'

'Wat niet wil zeggen dat zijn achterachterkleinzoon nu de baas
is,' zei Ward.

'Net zomin als ik dat toen was,' zei Clarence Ashburton, 'toen
we nog jong, onbezonnen en gek waren.'

'In ieder geval waren we toen jong,' zei Ward. 'Wij drieën – David Prentiss, Clarence en ikzelf – kwamen net van school, wilden
in de zomer iets spannends gaan doen, want daarna zouden we
naar de universiteit gaan. We vonden jouw opa de grootste held
die er bestond en gingen werken voor een oude man van tweeëndertig. Ondanks de verschrikkelijke hitte, het abominabel slechte
eten en de aanvallen van gewapende bandieten, hadden we een geweldige tijd en twee jaar later schreven we ons opnieuw in zon-

der ons een moment te bedenken, toen je opa een tweede expeditie leidde naar een opgraving in het Zagrosgebergte. Maar als je zijn dagboeken hebt gelezen, dan weet je dit allemaal al.'

'Toby weet het niet en die zit er ook tot over zijn nek in.'

En als hij het verhaal in chronologische volgorde zou horen, kon hij het complete verhaal samenstellen en zou hij de tijd krijgen om te bedenken wat hij die twee oude mannen, de laatste leden van de Nomads' Club, moest vragen. Allereerst wilde hij natuurlijk weten wat er met zijn vader was gebeurd, hoe zijn verdwijning in het plaatje paste.

Ashburton vertelde: 'Nadat uw opa die anomale steen had gevonden, hem had meegenomen naar Engeland en aan het British Museum had geschonken...'

'Ik heb met iemand van het museum over de glyphs gepraat. Hij vertelde me dat de schenking van mijn opa op een gegeven moment verwijderd werd.'

Ward zei: 'Toen we wisten hoe belangrijk de steen was, heeft de geheime dienst deze, met andere schenkingen van Clarence, uit het museum verwijderd. Ik neem aan dat MI6 ze nog steeds ergens heeft – misschien in de leigroeve in Wales waar ze veel souvenirs uit eerdere campagnes bewaren.'

'Maar we lopen op de zaak vooruit,' vond Ashburton. 'Om naar uw opa terug te keren, meneer Flowers, als ik mag...'

Ward zei: 'Natuurlijk mag je dat! Geef die man nou gewoon antwoord op zijn vraag.'

'Goed. Nadat uw opa die anomale steen gevonden had, bestudeerde hij archeologische beschrijvingen van de directe omgeving en vond hij een korte beschrijving van een zuil – een bewerkte, staande steen – die de katholieke missionaris, pater Tomas Anselmus, in het Zagrosgebergte gevonden had. Het patroon op deze zuil, hoewel zeer verweerd, was duidelijk identiek aan het patroon op die anomale steen, en uw opa organiseerde direct een tweede expeditie om de omgeving rond de zuil af te graven.'

Ward nam het over: 'Dat was een doodlopend plateau boven een rivierbedding in de bergen waar het overdag snikheet was en het 's nachts vroor. In de omgeving was niet veel te zien, niet veel meer dan een paar lage heuveltjes op een vlakte en de ruïnes van een eenvoudig kerkje. Tja, we waren jong en enthousiast, we gingen er helemaal voor en na een paar weken ontdekten we het geheim van het oude kerkje – een schacht die leidde naar een netwerk van grotten, die tot in het heuvelland liep. En op de bodem van die schacht was een steen ingegraven met hetzelfde patroon als dat op die anomale steen en op de zuil van Anselmus. Deze steen was groter, hij was *in situ* uitgehouwen en ingekrast en dus, zo dacht uw opa, zou dit de originele steen kunnen zijn. Maar veel belangrijker was dat er achter deze steen, veel dieper het grottencomplex in, muurschilderingen en reliëfs gevonden werden die veel ouder dan het kerkje waren.'

'Die waren duizenden jaren ouder,' ging Ashburton verder. 'Het waren prachtige, levendige schilderingen en etsen van paarden en gazellen. Ook talloze voorbeelden van abstracte kunst, waaronder krachtige glyphs.'

Ward zei: 'Uiteraard drong het belang van wat we gevonden hadden pas later tot ons door.'

Even doken de twee oude mannen in hun geheugen. De staande klok tikte in de stilte en de druppels vloeistof uit Wards infuuszak zorgden voor een zachte echo.

Toby, voorovergebogen in zijn stoel, hield met beide handen zijn cognacglas vast en het lamplicht viel op één kant van zijn bleke gezicht. 'Dus die sekte die die twee kerken heeft gebouwd had die glyphs uit de grotten? Waarom? Ik bedoel: als ze christelijk waren, wat deden ze dan met deze ketterse symbolen?'

Ashburton zei: 'Mijn eigen onderzoek leverde op dat de sekte geloofde dat praten in tongen – glossolalie – een integraal onderdeel van de christelijke godsdienst was. Dat was niet ongewoon in de begindagen van het christendom. De afdaling van de Heilige Geest naar de apostelen na de wederopstanding is natuurlijk een van de beroemdste voorbeelden. En leden van de kerk die Paulus in Korinthe stichtte spraken bijna zeker in tongen. Verzen in de Handelingen der Apostelen suggereren dat ook andere kerken hiermee experimenteerden. Deze gebruiken zouden zijn aangekondigd in profetische ervaringen van oude Israëlieten – Samuel geeft ons een voorbeeld in zijn eerste boek, hoofdstuk 19, vers 20-24. En uiteraard zijn er talloze voorbeelden van sjamaanse rituelen waarbij de deelnemers een extase bereiken die vergelijkbaar is met de vervoering van glossolalie. Glossolalie hoort nog steeds bij het geloof van moderne protestantse groeperingen als de pinkstergemeente en de adventisten. We nemen aan dat de christelijke sekte die de kerkjes heeft gebouwd, gebruikmaakte van de glyphs en de drug haka, om, zoals zij geloofde, spiritueel met God verenigd te worden. Ze bestonden iets minder dan een eeuw, tot het gebied door het Byzantijnse rijk geannexeerd werd. Hierna werden ze als ketters vervolgd en werden hun woongemeenschappen verwoest of versnipperd.'

'Dus ze werden high van de drug en brachten zichzelf met de glyphs in vervoering,' constateerde Toby. Hij zat helemaal in het verhaal en was totaal vergeten dat hij Alfie had gevraagd het woord te voeren. 'Maar waar kwamen die oorspronkelijke glyphs nou vandaan? Wie bekraste die stenen en maakte de schilderingen in de grotten? Was het die stam? De Kefieden?'

'De Kefieden gebruikten glyphs bij hun religieuze ceremoniën,' zei Ward, 'en beweerden dat ze die al voor de komst van de christelijke sekte gebruikten. Maar ze zeiden ook dat ze niets te maken hadden met de grotschilderingen die we vonden, en ik denk dat ze de waarheid spraken. De glyphs die wij in de grotten vonden dateren bijna zeker uit het jonge paleolithicum. Ze zijn minstens tienduizend jaar oud en gemaakt door een volk dat allang uit het gebied verdwenen was toen de Kefieden daar kwamen.'

'Abstracte patronen die lijken op die van de glyphs zijn bijna overal gevonden waar paleolithische grotkunst is blootgelegd,' vertelde Ashburton. 'Maar de complexe patronen die wij vonden zijn, voor zover wij weten, volstrekt uniek. Natuurlijk moet ik me hier beroepen op de wet van de tafonomie, de studie van wat er na de dood met organisch materiaal gebeurt. Dit is een van de belangrijkste en lastigste problemen waar archeologen mee te maken hebben. Alle archeologische vondsten zijn toevallige overblijfselen van een veel groter aantal. Hoe verder je in de tijd teruggaat, hoe groter de tafonomische factor is en hoe minder er gevonden wordt. Dus ook met prehistorische kunst. Sommige voorwerpen gingen verloren omdat ze tijdelijk waren, denk aan voorwerpen van ongebakken klei, aan houtskooltekeningen. Of omdat ze in het landschap gekrast waren – geoglyphs als het Witte Paard van Uffington, een voorbeeld dat toevallig behouden is. Er bestaan ook dendroglyphs – snijwerk in bomen – en tekeningen op hout en bladeren en tekeningen en tatoeages op het lichaam. Dat is allemaal vergankelijke kunst en er is weinig van teruggevonden. Kunst op rotswanden is blijvender, maar ook van rotskunst is niet alles behouden. En, als het behouden is, hoeft het nog niet gevonden te worden.'

Ward zei: 'Waarmee hij bedoelt dat wij na al die jaren nog steeds geen flauw idee hebben waarom glyphs niet ook op andere paleolithische afgravingen gevonden zijn.'

Ashburton ging verder: 'Toen we de glyphs vonden hadden we geen idee waar ze voor dienden of wat ze teweeg konden brengen. Destijds vonden we de realistische schilderingen van dieren veel belangrijker dan deze abstracte patronen. Gelukkig waren we zo verstandig om ons kruit niet te verschieten. We hebben er geen artikelen over gepubliceerd en er met niemand buiten de Nomads' Club over gesproken. Ik zeg gelukkig, omdat David Prentiss, Harriets opa, een jaar later ontdekte dat een seminomadisch volk, de Kefieden, dat in hetzelfde gedeelte van het Zagrosgebergte leefde, nog steeds glyphs gebruikte.

David was de slimste van ons allemaal, een antropoloog, die op eenentwintigjarige leeftijd al vloeiend Arabisch en Koerdisch sprak. Toen hij op een lokale markt vers eten ging kopen hoorde hij mensen over de Kefieden praten en raakte in gesprek met de dorpsoudsten die hem vertelden dat de Kefieden duivelaanbidders waren en wat ze "vieze dansen" noemden uitvoerden voor hun overledenen. David wilde er meer van weten. Toen we weer thuis waren ontdekte hij een beschrijving van een van die "vieze dansen" van diezelfde katholieke missionaris, Anselmus, die de zuil gevonden had die ons naar de kerk en naar de grotten eronder had geleid. Aan het begin van de lente daarop vertrok hij weer naar Irak...'

'En ging ik met hem mee,' zei Julius Ward.

'Inderdaad. Misschien kun jij beter dit gedeelte van het verhaal vertellen,' zei Ashburton.

Ward keek vanuit zijn comfortabele stoel naar Alfie en Toby, hij leek op een wijze, gerimpelde, eenogige schildpad. 'Misschien krijgen de jongelui genoeg van onze verhalen.'

Alfie zei van niet en Toby schonk nog een bodem cognac in zijn glas en merkte somber op: 'Ik neem aan dat ook dit allemaal off the record is?'

Ashburton zei: 'Ieder woord, het spijt me.'

Harriet zei kribbig: 'Jullie hebben ze al veel te veel verteld.'

Ashburton zei: 'Het is inmiddels allemaal oude geschiedenis. Sprookjes uit een ander tijdperk.'

Julius Ward zei: 'Ik vind dat meneer Flowers recht heeft op zijn familiegeschiedenis.'

'Híj is geen familie,' zei Harriet en ze bedoelde Toby.

'Ik beloof niets te zullen doorvertellen. Op mijn woord van eer en dat ik moge sterven als ik het wel doe. Ga verder met uw verhaal, dr. Ward – let maar niet op mij.'

'In de lente van 1939 kwamen David Prentiss en ik weer in Irak aan. Ik sprak wat Arabisch en een paar woorden Koerdisch, maar David sprak beide talen vloeiend. Hij kleedde zich als een inlander en wees beleefd het aanbod af van de Administratieve Raad, een escorte van drie politieagenten. Hij dacht dat we veel meer zouden ontdekken als we geen bewakers bij ons hadden. Dus trokken we alleen het Zagrosgebergte in, naar het dorpje waar de Kefieden jaarlijks overwinterden, niet ver van de plek waar we de grotten hadden ontdekt.

De Kefieden waren een trots, maar vredelievend volk, aardig, vriendelijk en gastvrij. De mannen droegen lange witte blouses en witte rokken over wijde broeken, en waren, in tegenstelling tot hun buurvolkeren, niet overdreven bewapend. Niet dat ze op goede voet met hun buren leefden. David had het jaar daarvoor ontdekt dat die hen verachtten en bang voor hen waren, maar hun geweren met lange loop gebruikten ze alleen voor de wolven die hun schapen op de bergweiden aanvielen. We bleven er drie weken en kwamen er al snel achter dat ze het oude kerkje kenden. Ze waren zelfs mateloos nieuwsgierig naar wat we er gevonden hadden. Nadat we het jaar daarvoor weggegaan waren, waren zij in de grotten geweest, maar ze vonden hun eigen afbeeldingen veel sacraler en ze beloofden ons dat we die weldra mochten zien. David sprak het grootste gedeelte van de tijd met de stamoudsten, ik deed voornamelijk eenvoudige operatieve ingrepen. Er was nog nooit een dokter bij de Kefieden geweest en ze waren als de dood voor ziekenhuizen. De meesten van mijn patiënten hadden onbeduidende kwaaltjes – verkoudheden, lichte koorts, geïnfecteerde wonden, insectenbeten, dat soort dingen – die ik succesvol behandelde met aspirine, sulfaatpoeder en verband. Maar zelfs de mensen waar ik niets voor kon doen, een meisje met tuberculose en een oude man met leverkanker, bedankten me voor mijn zorg.

Toen we in hun dorp aankwamen bereidden de Kefieden zich voor op de trek naar hun zomerweiden, hoog in de bergen, waar ze tot de herfst in tenten leefden en voordat ze weer naar het dorp zouden terugkeren. De hele stam ging, van de jongste baby tot de oudste vrouw. Alles werd op pony's geladen die de vrouwen menden, terwijl de mannen de schaapskuddes met hulp van hun woeste honden opjoegen. We reisden met ze mee, negen tot tien kilometer per dag. Ik weet nu nog hoe heet en stoffig de dagen waren, en hoe koud en helder de nachten. De sterren straalden en leken zo dichtbij dat het leek of je ze met je vingertoppen kon aanraken als je op je tenen ging staan.'

Julius Ward pauzeerde even en staarde niets ziend de oververhitte, schemerige kamer in. Toen ging hij verder: 'Op een nacht kwamen de Kefieden op de plek aan waar ze hun zomerkamp zouden opslaan. Terwijl de vrouwen en kinderen de tenten opzetten en de spullen uitpakten, glipten de mannen weg, ze liepen in stilte achter elkaar aan met muziekinstrumenten en andere dingen in leren zakken en pakken wol op hun rug. We mochten mee en klommen tot boven de sneeuwgrens naar een natuurlijk dal of bekken tussen steile, kale rotsen. Aan één kant stonden een paar knoestige, holle eiken rondom een plat rotsblok, ongeveer zo groot als deze kamer. Hier maakten de mannen een vuur, nadat ze sneeuw en ijs weggeveegd hadden. Toen het brandde trokken ze hun jassen en shirts van schapenhuid uit en beschilderden elkaars blote borstkas en rug met oker en houtskool. Allerlei geometrische figuren die glyphs werden. Toen haalden ze lange stroken berkenbast waarin ingewikkelde patronen gebrand waren uit hun tassen en hingen die aan de kale takken van de eiken. Toen ze klaar waren stapte het stamhoofd naar voren, hij ontvouwde een schapenhuid en maakte die vast, met hulp van twee jongemannen, aan een tak van de grootste eik en met pinnen in de grond. Ook hier stonden ingewikkelde patronen op, deze keer in rood en zwart. Dit alles werd met de grootst mogelijke eerbied gedaan, zoals een priester de bokaal met gewijde wijn op het altaar zet. Er werd een komfoor voor de schapenhuid gezet en aangestoken. Toen gingen de mannen zo zitten dat ze er recht naar keken. David en ik zaten ertussen, ook naakt tot ons middel, maar niet beschilderd, huiverend in de koude berglucht – en huiverend van verwachting. Pijpen werden aangestoken en doorgegeven, en daar rookte ik voor het eerst de drug van de plant die de Kefieden haka noemen.

Het stamhoofd declameerde een lang verhaal in de taal van zijn stam en op een gegeven moment zag ik dat het patroon op de schapenhuid voor ons, verlicht door het komfoor, tot leven was gekomen. Ik kan het niet anders beschrijven. Ik keek een andere kant op, maar het volgde me. Het zat in mijn hoofd. Ik zag David gelukzalig glimlachen, terwijl de tranen over zijn wangen stroomden, net zoals de mannen om ons heen. En toen begon de muziek en het dansen.

Als jullie de dansen kennen van de Mevlevî derwisjen, of de rituele geselingen van de sjiitische moslims op de dag dat ze het martelaarschap van hun heilige vieren, dan heb je een beetje een idee van deze dansen. Het bergvolk geselde zichzelf niet, maar ze bewogen zich woest en ongeremd rond het vuur dat op het rotsblok brandde, de vlammen kwamen hoger dan de toppen van de eiken, ze gaven zich er volledig aan over. Tot ze op het punt kwamen, zoals T.S. Eliot het noemt, dat ze niet meer of minder dan het middelpunt van de draaiende wereld waren. Of zoals in Yeats' gedicht over de bladeren van een kastanjeboom die fladderen in de zomerwind en zon: het was niet meer mogelijk om de danser van de dans te onderscheiden. Het was een ritueel dat zo oud leek als het bestaan van de mensheid. Het zette ons buiten de tijd. We waren niet in het verleden, in het nu, of in de toekomst...'

Na een korte stilte zei Alfie: 'Die mensen, de Kefieden – denkt u dat Morph er één van is?'

Ward keek hem aan. 'De Kefieden bestaan niet meer. Ik ben na de Tweede Wereldoorlog teruggegaan naar Irak, maar meer als saboteur, niet als archeoloog. In die tijd waren er grote onrusten in Noordoost-Irak. De Koerden dreigden met een onafhankelijkheidsoorlog en werden door Rusland gesteund. Engeland stuurde troepen om de olievelden veilig te stellen. David Prentiss en ik gingen ernaartoe om de glyphs te vernietigen, om te voorkomen dat ze in handen van de Russen zouden vallen. We bliezen een stuk van het klif op en blokkeerden het riviertje dat gedeeltelijk door de grotten stroomde. Alles werd onder water gezet of verbrand. We groeven de zuil van Anselmus op en namen die mee naar de Nomads' Club.'

Alfie vroeg of, als ze die nog hadden, hij die kon zien.

'Helaas, die is vernietigd toen de Nomads' Club afbrandde,' vertelde Ashburton. 'De stenen vielen in de kelder toen de vloer het begaf, en werden vernietigd door de val en de hitte van het vuur. Het origineel van uw opa's dagboek ging ook verloren, en nog zo heel veel meer...'

Ward zei: 'Nadat we de grotten hadden laten onderlopen en de ingang hadden geblokkeerd, gingen we de Kefieden zoeken. Maar in die streek waren er verschillende partizanengevechten geweest en blijkbaar hadden de buren van de Kefieden de kans aangegrepen om ze uit te moorden. Het is mogelijk dat uw graffitiartiest een afstammeling is van iemand die kon ontkomen en die de oude tradities in ere heeft gehouden, maar tot ik hem ontmoet heb kan ik dat niet met zekerheid zeggen.'

Clarence Ashburton zei: 'Al die jaren dachten we dat alleen de Nomads' Club het geheim van de glyphs kende. In 1939 kwamen Julius en David terug uit Irak met het verhaal van hun avonturen met de Kefieden, en met de zaden en de gedroogde bladeren van de haka. Al snel ontdekten we de werking en het effect van de glyphs en dat was het begin van onze val.'

'We experimenteerden met haka en met de glyphs,' ging Ward verder. 'Gelukkig waren de meeste glyphs die we gevonden hadden niet al te sterk, maar ja, we waren jong en dwaas en heel nieuwsgierig. We zagen te veel.'

'Toen, in de oorlog, werkten we voor de overheid,' zei Ashburton. 'Het was niet alleen dwaasheid. Toen leek het zin te hebben.'

'Geen wezenlijke,' zei Ward.

'We besloten het onderling oneens te zijn,' zei Ashburton.

Alfie herinnerde zich dat zijn opa voor de SOE werkte tijdens de oorlog toen hij zijn toekomstige vrouw ontmoette en zei: 'Jullie waren spionnen.'

'Officieel hebben we nooit voor de overheid gewerkt, alleen als adviseurs,' vertelde Ashburton. Hij tastte behoedzaam door de lucht naast zijn stoel en toen hij de rand van het blad op de poef raakte leunde hij voorover en zette er voorzichtig zijn lege cognacglas op.

'Maar officieus,' ging Ward verder, 'leverden de glyphs een belangrijke bijdrage aan de oorlog. Daarom ook werd die anomale steen uit het British Museum verwijderd. Ze waren zeer handig bij de ondervraging van gevangengenomen spionnen – de haka en de glyphs hielpen om het nazispionagenetwerk in Engeland te vernietigen en om veel van deze spionnen die valse of misleidende informatie aan hun Duitse bazen doorgaven over te halen dubbelagent te worden.'

Ashburton zei: 'Er was een glyph die een "elfenstof", zoals uw opa het noemde, meneer Flowers, op documenten afgaf waar hij op aangebracht was. Net zoals elfenstof in sprookjes glas lijkt te veranderen in edelstenen en stenen in goud, liet deze glyph nepdocumenten authentiek lijken. Een andere veroorzaakte verwarring, degene die ermee geconfronteerd werd kon zich niet meer op één ding concentreren; een derde activeerde het gedeelte van onze hersenen dat angst genereert, net zoals de huid van een gifslang ons automatisch opzij doet stappen, hoewel we niet weten waarom. Maar hoewel hun effect op de massa statistisch gezien significant was, hadden de glyphs een matig effect op een individu die er zonder haka aan werd blootgesteld. Na de Tweede Wereldoorlog werden ze niet meer gebruikt. De band tussen de Nomads' Club en de geheime dienst bleef, maar we waren van de oude stempel, herenspionnen, excentrieke fossielen van een voorbije tijd.'

'Nou, "excentriek" is een te aardig woord,' vond Ward. 'Om eerlijk te zijn hadden we veel te veel tijd besteed aan het bestuderen van de glyphs en ons werk begon zijn tol te eisen. Ik kan al jaren geen vast voedsel meer verdragen en leef op brood en deze verrekte druppelaar. Clarence is blind, maar hij heeft wel een speciale blindheid, psychiaters noemen het *blindsight*. Als je hem bijvoorbeeld in z'n gezicht wil slaan, deinst hij door de luchtverplaatsing achteruit, maar doet dat niet bewust. Zijn ogen werken perfect, maar zijn hersenen registreren niet wat zijn ogen zien. Uw opa, meneer Flowers, en Harriets opa hadden er minder last van. Ze waren wel door de glyphs geobsedeerd, maar verder gingen ze niet. En uw vader bleef er het liefst bij uit de buurt. Tegen de tijd dat hij oud genoeg was om lid te worden van de Nomads' Club wisten we wat ze een mens aan konden doen.'

Alfie vroeg: 'Maar het hield niet op na de Tweede Wereldoorlog, hè? Toen mijn vader verdween deed hij zaken of was hij op een missie die met glyphs te maken hadden.'

'Hij weet inmiddels het halve verhaal,' zei Toby, die weer wat cognac in zijn glas schonk, 'vertel hem nou ook de rest maar.'

'Het waren verkeerde zaken, zei Julius Ward. 'Bijna net zo verkeerd als dit.'

'Hier zouden we het echt niet over moeten hebben,' vond Ashburton.

'Ach, volgens mij bestaan er nu geen grenzen meer die we niet mogen overschrijden,' zei Ward.

'In zaken als deze kunnen grenzen altijd overschreden worden, Julius,' zei Ashburton.

Ward stopte het grootste deel van zijn gezicht in zijn cognacglas, zoals een honingbij uit een bloem eet, nam een slokje en zei: 'De jongen heeft het recht om het te weten.'

'Maar het is en blijft een zaak van nationale veiligheid.'

'Het was een zaak van nationale veiligheid tijdens de Koude Oorlog, maar de Koude Oorlog is voorbij, Clarence. En wij weten dat hij voorbij was voor hij goed en wel begonnen was. De Russen vormden alleen maar een bedreiging, omdat wij een bedreiging van ze maakten. Het grootste deel van hun zogenaamde kernbewapening was holle frases. Het kostte ons veertig jaar om daarachter te komen, en de levens van veel van mijn vrienden. En het leven van mijn zoon. Meneer Flowers, wilt u ons beloven dat u niets van wat u in deze kamer hoort naar buiten zult brengen? En u ook, meneer Brown?'

'Uiteraard,' zei Alfie.

Toby Brown zei: 'Doet u maar net of ik er niet ben.'

Julius Ward zei met zijn krachtige stem die helemaal niet bij zijn verschrompelde lichaam paste: 'Tenzij je een exemplaar van de Official Secrets Act bij de hand hebt, Clarence, lijkt me dit voldoende. Toen uw vader verdween, meneer Flowers, was hij inderdaad op een belangrijke missie. Hij werkte samen met mijn zoon, ook een Nomad. Een zwarthandelaar in antiquiteiten bood een uniek bekraste steen, zoals hij het noemde, te koop aan en we ontdekten dat het patroon exact overeenkwam met uw opa's anomale steen, met de zuil van Anselmus en het origineel dat begraven lag in de grotten van het Zagrosgebergte. Onze eerste gedachte was dat iemand de grotten ontdekt had. Maar volgens de handelaar kwam de steen uit de opgraving van een oud klooster in Oost-Syrië, aan de grens met Turkije.

Ashburton zei: 'Het bleek dat de sekte niet twee gebedshuizen had, zoals wij dachten, maar minstens drie.'

Ward ging verder: 'Hoe dan ook, die steen was in Libanon. Mijn zoon en uw vader deden zich voor als potentiële kopers, deden een bod, maar uiteindelijk ging de steen naar een man die volgens hen voor de Russen werkte. Toen het mijn zoon en uw vader niet lukte om de Engelse geheime dienst voor deze zaak te interesseren, namen ze zelf het heft in handen. Ze bliezen de steen en de ruimte waar die bewaard werd op. Maar de Russen namen wraak. Mijn zoon en uw vader werden over de Syrische grens gelokt met de belofte dat ze naar de vindplaats van de steen gebracht zouden worden. Daar verdwenen ze. Na de perestrojka hoorde ik van een KGB-kolonel dat ze bij een hinderlaag doodgeschoten waren en dat hun lichamen in de woestijn verbrand waren. Het spijt me, meneer Flowers, maar dat is het hele verhaal.'

'Het is al meer dan twintig jaar geleden,' zei Alfie, maar hij voelde zijn hart bonken.

Ward zei: 'Zodra ze van ons hoorden, ondernamen de Russen acties tegen de Nomad's Club zelf. Ze doorzochten het huis van mijn zoon en de flat van uw vader en staken ze in brand en deden hetzelfde met onze panden in Soho. Het was een verschrikkelijke tijd...'

Hij viel stil, keek naar iets in zijn hoofd.

Alfie dacht aan de zwartgeblakerde steenscherf die zijn vader aan Miriam Luttwak, en zij weer aan hem gegeven had. Zou dat een stukje van de veel grotere steen zijn die zijn vader vernietigd had? 'Sommige mensen beweren dat je, als je midden in de shit zit, geen tijd hebt om bang te zijn,' had Mick Flowers ooit tegen Alfie gezegd, in een van hun zeldzame vader-zoongesprekken over zijn fotojournalistiek. 'Dat is niet waar. Maar als je je blijft concentreren op wat je moet doen, dan kun je je angst aan. Dan kun je die even aan de kant zetten en doen wat je moet doen.' Alfie dacht aan zijn vader, die met zijn vriend in een open auto naar de Syrische grens was gereden. Niet de Morgan, maar vast en zeker een sportauto. Met een witte sjaal om zijn nek, zijn blonde haren naar achteren door de warme wind, zonder enige aarzeling bezig met wat hij moest doen.

'Het was een verschrikkelijke tijd,' herhaalde Ashburton. 'Het was het eind van het laatste beetje invloed van de Nomads' Club bij de regering en de geheime dienst. Dat was het moment dat we besloten ons terug te trekken uit de actieve dienst en te gaan vegeteren.'

Alfie zei: 'Maar hier zijn wij. Het gaat nog steeds door. Jullie ontdekten de glyphs, mijn vader stierf omdat jullie wilden dat hij ze geheimhield, en nu blijkt iemand anders ook van ze te weten.'

Toby zei: 'Ja, die vent, die kerel die ons probeerde te kidnappen. Christus, díé ons praktisch kidnapte. De psychiater die de psychiater van Harriets vader behandelt. En Harriets vader gebruikte de glyphs in de sekte die hij in Amerika stichtte en liet zich Antareus noemen.' Toby was aan zijn vierde of vijfde glas bezig en sprak duidelijk, maar nadrukkelijk. Hij keek naar de twee mannen. 'Dit is allemaal deel van jullie geschiedenis. Wat ik nou graag zou willen weten is wat deze kerel wil. Wat is hij met Morph van plan? En met de glyphs? Wat moet hij van ons? Dus laten we het verleden het verleden laten en laten we het over hem hebben. Over wat we met hem gaan doen. Ik bedoel: we zijn hierheen gebracht voor onze veiligheid, maar we kunnen hier niet eeuwig blijven.'

Ward zei: 'Harriet?' Hij draaide zijn hoofd om haar aan te kunnen kijken en zei nog een keer haar naam, deze keer harder.

Op het eerste gezicht leek ze te slapen. Ineengezakt in de brede armstoel, met haar blonde haar sluik langs haar smalle gezicht. Maar haar ogen stonden wijd open en staarden niets ziend in de verte, regelmatig trok er een heftige siddering door haar lichaam en haar handen – toen Alfie dat zag, sprong hij onmiddellijk op en wist hij dat ze helemaal niet sliep – fladderden als opgeschrikte vogels in haar schoot.

21

Inmiddels was Harriets aanval afgezwakt van heftige sidderingen naar een slaperige verwardheid en lag ze in bed. (Ward had zich van zijn infuus afgekoppeld en was naar boven gekomen om op haar te passen. De geruite sjaal lag nog om zijn schouders terwijl hij moeizaam, stap voor stap, de trap beklom.) Alfie zat met Graham Taylor aan een lange kloostertafel in de grote, ouderwetse keuken. Toby zat aan de andere kant met een van de mannen die het huis bewaakten. Ze deelden samen een pizza en dronken cognac en cola. Hij was nu heel erg dronken, maar hield de draad van het gesprek vast toen hij het met de forse man had over diens laatste opdracht in Irak, waar hij als bodyguard voor directieleden van oliebedrijven had gewerkt. Naast een stapel pizzadozen lagen op het gebutste houten tafelblad een automatisch pistool, een grote Mag-Lite-zaklantaarn, een walkietalkie en een laptop met op het scherm wazige wittige en grijzige beelden van de omgeving rond het huis en de tuin. Af en toe stootte de walkietalkie staccato-achtige klanken uit: de mannen die buiten op wacht stonden praatten dan met elkaar.

Alfie zei tegen Graham dat het met Harriet wel weer goed zou komen. 'Het enige wat ik na mijn zware aanvallen wilde, was slapen. En na een paar uur slaap voelde ik me weer normaal.'

'Ze vraagt veel te veel van zichzelf,' zei Graham en hij vertelde dat hij haar bij Blackfriars Bridge had opgepikt, nadat Rölf Most haar had laten gaan. Dat ze op haar benen had staan wankelen en als een dronken bokser in zichzelf had gemompeld. 'Ze wilde er niet over praten, maar ik weet gewoon dat Most iets slechts met haar heeft uitgehaald. Volgens mij heeft hij haar met een drug geïnjecteerd, iets waardoor ze ging praten. Het is haar gelukt om haar hoofd erbij te houden, maar dat heeft haar uitgeput – je hebt zelf gezien hoe ze uit die galerie kwam, toen ze ontdekt had dat Macpherson de eigenaar vermoord had. Ik had haar niet naar binnen mogen laten gaan. Ik had zelf moeten gaan, ze is verdomme veel te koppig.' Hij blies in zijn koffiekop voor hij een slokje nam. Zijn jasje hing over de rug van zijn stoel en hij had zijn hemdsmouwen tot boven zijn ellebogen opgerold. Op een onderarm zat een blauwe tatoeage van een zwaluw.

Alfie vond de man aardig. Zijn prettige, gerimpelde gezicht deed hem aan de komiek uit de *Carry On*-films denken, en hij leek betrouwbaar, recht door zee en stabiel. Graham keek over de rand van zijn kopje met alerte ogen onder dunne, zwarte wenkbrauwen naar Alfie. 'Jij zou ook moeten rusten. Hier ben je redelijk veilig. De mannen zijn allemaal ex-special forces. Ze lijken te weten wat ze moeten doen.'

'Ik ben veel te opgewonden om te slapen.' Alfie voelde zich klein en zweverig in het heldere licht van de keuken. Alles was misgegaan, hopeloos mis: hij had een verkeerd spoor gevolgd en nu was er geen weg meer terug. Hij wist nu alles over de glyphs, maar niets van wat hij had gehoord kon hij gebruiken én hij had te horen gekregen dat wat ze met hem hadden gedaan niet meer te herstellen was. En terwijl hij hier aan tafel zat, lag Harriet in bed met de naweeën van een zware epileptische aanval en zat Most achter Morph aan...

Alfie vroeg Graham wat hij van de glyphs wist, maar de privédetective schudde zijn hoofd en zei dat hij door Harriet was ingehuurd voor een surveillanceopdracht, hij moest achter een paar slechte mannen aan.

'Hele slechte mannen.' En hij vertelde Alfie over het kleurrijke leven van Larry Macpherson.

Alfie vroeg wat hij wist van Rölf Most en de andere psychiater, Carver Soborin.

'Soborin heb ik nog nooit gezien en Harriet heeft me weinig over hem verteld. Ik heb het idee dat hij hulpbehoevend is, dat hij min of meer afhankelijk van Most is. En wat betreft Most: je hebt de man zelf ontmoet en weet waarschijnlijk evenveel van hem als ik.'

Alfie herinnerde zich de witharige man die hem indringend aangekeken had toen hij vastgebonden was, het pistool op hem gericht had en geëist dat hij op een van de achterbanken van het busje ging liggen. Hij herinnerde zich hoe hij zijn hoofd schuin hield, zijn heldere vogelblik en het kleine scheve lachje toen hij zei: 'Ik zou heel graag even met je babbelen.' Waarschijnlijk, dacht Alfie, hetzelfde soort babbeltje als hij met Shareef en Watty had gehad, een babbeltje dat geëindigd zou zijn met de opdracht zelfmoord te plegen.

Tegen Graham zei hij: 'Een van Harriets vrienden zei dat de man krankzinnig is. Dat wil ik best geloven.'

Ze praatten verder over Harriet Crowley. Graham vertelde dat ze bij hem gewerkt had voor ze voor zichzelf was begonnen, dat ze de beste veldwerker was die hij ooit gehad had. 'Ze leerde snel en kende absoluut geen angst. Mijn bedrijf doet meestal routineklussen, meestal het observeren van mensen die "blijvend letsel veroorzaakt op het werk" claimen – het zal je verbazen hoeveel mensen proberen verzekeringen of hun werkgevers op te lichten –, maar ze gaf alles wat ze had. Toen ze niets meer van me kon leren, ging ze voor zichzelf werken. Ze specialiseerde zich in skip-tracing: zoeken naar mensen die niet gevonden willen worden. Mensen die met de noorderzon vertrekken zonder huur, creditcard- en elektriciteitsrekeningen te betalen... Mensen die valse adressen opgeven om een nieuwe creditcard aan te vragen en rekeningen bij winkels te openen – dat gebeurt tegenwoordig steeds vaker, vaak genoeg om iemand fulltime aan het werk te houden. En ze doet ook de heartbreakers, zaken die de meesten van ons niet aannemen. Echtgenoten die verdwijnen nadat ze een pakje sigaretten zijn gaan kopen. Mensen die om wat voor reden dan ook hun leven beu zijn en op een dag naar hun werk vertrekken, maar nooit meer terugkomen. En de ergste heartbreakers: vermiste kinderen. Weglopers. Ze is heel veel op King's Cross, op plekken waar ik niet wil wezen als het donker is. Ken je het verhaal van haar vader?'

'In grote lijnen.'

'Weet je ook dat hij weggelopen is toen ze nog heel klein was? En dat hij later zelfmoord heeft gepleegd?'

Alfie knikte.

'Een psycholoog zou waarschijnlijk zeggen dat ze de man nog

steeds zoekt. Dat al die verdwenen echtgenoten en kinderen sur-
rogaat zijn. Dat ze, door gebroken gezinnen weer bij elkaar te
brengen, probeert te regelen wat voor haar niet meer geregeld kan
worden. Dat soort blabla. Iedereen die vijf minuten met haar praat
weet dat dat kul is. Wat ze wel heeft, Alfie, is een absoluut gevoel
voor goed en kwaad. Waardoor ze af en toe verrekte lastig en koppig is, omdat de meeste mensen wel eens een slippertje maken. Het
is nou eenmaal niet makkelijk om het goede te doen. Ze heeft een
blik, misschien heb je die al eens gezien?'

'Op volle sterkte.'

'Dan weet je het. Als zij haar standpunt heeft bepaald, kun je
haar er niet meer vanaf brengen. Maar je hebt wel haar volledige
aandacht. Ze luistert naar alles wat je vertelt. En, als ze zich geeft,
dan geeft ze zich helemaal. Ze heeft je hiernaartoe gebracht en
misschien heeft ze dingen verteld die je liever niet had willen horen, maar dat deed ze omdat ze vond dat het moest.'

Graham zat midden in een verhaal over een gigantisch onderzoek onder werknemers op de postkamer van British Telecom, die
hun faciliteiten gebruikten om een fanclub voor de Kray-tweeling
op te zetten, toen Alfies mobiel overging.

Het was George Johnson. Hij was op het terrein. Er was ingebroken in Alfies caravans.

Alfie wilde er meteen naartoe. George had weliswaar gezegd dat
zijn kluis er onbeschadigd uitzag, maar hij was bang dat de fotokopieën van het logboek van zijn opa weg zouden zijn. Van wat
hij over Macpherson had gehoord, was het mogelijk dat de man
zijn kluis had gekraakt, alles eruit had gehaald en vervolgens weer
op slot had gedaan. Toby was te zat, Harriet onder invloed van
het sterke kalmeringsmiddel dat Ward haar gegeven had, de mannen die het huis bewaakten konden niet gemist worden, dus nam
Graham Taylor het op zich om hem naar Islington te rijden.

Graham erkende dat Macpherson, of Most, of wie er dan ook
ingebroken mocht hebben, allang weg zou zijn, maar toch reed hij
eerst nog door de buurt met het pistool dat hij van de chauffeur
van het busje had afgepakt op zijn schoot. Pas toen hij tevreden
was, toen hij vond dat het veilig was, stapte Alfie uit de Peugeot
en maakte het kettingslot van het hek open, hij liep achter de au-

to aan het terrein op en draaide het slot dicht. Het was na middernacht. In sommige huizen die aan het terrein grensden brandden de lampen van slapeloze mensen en in de verte loeide een politiesirene, maar verder was de stad zo donker en stil als het maar kon. Toen Graham uit de auto stapte en het portier sloot, klonk het als een pistoolschot.

George Johnson werd er wakker van. Hij was in een van de plastic stoelen voor de grote garage in slaap gevallen. Nadat Alfie de twee mannen aan elkaar had voorgesteld, vertelde George dat degene die in de caravans had ingebroken ook in zijn werkplaats had willen inbreken, maar dat toen het alarm was afgegaan.

'De politie is al geweest,' zei hij. Zijn vuisten zaten in zijn jaszakken. Hij keek strijdlustig en slaperig. 'Twee groentjes die de bekende onzin uitkraamden. Ze hebben wel vijf minuten rondgekeken, toen kreeg ik een telefoonnummer en zeiden ze dat ik tegen jou moest zeggen dat je een lijst van gestolen voorwerpen moest maken en contact moest opnemen met het politiebureau. Ik zei iets over DNA en vingerafdrukken, en toen zeiden zij dat het echt niet de inbraak van de eeuw was, waarschijnlijk een junk op zoek naar iets wat hij vlug kwijt kon om aan zijn shot te komen.'

Alfie pakte een koevoet en een grote zaklantaarn van de gereedschapsbank, schoof het mangat opzij en in het licht was het slot van de kluis duidelijk zichtbaar. George hielp met het optillen van de zware deur en zijn hart sprong op van opluchting toen hij het tasje van Marks & Spencer zag liggen, waarin de dagboeken en het logboek van zijn opa zaten. Hij trok de tas eruit, duwde de kluisdeur dicht, het harde geluid weerkaatste tegen de balken van het dak, en bracht het mangat weer op zijn plaats.

Het slot van de caravan die zijn doka was, was opengebroken. De vloer was bezaaid met papieren, negatieven en afdrukpapier uit de laden van zijn dossierkasten. Maar de apparaten waren niet aangeraakt, wat Alfie hoogst opmerkelijk vond. Een junk zou minstens een van de camera's meegenomen hebben, of de kleine stereotoren en zijn cd's. De doos waarin hij de foto's die hij gemaakt had van Morphs graffiti bewaarde lag tussen de zooi op de vloer, maar hij kon de foto's zelf zo gauw niet vinden. Hij wist zeker dat die en de negatieven weg waren. De caravan waarin hij woonde was in dezelfde staat: ieder kastje en laatje was opengetrokken en de inhoud was op de grond gesmeten, ook een doos spullen die zijn laatste ex nog zou komen halen.

Hij smeet zijn opa's logboek en dagboeken in een reistas, met een paar shirtjes, wat ondergoed, zijn scheerapparaat en tandenborstel en zei tegen George dat hij een paar dagen weg zou zijn.

'Zit je in moeilijkheden?'

'Het heeft niets met de politie te maken.'

'Dat vroeg ik niet.'

'Voornamelijk oude familiezaken.'

'Hoe kan ik helpen?'

'Wil je het hier voor me in de gaten houden? Ik verwacht niet nog meer toestanden – ze hebben waar ze voor kwamen. Maar als je iets verdachts ziet, als je denkt dat iemand de boel hier in de gaten houdt, zoiets dergelijks, bel dan de politie. Ga er niet zelf op af.'

'Ik neem aan dat jij denkt dat dit geen normaal inbraakje is.'

'Ik leg het allemaal uit als ik terug ben,' beloofde Alfie.

Graham riep zachtjes. Hij stond in de diepe schaduw van bosjes en bomen die aan de rand van het terrein stonden en wees naar de spoorbaan toen Alfie bij hem was. Alfie zag twee, drie, vier schaduwen over het hek van het park aan de overkant glippen, de helling af. Een struikelde, rolde naar beneden, stond op en liep dwars over de spoorlijnen. Even later rammelde iemand aan het hek bij de ingang van het terrein.

Opmerkelijk kalm zei George: 'Wie het ook zijn, 't zijn in ieder geval bendeleden.'

Graham zei: 'Ik vind dat we hier weg moeten, heren. De vraag is alleen: hoe krijgen we het hek open zonder dat we dat tuig binnenlaten?'

Alfie vroeg: 'Kun je er niet dwars doorheen rijden?'

'Wel met een grotere auto en zonder dat kettingslot van jou.'

'Dat regel ik wel,' zei Alfie.

Hij slingerde zijn cameratas en reistas op de achterbank van de Peugeot, rende naar de garage, pakte de onkruidverbrander, gooide die over een schouder en rende weer naar buiten, achter de auto aan die naar het betonnen plaatsje reed. Twee gedaantes duwden tegen het hek, hun handen hadden de tralies vast en ze duwden en trokken het hek heen en weer voor zover het kettingslot dat toeliet. Toen Graham de autolampen aandeed, keken ze verschrikt op en verdubbelden hun pogingen.

Alfie zag kapotte, derdehands kleren, lang haar om gezichten die zwart waren van het ingetrokken vuil. Handen hadden zich als zeesterren om de tralies geklemd. Hun monden gingen geluidloos open en dicht. Hun vrienden rammelden al aan het hoge hek bij de spoorbaan. De bosjes daarlangs bewogen en ritselden alsof het hard waaide. Alfie greep de aansteker die altijd aan een touwtje aan de onkruidverbrander hing en zette de brandstoftoevoer een stukje open. Het propaangas floepte aan, Alfie zette de brandstoftoevoer maximaal open en richtte de blauwe langwerpige vlam op de handen om de tralies. De twee mannen huilden als honden en wankelden achteruit terwijl ze de vlammen aan hun mouwen probeerden te doven. Het lukte Alfie om de sleutel in het hangslot te steken, maar toen wilde een van de mannen hem grijpen en moest hij loslaten. George stapte nu uit met de grote moersleutel in zijn hand en gaf hem zo'n dreun dat de man tegen het hek viel. Het hek trilde en de man viel jankend op zijn kont.

Alfie pakte het slot, draaide de sleutel om, duwde de hekdeuren open, draaide zelf om en rende naar de Peugeot. Een zwarte Range Rover kwam de straat in rijden, remde en blokkeerde het hek. Vanuit de bosjes achter op het terrein rende een man naar Alfie toe. Met zijn armen stijf langs zijn lichaam, zijn hoofd vooruitgestoken. Hij rende zo hard dat hij niet kon stoppen toen Graham de Peugeot op zijn pad zette. De rennende man klapte tegen de zijkant van de wagen en viel op zijn rug. Nu doken er nog meer mannen uit de bosjes op die naar George renden, die naar de brandweerauto liep. Hij zwaaide met de moersleutel naar een van hen, maar miste. Op het moment dat de zwaai van de moersleutel hem uit evenwicht bracht was de man bij hem en sloeg deze zijn armen om hem heen. George gaf hem een kopstoot en worstelde zichzelf vrij en sloeg met de moersleutel op het achterhoofd van zijn aanvaller. De man viel als een blok op de grond. George zwaaide met de moersleutel heen en weer, stapte naar voren als de andere mannen naar achteren stapten, vroeg ze buiten adem of ze soms zin in klappen hadden, gooide toen de sleutel naar ze toe en dook naar de brandweerauto, hees zichzelf in de cabine, trok het portier dicht en startte de motor.

Uit de Range Rover die de ingang blokkeerde, stapten twee mannen: de blonde man die op de parkeerplaats bij het flatgebouw een pistool op Toby en Alfie gericht had en een andere die glimlachte naar Alfie, zijn vinger heen en weer bewoog als een leraar die een stout kind waarschuwt en een arm omhooghield om zijn ogen tegen de felle koplampen van de brandweerauto te beschermen.

De brandweerauto trok op, ging harder rijden en racete langs de Peugeot. De twee mannen sprongen respectievelijk naar links en naar rechts toen hij door de poort denderde en met een verschrikkelijke klap de Range Rover raakte. Toen reed hij een paar meter naar achteren, toen weer naar voren en schoof de Range Rover aan de kant.

Alfie rukte het portier van de Peugeot open en liet zich naar binnen vallen. Graham trapte op het gaspedaal en de auto schoot door de kleine opening tussen het hek en de brandweerauto. Slipte honderdtachtig graden toen Graham de handrem aantrok, bonkte zo hard over een verkeersdrempel dat Alfie omhoog veerde, zijn hoofd tegen het plafond stootte en op zijn tong beet. Hij zag een helder wit licht. Hij greep het handvat boven het portier stevig vast en zag mannen achter de Peugeot aan rennen. Graham nam de bocht in de derde versnelling en zei: 'Ik denk dat je beter je gordel om kunt doen.'

De auto vloog over twee verkeersdrempels.

Terwijl hij met z'n gordel bezig was zei Alfie buiten adem: 'Ze werken de losse eindjes weg.'

'Als ze hier voor jou waren...'

'Ze zullen ook wel naar de Nomads' Club gaan.'

Er dook een licht op in het achteruitkijkspiegeltje. Graham vloekte en de Peugeot schoot weer naar voren, even met alle wielen van de grond, over een verkeersdrempel, de motor kraakte toen Graham van z'n vijf naar z'n drie schakelde en Caledonian Road opdraaide.

Caledonian Road 's nachts: aan beide zijden geparkeerde auto's en busjes onder het oranje licht van de straatlantaarns, donkere winkelruiten, een paar mannen voor een Turkse coffeeshop die nieuwsgierig naar de Peugeot keken die voorbij sjeesde met de Range Rover erachteraan. Graham reed met negentig kilometer per uur naar King's Cross en nam steeds de andere weghelft als hij langzamere weggebruikers inhaalde. Alfie zag twee auto's voor een rood stoplicht staan. Graham zei dat hij zich goed vast moest houden, week ineens uit en reed dwars over de kruising. Pal voor een bus langs die keihard toeterde en met zijn koplampen het raampje naast Alfie verlichtte. Toen waren ze erover en reden ze naar de brug. Alfie zag in de buitenspiegel dat de bus stilstond, terwijl hij het hele kruispunt blokkeerde, en zei tegen Graham dat hij wat langzamer kon gaan rijden.

'Ben je bedonderd!'

De Peugeot spoot toen het groen was het kruispunt over, er flitste een camera en Graham schoot zonder vaart te verminderen met een scherpe bocht rechtsaf de eenrichtingsstraat Gray's Inn Road in, schakelde weer terug naar z'n drie en trok de handrem weer aan om een halve draai te maken. Op dat moment klapte er een achterband. Heel even dacht Alfie dat het een pistoolschot was. Het busje gleed zijwaarts weg en de neus klapte naar beneden, stuiterde op de stoeprand, bonkte de stoep op en trok een elektriciteitskastje mee, met net zo'n klap als Watty op het dak van het busje had gemaakt. Het portier naast Alfie verboog; het raampje spatte uiteen, er kwamen splinters in zijn handen en gezicht. Graham trok aan het stuur, de motor brulde en ze roken brandende olie. De klapband maakte een flapgeluid toen de rokende flarden ervan af vlogen; de kale velg klonk als een slijpsteen waar een vonkenregen vanaf spatte.

Graham vocht met het stuur, maar op Euston Road blokkeerde de klapband definitief. De achterkant van de Peugeot ramde de vangrail, de motor sloeg af en wilde niet meer aanslaan en Graham riep naar Alfie dat hij voor zijn leven moest rennen.

Alfie moest met zijn volle gewicht tegen het portier hangen voor het openging. Hij klauterde naar buiten, zijn kapotte knieën protesteerden. Toen hij zijn reistas en cameratas van de achterbank wilde pakken, stopte een paar meter achter de Peugeot met piepende remmen de zwarte Range Rover, de koplampen gloeiden in het oranje licht van de lantaarnpalen. De voorportieren zwaaiden open en de twee mannen stapten rustig uit. Graham drukte zich omhoog, tegen het plafond, riep een waarschuwing en schoot één keer in de lucht. Alfie dook weg, maakte zich zo klein mogelijk. Graham riep weer, hij riep dat als de mannen nog één stap zouden zetten, hij ze dood zou schieten.

De zwartharige man in het spijkerjasje glimlachte en pakte een automatisch pistool uit zijn broekband. Hij nam er de tijd voor, Graham mocht zelfs nog een keer schieten, maar toen strekte hij zijn arm en schoot. Alfie zag Grahams hoofd naar achter schieten en zag hem achter de Peugeot in elkaar zakken. In de verte, onder het afdak van King's Cross Station, zagen mensen dat de man in het spijkerjasje naar de Peugeot liep, om de kapotte motorkap heen. Alfie begon woordloos te gillen toen de flits van het genadeschot het gezicht van de man verlichtte.

22

Harriet werd in de muffe logeerkamer van Clarence Ashburton wakker met een knallende koppijn, een droge tong waar ze tijdens de aanval die ze zich niet kon herinneren op gebeten had en een ontzettende angst. Ze kleedde zich aan in het licht dat door de stoffige gordijnen viel, haar vingers vochten met knopen en knoopsgaten en ze probeerde zich te herinneren wat ze nog wist van het naar bed gaan. De oude mannen hadden Alfie en Toby verteld van de ontdekking van de glyphs, en toen... was er niets, een gat. Ze ging naar beneden en trof Toby Brown, Julius Ward en Clarence Ashburton in de studeerkamer. Toby zat geknield tussen de stoelen van de oude mannen, gebogen over een grote plattegrond van Noord-Irak die op de vloer lag. Ward wees met zijn wandelstok iets op de plattegrond aan.

'Geen sprake van!' zei ze.

Toby keek glimlachend op. 'Ah, Doornroosje is wakker.'

'Hoe voel je je, lieverd?' vroeg Ward.

Harriet zei tegen Toby: 'Geen sprake van dat jij naar Irak of naar de vindplaats van de glyphs gaat. Zet het maar uit je hoofd. En waar is Flowers?'

'Ik zal je even kort op de hoogte brengen.' En hij vertelde dat Graham Taylor Alfie de afgelopen nacht naar zijn terrein had gereden nadat zijn huurder had gebeld om te vertellen dat er was ingebroken in zijn caravans, dat Graham en Alfie in een hinderlaag van Rölf Mosts mannen gelopen waren en dat Alfie gekidnapt was. 'En ik ben bang dat ik nog slechter nieuws heb. Ik weet niet hoe ik het moet brengen, dus ik zeg het maar gewoon recht voor zijn raap: je vriend Graham is doodgeschoten.'

Het was doodstil in de kamer, de drie mannen wachtten tot Harriet iets zou zeggen. De blinde ogen van Clarence Ashburton staarden nét naast haar gezicht.

'Graham heeft een vrouw, een ex-vrouw. En twee puberdochters. Weten die het al?' Ze moest de woorden uit haar droge keel persen.

Toby zei dat de politie contact met hen zou opnemen. Harriet liep naar een stoel, ging zitten en luisterde verdoofd hoe hij uitlegde dat Graham en Alfie haar Peugeot geleend hadden om naar Islington te rijden. De politie had de eigenaar opgespoord en toen ze merkten dat ze niet thuis was, hadden ze haar mobiel gebeld. Dat nummer stond in het geheugen van Grahams mobiel, en Julius Ward had opgenomen.

'Ze hadden heel veel vragen voor je,' zei Toby, 'maar Julius hield vol dat je niet in staat was om met iemand te praten.'

'Wat helemaal waar was,' zei Julius.

'Toch kwamen ze langs, maar het hoofd beveiliging heeft ze weggestuurd.'

'Jullie hadden me wakker moeten maken.'

'Je was helemaal van de wereld,' zei Toby. 'Je hebt dwars door alles heen geslapen.'

Ward vroeg weer hoe ze zich voelde. Had ze hoofdpijn, voelde ze zich anders dan anders, zag ze flitsen?

Zo kwam ze erachter dat ze een zware epileptische aanval had gehad.

Ashburton schraapte zijn keel en begon te vertellen dat er geen eind kwam aan de nachtelijke toestanden, maar Harriet wilde niet nog meer slecht nieuws horen en kon niet meer stilzitten. Ze voelde de muren op zich af komen, ze wilde haar hoofd leegmaken en ging een lange wandeling maken op Tooting Common, op discrete afstand gevolgd door Mark Mallett, directeur van het bedrijf dat het huis van Ashburton bewaakte. Ze liep snel. Het holle gevoel in haar borst dat ze had sinds het bericht van Grahams dood vulde zich met schuld en walging als een gat in de natte grond dat vol modder loopt.

Het was een heel gewone zaterdag. De lucht rook zoetig, grote wolken dreven langs de hemel, mensen lieten hun hond uit, kinderen renden rond, er werd gevoetbald. Er welde een droge snik in haar keel op en ze moest even huilen. Hete, boze tranen die ze met haar mouw wegveegde. Het deel van haar hersenen dat niet in beslag werd genomen door de poging de monsterachtigheid te bevatten van wat er gebeurd was, wist dat het tranen van boosheid waren, niet van verdriet. Dat zou later komen...

Ze liep terug naar huis en wachtte bij het hek op Mark Mallett. Hij was een keurige ex-SAS-man van middelbare leeftijd. Zijn handen had hij in de zakken van zijn leren jasje gestopt en zijn gezicht stond neutraal. Ze vroeg wat hij tegen de politie had gezegd en hij zei dat ze niet ongerust hoefde te zijn, hij had zich op de vlakte gehouden. 'Ik heb ze verteld dat mijn mannen het huis van de heren Ashburton en Ward bewaken omdat hun levens bedreigd werden. Toen wilden ze natuurlijk weten wie er gedreigd had en waarom er nooit aangifte is gedaan. Ik zei dat de aard van de bedreiging niet zo duidelijk was en dat er waarschijnlijk daarom geen aangifte is gedaan. Ze waren niet blij, zeker niet toen ze een uur later weer moesten komen. De inspecteur van dienst heeft me overduidelijk laten weten dat hij met je wil praten, hoe eerder hoe beter.'

'Waarom kwamen ze terug?'

'Heeft niemand je verteld wat er hier gebeurd is?'

'Hier? Ik dacht dat het op King's Cross was.'

'Ze hebben de caravans van Flowers overhoopgehaald en een paar uur later waren ze hier. Ze probeerden binnen te komen.'

Mark liet Harriet een roetplek zien op de oprijlaan en platgetrapt gras. Het waren er twee, vertelde hij. Twee mannen die zichzelf in brand hadden gestoken en langs de truck renden die de oprijlaan blokkeerde, op weg naar de voordeur. 'Mijn man in de truck schoot op ze en verwondde ze allebei, en tegen de tijd dat mijn andere mensen er waren had hij ze al met een brandblusser besproeid. Prima werk als je het mij vraagt – als je hem een bonus wilt geven, zal ik die met plezier aan hem doorgeven. Enig idee waarom ze zichzelf hier in de fik zouden willen steken?'

Harriet begreep meteen dat het om bezeten boeren ging, zonder twijfel bewerkt met het glyphpistool van Most, maar dat kon ze Mark niet vertellen. En ook de politie niet. Ze zat de hele zondagmiddag in een verhoorkamertje op Paddington Green en liep met twee Special Branchers de vrijdagnacht minutieus door, maar zei geen woord over Rölf Most, Larry Macpherson, glyphs of bezeten boeren. De Special Branchers lieten haar foto's zien van de lichamen van de twee mannen die zichzelf in brand gestoken hadden, wilden haar choqueren met close-ups van gezwollen gezichten en verbrande huid. Ze vertelden dat één Ierse arbeider geen vaste verblijfplaats had en dat de ander een zwerver was die geen ID-bewijs bij zich had.

Voor het verhoor begon had Harriet een speld tussen de tweede en derde vinger van haar linkerhand verborgen, de punt rustte tegen haar handpalm. Als ze merkte dat ze zich liet inpakken door de verschrikkingen die de Special Branchers haar lieten zien, sloot ze haar hand en prikte zichzelf met de speld. De speldenprikjes hielden haar geest helder en scherp. Volgens haar lokte Macpherson die mannen met drank of drugs naar de Range Rover, of misschien trok hij ze gewoon van straat. Hij sproeide de drug in hun neusgaten, plakte hun oogleden vast. En Rölf Most leunde voorover met het glyphpistool in zijn hand...

Ze prikte zichzelf weer met de speld, zei tegen de Special Branchers dat ze de mannen nog nooit had gezien en geen idee had waarom ze zichzelf in brand gestoken hadden. Ze vertelden haar dat een andere man, een junk met een lange lijst veroordelingen wegens kruimeldiefstal, zwaar gewond was geraakt op het terrein van meneer Flowers en momenteel in coma lag in het Royal Free Hospital. Ze lieten haar een foto van hem zien en vroegen of ze hém kende. Ze lieten haar een korte video zien van de moord op Graham Taylor, opgenomen door bewakingscamera's op King's Cross. Drie wazige filmpjes vanuit verschillende hoeken, alle drie met hetzelfde gruwelijke eind. Ze lieten haar foto's van Taylors lichaam zien, ingeklemd tussen de zijkant van haar auto en de vangrail, zijn hoofd opzijgedraaid, zijn gezicht een bloederige massa. Ze lieten haar foto's van Macpherson en zijn blonde maat zien en vroegen of ze deze mannen kende, waarom ze Graham Taylor doodgeschoten hadden en waarom ze Alfie Flowers ontvoerd hadden.

Harriet gebruikte de speld, liet niets van de shock, haar kwaadheid en verdriet merken, gaf nietszeggende antwoorden. De Special Branchers lieten weten dat ze vonden dat ze niet meewerkte en zeiden aan het eind van het verhoor dat ze haar niet konden vasthouden op dit moment, maar dat ze binnenkort weer met haar wilden praten. Ze wachtten een volle minuut op haar antwoord, keken haar streng aan, maar moesten haar laten gaan.

Die avond belde haar MI6-contactpersoon, Jack Nicholl. 'We moeten praten. Zelfde plaats als vorige keer, acht uur precies.'

Harriet begon te vragen of hij wist waar Most was, maar hij had al opgehangen.

De afspraak was in een restaurant in St. James's Park en ze wandelden langzaam om het meer heen. Nicholl luisterde aandachtig naar Harriets verhaal over de inbraak op het land van Alfie Flowers, de achtervolging in de auto's en de executie van Taylor. Toen ze klaar was zei hij: 'De SB'ers lieten mij ook die opnames van de moord op je vriend zien. Heel onsmakelijk.'

Macpherson had even gewacht voor hij het genadeschot loste. Hij had rondgekeken, een camera gezien die op hem gericht was en had recht in de lens gelachen, een koude, wrede, dierlijke lach die al zijn tanden ontblootte. Harriet wist dat hij haar wilde laten weten dat híj haar vriend had neergeschoten en vermoord. Dat hij haar uitdaagde om hem te volgen. En ze wist ook zeker dat daarom die twee bezeten boeren naar Ashburtons huis gekomen waren.

Ze vroeg: 'Zijn Most en Macpherson nog in het land?'

'Ze zijn twee uur nadat je vriend vermoord is vertrokken. Een privévliegtuig vanaf Biggin Hill. Stopte in Athene om bij te tanken. De piloot tekende de brandstofrekening op de startbaan, niemand ging in of uit het vliegtuig. En toen vloog het door naar Zuidoost-Turkije.'

'Naar Diyarbakir.'

Jack Nicholl keek haar aan. Het was een zonnige ochtend en zijn ogen zaten achter een zonnebril verstopt. Hij had een exemplaar van de *Daily Telegraph* onder zijn arm.

Ze ging door: 'Daar woonden Musa Karsu en zijn vader voor ze hiernaartoe kwamen. Ze vluchtten van Irak naar Turkije. Musa Karsu's vader werd gearresteerd, zat in de gevangenis en toen hij vrijgelaten werd kwamen ze naar Londen.'

'Het vliegtuig landde om ongeveer halfnegen 's ochtends lokale tijd op Kaplaner in Diyarbakir en vertrok een uur later in zuid-oostelijke richting. Meer weten we niet. We hadden niemand die op tijd op het vliegveld kon zijn om te controleren waar ze naartoe gingen en het leek ons geen goed idee om de lokale politie in te lichten. En hoewel we er vrij zeker van zijn dat ze naar Irak vlogen toen ze Diyarbakir verlieten, weten we niet precies waarnaartoe. Inkomende en uitgaande vluchten staan nog steeds onder Amerikaans toezicht en we vinden het beter om ze niets te vragen, gezien de CIA-connectie van Macpherson.'

'Waarschijnlijk vliegen ze naar Mosul. Vandaaruit is het nog maar een klein stukje de bergen in naar de plek waar de Nomads' Club de glyphs gevonden heeft.'

'Dat lijkt me meer dan waarschijnlijk. Zullen we even gaan zitten?'

Ze gingen op een bankje zitten en keken over het meer, waarin een fontein wit water spuwde. Ganzen ruzieden over broodkorsten die iemand gestrooid had. Keurig geklede mannen en vrouwen liepen met aktetassen, attachétassen en laptops naar hun werk. Er liep een man met een bolhoed, zelfs in Whitehall een opvallend gezicht.

Harriet zei: 'Alfie Flowers had gelijk. Benjamin Barrett en Musa Karsu waren geen vrienden meer. Misschien was Musa Karsu bang geworden. Misschien had hij gezien dat die boeren de flat van Barrett in de gaten hielden en wist hij wie ze waren, wat hun komst betekende. Dus vluchtte hij. Hij ging terug naar waar hij vandaan kwam.'

Nicholl knikte. 'Het probleem is dat hij op diverse manieren het land kan hebben verlaten. Ik laat de meest voor de hand liggende plaatsen controleren – vliegvelden, Eurostar en zo – maar hij is nog niet gevonden. Hij kan ook een ferry over het Kanaal hebben genomen, of zo'n goedkope bus, die je in vijf dagen naar Istanbul brengt, als die tenminste onderweg niet kapotgaat. Of hij kan iets geritseld hebben met een visser die gewoonlijk zijn geld verdient met mensensmokkel de andere kant op. En dan gaan we ervan uit dat hij terug is gegaan. Wat we ook niet zeker weten.'

'Wíj weten het niet zeker, maar Most wel,' zei Harriet. 'Die ging naar Diyarbakir, omdat Barrett hem verteld moet hebben dat Musa Karsu daarnaartoe was gegaan.'

'Onze vriendin van MI5 heeft me een grote gunst verleend. Haar informant gaat voor ons dingen uitzoeken. Als hij iets te weten komt, laat ze jou dat vanmiddag weten.' Nicholl pakte de *Daily Telegraph.* 'Hier zul je wat interessants in vinden. En mocht je besluiten om door te gaan, laat het mij dan vooral níét weten.'

'Ik begrijp het.'

'Wat betreft mijn mensen is de zaak rond. Most en Macpherson zijn het land uit, en zijn het probleem van een ander geworden. Ik ben het daar niet mee eens, maar...'

'Je handen zijn gebonden.'

'Het is een smerige zaak,' zei Nicholl en hij staarde over het meer. 'Drie koelbloedige moorden, en dan nog de mensen die ze opofferden. Die twee die zichzelf in brand staken, die man in coma en die twee anderen. Die overleven het geen van allen, hè?'

'Bezeten boeren leven nooit lang. Hun spijsvertering is blijvend ontregeld.'

Nicholl schudde zijn hoofd en zei weer: 'Een smerige zaak. Ik wil echt niet weten wat je plannen zijn, Harriet. Maar als dit achter de rug is, mag ik je dan op een drankje trakteren? Dan kunnen we het er informeel over hebben.'

'Goed idee,' vond Harriet en tot haar eigen verbazing meende ze dat.

'En wat je ook gaat doen: wees voorzichtig.'

Toen hij weg was, pakte Harriet de *Daily Telegraph* en liep met een lange omweg door West End. Toen ze ervan overtuigd was dat ze niet gevolgd werd, liep ze een Starbucks in en bekeek de twee vellen papier die in de krant gevouwen waren. Op het ene vel stonden een tijd en een plek voor de afspraak met Susan Blackmore, de MI5-agente, wier Koerdische informant Ergüner voor Harriet aan het rondvragen was, en het andere was een infrarood-satellietfoto van een berglandschap. Met een grijze viltstift was een smal dal omcirkeld. Een pijl wees naar een stel kleine, witte ruitjes waar VOERTUIGEN op stond.

Op de achterkant stond een korte tekst in een duidelijk handschrift.

Genomen door Quick Bird-satelliet, 06.20 GMT
maandag 7 juni. Ik denk dat je weet waar dit is,

Harriet. Ik ben bang dat die klootzakken bij de
voordeur van de oude speeltuin van je opa staan.

Susan Blackmore had positief nieuws. Harriet ontmoette haar in een van de dekmantelkantoren van MI5, een doolhof van kleine kamertjes in een gebouw dat ooit een bedrijf was geweest dat kaas aan restaurants leverde. Vlak bij Holborn Viaduct. Blackmore vertelde dat Ergüner iemand had gesproken die op Musa Karsu's schamele bezittingen paste. 'Musa Karsu heeft ze afgelopen dinsdag naar zijn vriend gebracht. Hij zei dat hij naar huis moest.'

'Zei hij waar?'

'Die vriend denkt ergens in Turkije.'

'Heeft hij Diyarbakir genoemd? Dat is een stad in Zuidoost-Turkije.'

'Hij heeft helemaal geen plaats genoemd.'

'Weet die vriend hoe Musa Karsu ernaartoe wilde gaan?'

Susan Blackmore schudde haar hoofd. 'Blijkbaar had Karsu grote haast. Hij dumpte zijn spullen, vroeg zijn vriend of hij erop wilde passen tot hij terug was en verdween meteen weer.'

'Wat zijn het voor spullen?'

Susan Blackmore keek in haar boekje. 'Wat kleren, een draagbare tv, een doos met pennen en verfspuitbussen, strips. Niets interessants volgens Şivan.'

Harriet ging naar een reisbureau en ontdekte dat er zes manieren waren om naar Turkije te gaan. Met de auto of met de trein, met de ferry vanaf Venetië, Brindisi of Triëst en met de ferry of draagvleugelboot vanuit Griekenland. Als hij geen geld had voor een directe vlucht vanuit Londen, of dat niet durfde, zou hij meerdere dagen nodig hebben om Turkije te bereiken. En dan minstens nog een dag om in Diyarbakir te komen, misschien nog langer als hij gelift had. Wat betekende dat er een grote kans bestond dat Karsu nog onderweg was en dat zij voor hem in Diyarbakir kon zijn...

Toen ze weer bij Ashburtons huis was, wachtte Toby al ongeduldig op haar. Hij had nieuws. Hij had van zijn ex die bij Amnesty International werkte, gehoord dat deze organisatie niet alleen een brievencampagne had opgestart voor Karsu's vader en twaalf andere mannen, die allemaal tegelijkertijd door de Turkse politie waren gearresteerd, maar ook dat een invloedrijk man in Diyarbakir geprobeerd had te bemiddelen.

'Musa Karsu moet die man kennen,' zei Toby nadat Harriet op haar beurt verteld had wat Susan Blackmore verteld had. 'Als hij inderdaad naar Diyarbakir onderweg is, wil hij misschien die man opzoeken. En doet hij dat niet, dan kent die man vast en zeker vrienden van hem en kan hij een idee hebben waar Karsu logeert.'

Harriet gaf toe dat het goed mogelijk was, en dat het een manier was om vóór Most en Macpherson de jongen te vinden.

'Je bedoelt dat het voor óns een goede manier is,' zei Toby en hij wapperde met twee vliegtickets naar Diyarbakir. Hij vertelde dat Ashburton contact had opgenomen met een oude vriend die hen kon helpen, een archeoloog die al meer dan dertig jaar in Turkije woonde en werkte. 'We sporen Karsu op en bedenken iets om van die slechteriken die achter hem aan zitten af te komen. Desnoods gebruiken we hem als lokaas om ze op te jagen, gaan we naar de plaatselijke politie, of wat dan ook. Als we er maar achter komen wat ze met onze Alfie hebben gedaan.'

Wat betreft Toby was het al geregeld. Harriet besloot niet te protesteren, maar vertelde niet dat zijn vriend praktisch zeker dood was, vermoord nadat Most alles wat hij wist uit hem gewrongen had. Ze vertelde ook niets over de satellietfoto, en ook niet dat Most waarschijnlijk al op dit moment de grotten onder het kerkje waar de glyphs gevonden waren aan het onderzoeken was. Ze zou de journalist helpen met het zoeken naar Musa Karsu in Diyarbakir – twee dagen moest genoeg zijn om erachter te komen of de jongen teruggegaan was – en dan zou ze alleen naar Irak gaan, naar het Zagrosgebergte en de vindplaats van de glyphs. Wat ze dan zou gaan doen wist ze nog niet, maar ze hield er ernstig rekening mee dat ze niet terug zou komen. Ze hief haar spaarrekeningen op en wisselde het geld in voor Amerikaanse dollars. Volgens een van Malletts veiligheidsmensen, ook een ex-SAS'er die na de invasie in Irak gewerkt had als lijfwacht, was het heel makkelijk om wapens en explosieven in Irak te kopen. Het land zat er vol mee.

Harriet wist dat ze dit allemaal deed omdat Macpherson haar had uitgedaagd.

Ze wist dat ze dit deed om de moord op Graham Taylor te wreken.

Ze wist dat ze dit deed als boetedoening omdat haar vader de Nomads' Club verraden had.

Het kon haar niets schelen.

DEEL TWEE

DE BRON

23

Harriet en Toby zaten al meer dan zeven uur in de lucht, inclusief een tussenstop van twee uur in Istanbul, omdat er geen directe vluchten meer waren tussen Londen en Diyarbakir. Het grootste deel van die tijd zat Toby met zijn neus in een dikke biografie van sir Henry Wotton (1568-1639), een adellijk dichter die naar het buitenland was gestuurd om te liegen voor het heil van zijn vaderland, en maakte cryptische aantekeningen in een klein ringbandje. Ondertussen dronk hij de jus d'orange met wodka die hij in de taxfreeshop op Heathrow had gekocht. Harriet repeteerde hun cover en nam haar plannen door. Ze was bedacht op zwakke plekken, werkte zo veel mogelijk varianten uit, probeerde zichzelf ervan te overtuigen dat ze na aankomst niet overvallen zouden worden en probeerde te bedenken wat ze kon doen als ze wél overvallen werden. Tegen de tijd dat ze in Diyarbakir landden zat haar maag in een stevige knoop, was de hoofdpijn die nooit verdwenen was nadat Most haar met het glyphpistool bewerkt had, uitgegroeid tot een bonken achter haar slapen en zag ze lichtflitsen in haar ooghoeken. Ze was bang dat het voortekenen waren van een aanval, dat de glyphs haar hersenen blijvend beschadigd hadden, net zoals bij Clarence Ashburton, Julius Ward en Alfie Flowers. En natuurlijk haar vader.

Hun contactpersoon, Richard Elfingham, wachtte in de aankomsthal. Hij was heel wat ouder dan op de foto van Ashburtons goede vriend en ex-collega, die in Harriets jaszak zat. Een lange, gekromde man in een safaripak, met een warrige bos wit haar en een doorgroefd, diepbruin gezicht met voor zijn borst een vel papier met in grote letters Harriets naam erop. De hele wereld kon het lezen.

Harriets zelfbeheersing was meteen verdwenen. Ze rukte het vel papier uit zijn handen, scheurde het in tweeën, verfrommelde de stukken zo klein mogelijk en gooide ze zo ver mogelijk weg. Alsof ze zo alle ergernissen weggooide die haar sinds het wakker worden dwars hadden gezeten en sinds ze had gehoord dat Graham Taylor vermoord en Alfie Flowers gekidnapt was.

Toby kon het niet laten om commentaar te leveren: 'Geweldig! Want we willen niet de aandacht op ons vestigen, hè?' En hij stelde zich aan de archeoloog voor, schudde zijn hand en bedankte hem ervoor dat hij zijn werk wilde onderbreken om naar het vliegveld te komen om een paar onbekenden te helpen.

Richard Elfingham verzekerde hem dat het helemaal geen moeite was om twee collega's van Clarence Ashburton te helpen. 'Een vriend van Clarence is een vriend van mij, en nu kan ik eindelijk mijn schuld inlossen voor een dienst die hij me jaren geleden bewezen heeft. Hij krabt op mijn rug, ik op die van jullie en zo blijft de wereld draaien.'

Harriet gaf hem ook een hand en verontschuldigde zich voor haar gedrag. Haar woede was al weer verdwenen, ze schaamde zich alleen nog. 'Het was niet uw fout, maar de mijne. Ik had duidelijk moeten zeggen dat anderen de jongen ook zoeken. Mensen die hem kwaad willen doen.' En toen zei ze tegen Toby dat ze de archeoloog onder vier ogen wilde spreken en trok de man met zich mee.

'Die andere gunst die ik u vroeg,' begon ze. 'Daar hebben we het later wel over. Maar geen woord erover tegen meneer Brown.'

Richard Elfingham legde een vinger naast zijn neus. Een mooie, minstens twee keer gebroken neus die naar links helde en hem het profiel van een Romeinse keizer gaf. 'Maak je niet bezorgd. Ik weet nog hoe we vroeger opereerden – cirkels binnen cirkels, niet meer weten dan nodig is en zo. Alles komt voor elkaar en ik zal er niets over zeggen tot we wat privacy hebben.'

De archeoloog nam Harriet en Toby mee de zinderende middaghitte in, naar een parkeerplaats, en vertelde dat hij de man met wie ze wilden praten gevonden had. 'Het was niet zo moeilijk.

Mehmet Celik is een plaatselijk leider, heel bekend en geliefd. Als iemand jullie kan helpen die jongen te vinden, is hij het. Ik heb een afspraak voor vanavond met hem gemaakt, direct na de gebeden. Ik dacht dat jullie hem zo snel mogelijk wilden spreken.'

Toby zei met een net opgestoken sigaret in zijn hand tegen Harriet: 'Wat zei ik? Het gaat allemaal lukken.'

Harriet vroeg aan Elfingham: 'Hebt u Mehmet Celik verteld waarover we hem willen spreken?'

'Dat leek me niet zo'n goed idee. Als hij weet waar die jongen is, kan hij hem waarschuwen dat mensen uit Londen hem zoeken.'

Toby zei: 'Maar wij zijn de goeden! We komen het leven van die jongen redden.'

'Maar dat weet hij niet,' zei Harriet. 'Ik ben blij dat u het niet verteld hebt, meneer Elfingham.'

Toby zei: 'Nou, hij zal ons wel helpen als we alles hebben uitgelegd. Het eerste deel van onze missie is een eitje.'

'Laten we alsjeblieft niet te vroeg juichen.' Maar Harriet voelde zich voor het eerst in vier dagen wat rustiger worden en haar spieren ontspanden zich. Misschien had Toby gelijk. Misschien werd het een eitje. Misschien zou Mehmet Celik hen naar Musa Karsu brengen en zou Karsu mee terug willen naar Londen. Of misschien hoefde hij niet mee terug, omdat hij werkelijk niets van de glyphs wist, had hij gewoon de fascinatieglyphs nagemaakt omdat hij die ergens had gezien en hij ze mooi vond...

Ze stapten in een vieze, aftandse Jeep Cherokee en Elfingham bracht hen naar hun hotel. Hij was een verschrikkelijk slechte chauffeur, plakte achter andere auto's, veranderde zomaar van rijbaan en lette meer op zijn passagiers dan op de weg. Harriet merkte het niet eens. Ze hield in de achteruitkijkspiegel in de gaten of ze gevolgd werden.

'Als Mehmet Celik jullie niet kan helpen,' zei Richard Elfingham met stemverheffing om boven het verkeersrumoer uit te komen, 'dan staat jullie nog heel wat te wachten als jullie een vluchteling in Diyarbakir willen opsporen. Wisten jullie dat het de snelst groeiende stad van Turkije is?'

Vanaf de achterbank zei Toby: 'Ik weet dat hier veel Koerdische vluchtelingen uit Irak zitten.'

'Niet alleen Iraakse vluchtelingen. Er zijn ook massa's autochtone vluchtelingen, uit dorpjes die door het Turkse leger verwoest zijn tijdens de Koerdische opstand in de jaren tachtig en negentig.'

'De guerrillaoorlog met de PKK.'

De twee mannen pronkten met hun wereldkennis, zoals mannen dat doen.

Elfingham zei: 'Ze noemen zichzelf nu Kongra-Gel en alles lijkt weer van vooraf aan te beginnen. Maar goed, Diyarbakir ligt aan de rand van het Tigrisbassin en het Tigrisbassin is de uitvalsbasis van de Koerdische separatistische beweging. Toen de Turken de dorpen verwoestten om de toevoerwegen van de PKK in de bergen af te snijden, vluchtten de meeste inwoners hiernaartoe, naar de *geceköndü*, de krottenwijken. Daar zitten Palestijnse, Iraanse en Iraakse vluchtelingen. Tijdens de Eerste Golfoorlog trok een miljoen Koerden, net als de jongen die jullie zoeken, over de bergen uit Irak. Ik kan me trouwens niet voorstellen dat hij vrijwillig uit Londen is teruggekomen. Voor de meeste mensen hier is Londen het paradijs – en dan snappen jullie wel hoe slecht ze het hier hebben, de zielepoten.'

'Maar je weet toch dat mensen in Londen hem wilden vermoorden,' zei Toby. 'Daarom kwam hij terug. En daarom zijn wij hier, om hem te helpen.'

Harriet had Elfingham via de telefoon vanuit Londen verteld dat Toby en zij naar Diyarbakir kwamen om een jonge Koerdische vluchteling op te sporen die door zijn graffiti enige bekendheid genoot. Om de een of andere reden had de jongen Londen verlaten en Toby en zij waren door de eigenaar van een kunstgalerie ingehuurd om hem te vinden en om hem over te halen terug naar Londen te gaan. Hoewel er genoeg waarheden in zaten, vond ze het een mager coververhaal toen Toby en zij het in elkaar zetten, zo vol gaten dat het zelfs voor een beetje slim kind moeilijk was om te kiezen met welk gat te beginnen. Gelukkig deed Richard Elfingham niet moeilijk.

'Als deze jongen in moeilijkheden zit, is dit een goede stad om je te verbergen,' zei de archeoloog. 'Er wonen hier twee miljoen mensen, de meesten onder de vijfentwintig.'

De Cherokee reed nu met een slakkengangetje door het drukke verkeer, dat met veel getoeter en lichtsignalen over een brede straat kroop. Voetgangers dromden op de stoep langs winkels die adverteerden voor frisdranken, shampoo en babyvoeding. Neonreclames lichtten overal op. Er stond graffiti op veel muren. Elfingham vertaalde een paar boodschappen. Ze wensten Apo een lang leven toe. Ze voorspelden dat Apo gauw vrij zou zijn. Apo was Abdullah Öcalan, ex-leider van de PKK, gevangen op het zwaarbeveiligde gevangeniseiland Imrah. Hij had de doodstraf gekregen ('Niet dat de regering die durft uit te voeren,' zei Elfingham, 'nu ze zo dicht bij aansluiting bij de EU zijn') en de hele wereld kende zijn naam.

De oude stadsmuur, gedeeltelijk in de steigers, liep in de verte naar de ondergaande zon, die amper door de luchtvervuiling heen kwam. Elfingham vertelde dat de muur van zwart basalt door de Byzantijnen boven op de resten van de originele Romeinse muur was gebouwd en dat hier de mooie, sinistere bijnaam van de stad vandaan kwam: de Zwarte.

'Nou, en wat vinden jullie van deze prachtige oude stad?'

Harriet had inmiddels lang genoeg met Toby opgetrokken om te weten dat dit een prachtige voorzet was voor een van zijn zwarte grappen. Ze keek hem waarschuwend aan en hij keek glimlachend terug. Hij plukte aan zijn zwartlinnen shirt en zei: 'Wat ik ervan vind? Ik denk dat ik het verrekte heet vind; ik zweet als een otter. Dat hotel van ons – dat heeft toch wel airco, hè?'

Ze hadden ingecheckt in het hotel en een vroeg diner in een klein restaurant op een pleintje aan de rand van de kledingbazaar gegeten. Heerlijke zoete deegwaren en kleine kopjes drabberige koffie. Ze doodden de tijd tot hun afspraak met Mehmet Celik. Elfingham keuvelde over het archeologische werk dat hij met Ashburton in de jaren zestig had gedaan en over zijn eigen werk bij Çatal Höyük. Hij maakte deel uit van een internationaal team dat hier iedere zomer werkte aan het in kaart brengen van neolithische huizen, sommige 9000 jaar oud, die op elkaar gepakt waren als cellen in een bijenkorf omdat ze gebouwd waren vóór de straten waren uitgevonden. Ze waren toegankelijk via gaten in hun daken. Er waren grafkamers, dierenkoptrofeeën, muurschilderingen van mannen die door gieren werden opgegeten en de vroegst bekende landschapsschildering, die helemaal beantwoordde aan de clichébeelden uit B-films, van grotbewoners die bedreigd worden door een vulkaanuitbarsting. Door honderden kleinere, maar niet onbelangrijkere, vondsten was het mogelijk om een beeld te vormen van een van de oudste wereldbeschavingen.

Harriet vroeg zich af of de bewoners van deze geweldige oude nederzetting iets van de glyphs hadden geweten.

Eindelijk kondigde Toby aan dat hij naar de wc, of een gat in de grond of iets dergelijks moest en konden Harriet en Elfingham het over het andere onderwerp hebben: haar enkele reis naar Irak.

Hij vertelde haar dat die geregeld werd door een man die hem geholpen had met de organisatie van een opgraving in Diyarbakir, twee jaar geleden, toen restauratiewerkzaamheden aan de stadsmuur de fundering van een Romeins poortgebouw blootlegde. 'Hij is volledig betrouwbaar. Duur natuurlijk, maar dat is relatief. Hij kost je honderd Amerikaanse dollars en zijn oom krijgt er tweehonderd, omdat hij je naar Zakho kan brengen. Die stad ligt net over de grens, in Irak, maar blijkbaar kent die oom veel mensen in Zakho, taxichauffeurs, vrachtwagenchauffeurs en zo, die je verder kunnen brengen. Mijn vriend zegt dat het niet moeilijk is om je veilig de grens over te krijgen, maar zijn oom kan je daarna niets beloven.'

'Ik kan heel goed op mezelf passen.'

Elfingham keek haar even aan voor hij zei: 'Die jongen die je zoekt moet wel heel wanhopig zijn als hij vrijwillig naar Irak is teruggekeerd. Laten we maar hopen dat je hem hier vindt.'

'Ook als we hem hier vinden, moet ik nog dingen in Irak doen. Maar wat er ook gaat gebeuren: de man die me over de grens gaat brengen moet me overmorgen oppikken.'

'Om zes uur 's ochtends. Dat is al afgesproken.'

'En alstublieft, geen woord tegen meneer Brown. Hij stond erop om samen met mij die jongen te gaan zoeken, maar voor zijn eigen veiligheid mag hij verder niet mee. Als ik weg ben, zou ik het prettig vinden als u ervoor zorgt dat hij gezond naar Engeland vertrekt, maar doe niets waardoor u zelf in moeilijkheden zou kunnen komen.'

Toby kwam weer bij hun tafeltje, plofte op zijn stoel, snuffelde aan zijn vingers en vertelde dat hij zojuist een ware superdrol had gelegd, maar dat er verdomme geen toiletpapier was – dat hij naar plaatselijk gebruik zijn hand had moeten gebruiken. Inmiddels was hij weer aardig nuchter. In het hotel had hij een lange, koude douche genomen en gloednieuwe Caterpillar-schoenen, een zwarte Paul Smith-jeans en een schoon zwart T-shirt onder zijn verkreukelde zwartlinnen jasje aangetrokken. Hij had onder het eten niet de kans genomen om het plaatselijke bier te proberen, maar het bij Pepsi-light gehouden. Harriet wist dat hij zo luidruchtig grappig deed, al vanaf het moment dat ze Heathrow onder zich lieten, omdat hij zijn zenuwen wilde overschreeuwen. Maar ze wist ook dat hij, ondanks zijn grote mond, slim en vindingrijk was en net zo vastbesloten als zij om Musa Karsu te vinden, Mosts mensen op te sporen en uit te pluizen wat er met zijn vriend Alfie Flowers was gebeurd.

Misschien krijgt hij een kans, dacht Harriet. Maar alleen hier in Diyarbakir. Hij ging absoluut niet mee naar Irak. Ze had al meer dan genoeg doden op haar geweten.

24

Richard Elfingham hield vol dat Mehmet Celik een goed mens was, een bekend figuur, beroemd vanwege zijn werk voor de armen, maar Harriet voelde haar maag samenballen toen ze door een krottenwijk van Diyarbakir naar diens kantoor reden. De armoede was schokkend: derdewerelds, ontzettend smerig. De stank van houtrot en het riool drong door de airco van de Cherokee heen toen die langzaam door de smalle steegjes langs open winkels en hutten van golfijzer en cementbetonblokken reed. Het was bijna negen uur 's avonds, maar iedereen was nog wakker en bezig. Kleine jongetjes renden met de auto mee, klopten op de raampjes en riepen *para* en *stilo*. Geld en pennen. Jongens in derdehands kleren verkochten fruit, snoep en sigaretten per stuk op straathoeken. Jongens braadden snacks op barbecues die van oliedrums gemaakt waren. Jongens schonken thee uit aluminium potten. Harriet had nog geen enkel meisje gezien en de meeste vrouwen droegen hoofddoekjes of waren van top tot teen verstopt onder een zwarte chador. Met haar onbedekte haar, lange mannen-T-shirt en enkelbroek voelde ze zich net zo bekeken als in bikini op het strand.

Elfingham toeterde hard en een jongetje in een kapotte zwarte jurk trok een ezel aan de kant. Het beest was bijna onzichtbaar onder een lading stevige, witte nylontassen – alleen zijn muilkorf en dunne poten waren te zien. De Cherokee reed er voorzichtig langs en stopte voor een rijtje armoedige winkeltjes. Een jongetje dat, nota bene!, een rood Arsenal-shirt aanhad dat ruim om zijn smalle schouders hing en tot op zijn knieën kwam, dook ineens op en sprak even met Elfingham. Die vertelde Harriet en Toby dat ze er waren. De jongen nam hen mee een winkel in die tot internetcafé was omgebouwd, langs tieners en mannen die gekromd voor oude computers op wankele tafeltjes zaten. De meesten hadden een koptelefoon op en speelden achter in de ruimte videospelletjes.

Mehmet Celik was een studentikoze man van ergens in de dertig, in een spijkerbroek en een schoon wit overhemd met tot boven de elleboog opgerolde mouwen. Hij stond naast zijn lege metalen bureau, schudde Elfingham en Toby de hand, knikte naar Harriet, wees naar drie plastic stoelen die voor zijn bureau stonden en zei iets onverstaanbaars, waarschijnlijk Koerdisch, dacht Harriet.

'Ik denk dat hij zegt dat hij blij is om ons te zien,' zei Richard Elfingham.

De man die was blijven zitten naast het bureau, een oudere, gezette man, worstelaarstype, met een bos grijs haar, zei: 'Mehmet Celik zegt dat hij jullie graag verwelkomt. Hij vraagt jullie te gaan zitten. Dus: gaan jullie zitten.'

Een derde man, een slungelige jongeman in een nieuw Adidas-trainingspak, blauw met een rode streep, hing met zijn armen over elkaar geslagen tegen een muur. De kamer was klein en vierkant en heel heet, opgetrokken uit gemetselde betonblokken en werd verlicht door een peertje dat, besprongen door motten en kevertjes, aan een kabel bungelde die over een van de houten balken hing die het golfijzeren dak ondersteunden. Tegen een muur stonden kartonnen dozen met Arabische letters erop. Er stond een dossierkast met stapels papier erop waar weer stenen op lagen. Een raam keek uit op een tuintje waar, in het licht van een snoer lampjes, jongens in kleermakerszit, met rechte rug en met over elkaar geslagen armen op de grond zaten en naar een oude man met een witte baard luisterden.

Mehmet Celik zag Harriet naar de kinderen kijken en hield een korte toespraak.

De zittende man vertaalde: 'Hij zegt dat er veel kinderen zijn in de *geceköndü*. Gezinnen met acht of tien kinderen zijn geen uitzondering. Zonder scholing hebben deze kinderen geen toekomst.

Ze worden bedelaars of dieven. Met school hebben ze een kans iets te worden. Dat weten ze. Ze willen graag leren. We onderwijzen ze in groepen. We beginnen 's ochtends en eindigen 's avonds laat.'

Celik zei iets en ging zitten. Zijn tolk zei: 'Hij zegt dat onze mensen op alle gebieden zeer arm zijn, maar niet wat betreft geloof en hun kinderen.'

Harriet, Toby en Elfingham gingen ook zitten en de jongen in het oversized Arsenal-t-shirt bracht een blad beladen met hoge glazen op witte en rode schoteltjes, een aluminium theepot en een mooie metalen kom boordevol suikerklontjes naar binnen. Hij staarde naar Harriet tot de tolk op scherpe toon iets tegen hem zei waarna hij giechelend de kamer uit liep. Celik schonk zwarte thee in de glazen, zette die voor zijn gasten neer en bood hun de suikerkom aan.

De tolk deelde mee: 'We hebben maar weinig tijd voor jullie, maar zullen heel goed naar jullie verhaal luisteren.'

Mehmet Celik knikte.

Toby keek Harriet aan, hij vroeg: 'Zal ik beginnen?' En vertelde het coververhaal: voor de graffiti van Musa Karsu en de verzonnen galeriehouder die wilde dat zij hem naar Londen terugbrachten. Hij bracht het goed, hield het eenvoudig en onopgesmukt en wachtte aan het eind van elke zin tot de tolk zijn werk had gedaan. Hij legde uit hoe ze ontdekt hadden dat Celik Musa Karsu's vader geholpen had en zei: 'En nu hopen we dat u ons wilt helpen. En natuurlijk dat we Karsu kunnen helpen.'

Mehmet Celik zei iets en de tolk vertaalde: 'Jij zegt dat jullie helemaal gekomen zijn om die jongen te helpen. Maar hoe weten wij dat zeker?'

Toby pakte een envelop uit de binnenzak van zijn zwartlinnen jasje, haalde er fotokopieën uit en legde die op het bureau. Het was de kopie van de cartoon die Harriet op Karsu had geattendeerd. Hij vertelde het verhaal van de graffiti op de zijkanten van de busjes van een koeriersbedrijf. En het verhaal van de nepexpositie in het Imperial War Museum.

Mehmet Celik pakte de fotokopieën een voor een op, bekeek ze en gaf ze vervolgens aan de tolk. De jongeman in trainingspak trok zichzelf met moeite van de muur af en kwam achter Mehmet staan. Hij tikte met zijn wijsvinger op de kopie van de cartoon van president Bush die als een cowboy op een bom zat, keek Harriet en Toby aan terwijl hij wat zei, en ze zagen een vlammende minachting op zijn gezicht.

'Hij zeggen: deze artiest is geen Koerd,' vertaalde de tolk. Zijn glimlach ontblootte een gouden tand. 'Hij zeggen: Koerden houden van Amerika.'

'*Amrika, Kurdi dost!*' zei de jongeman en hij keek Harriet en Toby trots aan.

'Hij zeggen: er is grote vriendschap tussen Amerikanen en Koerden,' zei de tolk en hij pakte zijn theeglas en nam slurpend een slok.

De jongeman zei weer wat. Mehmet Celik viel hem in de rede, maar de jongeman schudde kwaad zijn hoofd en ging verder. De tolk zei: 'Hij wil dat jullie weten dat dankzij de Amerikanen Saddam verdreven is en de Koerden voor het eerst sinds tien jaar in Noord-Irak een democratische regering hebben. Binnenkort zullen we een echt vaderland hebben. Binnenkort zullen we door de olie geld hebben. Er zit zat olie in het noorden. De Koerden zullen rijk worden, machtig. Daarom houden ze van de Amerikanen, zegt hij, en, zegt hij, waarom zouden we jullie helpen die jongen te vinden, die lastpost die niet van de Amerikanen houdt? Dat wil hij graag weten.'

Harriet zei tegen Mehmet Celik, terwijl ze de jongeman negeerde: 'U hielp Karsu's vader. Die was gearresteerd en onterecht gevangengenomen en u hebt veel moeite gedaan om hem vrij te krijgen. U hielp de vader. Waarom dan niet de zoon?'

De tolk vertaalde dit en Celik zei in het Engels: 'Misschien ik helpen de jongen. Maar waarom ik helpen u?'

'Hij bedoelen: hij helpt zijn volk, maar jullie zijn niet zijn volk,' hielp de tolk.

Harriet zei: 'Uw vriend in het trainingspak heeft gelijk. Musa Karsu en zijn vader zijn geen Koerden. Toch hebt u ze geholpen.'

Celik en de tolk vielen verbluft stil. Toen praatte de tolk heel lang in het Koerdisch. Celik gaf antwoord en de jongeman begon ook te praten. Hij leek het niet eens te zijn met de twee mannen. Toen Celik een hand omhoogstak, spuwde hij één woord uit, liep terug naar de muur en sloeg zijn armen over elkaar. Hij keek strak naar Harriet en Toby, terwijl Celik een bureaula opentrok, twee foto's eruit haalde en die, met het air van een gokker die een onverslaanbare kaart in zijn handen heeft, op de fotokopieën legde.

De tolk zei: 'Hij willen weten of jullie deze mannen ooit gezien hebben. Hij willen weten of jullie misschien vrienden zijn.'

Een was de chauffeur van het busje waarmee Harriet ontvoerd was; de ander was de blonde man die Alfie en Toby onder schot had gehouden en die bij Macpherson was toen Graham Taylor geëxecuteerd werd. Allebei staarden ze uitdagend naar de camera. De chauffeur had een blauw oog en verband dat met hecht-pleisters op zijn pas geschoren hoofd geplakt zat, net boven zijn oor. Harriet herinnerde zich dat hij gewond was geraakt toen Bar-retts bodyguard op het dak van het busje was gevallen en dat Gra-ham hem daarna had neergeslagen en zijn pistool had gepakt... De andere man had ook een blauw oog, recenter dan dat van zijn vriend, het was nog opgezwollen en er zat bloed onder zijn neus en een schram op een wang.

Harriet schrok, ze voelde haar huid tintelen, kreeg kippenvel op haar armen. Wat begonnen was als een eenvoudig verzoek om hulp en informatie werd opeens ingewikkeld. Het was alsof ze in de zon roeide en plotseling door een golf werd opgetild en in open zee werd gesmeten; anderhalve kilometer water met onbekende zeemonsters onder haar.

Ze keek Celik aan en zei: 'Dit zijn zeker geen vrienden van me. Ja, ik ken ze, maar alleen van gezicht – ik weet niet hoe ze heten. Ze werken voor een man die Karsu kwaad wil doen.'

De tolk zei: 'Jullie zijn rivalen. Jullie willen allemaal die jongen.'

Harriet voelde dat Celik door haar heen probeerde te kijken. 'Wíj willen hem helpen. Zij niet,' zei ze.

Toby vroeg: 'Hoe komen jullie aan deze foto's?'

De tolk glimlachte en zei: 'Die hebben we genomen nadat we ze gearresteerd hebben.'

Harriet en Toby keken hem verbaasd aan. Elfingham ging wat meer rechtop zitten.

'Ja, ze kwamen naar Diyarbakir, naar hier, en stelden vragen. Ze zochten Musa Karsu, net als jullie. Ze deden moeilijk, ze be-dreigden mensen. Toen we dat hoorden, hebben we ze laten ar-resteren.'

Harriet vroeg: 'De politie heeft ze gearresteerd? En waar zijn ze nu?'

Toby vroeg: 'Was er nog een andere man bij? Lang, blond, beetje dik?'

De tolk schudde zijn hoofd en zei: 'Nee, niet politie. We hebben ze zelf gearresteerd.'

Toby ging door: 'Hij heet Alfie Flowers. Een van deze twee heeft hem een paar dagen geleden helpen kidnappen, in Londen.'

De tolk wees naar de jongeman in trainingspak. 'Zijn mensen zorgen dat het hier rustig blijft, dus de *jandarma*, de politie? Die hoeft niet naar *geceköndü*, kan dus geen moeilijkheden maken. Wat er gebeurde? Zijn mensen arresteerden die twee mannen en brachten ze hier. Mehmet Celik vroeg waarom zij mensen bedreigen. Zij zeiden de jongen is terrorist. Zeiden tegen Mehmet Celik dat hij het moest zeggen als hij wist waar de jongen was, anders hij ook terrorist. Zeiden dat hij heel veel last zou krijgen als hij het niet zou vertellen. Zeiden dat iedereen die de jongen verborg heel veel last zou krijgen.'

Celik vroeg: 'Zij waren Engels, net als jullie, hè?'

Harriet kreeg een slecht gevoel over welke kant dit gesprek op ging, met hun idiote coververhaaltje en hun naïeve idee dat deze man dat zou slikken en hen zou helpen. Ze zei behoedzaam: 'Mag ik met deze mannen praten? Misschien kan ik jullie helpen om erachter te komen wat ze willen.'

Celik hield een korte speech terwijl hij Harriet aankeek. De tolk vertaalde: 'Wij zijn geen fanatici en criminelen, zoals de Kongra-Gel. Wij kidnappen en doden geen buitenlanders en vermoorden geen agenten en politici. Wij zijn gewone mensen, vredelievende mensen, we doen op democratische wijze ons best voor ons volk. Dus eisen we geen losgeld voor deze mannen en we hakken ook niet voor een videocamera hun hoofden af en dumpen hun lichamen niet aan de kant van de weg. Maar ze zijn wel een probleem. We kunnen ze aan de politie uitleveren, maar die kan ze vrijlaten. Of misschien staat de politie aan hun kant en worden wij beschuldigd van kidnapping. Dus hebben we ze aan vrienden meegegeven die ze meenemen naar de bergen bij de grens met Irak. Die bergen zijn prachtig, ruig. Onze vrienden nemen ze mee, laten ze daar vrij en vertellen ze dat als Allah wil dat ze blijven leven, ze zullen blijven leven.'

Elfingham zei: 'Mijn vrienden zijn niet gekomen om moeilijkheden te maken. Ze zijn hier om hulp te vragen.'

'Wat u betreft, dr. Elfingham, is er geen enkel probleem,' zei Celik en hij ging kort in het Koerdisch verder.

De man in het trainingspak liet merken dat hij dat niet met Celik eens was, maar dat hij zich erbij neerlegde.

De tolk zei: 'Hij zeggen: we weten wie u bent. Weten dat u een man van eer bent. Maar deze vrienden van u kennen we niet.'

Elfingham zei: 'Ze zijn hier niet om moeilijkheden te maken. Ik sta voor ze in.'

Celik tikte op een fotokopie en vroeg: 'Waarom jullie hier? Niet voor de kunst, hè?'

De tolk zei: 'Hij willen dat jullie nu waarheid vertellen.'

Het viel stil in de hete, goed verlichte kamer. Buiten zongen heldere jongensstemmen teksten die hun leraar op een schoolbord aanwees. Harriet zweette in haar t-shirt. Haar bloed klopte pijnlijk achter haar voorhoofd. Toby zweette ook; in zijn linnen jasje zaten onder zijn oksels grote natte transpiratievlekken. Hij keek naar de jongeman in het trainingspak, toen naar Celik en zei: 'Mag ik wat vragen? Staan we onder arrest?'

Richard Elfingham zei bezorgd: 'Ik ken die twee mannen niet, maar die hebben niets met mijn vrienden te maken.'

Harriet zei: 'Musa Karsu's volk is een nomadenvolk. De Koerden waren ooit ook nomaden. Maar zij leefden al lang in de bergen voor de Koerden ernaartoe kwamen. Ze hielden schapen – net zoals veel Koerden waren ze herders die met hun kuddes meetrokken naar de zomerweiden hoog in de bergen en terugkwamen als de sneeuw ging vallen.'

Ze wachtte tot de tolk dit vertaald had.

En ging weer verder: 'Mijn opa was voor de Tweede Wereldoorlog bij ze. Na de oorlog ging hij naar dezelfde plek terug, maar ze waren er niet meer. We dachten dat ze vermoord of weggetrokken waren. En toen zagen we dit.' Ze wees naar de fotokopieën van Alfies foto's van Morphs cartoons. 'En wisten we dat het volk waarmee mijn opa meer dan vijftig jaar geleden bevriend was – hun nakomelingen – nog leefde. Niet door de cartoons, maar door het patroon eromheen.

Harriet had Celik niet alles verteld. Niet over de vindplaats van de glyphs en niet over hoe Soborin en Most die misbruikt hadden. Wel dat haar opa en Julius Ward meer dan zestig jaar geleden bij de Kefieden waren geweest, dat ze de ceremonie hadden beschreven waar ze bij geweest waren – de drug; het schapenvel, beschilderd met eenzelfde patroon als het patroon dat Karsu gebruikte als versiering om zijn cartoons, de wilde, extatische dans – en ze vertelde over haar zoektocht naar Karsu in Londen, nadat ze zijn graffiti had gezien.

Toen ze ophield, glimlachte Celik en zei hij: 'Eindelijk hebben we de waarheid gehoord. Eindelijk horen we hetzelfde verhaal als Musa me verteld heeft.'

Harriet zei: 'Als Karsu hier is, als hij terug in Diyarbakir is, als we met hem kunnen praten...'

Celik schudde zijn hoofd.

De tolk zei: 'Dat is onmogelijk.'

Celik zei: 'Ik denk dat u waarheid verteld hebt, dus ik zeggen u dat het mij spijt, maar de jongen die u zoekt is hier niet.'

Harriet besloot hem te geloven – in ieder geval voor dit moment. 'Maar u kent hem. Hij woonde hier met zijn vader, voor zijn vader moeilijkheden met de politie kreeg.'

'Nadat zijn vader gearresteerd was werkte Musa voor mij. Hij tekende altijd,' zei Celik en hij ging in het Koerdisch verder.

De tolk vertaalde: 'Hij zegt dat de jongen altijd tekende. Als hij geen papier had, tekende hij op de muur. Als hij geen pen of houtskool had, tekende hij met een stokje in de grond. Hij zegt dat hij denkt dat de jongen met zijn eigen bloed op zijn lichaam zou tekenen als hij niets anders had. Dit deed hij vanaf het moment dat hij in Diyarbakir was. Hij ging door met tekenen, hoewel zijn vader woedend werd en hem strafte als hij het zag. Ik heb zelf zijn tekeningen gezien. Niet de plaatjes, maar de patronen. De patronen om de plaatjes.'

Celik volgde met een wijsvinger het patroon van een glyph om een van de fotokopieën van een cartoon en zei in het Engels: 'Ze zitten in mijn hoofd. Soms droom ik van ze.'

Met hulp van de tolk vertelde hij Harriet en Toby het verhaal dat Musa Karsu hem verteld had. Een verhaal van vervolgingen, moordpartijen en verbanning dat, zo zei Celik, het lot van alle Koerden was. Karsu had verteld dat het dorp van de Kefieden zo'n zestig jaar geleden door buurvolken aangevallen was en dat de meeste Kefieden waren vermoord. Karsu's opa en een paar anderen wisten te ontsnappen en trokken naar een gehucht vlak bij de stad Dohuk, waar ze vredig leefden. Af en toe gingen ze in het geheim naar de bergen waar ze ooit gewoond hadden. Maar tijdens de Anfalcampagne van 1988 bereikten de plannen van Saddam Hoessein, om de Koerden op wat voor manier dan ook uit zijn land te verdrijven, een absoluut dieptepunt. Veel familieleden van Musa Karsu werden vermoord, de overlevenden vluchtten naar Turkije, waar Musa werd geboren. Na de Eerste Golfoorlog gingen ze terug, toen het door de bemoeienissen van de Amerikanen en hun bondgenoten voor de Koerden veilig was in Noordoost-Irak. Niet naar het gehucht bij Dohuk, maar naar hun oorspronkelijke dorp in het Zagrosgebergte. De buurtdorpjes, waarvan de inwoners jaren geleden de Kefieden hadden uitgemoord, waren, zoals zovele, platgebombardeerd en in brand gestoken tijdens de Anfalcampagne, en de overlevenden waren geëxecuteerd of verbannen. Tot ongeveer een jaar geleden had Karsu's familie daar vreedzaam gewoond, tot na de Amerikaanse invasie in Irak. Toen waren er Amerikaanse soldaten in het dorp gekomen. Ze hadden Karsu's familie meegenomen, maar niet Karsu zelf en zijn vader, omdat die in de bergen aan het jagen waren. Die vluchtten naar Turkije.

Het bleek dat Morphs vader zwaar dronk, iets wat Celik afkeurde, maar hij vergaf het de man omdat hij medelijden met hem had. Via de tolk vertelde hij: 'De Amerikanen namen hem zijn gezin af. Hij verloor zijn vrouw en drie dochters. Hij was heel kwaad, heel bitter. Hier werkte hij als schoenmaker en zijn zoon hielp hem. Ze konden er goed van leven tot Musa's vader gearresteerd werd omdat hij zijn drank van een smokkelaar kocht die ook wapens smokkelde. Er werden toen veel mensen gearresteerd, omdat de regering de Amerikanen wilde laten zien dat ze tegen terrorisme was. Het lukte me om er een paar vrij te krijgen en ondertussen zorgde ik voor Musa, die veel te jong was om het werk van zijn vader over te nemen. Toen zijn vader werd vrijgelaten, gingen ze samen naar Londen. De rest van het verhaal kennen jullie.'

Harriet begon te vragen naar het Iraakse dorp waar Karsu's familie had gewoond, maar Celik stak een hand omhoog. 'Ik jullie geholpen, nu jullie ons helpen.'

Hij zei wat in het Koerdisch tegen de tolk en daarna tegen de man in het trainingspak, die weer onwillig zijn schouders ophaalde. De tolk wees naar Harriet en Toby en zei: 'Jullie gaan met mij mee. Er is een vraag – een mysterie. Misschien kunnen jullie ons helpen het te begrijpen. Dr. Elfingham, ik zweer dat ze bij ons veilig zijn. Mehmet Celik zweert het. Als we klaar zijn, brengen we ze terug naar hun hotel.'

Richard Elfingham protesteerde, hij zei dat hij verantwoordelijk was voor Harriets en Toby's veiligheid. 'Als jullie ze ergens naartoe brengen, vind ik dat ik mee moet.'

De tolk keek naar Toby en zei: 'Weet die man alles wat jullie weten?'

'Eh, niet helemaal...'

De tolk zei: 'Dan spijt het me, dr. Elfingham. U kunt niet mee.'

Harriet zei: 'Er zal ons niets gebeuren.'

Toby zei: 'Gaan we met die kerels mee?'

'Waarom niet?' zei Harriet. 'Zij hebben ons geholpen, en nu gaan we hen helpen.'

Ze moest dit hier alleen nog even afronden, dan kon ze naar Irak. Musa Karsu had tegen zijn vriend gezegd dat hij naar huis ging en Harriet wist nu zeker dat dat niet Diyarbakir was.'

'Ik wacht op jullie,' zei Elfingham terwijl hij de tolk aankeek. 'In de jeep. En als jullie binnen een uur niet terug zijn, bel ik de politie.'

'Daar kunt u beter twee uur van maken,' zei de tolk. 'We moeten nog een stuk rijden voor we zijn waar we moeten zijn.'

De man in het trainingspak en de tolk, die Emre Karin heette, namen Harriet en Toby mee naar een gammele, grote Toyota die verderop in de straat geparkeerd stond. Emre Karin ging met Harriet en Toby achterin zitten, de man in het trainingspak ging naast de chauffeur zitten. De auto vertrok en de chauffeur toeterde constant om de voetgangers aan de kant te jagen.

Toby stak een sigaret op, bood Emre Karin er ook een aan en vroeg waar ze naartoe gingen.

'Dat zou de verrassing bederven,' zei de tolk. Hij pakte drie sigaretten en gaf er twee door aan de mannen voorin.

Na vijftien minuten door de drukke straten te zijn voortgekropen, bereikte de auto onbebouwd hellend terrein en kon hij harder rijden. Bosjes en dwergachtige boompjes doken in het licht van de koplampen op. Een rots – nee, dacht Harriet, het was een stadsmuur, maar die leek zo groot en massief als een rots – rees tegen de heldere sterrenhemel op. De auto stopte naast een lage stenen muur die langs een rotswand liep. Emre Karin deed een kleine zaklantaarn aan en loodste Harriet en Toby over een smal paadje omhoog tussen huizen door, de man in het trainingspak vormde de achterhoede. Geen van de huizen had ramen aan de kant van het paadje en het was pikkedonker; het enige licht kwam van de dansende straal uit Karins zaklantaarn en van de koude sterren.

'Geweldige plek voor een executie,' merkte Toby zachtjes op.

Harriet greep zijn arm om haar evenwicht te bewaren. 'Laten we alsjeblieft aan leuke dingen denken.'

'Ik denk aan wat ze zeiden dat ze met die kerels die voor Most werken hadden gedaan.'

'Dat zijn de slechteriken. Wij zijn de goeien.'

'Oké. En wat zijn déze kerels?'

'Bezorgde burgers.'

'Ze zullen vast wel aan onze kant staan, maar ik ben doodsbang voor ze.'

'Ze hebben ons alles verteld wat ze van Karsu wisten. Dat is toch een goed teken?'

'Als we ze kunnen geloven.'

Emre Karin klopte op een lage houten deur van een vierkant stenen gebouw. Een oude man in een lange zwarte jurk en met een baseballpetje op deed open. Hij had een geweer in zijn rechterhand, een oude Lee Enfield, waarmee waarschijnlijk in de Tweede Wereldoorlog voor het laatst was geschoten. Hij en Karin praatten even kort met elkaar, toen stapte hij uit de deuropening en Harriet en Toby liepen achter de tolk aan een voormalige fabriek in. Karin pakte een olielamp en liep over de aangestampte grond, langs een stel blauwe plastic vaten en twee lange tafels naar een hoek waar een stalen kooi stond. Toen de tolk de lamp ophief, keek de man die in de kooi op een strobaal zat, op.

Zijn gezicht was uitgezakt en expressieloos en zijn ogen stonden helemaal verkeerd – zijn pupillen waren zo groot dat er geen spoor van een iris was. Zijn shirt en broek waren vuil en kapot en zijn rechterbroekspijp stond stijf van het opgedroogde vocht –

modder of bloed. Er zat een ijzeren ketting om zijn linkerenkel en het uiteinde van de korte ketting zat vast aan een bout in de stenen muur achter hem. Hij stonk naar urine en opgedroogd zweet en naar iets anders: een scherpe zoete geur als van nagellak of verrotte peren. Zijn hoofd wiebelde als dat van een uil en volgde de beweging van de lamp toen Karin op boze toon tegen Harriet en Toby zei: 'Vertellen jullie mij wat ze met hem gedaan hebben.'

Harriet vroeg of de twee mannen die ze gearresteerd hadden iets bij zich hadden wat leek op én een pistool én een zaklantaarn. Tuurlijk zei Karin, ze hadden geweren, automatische.

'Gewone geweren?'

'Hele goede. Sig-Sauer.'

Harriet vroeg: 'Ze hadden geen andere wapens bij zich?'

Karin vroeg iets in het Koerdisch aan de man in het trainingspak en zei daarna tegen haar: 'Mijn vriend zegt dat hij de auto die ze op vliegveld gehuurd hebben heeft doorzocht. Hij heeft niets gevonden. Ze hadden alleen de Sig-Sauers, messen en stokken. Stokken met kleine, loden balletjes erin om mensen bewusteloos mee te slaan.'

'Saps,' wist Harriet.

'Ja, en ook granaten die hetzelfde doen. Flash-bangs noemen de Amerikanen die. En handboeien.'

Alles wat de toegewijde kidnapper nodig heeft, dacht Harriet. Ze nam aan dat Most zijn dierbare glyphpistool niet aan zijn handlangers had toevertrouwd. Hij had waarschijnlijk persoonlijk de boer behandeld, was vervolgens naar zijn vliegtuig teruggegaan en was naar Irak gevlogen. Naar de vindplaats van de glyphs.

Karin vertelde dat de man was aangetroffen in de straat waar Musa Karsu en zijn vader hadden gewerkt. 'Een straat met schoenmakers. Kinderen pestten hem en zijn vriend...'

Harriet vroeg: 'Ze waren met z'n tweeën? Ach, natuurlijk! Bezeten boeren werken gewoonlijk in paren of bendes.'

Ze stonden rond de olielamp die Karin op de aangestampte vloer had gezet, een stukje van de kooi vandaan waar de man in zat. De ketting van de boer rammelde zachtjes als hij zich bewoog. Hij ademde moeizaam en oppervlakkig, alsof er een natte spons in zijn mond zat.

Karin zei: 'Jullie hebben een naam voor wat hij nu is. Dus ik geloof dat jullie weten wat er met hem gebeurd is.'

Harriet vertelde: 'De hogere functies van zijn hersenen zijn vernietigd. Zijn geheugen en zijn persoonlijkheid, alles wat ons menselijk maakt. Alles wat ons anders dan andere mensen maakt.'

Toby lachte. Een harde, hoge lach. Met zijn gezicht half in de schaduw en zijn uitstaande bos zwart haar leek hij op een waanzinnige wetenschapper uit een goedkope horrorfilm. 'Je bedoelt dat die man een zombie is? Een godverdommese zombie?'

'Hij is absoluut geen lichaam dat via voodoo tot leven is gewekt. Maar eigenlijk komt het daar wel op neer. Bezeten boeren hebben geen eigen, vrije wil. Ze doen wat ze opgedragen wordt te doen in die korte periode nadat ze... behandeld zijn. Meer weten ze ook niet.'

'Een zombie,' herhaalde Toby. 'Geweldig! Echt waar. Absoluut geweldig. Ik zit ook in dit verhaal, hoor. Ik zit er tot aan mijn klotenek in, net als onze arme Alfie. En jij wacht tot we ergens in een krottenwijk in dit kuttige Turkije verdwaald zijn voor je op het idee komt om me te vertellen dat de mensen tegen wie we het moeten opnemen mensen in zombies kunnen veranderen. Er staat vast "debiel" op mijn voorhoofd. Ik heb het niet zien staan toen ik voor het laatst in de spiegel keek, maar het moet er staan, want dat ben ik.' Hij keek Harriet kwaad hijgend aan. Hij zag eruit alsof hij ieder moment in tranen of in hysterisch lachen of in allebei kon uitbarsten. 'Moet je me soms nog meer vertellen? Over weerwolven? Vampiers? Heksen?'

'Ik denk dat als je een bezeten boer opdraagt om een wolf of een vampier te zijn, hij zich zeker zo zal gedragen. Maar daarom ís hij er nog geen.'

Toby keek haar aan en even dacht ze dat hij haar een klap zou geven. Haar hart bonkte, ze voelde de adrenaline door haar lijf pompen. Als hij het zou proberen wist ze dat ze hem aan moest pakken, dat ze tegen zijn knie moest trappen of op zijn voet moest gaan staan. En daarna zou alles zijn veranderd. Het was zo'n moment waarop alles op het scherpst van de snede balanceert, waarop één ademstoot of één blik doorslaggevend kan zijn.

Gelukkig schudde Toby zijn hoofd en zei: 'O jezus. Ik hoor het wel, maar kan het amper geloven.' En tegen Karin: 'Geloof jíj het?'

Harriet zei: 'Ik vertel de waarheid. Als je het niet wil geloven, dan is dat jouw probleem.'

'Echt waar? Zombies, weerwolven en vampiers? En hier sta ik dan, zonder mijn kruisbeeld, gezegend water en zilveren kogels.'

'Jij hebt vlijmscherpe humor. Misschien werkt dat ook.'

Toby zei glimlachend: 'Een zombie komt een café in en vraagt: "Waarom is het hier zo doods?" '

Harriet glimlachte ook; toen moesten ze allebei hard lachen.

Toby greep met zijn vingers in zijn haren. 'Dit is geen bullshit, hè? Ze kunnen dit echt, hè?'

'Weet je nog die mannen die zichzelf in brand staken en Clarence' huis aanvielen? Ook bezeten boeren. Net als die mannen die het terrein van Alfie aanvielen.'

Toby zei: 'Alfie vertelde dat hij een paar mannen zag die zijn land in de gaten hielden. Die wegrenden toen hij ze riep. Hij zei dat ze heel snel renden, op zo'n Groucho Marx-manier.'

'Dat waren waarschijnlijk ook bezeten boeren. Rölf Most had minstens één boer die de flat van Barrett in de gaten hield, dus waarom niet Alfies land? Ze kunnen goed observeren als ze dat wordt opgedragen. Hun vrije wil is verdwenen, niet hun intellect.'

'En je hebt er nooit aan gedacht om me dat te vertellen? Dat ben je gewoon even vergeten?'

'Ik heb je verteld wat je moest weten. Ik denk niet dat we nog meer verrassingen zullen tegenkomen.'

'Maar die hebben we al gehad. Moet ik soms nog meer dingen weten?'

'Volgens mij niet. De bezeten boeren zijn het ergste wat de glyphs kunnen veroorzaken. En die zijn lang niet zo gevaarlijk als iemand als Larry Macpherson.'

'O, tuurlijk, laten we die vuurgevaarlijke maniak niet vergeten.'

Nu het moment voorbij was, had Harriet medelijden met Toby. Na het overlijden van haar moeder had ze een paar brieven van haar opa gevonden, ze had Ashburton en Ward opgespoord en ze had de waarheid over de sekte van haar vader, zijn waanzin en zelfmoord ontdekt. Voor ze de nachtmerrie van het Mind's I-experiment in Lagos mocht meemaken en oplossen, had ze zich meerdere jaren met de glyphs bezig kunnen houden. Maar Toby Brown moest zijn kennis opdoen tijdens een nachtmerrie waarin moord, ontvoering en een eerste kennismaking met een bezeten boer een rol speelden. De arme jongen stond als een stomdronken bokser op zijn voeten te wiebelen; het publiek gilt en flitslichten verblinden hem terwijl hij op zijn knock-out wacht.

De man in het trainingspak vroeg iets. Karin gaf hem antwoord en zei daarna tegen Harriet en Toby: 'Ik vertel hem dat jullie over die arme man praten. Die bezeten boer.'

Toby zei, terwijl hij Harriet strak aankeek: 'Absoluut. Een discussie over beleid.'

Harriet vroeg Karin naar de andere boer. 'Wat is er met hem gebeurd?'

'Wat er gebeurd is? Hij is gestorven. Vanochtend. Deze zal ook gauw doodgaan, denk ik. Hij wil niet eten.'

'Hij kan geen vast voedsel meer verteren.'

Als een bezeten boer met het glyphpistool beschoten was, waren zijn hogere hersenfuncties verwoest en was het deel van de hersenen dat de emoties aanstuurt, veranderd. Net als een proefdier waarvan het pleziercentrum zo geprikkeld is dat het doorgaat tot het dood neervalt van dorst of uitputting, wil een bezeten boer alleen maar doen wat hem is opgedragen nadat hij met het glyphpistool beschoten is.

'Zijn meeste fysiologische functies zijn van slag. De hartslag, de bloeddruk, het spijsverteringsstelsel... Daarom stinkt hij naar verrotte peren – eigenlijk is het aceton. Zijn bloed zit vol aceton en organische zuren. Het enige wat hij kan verdragen is suiker. Geef hem suiker en hij eet het direct op. Het is instantenergie.'

Karin vroeg: 'Suiker houdt hem in leven?'

'Eventjes. Waar vonden jullie hem en zijn vriend?'

'Op de plek waar Musa Karsu heeft gewoond. Kinderen pestten ze, gooiden stenen en afval naar ze. Zoals kinderen soms doen bij gekken. De twee renden weg, maar kwamen weer terug en de kinderen begonnen weer opnieuw, dus vroeg iemand hulp aan de mensen van mijn vriend...' Karin knikte in de richting van de man in het trainingspak. 'Die joegen op de twee mannen, die overigens wel snel konden rennen, maar niet lang. Algauw waren ze gepakt. En dan ziet mijn vriend dat het geen normale gekken zijn. Hij vindt in een van hun zakken een foto van Karsu en herinnert zich die andere mannen, de twee Engelsen die hij gearresteerd had.'

Harriet begreep dat Most Karsu's immigratiedossier gelezen moest hebben. Hij had gelukkig geen toegang tot de dossiers van Amnesty International en kende dus de naam Mehmet Celik niet.

Karin zei: 'Mijn vriend weet ook de naam van deze man: Mohamed Jalan. Hij werkt op het vliegveld als schoonmaker van vliegtuigen. Hij had zijn ID-bewijs en zijn vliegveldpasje bij zich. Jalan heeft een vrouw en zes kinderen. Als we hadden geweten, toen we die Engelsen arresteerden, wat ze met hem hadden uitgevoerd, hadden we ze niet laten leven.'

De man in het trainingspak vroeg iets. Karin zei: 'Hij wil weten of deze arme man te genezen is.'

Harriet zei: 'Het spijt me, maar het antwoord is nee.'

'Dat is zeker?'

'De hersenbeschadiging is blijvend, net zoals de schade aan zijn lichaam. Jullie kunnen hem een tijdje in leven houden met suiker en water, maar hij zal over een paar dagen, hooguit een week, sterven.'

Nadat Karin dit vertaald had knikte de man in het trainingspak een keer en liep weg. Tegen Harriet zei Karin: 'Nu we zo eerlijk tegen elkaar zijn, heb ik nog één vraag. Musa Karsu heeft Celik verteld dat de mannen van zijn volk dansten als derwisjen als ze de bladeren van de een of andere plant hadden gerookt en dat ze staarden naar bepaalde patronen, zoiets als Karsu tekende. Niet dezelfde, maar wel bijna. Karsu zei dat dat patroon op hun hersenen werkte. Ze zouden de geest van Allah in zich voelen komen, dichterbij dan hun eigen huid, zo dichtbij als hun eigen gedachten. U vertelde een soortgelijk verhaal. Ik moet het u vragen: als een gewone man veranderd is in wat u een bezeten boer noemt, hebben ze dan een patroon gezien dat lijkt op de patronen die Karsu tekent?'

De stevige grijsharige man in zijn tweedjasje met leren elleboogstukken en vormeloze ribbroek keek haar ernstig aan terwijl hij op haar antwoord wachtte.

'Ja,' zei Harriet, want er was geen reden om dit te verbloemen.

'En daarom willen die mensen Musa Karsu vinden? Omdat ze denken dat hij andere, misschien krachtiger, patronen kent?'

'Zij willen hem gebruiken,' zei Harriet. 'Wij willen hem helpen.'

De man in het trainingspak kwam terug met de Lee Enfield van de oude man.

Harriet schrok en Toby zette een stap naar achteren en een hand schoot naar zijn borst alsof hij iets weg wilde duwen. Maar de man in het trainingspak liep hen voorbij. Misschien zou hij ze later tegen een muur zetten, of misschien niet, maar op dit moment had hij iets anders aan zijn hoofd. Iets noodzakelijks, maar heel vervelends. Hij keek grimmig en vastbesloten, liep naar de kooi, hief zijn hoofd naar de donkerte boven hem en zei zacht iets, een gebed of een zegen of misschien een smeekbede om vergeving, legde het geweer op zijn schouder, richtte zich in volle lengte op en draaide zich naar de boer toe.

Die keek zonder belangstelling terug, zijn ogen staarden leeg naar het gele lamplicht.

Harriet draaide zich om. De luide knal van het genadeschot echode door de ruimte.

Toby zei: 'Jezus Christus.'

Emre Karin vroeg: 'Jullie vriend, dr. Elfingham, heeft hij een mobiel?'

'Een satelliettelefoon,' zei Harriet.

Karin haalde een mobiel uit zijn jaszak en gaf die aan haar. 'Je moet hem nu bellen Je moet hem bedanken voor zijn hulp. Je moet hem vertellen dat jullie blij zijn dat jullie met ons mee mogen.'

Toby zei: 'Eén momentje graag. Waar gaan we naartoe?'

Emre Karin glimlachte. 'Niet bang zijn. We hebben nog veel te bespreken, dus we gaan jullie nog niet doodschieten.'

25

Rölf Most had Alfie in een soort opslagruimte op een rustige, af-gelegen plek aan het eind van een verhard pad verborgen, ver van de eindbestemming van het privévliegtuig. Vier dagen lang zat Al-fie met een kap over zijn hoofd en zijn handen op zijn rug geboeid op een matras, zijn handboeien waren met een plastic draad aan een ijzeren ring in de muur vastgemaakt. De ring zat ongeveer een meter boven de grond en het was een korte plastic draad, dus was hij gedwongen om kaarsrecht met zijn rug tegen de muur te zitten, met zijn ellebogen naar buiten, als de vlerken van een geplukte kip.

De kap was een losse, slordig genaaide dubbele lap zwarte stof, die Macpherson vlak voor het privévliegtuig landde over Alfies hoofd had getrokken. Alfie had hem opgehad toen hij uit het vlieg-tuig was geholpen en tijdens de lange autorit, toen hij tussen twee mannen ingeklemd zat die amper tien woorden met elkaar gewis-seld hadden. Hij durfde niets te doen tot hij op de matras zat en er zeker van was dat hij alleen was. Toen wreef hij net zolang met zijn hoofd tegen de muur tot de kap voldoende opgekropen was om iets te kunnen zien: een stukje kale, vieze vloer, de prikkende matras en drie slordig gemetselde muren. In de muur aan zijn rech-terkant zat een klein raam, dat met een platgeslagen blik vol gaat-jes was afgedekt. Er zat een lage deur van ongeverfde planken in het midden van de muur tegenover hem, een paar meter voor zijn blote voeten, en links van hem stond een chemisch toilet. Het was overdag snikheet in de kleine kamer, veel heter dan in Londen, en 's nachts onaangenaam koud. Hij wist niet in welk land hij was, maar nam aan dat het Irak was. Want daar kwamen de glyphs vandaan en daar had Most hem over ondervraagd nadat hij de kopieën van zijn opa's dagboek had doorgebladerd.

Geboeid en met die kap over zijn hoofd was hij naar het privé-vliegtuig van Most gebracht, doodsbang dat ze ook hem zouden doden. Nadat Macpherson Graham Taylor had vermoord had hij Alfie mee naar de Peugeot gesleurd en hem Grahams lijk laten zien voor hij hem meetrok naar de Range Rover. De blonde man scheurde weg in de richting van Bloomsbury en Macpherson controleerde de inhoud van Alfies reistas en cameratas, vond het bundeltje fotokopieën, bladerde die even door en vroeg Alfie of het was wat hij dacht dat het was.

'Geen idee. Wat denk je dat het is?'

Larry Macpherson sloeg hem met de opgerolde papieren in zijn gezicht, hard genoeg voor een bloedneus, en herhaalde de vraag. Zijn koude, afwachtende blik leek uit steen gehouwen. Alfie snoof bloederig slijm op, slikte het door en vertelde de huurling dat het een kopie van een dagboek van zijn opa was.

'Waar werd het bewaard?'

'In een kluis.'

'Je maakte een fout door voor dit spul terug te komen. Slecht voor jou, goed voor mij,' en tegen de chauffeur zei Macpherson dat hij moest stoppen. Ze moesten van auto wisselen. Nadat de blonde man een auto had opengebroken en had weten te starten, werd Alfie geboeid en met kap op op de achterbank gesmeten. Macpherson belde iemand, vertelde dat hij Flowers te pakken had en een aantal zeer interessante documenten, streek vervolgens zachtjes met de loop van zijn pistool over Alfies met de kap bedekte hoofd, tikte tegen zijn neus, zei dat, aangezien hij toch al zo goed als dood was, hij maar beter met dr. Most kon meewerken, zodat zijn einde vlug en pijnloos zou zijn. 'Want anders wordt het een langzame, zeer pijnlijke dood, daar ga ik dan persoonlijk voor zorgen.'

Maar meewerken bleek geen optie. Na een snelle rit Londen uit werd Alfie, nog steeds met de kap op, in een vliegtuigje gezet en in een stoel gegespt. Toen het toestel was opgestegen trok Macpherson de kap af, greep Alfies haar en trok zijn hoofd naar achteren. Die had nog net tijd om het witleren interieur te zien – de cabinewanden en het rijtje makkelijke stoelen die alle kanten op gedraaid konden worden. En toen kwam Rölf Most recht voor hem zitten, hij keek zo verlekkerd als een kat bij de melkboer, hield de verstuiver van een kleine zwarte cilinder onder zijn neus en sproeide iets kouds in zijn neusgaten. Met zijn duimen hield Macpherson Alfies ogen open, terwijl Most het idiootste pistool dat Alfie ooit gezien had op hem richtte en zijn hoofd vol licht schoot.

Alfie had jarenlang geen zware aanvallen meer gehad, maar hij was ze niet vergeten. Het begon altijd met het gevoel dat er iets mis was met de wereld, alsof hij in een parallelle wereld liep waar alles hetzelfde leek, maar duidelijk nep was. En vervolgens, als er geen terugkeer mogelijk was, groeide er in zijn schedel een onbedwingbare jeuk. Dat was het focale begin van de aanval, die zich opeens openbaarde zoals Japanse papieren bloemen uit hun schelp schieten als ze in een glas water worden gelegd, die als een Jacksonmars door de twee helften van zijn hersenen trok, die als een steeds hoger wordende vloedgolf in één klap neerstortte. Maar toen Most zijn idiote pistool op Alfie afvuurde, was er geen waarschuwing, geen focaal begin. Hij zag de psychiater zijn pistool richten, werd verblind door een witte lichtflits, was zich daar nog zeer bewust van, en werd enige tijd later wakker, zonder enig idee van waar en wie hij was. Zo blanco als een pasgeboren baby. Het enige wat hij wist was dat hij zoiets eerder had gehad en dat het voorbij zou gaan. Bij die gedachte kwam ineens een stuk geheugen terug. Hij deed zijn ogen open en zag Most tegenover zich hem aandachtig bestuderen en heel gelukkig kijken.

De psychiater vroeg van alles en nog wat over Alfies opa, de opgravingen in Irak en de vindplaats van de glyphs, over de Kefieden en hun ceremonie en Alfie vertelde hem alles wat hij wist. Het voelde alsof hij geen keus had en trouwens: Most had de kopie van het dagboek op zijn schoot liggen en keek er van tijd tot tijd in voor hij een vraag stelde. Hij vroeg Alfie naar zijn epilepsie en nadat Alfie hem verteld had dat hij per ongeluk naar de glyph had gekeken die zijn opa in zijn bureau verstopt had, leek de psychiater zich in zichzelf terug te trekken. Hij mompelde wat voor zich uit en knikte en schudde met zijn hoofd alsof hij ruzie met zichzelf had. Uiteindelijk vroeg hij Macpherson om Flowers met zachte hand rustig te houden, omdat hij nog iets anders wilde proberen. Hij hield weer die cilinder onder Alfies neus en spoot de koude vloeibare drug in zijn neusgaten.

'Plak zijn oogleden nu maar wel vast,' zei Most tegen Macpherson en hij riep naar de blonde man die voorin zat dat hij een video-opname van dit experiment wilde hebben. De psychiater startte een laptop op, leunde wat opzij zodat de blonde man kon filmen wat er op het scherm verscheen en draaide daarna de laptop om, zodat Alfie de glyph kon zien die erop stond. Een ingewikkelde, doornachtige, zwarte, pulserende cirkel, die eerst de lucht en vervolgens Alfies hoofd in kroop, een zwarte polsslag die door zijn hersenen gleed, die voor de blije glimlach van Most schoof. Het laatste wat Alfie zag was de blonde man met de digitale videocamera achter de schouder van de psychiater. Toen ramde de tweede aanval hem als een TGV-trein.

Nadat hij vier dagen in min of meer dezelfde positie had gezeten, voelden Alfies schouders als een staaf ijzer aan en zijn ruggengraat als een ketting van strakke dikke knopen die bij de lichtste beweging over elkaar schuren. Het voelde alsof hij in elkaar geslagen was, de Londense marathon had moeten lopen en wéér in elkaar geslagen was. Hij was ook erg vervuild: zijn broek stond stijf van de opgedroogde urine, zijn mooie hawaïshirt was nat van het zweet, maar gelukkig kon hij zichzelf niet ruiken, behalve als hij voorzichtig en moeizaam ging verzitten. En áls hij dat deed rook hij als een vuilnisbak die een hele dag in de zomerzon had staan stoven.

Overdag ging het wat beter dan 's nachts. De stof van de kap liet wat licht door en er sijpelde voldoende licht door de planken van de deur en de gaatjes in het blik naar binnen om de schaduwen te verdrijven die in de donkerte achter de kap, achter zijn ogen, bewogen. 's Nachts waren die schaduwen veel meer aanwezig en Alfie moest zijn best doen om ze te negeren, bang als hij was dat ze een patroon of een vorm zouden worden die een aanval zou opwekken. Na de twee zware aanvallen die hij door toedoen van Most gekregen had, balanceerde hij constant op het randje, hij kon ieder moment instorten. Hij was bang dat het krachtige, heldere licht uit dat idiote wapen hem blijvend beschadigd had, dat achtergebleven glyphdeeltjes in zijn hersenen vreemde gedachten opriepen. Gedachten als die waardoor Watty in een perfecte zes van het flatgebouw was gesprongen, gedachten waardoor Shareef de elektriciteitskabel had opgegeten.

Iedere ochtend en avond kwamen er twee mannen langs die hem onwillig van eten en drinken voorzagen. Het ging iedere keer op dezelfde manier. De rand van de kap werd tot net boven zijn lippen opgerold en een plastic kopje werd tegen zijn lippen gedrukt. Dat kopje werd zo vaak als hij wilde bijgevuld. Vervolgens voerde een van de mannen hem: koude rijst en bonen werden met een metalen lepel in zijn mond gepropt. Die lepel raakte vaak zijn tanden en sneed af en toe in zijn tong. Na een willekeurig aantal lepels werd de rand van de kap weer naar beneden getrokken, werden zijn boeien losgemaakt van de ring in de muur en werd hij naar het chemisch toilet gebracht. Als hij klaar was en zijn smerige broek had opgetrokken, moest hij terug naar de matras, moest hij weer met zijn rug tegen de muur gaan zitten en werd hij weer aan de ring geboeid.

Dit alles verliep in doodse stilte. Toen Alfie voor de eerste keer door zijn bewakers werd gevoerd, had hij om zijn fenobarbital-tabletten gevraagd en uitgelegd waarom hij die nodig had, maar een van de mannen had gezegd dat hij zijn klotebek moest houden en had hem zo strak geboeid dat hij sterretjes onder zijn kap had gezien. Hij kreeg weer een bloedneus en zijn oren zaten uren later nog dicht. Hij had nooit meer wat tegen hen gezegd.

De eerste nacht dat hij daar alleen zat, had hij nog gefantaseerd over ontsnappingspogingen. Hij zou aan de greep van zijn bewaker ontsnappen als hij naar het chemisch toilet werd gebracht, hij zou de man beentje lichten, zich op hem laten vallen en hem met een kopstoot buiten westen beuken. Of hij zou, als hij klaar was op het toilet, opstaan, zijn hoofd in de plexus solaris van de man rammen en hem buiten westen slaan... Maar zelfs al kon hij deze bewaker overmeesteren, vanonder zijn kap had hij gezien dat de ander altijd bij de deur bleef staan en hij zou zonder twijfel schieten bij de minste verdachte beweging. Een andere fantasie nam de plaats van de ontsnappingsfantasie over.

Waar de plek ook mocht zijn, het was er akelig rustig. Hij zou de laatste overlevende kunnen zijn van een catastrofe die de mensheid van de aarde had weggevaagd. Alfie, die het grootste deel van zijn volwassen leven in Londen had gewoond, vond de stilte angstaanjagend en vroeg zich af of zijn bewakers hem daar achter hadden gelaten om hem van dorst te laten sterven. Hij sliep onregelmatig en toen hij eindelijk de deur hoorde kraken en er sprankjes zonlicht door zijn kap heen schenen, was hij bijna dankbaar. Hij dacht niet meer aan ontsnappen, hij liet braaf toe dat hij gevoerd werd en water kreeg, naar het toilet werd gebracht, op de matras werd geduwd en weer aan de ijzeren ring in de muur werd vastgemaakt. 'Zo sterk als goud,' zei zijn oma vroeger.

Na die eerste nacht in gevangenschap maakte Alfie geen ontsnappingsplannen meer. Zijn kidnappers zouden hem niet doden, of in ieder geval nog niet meteen. Wat hij moest doen was stijf rechtop zitten en het ondergaan. Maar de tijd ging zo langzaam, net als vroeger toen hij als kind ziek was. Hij wist nog dat hij een lange zomerdag zwak en koortsig in bed had gelegen. Dat hij naar buiten keek, naar het zonlicht dat tussen de blaadjes danste achter het openstaande raam en naar de wolken in de lucht. De wolken die voorbijdrijvend allerlei vormen aannamen en zich totaal niet van zijn ziek zijn bewust waren.

Zijn geheugen was het enige wat Alfie had. Als hij niet in de slaapverwekkende hitte wegdoezelde, of 's nachts in de kou probeerde te slapen, deed hij steeds vaker een beroep op zijn prettige herinneringen. Uit zijn jeugd. Over zijn vader. Hij herinnerde zich de laatste keer dat hij zijn vader gezien had: op het strand, de vlieger, het kampvuur, de joint. Hij herinnerde zich zijn verjaardag van het jaar daarvoor – voor zijn opa overleed, voor zijn ongeluk. Hij was met zijn vader naar Londen gereden en ze waren naar *Herbie Goes Bananas* geweest, in een bioscoop in Soho. Alfie, met zijn negen jaar eigenlijk al te groot voor pratende auto's, had de film best grappig gevonden, maar had het vooral geweldig gevonden dat hij tien rijen pluchen stoelen voor zichzelf had. Het was of hij een prins of een miljonair was! En hij had besloten dat als hij rijk en beroemd was en woningen liet bouwen met heliplatformen, zwembaden met watervallen en pretparken, hij ook een privébioscoop wilde. Na de film waren ze naar de schatkamer van Hamley's gegaan, waar hij het bouwpakket van de HMS *Ark Royal* had uitgezocht als verjaardagscadeau (maar eigenlijk was de hele geweldige dag één groot verjaardagscadeau). Vervolgens hadden zijn vader en hij vroeg gegeten in een restaurant in Chinatown, waar zijn vader in het Chinees met de oude vrouw die bediende had gepraat en Alfie had laten zien dat als je geen thee meer had, je het deksel naast de theepot moest leggen zodat de mevrouw kon zien dat je meer thee wilde.

Mick Flowers met zijn leren jasje, zijn rocksterrenkapsel en zijn cynisme, die zonder enige waarschuwing van verre slagvelden terugkeerde, uitgeput en verfomfaaid, twaalf uur per dag sliep, zijn rockmuziek door het oude huis liet galmen, die met Alfie naar Aldeburgh reed om fish-and-chips op het strand te eten, de beste fish-and-chips van de wereld. Die met hem naar Londen reed om te lunchen met zijn agente in de Chelsea Arts Club. Dan bleven ze in zijn flatje overnachten en raceten de volgende dag in de Morgan via provinciale wegen naar het oude huis in Cambridge terug... Op een andere reis stopten ze bij een dorpspub waar Alfie chips at en limonade uit een groot glas dronk en zijn vader twee biertjes dronk en sjekkies rookte. Zijn favoriete camera, de Nikon, hing om zijn nek. Alfie wist ook nog dat hij van zijn vader een paard in de *Racing Time* mocht aanwijzen.

'Dan zet ik er vijf pond op winst op, baas, en als het wint, mag jij het geld houden. Lijkt je dat wat?'

Mick Flowers had zijn bookmaker met de telefoon naast de toiletten gebeld en vijf pond op Alfies paard gezet en vijftig op de grote kanshebber in de race van drie uur in Wincanton. De volgende dag had hij Alfie zijn winst gegeven, maar erbij gezegd dat hij het maar niet tegen oma moest zeggen, want die hield niet van paardenrennen.

Dat was Mick Flowers, met zijn branieachtige charme en zotte invallen, zijn nonchalante houding ten opzichte van zijn werk (trouw aan het ethos van de fotojournalisten noemde hij zijn foto's 'kiekjes' en was nooit trots op zijn beste foto's) en zijn onvoorspelbare leven, waardoor hij niet voor zijn eigen zoon kon zorgen. Toen zijn vader in Libanon verdween, weigerde Alfie te geloven dat hij dood was. Een ontkenning die hij koppig volhield toen het met bloed bevlekte paspoort van Mick Flowers arriveerde, door de Britse ambassade in Beiroet opgestuurd. Hij had zelfs complete scenario's uitgewerkt. Zijn vader moest doen alsof hij dood was omdat hij undercover werkte tegen duivelse vijanden. Hij was door een explosie gewond geraakt, of door een kogel in zijn hoofd, had zijn geheugen en spullen verloren en werd door een menslievende bedoeïenenstam verzorgd. Of hij was ontvoerd (maar pas na een bloedstollend gevecht waarin alle mannen die hem mishandeld hadden zwaar gewond waren) en werd in een diepe kerker vastgehouden, geketend, zijn gezicht opgeheven naar de zon die door een hoog, smal raampje te zien was en waar hij zijn ontsnapping voorbereidde.

Misschien dacht Alfie aan zijn vader omdat hijzelf nu de hoofdpersoon van een van zijn kinderlijke bedenksels was. Omdat de glyphs de oorzaak van de dood van zijn vader waren en waarschijnlijk straks ook de oorzaak van zijn eigen dood.

Maar daar dacht hij liever niet aan.

Hij dacht er ook liever niet aan dat ergens op Buitenlandse Zaken in Londen, in een slecht verlichte, hoge kamer met gelambriseerde muren en olieverfschilderijen in vergulde lijsten, Toby Brown praatte met mannen in krijtstreeppakken en clubdassen. Waar hij alles vertelde wat hij van de ontvoering van zijn vriend wist. Hij dacht liever niet aan helikopters vol vastberaden SAS'ers die op dit moment naar hem toe vlogen. Hij dacht liever niet aan Harriet Crowley, over wat zij aan het doen was om hem vrij te krijgen...

Op de vijfde dag van Alfies gevangenschap kwam Macpherson hem 's ochtends vroeg halen.

Alfie schoot wakker toen de deur openging, zag vaag licht door de kap, hoorde de deur dichtklappen en iemand snel door de ruimte lopen. Iets smals en hards, de loop van een pistool, werd tegen zijn hoofd gezet en Macphersons kille stem zei: 'Rustig naar voren, heel langzaam. Als je maar dénkt aan iets anders, versieren je hersenen de muur.'

Alfie deed met bonkend hart wat hem gezegd werd en huiverde in de ochtendkou. Het plastic touw dat zijn handboeien met de ijzeren ring verbond was losgesneden en de kap werd van zijn hoofd getrokken.

Larry Macpherson zat op zijn knieën naast de matras, zijn sluike, zwarte haar als dat van een kerkhofrat achterover gekamd, zijn gezicht stond waakzaam, zoals altijd zonder emoties, zijn ogen zaten verborgen achter een zonnebril en op zijn wangen groeide een stoppelbaard. Hij had gepoetste soldatenkistjes aan, een camouflagebroek en een groen legerjasje. Zijn handen, met een automatisch pistool erin, hingen tussen zijn knieën.

Hij keek Alfie even aan en zei: 'Jezus, man, wat meur jij. Weet je dat? Ik zal je onder de douche moeten zetten en je schone kleren moeten geven voor je onder de mensen kunt komen. Maar daarvoor moeten jij en ik even met elkaar praten. Kun je dat aan, denk je?'

Alfie knikte, voelde een rilling langs zijn ruggengraat lopen.

Macpherson zette zijn zonnebril af, hing die aan de boord van zijn T-shirt dat hij onder zijn legerjasje droeg en keek Alfie recht aan. Dit was de eerste keer dat Alfie zijn ogen zag. Het waren diepliggende, pikzwarte ogen met in het midden de glanzende pupil. 'Ik wil eerst héél duidelijk maken dat wat we bespreken tussen ons blijft. Ik moet zeker weten dat jij je mond niet voorbij zal praten tegen mijn crazy baas of zijn even crazy vriend. Beloof je dat je niet zult doorbrieven wat we zo gaan bespreken?'

Alfie knikte weer.

Macpherson hield zijn hoofd scheef en zei: 'Ik moet het horen.'

Alfie moest wat spuug omhoog werken en weer doorslikken voor hij wat kon zeggen. Zijn keel leek wel van hout en de drie woorden, de eerste die hij zei sinds zijn bewaker had gezegd dat hij zijn klotebek moest houden, kwamen er krakerig uit. 'Ik beloof het.'

'Toen mijn baas jou beschoot met zijn glyphpistool, leek het alsof je een toeval kreeg. Ik wil weten of je dat fakete of niet.'

'Zoiets kun je niet faken.'

'Dat denkt mijn baas ook, en daarom leef je nog. Hij denkt dat je door dat ongeluk waar je over vertelde een hersenbeschadiging hebt opgelopen waardoor je overgevoelig voor glyphs bent. En dat je daarom, toen hij zijn pistool gebruikte om jou de vragen die hij stelde eerlijk te laten beantwoorden, die toeval kreeg. En daarom kreeg je weer een toeval kreeg toen hij je die andere glyph op de laptop liet zien. Hij zegt dat er, als jij gedrogeerd bent en je een actieve glyph (zoals hij dat noemt) te zien krijgt, in jouw hersenen een soort elektrische storm losbarst die jou van de wereld vaagt voordat de glyph kan doen wat die moet doen. Klinkt dat logisch?'

Alfie knikte en wachtte af wat er verder zou komen.

Macpherson ging verder: 'Hij denkt ook dat jij als je een glyph ziet, zelfs als je niet gedrogeerd bent, toch kunt vertellen of die glyph wel of niet actief is.'

'Zo is het allemaal begonnen. Toen ik voor het eerst een graffiti van Morph zag, wist ik dat het patroon daaromheen actief was.'

'Ik weet nog dat je dat verhaaltje aan mijn baas vertelde.'

'Het is een waar verhaal.'

Macpherson besteedde vijftien minuten aan zijn gezinsachtergrond. Het ongeluk in Alfies kinderjaren, zijn zoektocht naar Morph, zijn ontdekking van de dagboeken van zijn opa. Ten slotte zei hij: 'Je boft dat die man dit allemaal gelooft. Het intrigeert hem en hij denkt dat je bruikbaar bent. Daarom heeft hij een speciaal apparaat besteld en ontvangen waarvan hij denkt dat het hem precies gaat laten zien wat er in die hersenen van jou gebeurt als je naar een glyph kijkt. Daarom heeft hij me gestuurd om je op te halen. Weet je, in Londen wilden we die gozer vinden, Morph, Musa Karsu. We zouden hem laten vertellen hoe hij aan die glyph kwam die hij in zijn graffiti gebruikt. Maar in plaats daarvan vonden we jou, en mijn baas vindt dat je een veel betere vangst bent. Hij denkt dat het dagboek van je opa hem naar de plek leidt waar hij nog meer glyphs zal vinden, in die grot. Hij denkt dat sommige heel krachtig en sterk zullen zijn. Hij denkt ook dat hij jou kan gebruiken om erachter te komen welke actief zijn en welke niet. Hij gaat je iedere glyph die hij vindt onder je neus duwen en kijken of die jouw denkpatroon verandert. Je kunt maar beter gaan bidden dat dat goed gaat, want dat is de enige reden dat je nog leeft.'

'En wat gaat hij daarna doen? Nadat hij me gebruikt heeft om die glyphs te testen?'

'Dan wil hij je vermoorden.'

Hoewel Alfie dit min of meer verwacht had, schrok hij er toch van. Er schoot een schok door hem heen, van zijn kruin tot zijn blote voetzolen.

Macpherson ontblootte zijn tanden in een vreugdeloze lach; als een dier dat klaarstaat om te bijten. Het was absoluut geen glimlach. Hij zei: 'Dat is zíjn plan, niet het mijne.'

Hij pauzeerde, liet dat even bij Alfie bezinken.

Alfie zei: 'Jij hebt je eigen plannen met de glyphs.'

'Ik heb gezien wat hij allemaal met zijn glyphpistool kan doen.

Ik weet dat het iemand kan laten zingen als een kanarie, of zelf-moord kan laten plegen. Ik weet dat het mensen in zombies kan veranderen. Op zichzelf is dat heel handig, maar nu ontdekt de man dat hij aan een heel stel actieve glyphs kan komen. Om eer-lijk te zijn is hij zo knetter als een deur en ik vind niet dat die din-gen in handen horen te vallen van een gek, vind jij ook niet?'

'Helemaal mee eens.'

Alfie vond dat de glyphs in níémands handen mochten vallen.

Macpherson zei: 'Nou, dan zijn we het daar in ieder geval over eens. Dat is mooi, want ik ben jouw enige hoop. Wil je weten waarom?'

'Ik neem aan dat je me dat nu gaat vertellen.'

'Ik denk dat je het recht hebt om pissig te zijn, zo vastgebon-den als je hier gezeten hebt, als een laboratoriumrat. Maar nu zou ik, als ik jou was, heel goed naar me luisteren, want het is je eni-ge kans om dit te overleven.'

'Waarom zou jij me helpen?'

'We gaan elkaar helpen. Hoe? Ik neem je mee naar de heuvel en daar doe jij wat je van hem moet doen, je gaat hem de waarheid vertellen over de dingen die hij vindt. En dan, als ik weet wat ik moet weten, ben ik aan zet. Ik zal de boel dan regelen. Begrijp je me?'

'Jij gaat hem vermoorden.'

Macpherson haalde zijn schouders op, keek waakzaam, maar toonde verder geen enkele emotie.

'En hoe weet ik dat je mij níét gaat vermoorden?'

'Omdat ik jou nodig heb om aan bepaalde mensen te vertellen wat de glyphs kunnen. Ik heb je nodig om te bevestigen dat ze ac-tief zijn. Nou, wat vind je ervan? Hebben we een deal?'

'Hoe kan ik jou nou vertrouwen?'

'Kun je niet. Maar je hebt geen keus. Of je werkt met me sa-men, óf je bent dood.'

'Dan moet ik maar met je samenwerken.'

'Heel goed. Denk je dat je kunt staan?'

Alfies armen waren nog steeds op zijn rug geboeid en zijn be-nen voelden als houten palen, maar het lukte hem om alleen op te krabbelen. Macpherson zei dat hij zich om moest draaien en zijn handen zo ver mogelijk moest uitstrekken. Dat deed Alfie, hij dacht dat de man zijn boeien af zou doen, maar in plaats daarvan pakte de huurling Alfies rechterpink en draaide die om. Een ongelooflijke pijnscheut trok door Alfies arm en explodeerde in zijn hoofd. Ooit was hij zó dicht bij een blikseminslag geweest dat hij de flits en de donderklap bijna gelijktijdig gezien en gehoord had. De pijn was net zo schokkend als dit. Witte lichtflitsen schoten achter zijn ogen, hij gilde het uit van de pijn en viel op zijn knieën. Macpherson ging op zijn hurken naast hem zitten, greep een dot haar, trok zijn hoofd opzij en zei in zijn oor: 'Rustig maar, hij is niet gebroken, alleen maar uit de kom. Je kunt hem zo terugdrukken, dan is-ie een paar dagen stijf en blauw, maar het geneest.' Hij duwde Alfies hoofd weer terug, richtte de loop van zijn pistool op Alfies dijbeen, greep hem bij zijn ballen en vroeg kalm, alsof er niets gebeurd was: 'Heb ik nu je volledige aandacht?'

Alfie knikte een keer en knipperde zijn tranen weg.

'Haal het niet in je hoofd om mijn baas iets over onze afspraak te vertellen. Je hebt er ook niets aan, want ik ga het ontkennen en hij zal jou nooit geloven. Bovendien word ik dan heel kwaad en dat wil je niet. En als ik ook maar even het idee heb dat je me verneukt, als ik het idee heb dat je over die glyphs liegt als de man ze je laat zien, dan doe ik je iets veel ergers aan dan een vinger uit de kom. Destijds, in Afghanistan, hadden twee mannen die me door de bergen zouden gidsen het idee om me aan een plaatselijke bevelhebber te verkopen. Op een nacht beslopen ze me toen we in een kutdorp overnachtten, maar ik kreeg het geweer te pakken dat een van hen tegen mijn gezicht had gezet, verwondde hem en doodde de ander. De volgende dag, om er zeker van te zijn dat de anderen me niet zouden verneuken, heb ik de klootzak opgehangen. Heel langzaam. Ik hing hem op, liet hem wat spartelen en haalde hem weer naar beneden. Naar boven en naar beneden, naar boven en naar beneden... Het duurde langer dan een uur voor hij dood was. En het had nog langer kunnen duren, maar ik moest ergens op tijd zijn.' Hij drukte de loop van zijn pistool tegen Alfies buik, prikte hem en draaide de loop, zodat die in de kleding en buik verdween. 'Begrijpen we elkaar?'

Alfie begreep dat wat hij ook deed hij hier waarschijnlijk niet levend uit zou komen. Toch knikte hij. Als Larry Macpherson Rölf Most wilde vermoorden, vond hij dat prima.

Macpherson stond op. 'Nu we dit geregeld hebben kunnen we weg. De man kan niet wachten om je je werk te laten doen. Hij is zo opgewonden dat hij bijna in zijn broek piest. Echt waar.'

26

Harriet kreeg een déjà vu toen ze door de smalle woonkamer van het appartement liep waar Toby en zij geslapen hadden en ze de journalist en Emre Karin samen op de rand van een leren bank op een plattegrond zag kijken die aan hun voeten op de grond lag. Ze herinnerde zich dat Toby een soortgelijke plattegrond bestudeerde in het huis van Ashburton en dat Julius Ward iets met zijn wandelstok aanwees. Ze hoopte dat Toby niets had verteld van wat ze voor Mehmet Celik en Karin had achtergehouden. Ze had afgelopen nacht even met Toby kunnen praten en had hem laten beloven dat hij niets los zou laten over de vindplaats van de glyphs. Maar nu vroeg ze zich af of ze hem kon vertrouwen, of hij echt begreep dat er veel meer op het spel stond dan de levens van Karsu en Flowers.

Toby begroette haar vriendelijk, met een sigaret in een mondhoek, en zei dat als ze ontbijt wilde, ze dat moest gaan pakken: er waren thee, broodjes, kaas en meloen. 'Emre vertelde me dat ze hier de lekkerste meloenen van de wereld hebben.'

De tolk rookte ook. De ventilator aan het plafond verspreidde de grijze rook.

Harriet keek Toby veelbetekenend aan en zei: 'Kijk jullie nou eens gezellig samen zitten. Ga je me nog vertellen wat jullie bekokstoven?'

Toby was bijna hysterisch geweest nadat de bezeten boer was doodgeschoten, hij was ervan overtuigd dat Harriet en hij de volgenden zouden zijn. En nu, een paar uur later, was hij de beste maatjes met hun ontvoerders en dacht dat ze min of meer aan dezelfde kant stonden. Harriet was daar nog niet zo zeker van. Gisteravond hadden ze het gehad over het redden van Musa Karsu en Alfie Flowers en over het afpakken van de glyphs van de ongelovigen – alsof de glyphs alleen maar archeologische vondsten waren, of een net zo onschuldig volksgebruik als doedelzakken of manden vlechten. Maar Harriet wilde niet alleen de glyphs van Most afpakken, ze wilde ze vernietigen. Ze vond hun bestaan, zolang ze in handen konden vallen van mensen die geen flauw idee hadden van wat ze konden aanrichten, net zo gevaarlijk en onverantwoordelijk als een paar pond glinsterend plutonium in handen van een kleuter.

Ze had slecht geslapen, alleen in de enige slaapkamer van het appartement op de zevende verdieping van een modern flatgebouw net buiten de oude stadsmuur. Ze had geprobeerd iets te bedenken om te ontsnappen en op zoek te gaan naar Elfingham, maar dat was niet gelukt. Ze doezelde af en toe weg en schrok dan badend in het zweet wakker met een droge mond van nachtmerries die ze zich godzijdank niet kon herinneren. Uiteindelijk gaf ze het slapen op en zag de lucht boven de andere flatgebouwen licht worden. Ze voelde zich tegelijkertijd immens en mateloos vermoeid en zenuwachtig opgewonden, een kruising tussen een jetlag en podiumangst. Toen Toby op de deur klopte en vroeg of ze wakker was, kostte het haar ongelooflijk veel wilskracht om de slaapkamer uit te komen.

Karin had zijn tweedjasje verruild voor een groen windjack. Vanaf de bank keek hij naar haar en zei: 'Er is een probleem waar ik je over moet inlichten.'

Naast hem zei Toby: 'Een kleine verandering van de plannen. Niets ingrijpends.'

Karin ging verder: 'Blijkbaar heeft je vriend, dr. Richard Elfingham, jouw telefoontje gisterenavond niet geloofd. Helaas hebben hij de politie ingeschakeld. Op dit moment ondervragen ze Mehmet Celik. Dat is niet erg, die zal niets vertellen over onze zaak. En ze moeten hem natuurlijk snel vrijlaten, want hij is een belangrijk man.'

Toby drukte zijn peuk uit in de grote, marmeren asbak die op een hoek van de plattegrond stond. 'De politie is geen groot probleem. Echt niet. Emre heeft al bedacht hoe we dat op gaan lossen.'

Harriet zat op een leren kussen. De kamer stond vol spullen die er veel te groot voor leken. Het raam, boven een minibalkon, keek uit op een ander flatgebouw en een streepje witte lucht. Ze vroeg: 'Is het niet veel eenvoudiger om naar de politie te gaan en alles uit te leggen? Ik kan zeggen dat Elfingham zich bezorgd maakte over ons en een vergissing heeft gemaakt.' En dan kon ze vertellen dat ze ontvoerd was en dan kon, als dat duidelijk was, Elfinghams mannetje haar uit Diyarbakir smokkelen, de Iraakse grens over.

Karin zei: 'Misschien heeft jullie politie gevoel voor humor, maar die van ons niet, echt niet. Die gaan echt niet zeggen: "Ach, was het een vergissing? Nou, oké dan, jullie mogen weg." Die gaan jullie ondervragen over die vergissing, een dag, twee dagen, of zolang als het duurt voor ze tevreden zijn. En vervolgens worden jullie bijna zeker gedeporteerd. En ze gaan ons natuurlijk veel moeilijkheden bezorgen.'

Toby zei: 'Dat betekent dat we niet via Habur Gate naar Irak kunnen gaan, zoals het plan was. Maar Emre zegt dat er nog een andere manier is.'

'Nauwelijks onaangenamer en nauwelijks duurder. Maar wees gerust. Het is veilig. We hebben de afspraken al gemaakt. We komen nog steeds op tijd voor ons rendez-vous met onze vrienden in Irak.'

Gisteravond hadden Celik en Karin gezegd dat Harriet en Toby naar het zuiden, naar Habur Gate zouden reizen, de belangrijkste grenspost tussen Turkije en Irak. Eenmaal in Irak zouden ze door *peshmerga*-soldaten worden opgewacht die hen naar het oude dorp van de Kefieden zouden brengen, waar ze hoopten Musa Kursa te vinden. Behalve het rendez-vous met de soldaten, was het ongeveer dezelfde route als die die Harriet met het mannetje van Elfingham had willen nemen. Maar nu hadden Karin en Toby het over iets veel ingewikkelders en waarschijnlijk veel gevaarlijkers. Harriet wist dat ze er niets meer aan kon doen, maar ze wilde niet zomaar haar plannen opgeven en zich aan deze goed bedoelde amateurs overgeven. 'Als ik dr. Elfingham zou kunnen zien, kan ik met hem praten en ik weet zeker dat ik hem ervan kan overtuigen dat hij tegen de politie moet zeggen dat hij een vergissing heeft gemaakt.'

Ze zou voorstellen om Elfingham ergens in een openbare gelegenheid te ontmoeten, ze zou dan ontsnappen voordat de archeoloog ter plaatse was – ze zou tegen haar bewakers zeggen dat ze naar de wc moest, in een bus springen, een kop thee in een café bestellen en die in hun gezicht gooien, of een opstootje veroorzaken...

Maar Karin schudde zijn hoofd en zei: 'Daar is geen tijd voor, en het hoeft ook niet, want we vertrekken... nu.' Hij riep iets in het Koerdisch.

De twee tieners die Harriet en Toby bewaakten kwamen naar binnen. Een had een automatisch pistool voor zijn buik hangen. Harriet zei: 'Mag ik alsjeblieft nog wel schone kleren aantrekken?'

'Dat is dat tweede probleempje,' meldde Toby. 'Deze mensen konden jouw spullen niet uit het hotel halen. Dat wordt door de politie in de gaten gehouden.'

Karin vroeg aan Harriet: 'Jij geld hebben? Amerikaanse dollars?'

Gelaten antwoordde ze: 'Niet veel.'

Ze had tienduizend dollar in een geldbuidel onder haar rok en een stapel Turkse lira verstopt in haar reserveondergoed in haar leren rugzakje.

Karin zei vriendelijk: 'Dan nieuwe kleren in Irak kopen. Geen probleem.'

Terwijl ze naar beneden liepen, één tienerbewaker voorop, de ander achteraan, probeerden Toby en Karin Harriet ervan te overtuigen dat, hoewel de afspraken razendsnel gemaakt waren, alles goed zou komen. Dat ze zouden worden opgevangen door mannen die hun hele leven al mensen over de grens smokkelden. Maar Harriets slechte voorgevoel, dat alles alleen maar ingewikkelder werd, verdween niet. Ze liepen de dienstingang uit en de brede straat op die tussen hun flatgebouw en het andere liep. Harriet zag de leikleurige vrachtauto naast een aantal smalle, stalen vuilnisbakken staan, zag de zakken met uien in het laadgedeelte liggen en vroeg aan Karin: 'Denk je nou echt dat ik daarin de grens over ga?'

De tolk lachte. En Toby Brown ook.

Karin zei: 'Natuurlijk is dit geen veilige manier om door de Habur Gate te komen. Daar staan lange files en de beveiliging is optimaal: ze hebben honden en apparaten die de lichaamstemperatuur van een mens kunnen peilen. Daarom steken we ergens anders de grens over. Nee, met deze gaan we náár de grens, want aangezien de Kongra-Gel het bestand heeft opgezegd zijn er politieposten op de wegen en ook zal de politie op zoek zijn naar Britse toeristen die door Koerdische criminelen ontvoerd zijn.'

'Het wordt een groot avontuur,' zei Toby.

'Daar ben ik juist bang voor,' zei Harriet.

In de laadruimte lagen ook dekens en er was net genoeg ruimte overgelaten voor Harriet en Toby om tegenover elkaar te zitten. De chauffeur gaf hun een plastic tasje met sinaasappels en flessen water voor hij het doek vastknoopte en met zakken uien camoufleerde.

'Ik denk niet dat ik hier een sigaret kan opsteken,' zei Toby.

'Ik denk dat ik dat helemaal met je eens ben,' zei Harriet en ze vroeg waarom Karin en hij de plattegrond bestudeerd hadden.

'Ik weet wat je denkt, maar maak je niet ongerust. Hij liet me alleen maar de route zien die we gaan nemen. Hij zei dat nu het grote avontuur ging beginnen, dat we elkaar moesten vertrouwen en alles wat we wisten met elkaar moesten delen. Of zoiets.'

Harriet zette zich schrap toen de vrachtauto een scherpe bocht naar rechts maakte en vroeg: 'Je hebt toch niets over de grotten tegen je nieuwe vriend gezegd, hè?'

'Geen woord. Hand op mijn hart en anders ben ik dood.'

'En toen hij de weg naar het dorp aangaf, zinspeelde hij nergens op, of vroeg hij dingen?'

'Hij was heel erg to-the-point. Hier gaan we naartoe, deze wegen nemen we. Op die manier. Geen strikvragen. Helemaal niet.'

'Dus hij denkt dat we naar het dorp gaan om Musa Karsu te vinden vóór Most hem vindt?'

'Dat gaan we toch ook doen?'

'Niet helemaal.'

Er viel net genoeg licht door het doek en de zakken uien binnen voor Harriet om het gezicht van Toby te zien veranderen. Langzaam vroeg hij: 'Hoe bedoel je? Dit doen we toch om die arme kerel te vinden vóór Most dat doet?'

'Ik dacht echt dat Karsu in Diyarbakir zat. Anders had ik mijn tijd hier niet met zoeken naar hem verspild. Maar ik moest nóg iets doen, of we hem nou zouden vinden of niet.' En ze vertelde van de satellietfoto die ze van Jack Nicholl had gekregen, en dat er iemand, praktisch zeker Rölf Most, naar de grotten zocht, en van haar afspraak met Elfingham. Hij nam het niet slecht op.

'Dus het gaat eigenlijk de hele tijd al over die glyphs.'

'Jij bent hier omdat je hoopte Alfie te vinden. Ik om Musa Karsu te vinden én om de vindplaats van de glyphs te beschermen. We hebben Karsu niet gevonden in Diyarbakir, maar met een beetje geluk kan ik nog wel wat aan de glyphs doen.'

'Jij denkt dat Alfie dood is, hè?'

'Ik weet het natuurlijk niet zeker, maar volgens mij heeft Most hem met zijn glyphpistool aan de praat gekregen en hem daarna laten vermoorden, ja. Sorry.'

Na een korte stilte zei Toby: 'Toen Alfie me vroeg of ik hem wilde helpen zoeken naar Morph – Musa Karsu – was hij zo opgefokt als ik weet niet wat. En als je hem een beetje kent, weet je dat dat niet normaal is. Hij is iemand die door het leven schuifelt, altijd aan de zijkant, of in een soort parallelle wereld die af en toe met de onze in aanraking komt. Ik bedoel: hij woont niet als een normaal mens in een huis of in een appartement, hij heeft een lapje grond, die caravan... hij is waarschijnlijk de enige inwoner van Islington die in een caravan woont! En hij wil graag zijn balans houden, zoals hij dat noemt. Hij koestert zijn gewoontes, hij houdt ervan omdat hij vindt dat die hem helpen zijn epilepsie onder controle te houden. De arme kerel,' zei Toby rustig en uiterlijk onbewogen. 'Volgens mij heeft hij niet in de gaten hoe vaak hij van de wereld is. Iedereen die hem voor de eerste keer ziet, vindt hem in het beste geval de Grootste Engelse Zonderling en in het slechtste geval een terecht doelwit voor een bende boeren met fakkels en zeisen of voor mensen die met plezier de huizen van pederasten platbranden. Maar er mogen dan wat steekjes bij hem loszitten, hij was er altijd voor me. Hij was er toen ik trouwde, in een witte smoking met handschoenen, kun je je dat voorstellen, en hij was er toen ik scheidde. We zijn goede vrienden. Ik denk dat ik zelfs zijn beste vriend ben. En toen zag hij een cartoon van Morph, vroeg me of ik hem wilde helpen en vertelde een idioot familieverhaal uit zijn jeugd. Wie zou hem geloven? Ik goddomme niet – dus niemand. Het ene moment zit hij zo diep in zijn vastgeroeste gewoontes dat je hem met een kist dynamiet nog niet wakker krijgt en het volgende moment bazelt hij over patronen die serieus je geest kunnen veranderen. En weet je wat het allerleukste is, maar niet heus? Dat hij echt dacht dat Morph hem kon helpen. Hij heeft epilepsie omdat hij naar de verkeerde glyph heeft gekeken en hoopte dat er een andere glyph bestond die hem kon genezen. Arme kerel. Toen Julius Ward hem vertelde dat wat hem overkomen was niet te genezen was, werd hij zo bleek dat je hem in plakken had kunnen snijden en als papier had kunnen verkopen.'

Het viel weer stil. De vrachtauto maakte een scherpe bocht, waardoor Harriet tegen het doek en de uienzakken aan viel, en maakte snelheid.

Toby ging verder: 'En weet je wat het allergekste is? Dat idiote verhaal van hem bleek waar te zijn! Eerst deed ik alsof ik het geloofde, omdat hij mijn vriend was en ook, dat geef ik grif toe, omdat het een geweldig verhaal was. Ik dacht, moge God het me vergeven, dat ik eraan zou kunnen verdienen. En nu... Tja, nu zitten we hier. Wie had dat gedacht? En voor het geval ik het nog niet tegen je gezegd heb: ik ben blij dat ik met je mee mocht. Ik bedoel: ik weet dat je een lage dunk van me hebt en zo, en je had makkelijk nee kunnen zeggen, maar dat deed je niet.'

'Dan was je hier toch wel gekomen, hoor.'

'Als je een week geleden tegen me had gezegd dat ik achter een knettergekke wetenschapper aan zou gaan die mijn vriend ontvoerd had, zou ik tegen je gezegd hebben dat je zo gek bent als een deur. Nu lijkt het het enige juiste.'

'Het is ook het enige juiste.'

Ze keken elkaar in de halfdonkere, kleine, lawaaierige ruimte glimlachend aan, met hun knieën tegen elkaar aan.

Toby zei: 'Jij wilt niet dat Emre en Mehmet Celik iets over de grotten te horen krijgen. En ook die peshmerga's niet. Maar als je niet iets slims hebt bedacht om Most en zijn huurtroepen aan te pakken, kunnen we hun hulp misschien juist heel goed gebruiken, toch?'

Harriet schudde haar hoofd. 'Ze kennen niet het hele verhaal van de glyphs. Ze weten bijvoorbeeld niet hoe gevaarlijk ze zijn.'

Terwijl de vrachtauto de stad uit reed vertelde ze Toby van haar Afrikaanse avontuur, inclusief alle details. Nu hij waarschijnlijk mee zou gaan naar de vindplaats van de glyphs wilde ze hem bang maken, er zeker van zijn dat hij wist hoeveel er op het spel stond en er zeker van zijn dat hij begreep waarom zij niet kon toestaan dat Celiks mensen de glyphs in handen kregen.

Ze vertelde over het plan om het effect van de fascinatieglyph te testen door die in een paginagrote advertentie te verwerken en die in heel Lagos op te hangen. Het was reclame voor chocolademelk waaraan psychotrope drugs, naar recept van Carver Soborin, waren toegevoegd en die gratis op scholen werd uitgedeeld. Het idee erachter was dat de gedrogeerde chocolademelk de fascinatieglyph zou laten werken bij kinderen die ervan gedronken hadden, dat die er steeds meer van zouden willen drinken en zo een soort chocolademelkjunks zouden worden. In plaats daarvan werden veel kinderen knettergek van de combinatie drugs en glyphs. Ze vertelde over de ziekenhuizen vol knettergekke kinderen, stervende kinderen, kinderen die in comateuze toestand op matten lagen en in wier openstaande ogen de vliegen krioelden. Ze vertelde van de mislukte poging om Soborin te arresteren in zijn verblijf in de chique wijk van Lagos, waar buitenlandse directieleden van de olie-industrie en hooggeplaatste overheidsambtenaren woonden. Een poging die mislukte, omdat er opeens een twaalftal bezeten boeren uit de duisternis opdook, dat politie en soldaten met machetes, knuppels, vuisten, tanden en nagels bedreigde. In de veldslag die volgde, waren alle boeren afgeslacht en waren meerdere agenten, soldaten en burgers gewond of gedood. Soborin vluchtte naar Amerika. Daar werd de bevredigende diagnose gesteld dat hij paranoïde schizofreen was en hij werd opgenomen in de kliniek van een goede vriend van zijn vrouw, dr. Rölf Most. Geen rechtszaak, geen onderzoek, een regeringsoperatie die niet de aandacht van de pers had getrokken, zo pal na 9/11. Er was geen interesse voor een schandaal dat in het verre Afrika plaatsvond en waar alleen Afrikaanse kinderen bij betrokken waren.

Toby luisterde heel goed en stelde toen ze klaar was een paar scherpzinnige vragen. Maar hij bleek het toch niet helemaal te snappen, want hij zei: 'Rölf Most is net zo gek als Soborin. Daarom moeten we hem tegenhouden voor er nog een keer zoiets gebeurt.'

Harriet schudde haar hoofd. 'Daarom moeten wij ervoor zorgen dat jouw nieuwe vrienden de glyphs niet in handen krijgen.'

'Het zijn geen terroristen, hoor.'

'Misschien niet. Maar hoe goed kunnen ze een geheim bewaren?'

'Gaat het daarom? Dat jouw dierbare glyphs geheim blijven?'

'Carver Soborin had geen haka, dus gebruikte hij een mix van psychotrope drugs die hij zelf had samengesteld. Grotendeels een extract van de zaden van een Syrische wijnruit, de *Peganum harmala*. Dat was niet eens zo'n slechte keus, want de zaden van de wijnruit bevatten betazuren, de harma-alkalieden, die op die van de haka lijken. Maar ze lijken erop, ze zijn het niet. Dat is een van de redenen waarom zijn onderzoekje misging.'

Toby zei: 'Arme kinderen. Ze dronken die chocolademelk, zagen de glyph en kregen eigenlijk niets anders dan een bad trip.'

'Er werd destijds ook beweerd dat Mind's I dit onderzoek in opdracht van de CIA...'

'Weet ik,' zei Toby.

'Het was maar een gerucht. Zelfs als er echt een spoor liep van Mind's I naar de CIA, werd dat vakkundig weggewerkt met de bekende rook en spiegels. Maar ik denk dat, eventueel zonder sponsoring van wie dan ook, Soborin ooit nog een onderzoek als dat in Lagos wil doen. Omdat hij het kan. Omdat hij gek is – psychisch beschadigd door blootstelling aan de glyphs. De meeste werknemers van Mind's I zijn op de een of andere manier blootgesteld. Ze hadden vaak mentale ziektes: monomanie, manisch gedrag, paranoïa, obsessief dwangmatig gedrag, kwaadaardige fobieën... Meer dan de helft van het personeel pleegde zelfmoord of heeft dat meerdere malen geprobeerd.'

'Ik weet nog dat Ward zei dat hij ziek was geworden van de glyphs en dat Ashburton er op de een of andere manier blind van was geworden...'

De vrachtauto ging langzamer rijden en stopte. Harriet hoorde stemmen buiten – de stem van Emre Karin en andere mannenstemmen.

Toby fluisterde: 'Een politiecontrolepost.'

Harriet knikte. Het was zo makkelijk om het doek van hun schuilplaats weg te trekken, om te gillen, om de aandacht van de politie te trekken. Maar ze had al bedacht dat Karin de waarheid had gesproken toen hij zei dat als ze zouden ontsnappen, dat net zoiets was als vanuit een frituurpan in het vuur springen, en nu ze wist dat ze tot op zeven, acht kilometer van de vindplaats van de glyphs zou worden gebracht, was het veel makkelijker voor haar om zich bij de situatie neer te leggen. Ze zou met Karin en zijn peshmerga-vrienden meegaan omdat haar dat goed uitkwam en ze zou onderweg wel iets bedenken om naar de vindplaats van de glyphs te kunnen komen...

Eindelijk trok de vrachtauto weer op. Harriet zei tegen Toby: 'De glyphs werken op de hersenen van iedereen die ze gebruikt. Ze zijn het psychologische equivalent van plutonium. Er is geen manier om er veilig mee om te gaan, dus wil ik ze vernietigen. Tegen elke prijs.'

'En wat had je gedaan als we Karsu in Diyarbakir hadden gevonden?'

'Dan had ik geprobeerd hem over te halen mee naar Engeland te gaan.'

'En hem dan aan de regering overgedragen.'

'Voor zijn eigen veiligheid. De Nomads' Club is niet in de positie om hem tegen mensen als Most te beschermen.'

'Arme drommel,' zei Toby. 'Hij lijkt wel zo'n atoomgeleerde – iedereen jaagt op hem omdat zijn hoofd vol dodelijke geheimen zit, hij kan zich nergens verstoppen...'

Een halfuur nadat ze bij de politiepost gestopt waren draaide de vrachtauto de hoofdweg af, volgde een steil oplopend uitgesleten pad en stopte. De zakken uien werden weggetrokken, evenals het doek. Harriet en Toby stapten uit en knipperden met hun ogen in het felle zonlicht. Toby stak onmiddellijk een sigaret op. Karin zei dat ze er nog steeds niet waren, maar dat ze hun benen even konden strekken.

De vrachtauto stond naast een huisje met stenen muren en een plat dak, aan de rand van de overblijfselen van een gehucht. Verwilderde velden leidden naar een riviertje dat een vallei in slingerde en naar de bergen verderop stroomde. De chauffeur en zijn maat praatten met een oud vrouwtje met appelwangen, gekleed in een zwarte jurk en zwarte hoofddoek. Er bengelde een sigaret in een mondhoek terwijl ze de amberkleurige diesel vanuit een jerrycan in de vrachtauto schonk. Karin vertelde dat brandstof op de zwarte markt veel goedkoper was dan brandstof bij de benzinepompen – en dat geen enkele Koerd graag belasting betaalde aan een regering die zijn volk zo lang onderdrukt had.

'Turkije importeert ruwe olie uit Irak in ruil voor geraffineerde benzine en vloeibaar gas. Vroeger was dat illegaal door de VN-sancties tegen Saddam, maar de regering liet het toe, omdat er geld mee werd verdiend. Tijdens de invasie viel de handel stil, maar nu is het weer begonnen en is het legaal. De tankauto's rijden via de Harbur Gate, want dat is de veiligste weg van en naar Irak. En een klein deel van die brandstof vindt zijn weg naar de zwarte markt. Een beetje hier, een beetje daar...

Harriet ging naar de stinkende buiten-wc en liep daarna met Toby en Karin naar en tussen de ruïnes van het gehucht. De meeste huizen waren met een bulldozer bewerkt of in brand gestoken en waren niet veel meer dan kale muren en wat hopen puin. Kapotte meubels lagen tussen het welig tierende onkruid. Het warme briesje bewoog een krakende deur heen en weer. Een kind had een paarse pop laten vallen. Een bron zat tot bovenaan toe vol met puin. Karin vertelde dat dit een van de dorpjes was die het Turkse leger had gezuiverd op het hoogtepunt van de PKK-guerrilla-oorlog. Met een stok die hij had gevonden sloeg hij tegen de korenaren en zei dat de Koerden een moeilijk te vertalen woord hadden, *hawar*.

'Het betekent zoiets als hopeloosheid, en zorgen. Een gevoel dat je geen thuis meer hebt, dat je je nooit veilig voelt. Dat voel je op een plek als hier.'

Toby vroeg: 'Om wat hier gebeurd is.'

Emre schudde zijn hoofd. 'Omdat dit onze toekomst kan zijn. Soms keren de mensen terug. Maar de meesten hebben hun kuddes verkocht toen ze van het leger niet meer naar de zomerweiden mochten trekken. En geld voor nieuwe beesten hebben ze niet. En de jonge mensen, die in de *geceköndü* opgroeiden, kennen hun verleden niet meer, ze verliezen de band met het land. En dat is natuurlijk precies wat de Turken willen. Dat we onze band verliezen, dat we vergeten dat we Koerden zijn.'

De vrachtauto toeterde aan de andere kant van het verlaten dorpje. Het was tijd om te vertrekken.

Er kwamen nog twee politiecontroleposten. De eerste gaf maar vijf minuten oponthoud, voor de tweede stond een lange file. Maar eindelijk, acht uur na hun vertrek uit Diyarbakir, stonden ze bij een huis dat eenzaam boven een weiland vol bergflora uittorende, vanwaaruit je een een prachtig uitzicht had op bruine heuvels en bergen met eeuwige sneeuw. Karin stelde Harriet en Toby voor aan de mannen die hen over de grens zouden brengen: de neven Dilovan en Azat Tokmat. Azat was jong en mager en had een rode zakdoek om zijn prominente adamsappel geknoopt. Dilovan, een gedrongen, vertrouwenwekkende man van ergens in de veertig, met het gezicht van een nachtclubeigenaar, zei dat het een makkelijke reis zou worden, ze hoefden zich nergens zorgen om te maken.

'We lopen langs de rivier, een uur, twee uur, naar een plek waar een pick-up op ons wacht. Die brengt jullie naar Zakho.'

Harriet vroeg: 'En dat is alles?'

Dilovan haalde zijn schouders op en zei: hoezo, hij had het zo vaak gedaan, nooit een probleem geweest.

'Zakho is de Iraakse stad die het dichtst bij de grens ligt,' zei Emre. 'Daar wachten ook de peshmerga-soldaten op ons. Koerdische soldaten. Die brengen ons naar hun vrienden en dan gaan we doen wat we moeten doen.'

Het bleek dat Harriet vijfhonderd dollar aan de neven moest betalen. Karin zei dat ze de helft nu moest geven en de rest als ze veilig over de grens waren.

'Ik bedenk nog een manier om naar het dorp van Musa Karsu te komen. En jij betaalt de uitgaven. Het is een goede afspraak.'

Harriet en Toby kregen camouflagejassen en -broeken, die ze moesten aantrekken. Hoofdschuddend keek Dilovan naar de platte pumps van Harriet en toverde een paar Nikes tevoorschijn die, met twee paar sokken erin, niet eens zo slecht pasten. Ze kregen ieder een bord met rijst, tomaten en komkommer en een groot plat brood. Harriet at haar bord leeg, maar Toby speelde met zijn eten, zijn gezicht was bleek. Hij had stevig gerookt vanaf het moment dat ze uit de vrachtauto geklauterd waren; hij stak steeds een nieuwe sigaret met de peuk van de vorige aan. De sigaretten die hij tax-free op Heathrow had gekocht had hij al opgerookt of weggegeven. Hij rookte nu een goedkoop Turks merk, Samsun, en had een paar pakjes gekocht van de mannen die bij het huis rondhingen.

Nu zaten ze met Karin en een paar mannen in leren jasjes in een stoffige, rokerige kamer waar op de televisie een onverstaanbare quiz te zien was. Harriet doezelde weg. Toby schudde haar tegen middernacht wakker, toen Dilovan eindelijk had aangegeven dat het tijd werd om te gaan. De neven droegen camouflagejacks en wollen mutsen, zware rugzakken en kalashnikovs. Karin, Harriet en Toby kregen kleinere pakjes (toen Harriet het hare tussen haar spullen stopte, ontdekte ze dat er meerdere plastic zakjes omheen zaten) en ze vertrokken in een busje dat met gedoofde lampen hard wegreed, bijgelicht door de heldere sterren en een wassende maan. Ze stopten bij een rotonde op een weg met een gloednieuwe teerlaag die boven de rivier kronkelde, die lawaaierig in de duisternis verdween.

Emre vertelde dat dat de Hecil was, de officiële grens met Irak. Hij klonk nerveus. Harriet vroeg of hij het wel eens eerder had gedaan.

'Dit is voor mij de eerste keer dat ik Turkije verlaat.'

'O, geweldig,' zei Toby. Hij rookte zijn vijftiende of zestiende sigaret van die avond. Als hij wat zei bewoog het gloeiende topje in het donker. 'Ik dacht dat jij onze gids was. Hoe kun je nou gidsen als je er nog nooit geweest bent?'

'Deze mannen zijn onze gidsen. Ik ben docent, maar als ik gevraagd wordt om de zaak te dienen, doe ik dat met liefde en trots.'

'Geweldig,' herhaalde Toby.

Het busje nam de rotonde voor driekwart en spoot weg. De achterlichten verdwenen in de duisternis. De twee neven leidden Harriet, Toby en Karin vanaf de weg het verdorde bos in dat tot aan de rivier liep. Een paar lichtjes twinkelden een paar kilometer verderop, een legerkamp op de steile oever van de rivier.

'Daar hebben ze een nieuwe brug gebouwd, alleen voor het leger,' vertelde Dilovan. 'Pal voor Amerika Irak binnenviel, waren er hier al Amerikaanse troepen met Humvees. En met veel trucks. Toen wisten we wat er zou gaan gebeuren.'

In het schemerdonker knielde Azat bij de rivier en trok hard aan iets – een touw dat druipend uit het water omhoogkwam. Dilovan deed een afgeplakte zaklantaarn aan, er kwam een heel dunne lichtstraal uit, en haalde uit zijn rugzak een binnenband van een auto en een voetpomp waar hij de binnenband mee opblies. Dat duurde even; de binnenband had een doorsnede van een meter. Azat ging als eerste naar de overkant, hij lag op zijn rug op de band, met zijn rugzak op zijn buik en trok zichzelf met zijn handen aan het touw naar de overkant. Toen zijn neef de overkant had bereikt trok Dilovan de band weer terug. Glinsterend in het maanlicht gleed die over het water. Hij zat met staaldraad en een canvas ring vast aan het touw, zodat hij niet af zou drijven. Nu was het de beurt van Harriet.

'Zorg dat je er niet uit valt,' zei Dilovan vlak voor hij de band een duw gaf. 'Dan kun je verdrinken. Maar als je blijft drijven neemt de stroom je mee. Als de bewakers op de brug je zien, zullen ze je als schietschijf gebruiken.'

De rivier was hier niet meer dan twintig meter breed, maar de stroom was snel en het water ijskoud. Harriet was drijfnat, haar tanden klapperden en haar handen trilden toen Azat haar eindelijk uit het water op de oever trok en zachtjes zei: 'Welkom in het Iraakse Koerdistan.'

Ze trokken over land, beklommen een steile heuvelrug, klauterden naar een dal en klommen weer omhoog. Dilovan liep voorop, Azat achteraan. De twee neven liepen flink door en rookten praktisch de hele tijd terwijl ze over smalle paadjes liepen die waarschijnlijk door dieren waren gemaakt. Ze stopten rond drie uur 's ochtends op een droge vlakke rots naast water dat met veel geraas over keien stroomde. In het pak dat Toby droeg bleken een primus te zitten, een theeketel, een plastic zak met suikerklontjes en zorgvuldig in krantenpapier gerolde theeglazen. Er was ook eten: platte broden, komkommers en een pittige saus. Harriet dacht dat ze minstens twintig kilometers hadden afgelegd, maar volgens Dilovan waren het er maar tien, en ze moesten nog even verder – ze moesten de bufferzone die door Turkse troepen werd bewaakt nog voorbij. Toen Harriet vroeg hoe ver 'even verder' was, haalde hij zijn schouders op en mompelde iets over een, misschien twee kilometer.

'Ik dacht dat we maar een of twee kilometer hoefden te lopen voor we in een auto konden stappen,' zei Harriet.

Dilovan haalde weer zijn schouders op en zei met een uitgestreken gezicht dat als hij de waarheid vertelde, de meeste mensen niet op deze manier naar Irak wilden.

Met z'n vijven zaten ze rond het zwakke, blauwige licht van de primus. De nacht was koud en ontzettend donker. De maan was verdwenen en het was bewolkt. Azat, die Karin liet vertalen, vroeg Toby naar het Engelse voetbal. Hij was een Arsenal-fan en vond het niet te geloven dat Toby, die in Noord-Londen woonde, minder dan anderhalve kilometer van het thuisstadion op Highbury, ze nog nooit had zien spelen. Dilovan liet Harriet zien hoe zijn kalashnikov werkte en vertelde dat hij voor de invasie op vrachtauto's had gereden die aardappels, uien en meel naar Irak brachten en terugkwamen met benzine. Na de val van Saddam had hij een paar maanden voor een Iraakse handelaar gewerkt die airconditioners van West-Turkije naar Bagdad transporteerde. Hij had goed verdiend, vertelde hij, maar iedere trip duurde drie weken en het was inmiddels gevaarlijk geworden.

'Zelfs in Mosul gooiden de Irakezen stenen naar de vrachtauto's of beschoten ze ze. En er zijn veel bandieten op de weg. En soms bestookten de Turken de weg. Die kregen veel geld voor iedere vrachtauto die Habur Gate passeerde, maar konden het niet hebben dat de Koerden ook winst maakten, en dan komt hun ware aard naar boven.'

Ze doezelden een paar uur, maar toen het in het oosten lichter werd braken ze het kamp op, waadden door het water naar de overkant en klommen aan de andere kant van het dal omhoog. De zon kwam toen al tevoorschijn tussen de heuvels. Harriets knieën en enkels deden pijn, Toby pufte als een stoommachine en hij had het eindelijk opgegeven om tegelijkertijd te roken en te lopen. Karin sjokte grimmig met gebogen hoofd achter hen aan over een diep uitgesleten spoor langs verwilderde velden en uitgebrande boerderijen. Eindelijk mochten ze van Dilovan stoppen. Hij haalde een megawalkietalkie tevoorschijn en zei er wat in. Harriet zag recht voor zich, in een groep bomen verderop aan het uitgesleten spoor, een kort lichtsignaal. Even dacht ze dat het licht van de opkomende zon op een raam van een eenzaam huis was gevallen. Maar toen zag ze het nog een keer en begreep ze dat het de koplampen van een voertuig waren. Dit was het rendez-vous met de peshmerga-soldaten die hen naar de plaats van bestemming zouden brengen.

27

Alfie was opgelucht toen hij ontdekte dat Rölf Mosts speciale apparaat een gewone, draagbare elektro-encefalograaf was. Hij wist hoe die apparaten werkten, wist dat ze ongevaarlijk waren. Meerdere keren na het ongeval in zijn kindertijd had hij er een of twee nachten aan vastgezeten in het Addenbrooke's Hospital, zodat de doktoren de hersenactiviteit gedurende een aanval konden volgen. En toen hij hoorde dat Most het apparaat alleen maar wilde gebruiken om de veranderingen in zijn elektrische hersenactiviteit te meten als hij met actieve glyphs werd geconfronteerd, durfde hij voor het eerst sinds hij van de straat geplukt was bij King's Cross Station te hopen dat hij dit zou kunnen overleven.

'Je bent gevoelig voor de glyphs, Flowers,' zei de psychiater. 'Zodra we er in de grotten meer vinden, zal je reactie op wat we vinden zeer informatief zijn. Je bent mijn favoriete proefkonijn. Of beter gezegd, gezien onze zoekplek: zo'n kanarie die mijnwerkers meenamen naar beneden om ze bijtijds te waarschuwen voor dodelijke concentraties van giftige gassen.'

Most was zo gelukkig als een kind op zijn verjaardag en praatte onafgebroken terwijl hij kleine elektroden op het hoofd van Alfie plakte. Hij vertelde dat hij dit voor Amerika deed en dat de glyphs een wezenlijke bijdrage zouden leveren aan de oorlog tegen het terrorisme. Hij zei dat als Amerika de glyphs niet zou gebruiken, haar vijanden het zouden doen en vroeg Alfie zich eens voor te stellen wat een dictator of terrorist ermee kon doen.

'Volgens mij zouden ze ze gebruiken om de mensen mentaal te

veranderen. Net zoals jullie doen.'

Macpherson keek Alfie kwaad aan, Alfie deed zijn best om hem niet aan te kijken. Hij zat in een witte, plastic stoel en Most stond over hem heen gebogen, in een Airstreamcaravan van het kamp bij de opgraving van de oude kerk. Net als de cabine van het vliegtuigje was het interieur van de caravan helemaal wit. Witte vloerbedekking, witte muren, wit plafond, met witte stof beklede banken, witte plastic meubels, witte gordijnen die witgeschilderde ramen bedekten. Alfie had een witte badjas aan, Most en Macpherson beiden witte doktersjassen en de vierde man in de caravan, Carver Soborin, de psychiater die Christopher Prentiss behandeld had, droeg een witte broek en een wit overhemd dat tot aan de ellebogen was opgerold waardoor de zilverig glanzende littekens van een oude zelfmoordpoging op zijn onderarmen zichtbaar waren. Soborin was ergens in de zestig, had een bleek gezicht dat aan een samengebalde vuist deed denken, kortgeknipt wit haar en kleurloze ogen die leken te zwemmen achter zijn dikke brillenglazen. Het soort ogen waarmee de vissen je bij de visboer aanstaren. Toen Alfie naar de caravan was gebracht had de man hem ongeveer vijf seconden aangestaard, toen had hij zijn interesse verloren en was hij met zijn legpuzzel verder gegaan, een vormeloze massa wit, een plas melk, op een witte klaptafel. Een uur later was hij er nog steeds mee bezig, Most plakte toen de laatste elektrode op Alfies hoofd.

Iedere spier in zijn lijf deed pijn en hij dacht niet dat hij ooit nog rechtop zou kunnen staan, maar verder voelde Alfie zich niet zo slecht. Hij had een paar warme bosbessencakejes uit de magnetron gekregen met zoveel stroop erin dat hij nog steeds een hoge suikerspiegel had, en hij had twee minuten onder een hete douche mogen staan. Het was hem gelukt om zich in die tijd min of meer schoon te spoelen. Daarna had Most zijn door Macpherson ontwrichte vinger plaatselijk verdoofd en netjes gespalkt. Die klopte nu niet onprettig, net zoals wanneer er een tand getrokken was. Most streek vervolgens Alfies haar naar achteren, bracht nog wat van de speciale lijm aan, plakte er weer een elektrode op en zei: 'Als je met extremisten te maken hebt, moet je soms extreme maatregelen nemen om jezelf te verdedigen. Om de democratie te verdedigen. Wat het verschil maakt is het doel waar je voor vecht.'

'Dat is waar,' vond Alfie. 'Ik denk niet dat terroristen de glyphs zullen gebruiken om er rijk van te worden.'

Macpherson keek hem weer nijdig aan.

Most zei: 'Er is niets verkeerds aan profiteren van kennis. Ik heb behoorlijk in dit onderzoek geïnvesteerd. Ik heb grote risico's genomen in de hoop dat ik rijkelijk beloond zal worden. In dat opzicht ben ik net zoals iedere handelaar. Maar ik ben ook loyaal aan mijn nieuwe vaderland, daarom zal ik het eerst aan die regering wat ik hier vind te koop aanbieden.'

De psychiater dacht dat hij als enige de grote waarde van de glyphs onderkende. In zijn verhaal kwamen de Nomads' Club en Morphs volk niet voor. Hun traditios waren een bron die, net als olie, naar believen gebruikt, verbeterd en verkocht konden worden. Terwijl hij voorzichtig de elektroden controleerde vertelde hij Alfie dat het hem meer dan tienduizend dollar had gekost om het EEG-apparaat te kopen en naar Mosul te laten verschepen. Maar dat was nog niets vergeleken met de kosten van de hele operatie: het zoeken in Londen naar Musa Karsu, het verschepen van voertuigen en ander materiaal dat nodig was voor het opgraven van de bron van de glyphs naar Irak, de lonen van de huurlingen... Hij was high van de honger naar glyphs, ratelde nog erger dan een kapper. Eigenlijk leek het zitten in de stoel terwijl Most de elektroden op zijn hoofd plakte heel veel op een bezoekje aan de kapper, dacht Alfie. Ondertussen keek Macpherson hem strak aan als iemand die ongeduldig op zijn beurt wachtte.

Most bekende nu dat, tot een paar weken geleden, zijn glyphsonderzoek vastgelopen was. Generaties sjamanen hadden duizenden jaren lang met vallen en opstaan een klein aantal actieve glyphs ontwikkeld; hij had in veel kortere tijd met supercomputers geprobeerd er veel meer te ontwikkelen. Hij had binnen een paar weken miljoenen complexe combinaties van de entoptische elementen waaruit de glyphs waren opgebouwd bij elkaar verzameld. Maar zonder uitgebreide testen op mensen was het onmogelijk om erachter te komen of al deze patronen actief waren, als er al actieve bij waren, en er waren triljoenen combinaties van entoptische elementen mogelijk, veel te veel voor de menselijk hersenen om te bevatten. Wat hij nodig had, zei Most tegen Alfie, waren wetmatigheden waarmee hij die paar actieve combinaties kon uitfilteren uit het gigantische aantal dat weinig of geen effect op de menselijke geest had. Analyse van het handjevol glyphs die Christopher Prentiss bij de Nomads' Club had gestolen, had onvoldoende gemeenschappelijke elementen opgeleverd om een werkbare theorie op te kunnen stellen. Maar nu zou hij er binnenkort veel meer aan zijn verzameling kunnen toevoegen. Die zouden niet alleen nuttig zijn in de oorlog tegen het terrorisme, maar hij zou ze ook voor zijn supercomputers kunnen gebruiken om geheel nieuwe glyphs te ontdekken.

'Ik weet al dat de glyphs ergens uit Noord-Irak komen. Ik heb natuurlijk Christopher Prentiss' pamflet gelezen en voor hij zelfmoord pleegde vond hij het leuk om tijdens de sessies met dr. Soborin hints te geven over de Kefieden en de vindplaats van de glyphs. Maar die hints werden nooit concreet en de enige kopieën van het dagboek, de plattegronden en tekeningen die je opa had gemaakt tijdens de opgraving van de vindplaats van de glyphs gingen verloren toen het onderkomen van de Nomads' Club in Soho afbrandde. Een paar jaar geleden braken professionele dieven, ingehuurd door dr. Soborin, in in het huis van de twee laatste leden van de Nomads' Club, maar ze vonden niets bruikbaars. Persoonlijk heb ik dan wel uit de beschrijvingen van de missionarissen de locatie van het dorp waar de Kefieden ooit woonden kunnen bepalen, maar ik ontdekte al snel dat ze zo'n zestig jaar eerder door buurtvolken waren afgeslacht en een zoektocht naar overlevenden leverde niets op.

Ik overwoog al de extreme mogelijkheid om Ashburton en Ward te ontvoeren en ze te dwingen om alles te vertellen wat ze wisten, ook al stonden ze onder bescherming van de Engelse geheime diensten, waar ze ooit voor gewerkt hebben. Maar toen kwam ik er niet alleen achter dat een graffitiartiest variaties van de fascinatieglyph op muren door heel Londen spoot, maar ook dat jij, Flowers, kleinzoon van de man die de vindplaats van de glyphs had ontdekt, een foto van zo'n graffiti in een krant gepubliceerd had. Ik had een computerfanaat aan het werk gezet, die continu programma's liet draaien die onvermoeibaar op internet naar glyphs en glyphachtige patronen zochten, en jouw foto trok meteen hun aandacht.'

Rölf Most was er vast van overtuigd dat de graffitiartiest, Musa Karsu, hem naar de vindplaats van de glyphs kon leiden, de grotten uit het pamflet van Prentiss. Dus toen hij met Macpherson en diens team naar Londen ging, had hij direct een klein team huurlingen, van wie de meesten ervaring met onder de grond werken hadden opgedaan in de kolenmijnen in Kentucky en Virginia, naar Noord-Irak gestuurd. Karsu bleek echter onverwacht onvindbaar, dus richtte Most zich op Alfie.

'Stel je mijn verbazing eens voor toen bleek dat jij een kopie van je opa's dagboek had! En hoeveel groter die verbazing werd toen ik ontdekte dat je in je jeugd aan een glyph was blootgesteld, waardoor je er hypergevoelig voor was! Je werd meteen mijn ideale testobject. Dit kan geen toeval zijn. Het moet een logische stap zijn naar het hogere doel.'

'Ik noem het liever ongeluk,' zei Alfie.

'Wat jij ongeluk noemt is eigenlijk het geluk dat je je mag opofferen voor het hogere doel,' zei Most. Hij lijmde de laatste elektrode op Alfies hoofd, klemde de draad in de dikke band op diens rug en plugde die in de digitale recorder, die niet groter was dan een pakje sigaretten. Hij zette de recorder aan, controleerde tevreden in zichzelf mompelend het startprogramma en zei: 'We kunnen zo beginnen.'

Macpherson vroeg: 'Moet je niet eerst testen?'

Most glimlachte gelukzalig. 'Dat ben ik ook van plan. Geef meneer Flowers wat passende kleren. Ik wil hem voorstellen aan het doel waarin hij niet gelooft.'

Zodra hij, geboeid op de passagiersstoel van Macphersons zwarte Range Rover, aankwam op de plek waar Most en zijn huurlingen hun kamp hadden opgeslagen, herkende Alfie de plek van oude foto's uit de fotokopie van zijn opa's dagboek. Het was een driehoekig stuk woeste grond, zo groot als twee voetbalvelden, tussen rotsen die uitzicht boden op een kloof met in de diepte een rivier. Na zestig jaar was er niets veranderd, op een stapel verbrijzeld gesteente die van de bergen erboven naar beneden was gekomen na. Dat was het werk geweest van David Prentiss en Julius Ward toen ze er na de Tweede Wereldoorlog voor de tweede keer waren. De ruïnes van de kerk en andere gebouwen waren niet meer dan heuveltjes op de woeste grond, begroeid met doornstruiken, doorkruist met keurig rechte onderzoeksgreppels die de kleine, gele graafmachine had gemaakt om de ingang van de grotten op te sporen. Die was onder de stapel verbrijzeld gesteente gevonden: een schacht die naar een voorvertrek leidde dat op zijn beurt via een gangetje in verbinding stond met het grottenstelsel onder de rotsen. Het gangetje was geblokkeerd door rotsblokken die uit het plafond naar beneden waren gekomen en die ook een dam vormden in een ondergronds riviertje, waardoor veel grotten onder water stonden. Maar de rotsblokken waren verwijderd, twee ondiepe spelonken leeggepompt en nu maakten Mosts mannen een andere gang vrij die misschien naar andere grotten achter de tweede leeggepompte spelonk zou leiden.

Alfie, in een zwarte overall, zware schoenen waar zijn tenen in afgekneld werden en een werkhelm, werd met een emmerlift, die gebruikt was om de troep uit de gang naar boven te brengen, naar beneden gebracht. Het voorvertrek op de bodem van de schacht was kleiner dan hij had verwacht: het was een bijna ronde ruimte met kale rotswanden, verlicht door schijnwerpers op standaarden.

'Ik wil dat je dit goed bekijkt,' zei Most en hij duwde Alfie naar een nis waar een schijnwerper een brok steen bescheen.

Het was het overblijfsel van de tweelingbroer van de anomale steen. Zesenzestig jaar geleden had Alfies opa ernaast geposeerd, tien jaar later hadden David Prentiss en Julius Ward hem opgeblazen. De lijnen die op de bovenkant, wat daar tenminste nog van over was, gekrast waren, leken op een dierenspoor of de lijnen in een duim, maar dan veel groter. Bundels korte rechte lijnen. Bundels kromme lijnen die helemaal naar de bovenhoeken warrelden. Bundels bogen. Drie bundels spiraallijnen die vanuit het midden wegdraaiden en dwarrellijnen die parallel naar de grond liepen. Most verplaatste de schijnwerper en de lijnen leken als schaduwen te kronkelen en te stromen op het bekraste oppervlak.

Alfie zei: 'Als je hoopte dat dit bij mij een belletje laat rinkelen, moet ik je teleurstellen.'

Maar het voelde vreemd om op de plek te staan waar zijn opa ook ooit had gestaan. Alsof hij in een goed verlichte kamer vol geesten stond en er zelf nog maar één stap van verwijderd was om er ook een te worden.

Rölf Most trok zijn bovenlip op en hinnikte door zijn neus. 'Dat "rinkelende belletje" zullen we op het EEG zien. Maar er zitten interessante patronen in. Misschien ken je de tekeningen die je opa ervan heeft gemaakt. Denk na, Flowers! Tien- of twintigduizend jaar geleden, in de laatste ijstijd, is dit misschien een heilige plaats geweest. Ingewijden zijn speciaal hiernaartoe gereisd en voor ze weer verder trokken raakten ze in trance door drugs, dansen en muziek, of misschien juist door eenzame meditatie – misschien pal voor deze steen. Pas daarna konden de inwijdingsriten beginnen. Begeleid door sjamanen door de smalle, kronkelige gangen, opzettelijk moeilijk begaanbaar gemaakt, zijn ze naar deze patronen gebracht, die steeds ingewikkelder en steeds actiever werden. Dat ga jij ook doen. Dat gaan we allemaal doen.'

'Jij wilt dat ik ook de rest van de grotten in ga?'

'Nu je toch beneden bent, kun je net zo goed alles bekijken.'

Alfie wist dat hij er in was geluisd, maar dat hij geen keus had. Als hij tegenstribbelde, zou Macpherson hem aan zijn haar of bij zijn voeten meeslepen. Met kippenvel over zijn hele huid en zich bewust van de elektroden op zijn hoofd volgde hij de psychiater naar het einde van de gang, waarna het dieper ondergronds ging. De gang was heel smal en bochtig, het water op de bodem was soms dieper dan dertig centimeter. Ze moesten zich door een gat werken van minder dan een meter hoog en niet breder dan een halve meter ('Ik hoop dat de symboliek van deze ingang niet aan u verspild is, meneer Flowers,' zei Most plagerig) en toen kwam de gang uit op een lange galerij met een hoog plafond waar een helling met kleine steentjes in een nauwe boog afliep naar een zwarte strook water.

De schijnwerpers werkten hier op batterijen en waren dus niet zo fel. Het was er zo koud als in een koelcel en het begrip tijd was onbelangrijk. Het langzame gedruppel vanaf een glinsterende stalactiet in het zwarte water leek op het tikken van een klok die dezelfde seconde iedere keer opnieuw tikte. In zijn eigen oren klonk Alfies polsslag als een drilboor en toen Macpherson een steen loswrikte door zijn geschuur tegen de muur maakte dit een lawaai als een machinegeweer.

Most wees met een krachtige schijnwerper hoog tegen de rotswand plekken boven de smalle ingang aan. Houtskoolschetsen van twee paarden, de een boven de ander. Op een plat rotsblok een grotere tekening van een paard, in meerdere tinten zwart en rood, met een kromme staart, rechtopstaande oren en een wild kijkend oog. Een bewegend kruis van rode en okergele stippen. Gazelles in okerrood die zo van de muur af leken te kunnen springen.

'Misschien zijn er vroeger nog meer geweest, maar dit is het laagste punt van het stelsel en het is gedeeltelijk ondergelopen geweest zoals je kunt zien. Als er ooit grotkunst is geweest op het niveau waar we nu staan, dan is dat allang weggespoeld en wat er nog is, is in slechte conditie. De beste is hier,' Most draaide zijn schijnwerper naar een nis pal onder het plafond. 'Daar zou je op je rug in moeten kruipen, met een fakkel of een lamp, gemaakt van gras en dierlijk vet, dan zie een patroon ongeveer dertig centimeter voor je gezicht. Maak je niet bezorgd, ik ga niet eisen dat je ernaar kijkt, het is een fascinatieglyph, dat weet ik al. Gelukkig is de tweede galerij in veel betere conditie en zijn daar interessante schilderingen te vinden. Ik eis wel dat je daarnaar kijkt,' zei Most terwijl hij Macpherson een zwarte cilinder gaf en tegen hem zei: 'Geef hem de volle lading.'

Macpherson spoot volgens Alfie minstens twee liter van dat koude, drugsvocht in zijn neusgaten, waarna Most hem voorging over een ladder die schuin over een berg los puin lag. Vol bange voorgevoelens, met Macpherson pal achter zich, volgde Alfie de psychiater door een uitgehakte opening naar een kleine ruimte die deed denken aan een zijkapelletje in een kerk. Het licht van een schijnwerper die op batterijen werkte viel van achter hen de ruimte in. Het projecteerde de schaduw van Alfie op een plat rotsblok, zo'n twee meter verderop. Een enorme bizon in volle galop, geschetst met houtskool, ingekleurd met sprankelend roodoker. Om zijn ruige kop zat een dichte stralenkrans van kromme lijnen en zigzaglijnen, stippen en draaikolken, inktzwart pigment op de kale rotswand, zó levendig alsof het slechts een paar uur eerder was geschilderd. Alfie sloot meteen zijn ogen, maar de glyph stond al op zijn netvlies gebrand, werd met iedere hartslag groter en pulserender.

Hij proefde smeltend metaal en dacht dat hij dwars door een zwerm vuurvliegjes viel. Hij hoorde iemand gillen, een afgrijselijke wanhoopskreet die door de ruimte echode. Toen kreeg hij een aanval.

28

Het zestal peshmerga-soldaten dat in het stoffige bosje op hen wachtte werd aangevoerd door een lange, statige man met een benig gezicht en zwart stekeltjeshaar, die zichzelf Terminator noemde. Hij gaf Toby een hand, pakte vervolgens Harriets hand, keek haar diep in de ogen en bedankte haar voor haar moed en voor haar bijdrage aan de zaak. Voor ze kon reageren liet hij haar hand weer los, draaide zich om naar zijn mannen, riep dat ze op moesten staan en gaf een man die te langzaam naar zijn zin opstond een schop. Harriet betaalde Azat en Dilovan de tweede helft van het afgesproken bedrag en liep achter Toby en Emre Karin aan naar de Toyota 4x4 van Terminator. Zijn mannen klommen in een gammele pick-up en de twee auto's vertrokken meteen. Ze reden naar Zakho, staken via een stenen bruggetje een rivier over en reden langs een verzameling bruine tenten. Terminator vertelde dat dat kamp Redeye was, door de Amerikanen opgezet als onderdak voor vluchtelingen na de Eerste Golfoorlog.

Terwijl ze naar het zuiden reden praatten Emre en de peshmerga-commandant in het Engels over politiek uit beleefdheid tegenover Harriet en Toby. Maar Toby was ongewoon stil, rookte sigaretten en keek naar buiten en Harriet had ook geen zin om te praten. De tocht over de grens had meer van haar gevraagd dan ze wilde toegeven en ze vond het moeilijk om een goed plan te bedenken om aan deze begeleiders te ontsnappen. Ze bedacht er wel een paar, maar verwierp ze ook weer, terwijl Emre en Terminator doorkeuvelden en er heavymetalmuziek uit de stereo blèrde – een

Iraakse band: Acrassicauda. Toby was naast haar in slaap gevallen en ze boog zich voorover om de brandende sigaret tussen zijn vingers uit te halen en onder een van haar sportschoenen te verpulveren.

Uit het gesprek tussen Terminator en Karin begreep ze dat de peshmerga's leden van de gematigde, pro-westerse Koerdische Democratische Partij waren, die dit deel van Noord-Irak in handen hadden en rijk werden van de grenshandel met Turkije. De mening van Terminator over de Iraakse politiek bleek zeer pragmatisch: iedereen die de Koerden hielp was goed, alle anderen, of ze nou neutraal of vijandig waren, waren slecht. George Bush Een was oké. John Major was oké. George Bush Twee en Tony Blair waren oké. Net als Condaleeza Rice, Donald Rumsfeld en Colin Powell. De Japanners, Italianen en Polen waren oké. De Fransen en Duitsers waren helemaal niet oké. De Spanjaarden waren oké, maar sinds ze hun troepen uit Irak hadden teruggehaald niet meer zo heel erg oké. Turken waren soms oké, zei Terminator, en bewoog een hand van links naar rechts, en soms niet. Kortom, Terminator was, net als de jonge ordebewaker in trainingspak die de bezeten man geëxecuteerd had, een enthousiast voorstander van de invasie. Nu Saddam verdreven was en ze Amerikaanse steun kregen, zei hij, hadden de Koerden meer dan genoeg inspraak bij de wederopbouw van Irak. Ze hadden zelfs ministers in de interim-regering; voor het eerst hadden ze politieke vertegenwoordigers.

'Wij eisen eindelijk ons land terug,' zei hij en hij keek Harriet in zijn achteruitkijkspiegeltje aan. Hij had een pilotenzonnebril met goudkleurig montuur op. 'En dankzij jouw moed kunnen we ook een groot deel van ons erfgoed opeisen.'

Terminator reed stevig door en drumde op het stuur het ritme van de heavy-metalmuziek mee. Aan zijn linkerhand had hij geen pink en ringvinger meer. Op die lege plekken zat wit verband. Bij een peshmerga-controlepost remde hij af. Ze moesten tussen stapels stenen en lege olievaten doorrijden, langs een vervallen hut die niet groter was dan een buiten-wc. De soldaten gebaarden dat ze door mochten rijden. Ze haalden tanks en vrachtauto's in. En een lange sliert legertrucks die langzaam naar boven reed. Veel voertuigen hadden veldgeschut dat in de Tweede Wereldoorlog niet misstaan zou hebben. Terminator toeterde en knipperde enthousiast met zijn lichten toen hij erlangs reed. Een konvooi sleepauto's reed hun tegemoet. Ze vervoerden Iraakse tanks zonder geschutskoepel. Hun bestemming was een Turkse gieterij, vertelde Emre. Er waren maar een paar burgerauto's op de weg, meestal busjes en witte taxi's met oranje panelen aan de voor- en achterkant. Het land leek leger aan deze kant van de grens, droger en kaler, uitgeput door duizenden jaren bewoning. Er stonden bomen tussen verdroogde struiken. Verdorde heuvels. In de verte, tegen de horizon in de bleke lucht, lagen de bergen. Een paar gehuchten van vierkante huizen met witte muren en steunbalken die onder het dak door naar buiten staken. Het was een landschap dat deed denken aan het mysterieuze Wilde Westen of cowboyfilms. Het zou Harriet, uitgeput en half in slaap, niet verbaasd hebben als er vanuit de bergen een trein kwam aantuffen, of als er een groep indianen boven op de heuvelrug zou staan, afgetekend tegen de witte lucht.

Net voor de middag draaide de 4x4 van de weg af en de pickup volgde. Beide voertuigen volgden een steil oplopend spoor naar een verlaten peshmerga-kamp boven op een heuvel. Een paar scheefgezakte tenten, gecamoufleerd met kreupelhout, smalle greppels in de stenige grond uitgegraven, beroete cirkels van oude kampvuren en een driehonderdzestiggradenpanorama van kale heuvels en stenige hellingen. Terwijl Harriet en Toby met hun ruggen tegen een door de zon verwarmde rots hingen, wasten Karin en de soldaten hun gezicht en handen met water uit een jerrycan en maakten zich op voor de middaggebeden. Ze bewogen zich sierlijk terwijl ze korte passages uit de Koran declameerden, hieven hun handen op alsof ze hun oren wilden bedekken, vouwden hun handen rechts over links op hun borst, bogen diep, met hun handen op hun knieën, gingen weer rechtop staan en wierpen zich op de stoffige grond.

Terwijl de soldaten de grootheid van God verkondigden en zich onderwierpen aan Zijn wil, zei Toby tegen Harriet: 'Ik heb eens nagedacht. Emre en zijn vrienden lijken me te vertrouwen. Moeten we ze dan niet alles vertellen? Ik bedoel: waarschijnlijk kunnen we hun hulp heel goed kunnen gebruiken als we met Most af willen rekenen en eigenlijk zijn die glyphs een beetje van hen.'

Harriet had helemaal geen zin om het hierover te hebben en was te moe om dit te verbergen. 'Snap je het dan nog steeds niet? Als de glyphs al van iemand zijn, dan zijn ze van de Kefieden, maar behalve Musa Karsu, die inmiddels wel dood kan zijn, bestaan er geen Kefieden meer. Ze werden zestig jaar geleden door hun buren afgeslacht – door Koerden als Terminator en zijn mensen. En verder zijn de glyphs ontzettend gevaarlijk. De bezeten boeren en Mosts andere trucjes zijn nog maar het begin. We moeten ze tegenhouden. Daarom zijn we hier. Om ze tegen te houden. Om hem en wie dan ook tegen te houden, hoe eerzaam hun bedoelingen ook mogen zijn.'

Ze was buiten adem en de hoofdpijn waar ze sinds haar aanval last van had, werd alleen maar erger. Haar boze toespraakje leek geen indruk op Toby te hebben gemaakt. Heel nuchter zei hij: 'Het belangrijkste is om Most te beletten om de glyphs te gebruiken. Zonder meer. Maar ik vind niet dat je die kerels als kinderen moet behandelen. Dit is tenslotte hun land en ze hebben er al zoveel voor gedaan...'

'Ik heb ze niet om hulp gevraagd en eerlijk gezegd zit ik ook niet op ze te wachten. Laat ze alsjeblieft Musa Karsu gaan zoeken, van mij mogen ze. Wij moeten naar de vindplaats van de glyphs en erachter komen wat Most van plan is. Als we op tijd zijn, kunnen we hem tegenhouden. Als we te laat zijn, moeten we proberen hem tegen te houden. Als dat niet lukt, zal ik achter hem aan moeten. Als je niet mee wilt, is dat prima, maar wat je ook gaat doen, beloof me in hemelsnaam dat je deze mensen nooit zult vertellen waar ze de glyphs kunnen vinden. Niet dat het wat uitmaakt, want ik ga ervoor zorgen dat niemand ooit meer in die grotten kan komen. Maar hoe minder mensen ervan weten, hoe beter,' zei Harriet en ze merkte hoe kwaad en gefrustreerd ze was en hoeveel hoofdpijn ze had en hoe moe ze was, zo moe dat ze dacht dat ze het niet erg zou vinden als Toby dit allemaal niet zou overleven.

Toby keek haar aan. Hij had inmiddels een stoppelbaard en wallen onder zijn ogen van slaapgebrek. 'Dus we hoeven alleen maar te ontsnappen aan Emre en zijn vrienden, door het land te trekken, met Most en zijn vrienden af te rekenen en die grotten op te blazen. Ik was even vergeten hoe simpel dat was.'

'Ik heb genoeg geld. Als we eenmaal aan de peshmerga's zijn ontsnapt, kunnen we kopen wat we nodig hebben.'

'O, heel fijn, want ik begon al te denken dat je helemaal geen plan had.'

'Je hoeft niet mee te gaan, hoor.'

'Maar zelfs als het ons lukt om Most tegen te houden, dan is dat nog niet einde verhaal, hè? De CIA weet van de glyphs, onze eigen spionnen...'

'We trekken wel een grens,' zei Harriet.

'Bij de Nomads' Club of bij jou?'

'Dát is flauw.'

Toby haalde zijn schouders op. 'Ik kwam hier om uit te zoeken wat er met Alfie is gebeurd, en nou zit ik ineens in een of andere persoonlijke vendetta. Ik bedoel: jouw vader stal de glyphs, hij vertelde Carver Soborin erover en Rölf Most hoorde het weer van Soborin...'

'Bedoel je of ik me verantwoordelijk voel voor mijn vaders gedrag? Nee, hoor. Ik herinner me de man amper. Maar de Nomads' Club heeft de glyphs naar boven gehaald en mijn opa was daar lid van; dus is het een familiezaak én een Nomads-zaak. Die dingen zijn met elkaar verweven. Het is alleen maar eerlijk dat de Nomads' Club de glyphs helpt begraven voor die nog meer schade veroorzaken, en onze geheime diensten hebben opdracht gekregen zich er niet mee te bemoeien, dus wie moet het anders doen?'

De soldaten kwamen overeind en declameerden het slotgebed. *As-salaamu alaykum wa rahmatullah.* Vrede zij met u en de genade van Allah.

Ook Toby kwam overeind, liet zijn sigaret op de grond vallen en trapte hem uit. Hij zei tegen Harriet: 'Die Nomads' Club is niet meer dan een stelletje oude mannetjes met hun herinneringen. Jij hebt jezelf dan wel tot hun erfgename uitgeroepen, maar denk je serieus dat je dit allemaal alleen kan?'

Harriet stond ook op. 'Houd je een beetje in, ja.'

'Want anders? Sla je me buiten westen? Of krijg ik een verdovingsspuitje? Of krijg ik een dodelijke karatetrap?'

'Als jij de peshmerga's naar de vindplaats van de glyphs brengt, hoef ik jou helemaal niet "buiten westen te slaan". Dacht je nou echt dat ze je zouden bedanken voor je hulp en je dan lieten gaan?'

'Als ik ze over die grotten had willen vertellen, dan had ik dat allang gedaan. Zonder dat met jou te overleggen. Ik sta aan jouw kant, Harriet, maar jij bent de Lone Ranger niet en ik zeker geen Tonto. Denk daar maar eens over na.'

De peshmerga's bleken hun eigen plan te hebben. De soldaten zetten thee en verdeelden Amerikaanse legerrantsoenen en Terminator belde met een enorme satelliettelefoon met iemand, liep vervolgens met Karin naar Toby en Harriet en bleef vlak voor hen staan. Hij bekeek ze aandachtig vanachter zijn spiegelglazen en zei: 'Mijn commandant heeft er een patrouille op uitgestuurd om de mensen te zoeken van wie jullie zeggen dat ze de jongen zoeken. Die heeft net verslag uitgebracht.'

Harriets alarmbellen rinkelden dwars door haar hoofdpijn heen. 'Hebben jullie mensen in dat dorp?'

Terminator glimlachte. 'Tuurlijk. Jij denkt dat mijn commandant op zijn kont zit tot jullie er zijn? Hij stuurde een klein groepje goede mannen, heel ervaren. Ze gingen te voet naar het dorp en observeerden het een tijd. Ze zagen niemand. Dat was geen verrassing. De meeste huizen waren kapot en de Amerikanen hadden de familie van de jongen die we zoeken al eerder meegenomen. En andere mensen woonden er niet.'

Harriet vroeg: 'Zitten jullie mensen nog steeds in dat dorp?'

Ze bedacht dat als de peshmerga's de huurlingen van Most tegen het lijf zouden lopen, haar opdracht een stuk ingewikkelder zou worden.

'Rustig maar. Die weten wat ze doen. Dat zijn profs. Ze houden vanaf een afstand de boel in de gaten en pas als ze geen beweging zien gaan ze poolshoogte nemen. Nu trekken ze zich terug en zetten een observatiepost op om de weg in de gaten te houden. Als er iemand aankomt of weggaat, weten ze dat.'

Toby zei: 'Die mensen die Musa Karsu zoeken verzinnen we niet, hoor. Toch, Emre?'

Terminator zei: 'Mijn goede vriend Emre heeft me verteld wat er in Diyarbakir is gebeurd, met die twee Amerikanen en zo. Ik weet ook dat de anderen naar Mosul zijn gevlogen en vandaar met de auto naar het oosten, naar de bergen, rijden. Dat was vier dagen geleden. Mijn commandant heeft dat bij mensen op het vliegveld gecontroleerd. De vraag is: als ze niet in het dorp zijn, waar zijn ze dan?'

Harriet keek Toby dwingend aan, wilde hem met haar wilskracht ervan overtuigen dat hij niets moest zeggen over de vindplaats van de glyphs. Ze zei hardop: 'Misschien hebben ze Musa Karsu al gevonden.'

Emre zei: 'Dat kan.'

'Dat kan,' vond ook Terminator. 'Maar hun vliegtuig staat nog op het vliegveld. Dus kunnen ze de jongen ook op een andere plek zoeken. Wat denk jij?'

Harriet zei: 'Volgens mij moeten we er alles aan doen om te voorkomen dat deze mensen die jongen te pakken krijgen.'

'Mooi, want mijn commandant vroeg me tegen je te zeggen dat hij graag met je wil praten over alles wat je weet.' En Terminator stond op en liep weg.

Toby vroeg: 'Was dat een bedreiging?'

'Zijn commandant wil ontzettend graag Musa Karsu vinden,' vertelde Karin. 'Daarom is hij ook bang, want hij wil zijn plicht goed doen. We willen allemaal hetzelfde, we staan aan dezelfde kant, dus alles komt goed.'

'Tuurlijk,' zei Harriet.

Maar het voelde alsof alles uit haar handen glipte. Als Toby en zij niet bij Terminator en zijn soldaten weg waren voor ze Mosul bereikten, zouden ze gedwongen worden om alles te vertellen wat ze wisten over Karsu, de glyphs en de vindplaats. En ondertussen waren Most en zijn mannetjes waarschijnlijk al in de grotten aan het zoeken, slechts zeven, acht kilometer verwijderd van het dorp waar Karsu opgroeide. Als ze de peshmerga-soldaten daar niet tegenkwamen, zouden ze in Mosul worden opgewacht...

Een uur later, vlak nadat ze het stadje Summel gepasseerd waren, zaten ze ineens in een file op een weg die tussen steile, met struiken bedekte heuvels slingerde. De rijstrook naar het zuiden stond vol met vrachtauto's en trucks die langzaam een paar meter naar voren reden en vervolgens met sissende remmen stopten tot het verkeer helemaal stilstond. Toen reden een paar vrachtauto's de berm in, haalden de chauffeurs plastic stoeltjes, lampjes en kooktoestelletjes uit hun wagen en gingen thee zetten. De werkdag zat erop. Terminator reed midden op de weg, toeterde en knipperde met zijn lichten. Zijn soldaten zaten in de pick-up pal achter hem. De weg maakte een bocht om een grote, kale rots die als een voorhoofd uitstulpte. Na de bocht, slechts zo'n honderd meter verderop, liep een rivier met daaroverheen een stalen brug. Trucks, tankauto's, busjes en auto's stonden twee, drie rijen dik in de file en de brug was afgesloten met rollen prikkeldraad, twee zandkleurige Humvees en een achtwielige Stryker-tanker met een M2.50 machinegeweer. Amerikaanse soldaten liepen tussen de voertuigen heen en weer, controleerden papieren en dirigeerden mensen hun auto's weer in. Maar zo te zien lieten ze niemand door. Aan de andere kant van de brug was ook een controlepost, ook met een file. Zwarte rook, heel veel zwarte rook steeg vanachter de heuvels recht omhoog de blauwe lucht in.

Terminator draaide zich om en legde zijn automatische pistool op de hoofdsteun. 'Ga je geen moeilijkheden maken?'

'Hoe bedoel je?' vroeg Harriet.

'Dat je die soldaten niet gaat vertellen waarom we hier zijn en wat we gaan doen.'

Karin kuchte en zei: 'Alles gaat goed.'

'Die kerels kijken alsof ze het menen,' zei Toby. Drie Amerikaanse soldaten in woestijncamouflagepakken, munitieriemen om hun heupen, geweren in de aanslag, gezichten verborgen onder helmen en zonnebrillen, liepen naar de 4x4 en de pick-up.

Terminator zei: 'Jullie moeten zeggen dat jullie journalisten zijn. Dat jullie met ons meereizen en een reportage over ons maken. Oké?'

'Tuurlijk,' zei Harriet. En, omdat Terminator haar nog steeds over zijn pistool heen aankeek: 'Ik ben niet gek. We zijn illegaal over de grens gekomen. We zitten Amerikanen achterna die Karsu achternazitten. Het laatste wat ik wil is problemen met het Amerikaanse leger.'

Terminator glimlachte en zei: 'Misschien hoeven we die jongen van jou helemaal niet te zoeken, en ook de Amerikanen niet die hem zoeken. Denk daar maar eens over na. Het is in je eigen belang dat je met ons meegaat.'

Weer zei Harriet terwijl ze hem recht aankeek: 'Tuurlijk.'

Dat was het moment waarop Toby het portier opendeed. Met zijn schouder duwde hij het verder open en hij tuimelde naar buiten, zo snel was hij. Hij lag bijna op zijn knieën. Karin probeerde hem nog te grijpen, maar greep mis. Toby jogde naar de drie Amerikanen met zijn handen boven zijn hoofd, het internationale overgavegebaar.

29

Most zei tegen Alfie: 'Dit is je normale ritme als je wakker bent. Zoals je kunt zien bestaat het uit snelle bewegingen van een laag voltage.'

Op het beeldscherm van de laptop schommelde een onregelmatige gele lijn over een donkergroen assenstelsel tegen een lichtgroene achtergrond. De psychiater drukte op de spatiebalk en het scherm versprong. 'En dit is de slaaptoestand waarin je terechtkwam na je aanval. Je kunt goed zien dat die lijn heel anders loopt, dat die uit langzame golven van een relatief hoog voltage bestaat.'

De lijn vulde ongeveer de helft van het scherm met silhouetten van een aantal hoge, steile bergen van verschillende hoogtes en verschillende vormen.

'Burstpauze,' zei Soborin vanuit zijn hoekje in de witte caravan waar hij aan een nieuwe witte legpuzzel werkte.

'Ah, je bent vandaag bij ons. Heel goed. Héél goed. Maak je puzzel en blijf erbij, er staan grote dingen te gebeuren. Hij heeft gelijk, Flowers. Dit model toont de burstpauze-activiteit van een typische non-remslaap. Langzame, schommelende neuronenclusters door de hele hersenen. Het teken van echte bewusteloosheid. In wakkere staat, of in de remslaap, of als je droomt, zwermen groepen neuronen in constant veranderende patronen rond. Dat komt door het enorme aantal processen dat nodig is om de twee typen bewustzijn te onderhouden. Maar in de non-remslaap zwermen ze gelijktijdig rond. Iets dergelijks is jou ook overkomen toen je die glyph zag.'

Hij scrolde achteruit langs de EEG-lijn. Meer bergen, pal na elkaar en allemaal even hoog, als de tanden van een zaag.

'Bij de doorsnee mens,' vertelde Most, 'wordt behandeling met mijn drugmix gevolgd door blootstelling aan een actieve glyph, waardoor de hersenen in een bepaalde toestand raken. Het verloopt anders dan bij het proces dat optreedt als iemand te maken heeft met één object – een rode bal bijvoorbeeld. In dat geval zijn het specifieke groepen neuronen in het visuele deel van de hersenen, die bolvormen kunnen associëren met de kleur rood, die in actie komen en die stimuleren op hun beurt andere neuronen in andere hersendelen, bijvoorbeeld de neuronen die een herinnering aan een rode bal kunnen oproepen. Als iemand in een sluimertoestand, onder invloed van mijn cocktail, een actieve glyph te zien krijgt, activeert die glyph specifieke groepen neuronen om constant in een bepaalde volgorde rond te zwermen, waardoor de hersenen in één blijvende staat komen. Fascinatie bijvoorbeeld, of angst. Die ene, blijvende staat domineert alle andere. Het wordt het enige waaraan het object kan denken, en als de blootstelling lang duurt is het mogelijk dat er een permanente verandering in het bewustzijn van het object optreedt.

Maar als jij, Flowers, aan een actieve glyph wordt blootgesteld, gebeurt er iets heel anders. Jouw hersenen nemen niet de staat over die de glyph hoort te activeren. In plaats daarvan vertoont de elektrische activiteit in jouw hersenen deze pieken-en-dalenactiviteit op drie hertz op het EEG, een typisch verschijnsel van een petitmalaanval. Het lijkt op het model van de non-remslaap, maar dan veel gesynchroniseerder. Overgesynchroniseerd, eerlijk gezegd. De corticale neuronen zwermen óf allemaal samen, óf doen allemaal niets. Kortom, Flowers, jij krijgt aanvallen waardoor je bewusteloos raakt. En dat loopt over in de echte bewusteloosheid van de non-remslaap. Dat hebben we net gezien,' zei de witharige psychiater en hij hamerde weer op de spatietoets en scrolde nu naar voren, 'en dan zien we hier het normale model weer, als je bijkomt.'

'Je komt nooit bij,' zei Soborin vanuit zijn hoek. 'Niet echt.'

Most zei zachtjes: 'Jíj in ieder geval niet. Maar dat is ook je charme. Hij heeft veel te veel glyphs gezien, Flowers. Zonder zijn puzzels valt hij in een fugue, of in een nietszeggende monoloog, of in een andere vorm van automatisch dwangmatig gedrag. Maar zolang hij zijn puzzels en zijn Ganzfeld Stimulation heeft, is hij, zoals men dat noemt, redelijk aanspreekbaar. Weet je wat dat is, een Ganzfeld Stimulation? Natuurlijk niet. Het is een vorm van sneeuwblindheid, ontdekt door noordpoolonderzoekers. Als iemand maar lang genoeg naar een uitzicht zonder voorwerpen staart, bijvoorbeeld het vlakke sneeuwlandschap van de Noordpool, verdwijnt alle kleur uit dat uitzicht, en vervolgens verdwijnt ook alle visuele ervaring. Enig idee waarom?'

'Onvoldoende hersenactiviteit,' zei Soborin vanuit zijn hoekje zonder op te kijken.

Most klapte in zijn handen. Hij had een van zijn manische buien, glimlachte van oor tot oor en had glimmende ogen. 'Een appel voor de slimme jongen in de hoek! Hij heeft gelijk, Flowers. Een mens heeft een bepaald aantal verschillende hersenactiviteiten nodig om bewust ervaringen op te doen en op te kunnen slaan. Bij dr. Soborin proberen we een hersenactiviteit te consolideren die lijkt op non-remslaap. Een Ganzfeldnirwana dat hem bevrijdt van de vervelende effecten van zijn pionierswerk met de glyphs.'

'Soms denk ik dat je me begrijpt,' zei Soborin zonder van zijn puzzel op te kijken. 'Maar dan zeg je ineens iets waardoor ik weet dat je me echt niet begrijpt.'

'O, ik begrijp je heel goed, daar hoef je niet bang voor te zijn. Hij is mijn klankbord, Flowers, mijn inspiratie. Ik sta zeer diep bij hem in het krijt, want hij heeft me zoveel over de glyphs geleerd. En nu, met jouw hulp, kan ik verder met zijn pionierswerk. Jij bent een zeldzaam exemplaar. Bij een normaal mens dwingt een bepaalde actieve glyph de hersenen om de reactie die hij activeert, over te nemen. Maar niet bij jou. Jouw hersenen reageren extreem als je aan een actieve glyph wordt blootgesteld. Jij krijgt een epileptische aanval en hupla! De lei is blanco! Een zeer effectief afweermechanisme.'

'Maar niet ideaal,' zei Alfie. 'Niet vanuit mij gezien.'

'Maar je bent er het ideale testobject door. Als jij aan actieve glyphs wordt blootgesteld, krijg je een aanval. En dan kom je weer bij en zou je nog een keer weg kunnen vallen. Een mijnwerkerskanarie die telkens weer gebruikt kan worden,' zei Most en hij keek naar een tweede laptop. 'Maar ik wil je nu zonder drugcocktail testen en uitzoeken wat voor verschillen er zijn in jouw reacties op actieve glyphs en op gewone patronen. Schrik maar niet, afgaand op wat je me verteld hebt, denk ik dat je zonder de drug positief op actieve glyphs zult reageren, maar zonder aanvallen. Ik wil je geen pijn doen, Flowers. Ik wil dat je deel gaat uitmaken van ons kleine gezinnetje. Wat zullen we een lol met elkaar hebben!'

30

In een jeep werden Toby en Harriet naar de heuveltop gebracht. De auto klom tot boven de brug en de rivier in haar diepe, rotsige bedding. Emre wilde per se met hen mee, zei tegen de Amerikaanse soldaten dat hij hun tolk was, klom twee keer terug in de jeep nadat ze hem eruit hadden gezet, en mocht eindelijk mee, ondanks protesten van Harriet. Terminator en zijn soldaten bleven op de weg achter en maakten ruzie met de Amerikaanse soldaten die de brug bewaakten.

'Klinkt dit je bekend in de oren?' vroeg Harriet aan Toby. Ze zaten op de achterbank van de jeep en praatten fluisterend met hun hoofden vlak bij elkaar. 'Frituurpan en brand.'

Toby, nog van slag van de ontsnapping, zei: 'Heb je dan niet gehoord dat onze peshmerga-vriend vertelde dat zijn commandant ontzettend graag met ons wilde praten over alles wat we wisten? Alles, Harriet. Niet alleen wat je hem wilt vertellen, maar alles, of je dat zou willen of niet. Toen hij dat zei, wist ik dat jij gelijk had en ik niet, en besloot ik mijn best te gaan doen om iets te bedenken om aan hun goede zorg te ontsnappen. En dat heb ik gedaan... niet dat je me hoeft te bedanken, hoor.'

'Jullie zijn onze gasten,' zei Karin die alles gehoord had. 'Vertel deze mensen dat het een groot misverstand is, dat we terug naar de peshmerga's willen, dat alles dan goed is.'

'Ik neem jou niets kwalijk, Emre,' zei Toby. 'Maar jouw peshmerga-vriendjes behandelden ons als gevangenen. Misschien heb je dat grote kolerepistool gemist dat Terminator daarnet op ons gericht hield, maar ík heb het heel goed gezien.'

'Dat was ook een misverstand. Maar wees niet bang, daar zal hij zijn excuses voor aanbieden.'

'O, op dit moment ben ik daar niet bang voor.'

Harriet knikte naar de twee soldaten op de voorbank. 'Denk jij echt dat zij ons gaan helpen?'

'Ik weet dat je niemand meer vertrouwt, maar ik gok liever op hen dan op de peshmerga's. Als we geluk hebben brengen ze ons naar Mosul en dan hebben we wat speling om onze volgende stap voor te bereiden.'

Als de Amerikanen hen naar Mosul brachten, dacht Harriet, dan moest ze een manier vinden om Karin en Toby daar achter te laten. Ze was blij dat ze aan de peshmerga's ontsnapt was, maar de roekeloosheid van de journalist had hun dood kunnen worden en ze wist eigenlijk niet of ze in handen van het Amerikaanse leger zoveel beter af waren. Ze moest een manier vinden om zichzelf hieruit te praten, om zonder Karin en Toby verder te kunnen en alleen haar werk doen, precies zoals ze de hele tijd gedacht had.

De Lone Ranger... waarom niet?

De jeep raasde over de heuveltop heen en racete over een stoffig, diep uitgesleten pad naar een breed, vlak terrein onder aan een helling waar een Humvee geparkeerd stond. Een stuk of zes Amerikaanse soldaten en één burger keken als toeristen naar het mooie uitzicht: over de brede vallei naar bergen in de verte en twee helikopters die daarboven door de rook vlogen. Het waren Apaches, de belangrijkste Amerikaanse gevechtsheli's. Ze konden als wespen voor de ingang van hun nest naar voren en achteren bewegen en zonder problemen van hoogte en snelheid veranderen. Hun rotoren produceerden een zwakke, slaperige dreun. Op het moment dat Harriet uit de jeep stapte, dook een van de Apaches naar beneden, schoot naar voren en stootte witte rook uit aan weerskanten van de romp toen hij twee raketten afvuurde. De explosies volgden een paar hartslagen na de dubbele flits, twee kolommen zwarte rook stegen op toen de heli zich weer terug liet vallen en de andere dichterbij kwam en de grond besproeide met een kogelregen uit de mitrailleur op de voorkant.

De korporaal die Harriet, Toby en Karin onder zijn hoede had genomen, salueerde voor een officier, gaf hem Harriets en Toby's paspoorten en legde uit dat hij deze twee Britse onderdanen in gezelschap van peshmerga's had aangetroffen en dat een van hen beweerde een journalist te zijn. Hij had een vakbondskaart, maar geen officiële accreditatie.

De officier, een diepgebruinde kapitein van Harriets leeftijd, had DAVIS in zwarte inkt op het naamlint staan dat op zijn gevechtsjack genaaid was. Hij bekeek de paspoorten, gaf ze door aan de burger en vroeg de korporaal naar de andere vent, de autochtoon.

'Hij zegt dat hij hun tolk is, sir,' zei de korporaal. In één hand had hij het rugzakje van Harriet.

'Voor wie werk je?' vroeg de burger, terwijl hij zorgvuldig door Harriets paspoort bladerde. Hij was een stevige man in dure loopuitrusting, een automatisch pistool in een holster op zijn heup en zijn prettige gezicht was afgeschermd door een zwart baseballpetje. Harriet zag een medeblanke en besloot onmiddellijk om hem niet aardig te vinden.

Ze zei: 'We zijn freelancejournalisten, die met peshmerga's optrekken. We beschrijven wat ze doen, een dag uit hun leven, dat soort dingen.'

Toby zei: 'Eh, die soldaten... die Koerden? We hebben een klein meningsverschil met ze. Niets ergs, maar we zijn blij dat jullie ons daar weghaalden.'

'Als jullie op zoek zijn naar een goed verhaal,' zei kapitein Davis, 'dan zijn jullie op de goede plek.'

Toby zei: 'Eigenlijk horen we nu in Mosul te zijn, misschien dat jullie ons een lift kunnen geven?'

Kapitein Davis negeerde hem en zei tegen Harriet: 'Het is een verhaal dat overal aanslaat. Wij zijn de goede kerels. En daar verderop schijten de slechteriken op dit moment tien kleuren stront.'

Op een heuvel verderop brandden kapotgeschoten stukken boom en struikgewas tussen de ruïnes van een gebouwtje. De heli's vlogen er zij aan zij boven, hun propellers sloegen ingewikkelde figuren in de wolken en kolommen opstijgende rook.

Harriet speelde het spelletje mee: 'Wie zijn de slechteriken? Terroristen? Vrijheidsstrijders?'

'Eén pot nat,' vond kapitein Davis. Hij had laconieke, bittere humor, een onderkoelde charme. 'Deze keer zijn de slechteriken autodieven. Kapers.'

'U valt autodieven met gevechtsheli's aan?'

'Dit is het leger, mevrouwtje. We zijn niet getraind in het fijne vingerwerk van rechtvaardigheid. We zijn getraind in mensen doden en dingen opblazen. En daar zijn we behoorlijk goed in, zoals die kerels daar merken. Laat me vertellen wat er gebeurd is. Jullie zullen ervan smullen... het heeft wat jullie volgens mij een bevredigende, klassieke eenvoud noemen.'

'Waarmee u bedoelt dat jullie de goede kerels zijn, dat jullie de slechteriken opjagen, gevangennemen en vermoorden, en zo de wereld veiliger maken.'

'Helemaal correct.'

'Net als in de film.'

Harriet probeerde niet naar de burger te kijken die de inhoud van haar rugzak controleerde, haar satelliettelefoon bekeek en door haar agenda bladerde, waarin in een simpele code de precieze locatie van de vindplaats van de glyphs stond. Gelukkig was ze nog net niet zo stom geweest om een plattegrond of de satellietfoto van de vindplaats die Jack Nicholl haar gegeven had erin te stoppen.

Toby, die het gevoel had dat hij veilig was, stak een sigaret op. Emre Karin stond achter hem en probeerde zorgvuldig met niemand oogcontact te maken. De onzichtbare Koerd.

'Het is nog veel beter dan in de film,' vond kapitein Davis. 'Het begon met een troep bandieten die afgelopen nacht net buiten Mosul twee vrachtladingen satellietschotels stalen. Ze schoten de chauffeurs dood. Een van de bandieten raakte gewond in het vuurgevecht en werd achtergelaten. Waar hij zo kwaad over was dat hij, toen wij er aankwamen, zijn vrienden al aan de plaatselijke politie verraden had. Die vrienden zijn we achternagegaan en reden we klem bij een controlepost die we bij de brug hadden opgesteld. Er volgde een schietpartij, en toen bleek dat wij veel sterker waren, trokken de bandieten zich in een boerderij terug. En nu maken de Apaches het werk af. Ik weet wat jullie denken: dit is shitzooi die we dagelijks horen, niets speciaals. Maar ik vind toevallig dat dit een van onze betere acties is. Meestal beschieten de slechteriken ons of gooien ze een RPG of mortieren en verdwijnen dan, of ze leggen mij-

nen of GEM's – geïmproviseerde explosieve middelen – langs de wegen. Deze keer hebben we man tegen man met ze gevochten. Een
minuut of zo leek het even een echte oorlog. Als jullie erover willen
schrijven, zal ik met plezier details geven.' Davis wees naar de heli's die de heuvel in de verte bestookten. 'Misschien moeten jullie
daar een foto van maken – het lijkt erop dat het bijna gedaan is.'

Harriet zei: 'Het probleem is dat we wat moeilijkheden hadden
en dat we onze spullen kwijt zijn. Maar als jullie ons naar Mosul
brengen, beloof ik dat we er een stuk over zullen schrijven.'

Toby zei: 'Absoluut. Misschien heeft een van de soldaten een foto die we kunnen gebruiken.'

De burger liep naar hen toe en vroeg: 'Kunnen jullie me vertellen hoe jullie over de grens gekomen zijn?'

Kapitein Davis vroeg: 'Is er een probleem?'

De burger zei: 'Deze mensen hebben geen accreditatie en er staan
geen stempels in hun paspoorten.'

Harriet zei: 'Ik geloof niet dat ik weet hoe u heet.'

De burger verstarde en zei: 'Ik ben degene aan wie jullie iets
moeten uitleggen. Waar zijn jullie de grens over gegaan? Turkije?
Syrië? Koeweit?'

Terwijl haar de moed in de schoenen zonk zei Harriet: 'Turkije.'

De burger vroeg: 'En waar precies zijn jullie de Turkse grens
overgestoken?'

Harriet keek Toby waarschuwend aan en zei: 'Via Habur Gate.
Ik weet niet waarom onze paspoorten niet zijn afgestempeld. Misschien moet u dat aan hen vragen.'

Ze wist dat ze betrapt waren, maar het hoorde bij het spelletje
om niet zomaar je cover op te geven.

De burger vroeg: 'Hoe kwamen jullie bij de KDP terecht? Hebben jullie een afspraak met ze?'

'Tuurlijk,' zei Toby. 'Maar niet officieel, als u me begrijpt.'

'Hebben jullie een contactpersoon? Iemand bij wie we navraag
kunnen doen, jullie verhaal kunnen checken? De leider van die soldaten bijvoorbeeld met wie jullie waren? Als we het hem zouden
vragen, zou hij jullie verhaal dan bevestigen?'

Toby zei: 'Zoals ik al zei hadden we een probleempje met onze
peshmerga-vrienden. Je zou het een meningsverschil kunnen noemen.'

De burger vroeg: 'Jullie tolk, hoort die bij de peshmerga's? Of hoort die bij jullie?'

Na een korte stilte vroeg kapitein Davis: 'Denk je dat deze mensen iets slechts van plan zijn, Bob?'

'Ik weet niet wat ze van plan zijn, maar ik ben er praktisch zeker van dat ze illegaal het land zijn binnengekomen, waarschijnlijk met hulp van de peshmerga's, die lekker bijverdienen met het smokkelen van mensen en luxegoederen over de grens. Ik zou ze graag voor verder verhoor meenemen.'

Kapitein Davis haalde zijn schouders op. 'Van mij mag je ze met alle plezier meenemen, Bob. Als de Apaches klaar zijn, gaan we die heuvel schoonvegen. Ik heb geen zin om op twee freelancejournalisten te moeten letten die wat sensatie zoeken. Begrijp me niet verkeerd, mevrouwtje, maar dit gaat net zo goed over jullie veiligheid als over de ideeën van mijn vriend.'

De burger zei: 'Geloof me, het heeft alles met mijn ideeën te maken. Het zou het makkelijkst zijn als je een van je Apaches hiernaartoe haalt, die kan ons dan een lift geven.'

Kapitein Davis schudde zijn hoofd. 'Die vogels vliegen terug naar Dohuk als ze hier klaar zijn om brandstof bij te tanken en munitie aan te vullen.'

'Het kost maar dertig minuten om ons naar Mosul te vliegen.'

'Het zijn mijn vogels niet, Bob. Je kunt het bij hun commandant proberen, maar je weet dat die min of meer hetzelfde zal zeggen. Wat ik wél kan doen is je een jeep en twee mannetjes lenen. Hoe klinkt dat?'

'Eerlijk gezegd klinkt het alsof je niet achter me staat.'

'Als het je niets lijkt, moet je wachten tot we klaar zijn met het werk waar we voor betaald worden. Dan kun je met ons naar Mosul als we klaar zijn.'

De burger keek hem even aan en zei toen: 'Twee mannetjes zei je?'

'Ze zijn van jou, Twetten,' zei Davis tegen de korporaal. 'Neem een vrijwilliger uit je groep en begeleid onze vriend.'

De burger keek Harriet aan. 'Als je voor een dienst werkt, is dit het moment om dat te zeggen. Dan kun je weer verder.'

Harriet dacht er even over om hem Jack Nicholls naam te geven. Om te vertellen dat ze, jazeker, voor Hare Majesteits regering

344

werkte, dat meneer Nicholl kon bevestigen dat ze een dringende en hoogst vertrouwelijke opdracht had en dat hij bij die opdracht ontzettend zou helpen door haar in Mosul te krijgen... maar ze wist dat alles wat ze vertelde gecontroleerd zou worden, en dat als MI6 erachter zou komen dat Jack haar geholpen had, hij diep in de shit en zij op het eerste vliegtuig naar huis zou zitten. Dus antwoordde ze met een wedervraag: 'En voor welke dienst werk jij, Bob? Voor de CIA?'

Weer keek hij haar met een nietszeggend gezicht strak aan, toen trok hij Davis aan de kant en praatte een paar minuten met hem; af en toe keken de mannen naar Harriet en Toby. Harriet negeerde Toby toen hij vroeg wat er zou gebeuren als ze in Mosul waren. Ze draaide van hem weg en keek naar de twee heli's die weer op de heuvel aanvlogen. Eindelijk werden ze gesommeerd om weer in de jeep te stappen. De burger zat tussen korporaal Twetten en de chauffeur in geklemd, Harriet zat met Toby en Karin op de achterbank. Ze reden terug naar de heuvel, langs de peshmerga's die aan de kant van de weg door GI's bewaakt werden. Hun wapens lagen voor hen opgestapeld. Terminator zag hen voorbijkomen en keek boos. Toby kon het niet laten en zwaaide.

Ze reden langs de controlepost de brug over, passeerden een zwarte krater in de weg en twee uitgebrande vrachtauto's en passeerden de file vrachtauto's, tanks en andere voertuigen die de brug over wilden. Mannen zaten in hun cabines en rookten en luisterden naar de radio of zaten in groepjes bij een kampvuur, dronken thee en rookten. Harriet zag twee mannen worstelen met een grote, zware kartonnen doos die ze op een open vrachtauto wilden laden. De jeep passeerde koppels mannen die grote kartonnen dozen naar beneden sleepten en mannen die alleen met dozen sleepten. Drie mannen duwden een doos op het laadgedeelte van een pick-up. Een andere man bond een doos op het dak van een taxi.

De jeep bereikte de top van de heuvel en moest stoppen omdat er een ongeval was gebeurd waardoor de weg half geblokkeerd was: een bestelwagen was ingereden op de achterkant van een pick-up, met daarop twee grote glasvezeltanks. Een van de tanks lekte een brede stroom zwarte olie, die onder de truck verdween en naar de kant van de weg stroomde. Naast het voorwiel van de bestelwagen lag een lichaam, bedekt met een geel zeil en een groepje mensen verdrong elkaar aan de achterkant, wilde naar binnen klimmen, riep en duwde elkaar weg. Een doos lag opengescheurd op zijn kant op de weg. Je kon de airco zien die erin zat.

De burger zei tegen korporaal Twetten dat hij door moest rijden. 'Roep desnoods via de radio versterking op, maar blijf rijden.'

'Dat kan ik niet maken, sir. Als iemand een sigaret in die olie gooit staat de hele weg in lichterlaaie. We moeten de boel hier in banen leiden tot er hulp komt – dat hoeft niet lang te duren, niet meer dan vijf of tien minuten. Als u nou de gevangenen in de gaten houdt.'

Harriet zag korporaal Twetten en de chauffeur naar de weg lopen met hun geweren in de hand. De korporaal knielde bij het lichaam onder het zeil en zei kort iets in zijn radio. De chauffeur liep naar de plunderaars en riep iets in het Engels. Tot haar verbazing stond Karin in de jeep op en zei dat hij de soldaten ging helpen. Toen de burger zei dat hij moest blijven waar hij was, zei hij: 'Ik spreek Turks en Koerdisch. Ik ga de soldaten helpen, tegen die mensen zeggen dat ze kalm moeten blijven, ja?'

'Zitten,' beval de burger en hij draaide Harriet half zijn rug toe om zijn pistool uit zijn heupholster te halen.

Harriet greep haar kans, kwam razendsnel omhoog, sloeg haar linkerarm om zijn nek en graaide naar zijn pistool. De man probeerde zich uit haar nekklem los te draaien, maar ze draaide mee, nog steeds grabbelend naar het pistool. Met haar hoofd vooruit gleed ze op de voorbank, zijn volle gewicht kwam op haar bovenlichaam en haar schouders ramden tegen het stuur. Hij trok zich los en toen ze hem weer wilde vastpakken ging zijn pistool af. De harde knal en een vlammende pijn in haar schouders velden haar. De burger kwam overeind en Toby ramde met een wijde boog de autobrandblusser tegen de zijkant van zijn hoofd. De man wankelde, greep de voorruit vast, Toby haalde nog een keer uit en hij viel bewusteloos op de voorbank.

Toby en Emre trokken de bewusteloze man uit de jeep en Harriet tastte op de grond naar het pistool. Ze voelde iets, maar tegelijkertijd stak er iets in haar schouders en was ze even bang dat ze flauw zou vallen, maar toen vonden haar vingers het pistool en kon ze overeind komen. Terwijl Karin in de jeep klauterde richtte ze het op hem.

'Doe niet zo achterlijk,' zei Toby, die naast haar ging zitten en de motor startte.

Een zwarte wolk dreef langzaam door Harriets hoofd. Met zijn handen half opgestoken keek Karin haar aan. Ze zei: 'Hij gaat niet met ons mee.'

'Verkeerd moment om ruzie te maken,' vond Toby en hij stampte op het gaspedaal.

Terwijl ze langs de vrachtauto reden zag Harriet dat korporaal Twetten en de chauffeur naar binnen waren geklommen en met een van de mannen vochten. Ze wilden hem net op de plunderaars gooien toen de korporaal de jeep zag. In één beweging gooide hij de man naar voren en greep hij de arm van de chauffeur. Ze sprongen allebei op de grond en de plunderaars doken meteen de vrachtauto in. Harriet hoorde het geratel van automatische wapens en Toby gaf plankgas.

31

Macpherson zei: 'Man, kijk nou toch eens. Je trilt helemaal.'

Alfie zei: 'Toen hij zei dat hij me zou vermoorden... denk je dat hij dat meende?'

'Tuurlijk. Hij is wel gek, maar dat wil niet zeggen dat hij niet meent wat hij zegt. Hij kalmeert wel weer, misschien gaat hij wel weer zeggen dat je deel van de familie moet worden, maar dat moet je niet geloven. Hij sprak de waarheid toen hij zei dat hij je zou gebruiken en vermoorden. Want hij is teleurgesteld in je. Je hebt hem zijn ambities afgenomen, hem te kakken gezet. Want jouw hersenen doen niet wat hij wil dat ze doen, en daardoor is hij zo kwaad dat hij zijn masker heeft laten vallen en de echte Rölf Most heeft laten zien.'

Mosts experiment was niet goed gegaan. Alfie had langer dan een uur voor de laptop gezeten en gekeken naar een bewegende show van ontelbaar veel verschillende combinaties van entoptische elementen. Hier en daar, lukraak verborgen tussen onschuldige patronen was er een actieve glyph voorbijgekomen. Die leek dan kwaadaardig pulserend van het scherm af te spatten. Godzijdank, omdat hij niet gedrogeerd was met Mosts cocktail, had hij geen aanval gekregen als die opdook. Maar hij was wel misselijk geworden en zijn hoofdpijn was amper te harden. Tegen het eind van het experiment wist hij niet meer of de patronen nu op het scherm stonden of aan de binnenkant van zijn ogen.

Terwijl Alfie naar de show keek, mat Rölf Most met behulp van de elektroden op zijn hoofd Alfies hersenactiviteit en bestudeerde hij zijn EEG-lijn op de tweede laptop. Blijkbaar viel Alfie een paar keer weg, hoewel hijzelf zich daar absoluut niets van kon herinneren, en volgens Most viel een wegval samen met de verschijning van een actieve glyph. Uiteindelijk beëindigde de psychiater het experiment, hij zei dat er iets mis was – hij had geen terugkerend patroon kunnen ontdekken in Alfies hersenactiviteit als Alfie de glyph waarnam.

'Er zit nog te veel ruis in het systeem,' zei Most. Hij ijsbeerde door de kleine, witte ruimte en sloeg iedere keer als hij zich had omgedraaid met zijn vuist in zijn open handpalm. Drie stappen, draai, bam. 'Misschien komt het omdat je net een zware epileptische aanval achter de rug hebt, je bent natuurlijk bekaf en er kan nog steeds een spoor van mijn cocktail met psychotrope drugs in je lijf zitten.' Draai, bam. 'Misschien komt het doordat je je dagelijkse hoeveelheid barbituraten niet meer binnen krijgt.' Draai, bam. 'Misschien, als je goed uitgerust bent en ik je met veel gevoeliger apparatuur kan testen dan met dit simpele apparaatje, bijvoorbeeld met een magneto-encefalograaf waarmee ik de kleinste activiteitenverandering in je visuele hersenen kan meten – misschien kan ik dan verschillen zien in je reactie op willekeurige patronen en op actieve glyphs. Wat denk je zelf?' Vlak voor Alfies stoel bleef hij stilstaan, hij keek op hem neer en sloeg met zijn vuist in zijn handpalm.

Alfie zei eerlijk dat hij niet wist wat hij moest denken, maar om de een of andere reden werd de psychiater hier kwaad om. Hij bracht zijn gezicht op gelijke hoogte met dat van Alfie en zei: 'Misschien speel je een spelletje met me. Misschien kun je dat als je niet gedrogeerd bent! Misschien ben je dan in staat om je echte reacties te verbergen of te maskeren! Heb je dat gedaan? Vertel me de waarheid!'

Hij sloeg Alfie, snel en hard, hield hem aan de panden van zijn badjas tegen toen hij weg wilde duiken en schreeuwde recht in zijn gezicht, spuugde hem helemaal onder.

'Jij hebt iets gedaan! Ik weet gewoon dat je iets gedaan hebt, een trucje, iets achterbaks. Misschien moet ik je weer drogeren, je weer een aanval bezorgen, en daarna nog een! O, ik kan je als een kikker laten springen als ik dat wil, tot je belooft mee te werken.'

Most maakte zichzelf steeds kwader, beschuldigde Alfie ervan dat die hem bedroog, maar dat dat niet gaf omdat hij slechts een klein onderdeel van een veel groter geheel was. De psychiater ijsbeerde door de kamer, in de gaten gehouden door een kalme Macpherson en genegeerd door Soborin. Hij oreerde wel vijftien minuten achter elkaar hoe hij iedereen versteld zou doen staan met zijn ontdekkingen en de deur zou openen naar een nieuw tijdperk van het menselijk bewustzijn, tot hij eindelijk in een witte plastic stoel plofte en zei dat zijn mannen heel binnenkort door de steenmassa's in de grotten verderop zouden breken. Hij zei dat hij zeker wist dat daar nog een boel te ontdekken viel, meer dan genoeg om zijn achterban tevreden te stellen.

'Daar zullen we nog meer actieve glyphs vinden, zeker weten, en jij gaat me helpen hun activiteit te bewijzen. Natuurlijk heb ik je dan gedrogeerd en zul je een aanval krijgen, maar dat is voor de goede zaak. Ik neem je reactie op de glyphs op video op en dan, tja, dan ben ik bang, Flowers, dat ik, omdat je koppig weigert mee te werken, omdat je je niet voor me openstelt, omdat je je echte reacties probeert te maskeren, tja, dan moet ik doen wat ik met alle proefdieren doe die ik niet meer nodig heb. Niets persoonlijks hoor...'

Dat was het moment waarop Macpherson ingreep, zei dat ze allemaal moe waren, dat het tijd voor een pauze was. Nu zaten Alfie en hij naast elkaar op een laag stuk van de oude muur, vlak bij de berg. Alfie in zijn witte badjas en badslippers, Macpherson in zijn legerjack en zonnebril met spiegelglazen. Het werd donker. Mist kroop tegen de bergen op, werd dikker en blokkeerde langzaam het uitzicht op de rivier, de rotsige ondieptes erin en de eilandjes met wilde grassen of een paar scheve bomen. Achter hen beschenen schijnwerpers de ingangsschacht en zoemden de dieselmotor en de waterpompen.

Alfie zei: 'Ik kon de actieve glyph uit al die andere patronen halen. Dat heb je zelf gezien. Dat hij geen verschil op het EEG kon zien als ik dat deed, wil niet zeggen dat ik het niet kon.'

Bedachtzaam zei Macpherson: 'De glyph die hij gebruikte... was dat dezelfde glyph die hij je in het vliegtuig liet zien?'

'Geen idee. Toen kreeg ik een aanval, weet je nog?'

'Ik geloof je. Wat mij betreft is er niets veranderd.'

Maar hij keek Alfie toch wat achterdochtig aan en Alfie wist dat hij dacht aan Mosts experiment en dat hij zich afvroeg of hij wel wat aan Alfie had.

Alfie zei: 'Denk je nog steeds dat je dit in je eentje af kunt ronden?'

Macpherson had zich laten ontvallen dat de twee mannen die met hem in Londen naar Karsu hadden gezocht, allang in het kamp hadden moeten zijn, al hadden ze ook nog iets over de grens, in Turkije, moeten doen. Er moest iets mis zijn gegaan, en nu moest hij wat hij gepland had in zijn eentje doen.

De huurling ontblootte zijn tanden en zei: 'Er zijn er niet meer dan twaalf. Plus een paar bezeten boeren in de omgeving, maar die tellen niet mee. De man moest zo nodig het gezin dat woonde in het huis waar jij gevangen hebt gezeten, met zijn glyphpistool beschieten. Hij zei dat ze handig waren als waakhonden, maar ze zullen inmiddels wel dood zijn, in ravijnen zijn gevallen, of door wolven zijn opgegeten... Volgens mij heeft hij ze alleen maar met glyphs beschoten omdat hij dat kon. Omdat hij van spelletjes houdt, net zoals die stunt in de grot. Eindelijk was je hier en kon hij met je experimenteren waar en wanneer hij maar wilde, maar nee, hij wachtte tot hij je in die grot had, hield zijn stomme toespraakje en kreeg je bewusteloos met die tekening. Maar goed, jij hoeft je niet druk te maken over mijn werk. Als het zover is,' zei hij veel zachter, 'doe ik wat nodig is. Maar ik geef toe: als ik met de man afgerekend heb, moet ik er misschien nog een of twee pakken. Dan snapt de rest het wel en verdwijnen ze. Ben je nog van plan dat heerlijke voedsel op te eten of niet?'

Alfie had zijn diner nog niet aangeraakt. Kip en aardappels, maïs en dikke jus en een soort chocoladepudding. Alles opgewarmd in de magnetron in de veldkeuken, een vierkante tent, die aan drie kanten open was, waar nu een paar van Mosts mannen in hun vieze zwarte overalls aan plastic picknicktafels hun eten naar binnen werkten.

'Ik heb niet echt honger,' zei hij en hij gaf het plastic blad aan Macpherson.

Het leek alsof er twee lange, dunne naalden in zijn oogballen staken en hij zag nog steeds een zwerm felgekleurde dobbers door zijn beeld zweven. Hij was bang geweest dat als hij aan andere actieve glyphs werd blootgesteld, maar dan onder invloed van Mosts cocktail, die permanente schade aan zijn hersenen zouden toe-brengen. Dat iedere reactie net zo erg zou zijn als de schade die de glyph van zijn opa jaren geleden had toegebracht. Maar nu begreep hij dat hij veel meer gevaar te duchten had van Rölf Most en Larry Macpherson. Hij wist dat, nadat hij gedrogeerd was en glyphs had bekeken die aan de andere kant van de steenblokkade lagen, nadat hij bewezen had dat ze actief waren door een aanval te krijgen, hij vermoord zou worden.

Hij dronk appelsap uit een pakje en Macpherson schrokte zijn diner naar binnen. Alfie voelde zich doodmoe, had pijn aan zijn ogen, pijn in zijn hoofd en zijn ontwrichte vinger klopte in de spalk. Hij realiseerde zich dat als hij een kans wilde hebben om dit te overleven, hij dan moest voorkomen dat ze hem weer dro-geerden. Want als hij gedrogeerd was, kreeg hij bijna zeker een aanval, en als hij een aanval had was hij hulpeloos...

Hij vroeg: 'Die achterban waar Most het over had. Bedoelde hij toen de CIA?'

'Hoezo?'

'Ik heb gehoord dat de CIA betrokken was bij iets wat Soborin in Afrika deed.' Hij hoopte dat hij Macpherson aan het praten kreeg en zou horen wat hij wilde weten.

'De man is een tikkeltje te wild voor de CIA,' zei Macpherson met een mond vol kip en aardappels. 'En trouwens, na wat zijn mentor in Afrika heeft meegemaakt, zijn ze wat voorzichtig met glyphs geworden. Godsamme, dat was echt een klotezooi... Nee, hij krijgt het geld van Delaware, een bedrijf dat is opgericht door een clubje extreem rijke en extreem patriottische zakenmannen, met extreem goede relaties. Minstens een van hen heeft hoge vrien-den bij de Dienst, daarom hadden we tot op zekere hoogte toe-stemming voor ons optreden in Londen. Misschien dat de Dienst geïnteresseerd is als dit onderzoek goed uitpakt, maar op dit mo-ment zullen ze alle betrokkenheid ontkennen.'

'En jij?' Alfie had een sprankje hoop dat als Macpherson voor een dienst zou werken er enige controle op zijn activiteiten was. Maar hij schudde zijn hoofd.

'Ik heb wel voor de Dienst gewerkt, ook indirect, maar op dit moment...' Hij schoof snel wat eten naar binnen en ging verder: 'Als je stiekem hoopt gered te worden door kleine, zwarte heli's en Mulder en Scully, dan moet ik je teleurstellen, kerel. Mijn twee maten zouden nog kunnen opduiken, maar anders heb je alleen mij. Mijn mensen zijn ook zakenlui en ze zijn zéér geïnteresseerd in het gebruik van de glyphs in reclame op internet. Meer zeg ik niet. Maar ze hebben alle vertrouwen in je, wees niet bang. Zolang je tenminste meewerkt.'

'Zolang ik een brave laboratoriumrat ben.' Hij had zijn appelsap op en verscheurde verstrooid het pakje.

'Zolang je doet wat je beweert dat je kunt.'

'Al die testen zeggen helemaal niets.'

'Ik zei toch al dat die helemaal niet belangrijk zijn,' zei Macpherson en hij stak met een vork het laatste stukje chocoladepudding in zijn mond, maakte een hard, zuigend geluid en duwde vervolgens vork en plastic blad over de rand van de muur. De vork viel direct recht naar beneden, maar een briesje duwde het plastic blad even omhoog, tot boven hun hoofden, voor het de mist in vloog...

Alfie herinnerde zich een strand, ver weg, zowel in kilometers als in tijd, de vlieger die in zee dook, zijn vader die zijn schoenen uittrapte en de golven in liep om dat ding te redden. Doe het nou gewoon, zei hij tegen zichzelf en hij zei hardop: 'Most zei dat zijn mannen snel door de stenen heen zullen breken. Denk je dat dat vandaag nog gebeurt? Of morgen?'

Macpherson haalde zijn schouders op.

Alfie ging verder: 'Als ze erdoor zijn, drogeert Most me, laat hij me kijken naar alles wat hij daar vindt en maakt hij videoopnames van hoe ik kijk, want zodra ik een aanval krijg is dat een bewijs voor zijn ontdekking.'

'Huh huh.'

'En daarna gaat hij me vermoorden, omdat hij me verder niet meer nodig heeft. Hij gaat me vermoorden en mijn lichaam hier ergens achterlaten. Wat wil zeggen dat jij hém moet vermoorden. Eigenlijk dat je iedereen hier moet vermoorden.'

'Ik heb allang gezegd dat jij je daar geen zorgen over hoeft te maken.'

'Maar als dit allemaal in die grot gebeurt...'

'Hé! Jij hoeft alleen maar te weten dat ik overal voor zorg als het zover is. Daarom heb ik het je ook verteld. Ik wil niet dat je straks in de weg loopt. Ik wil dat je je plat op de grond laat vallen en dat je daar braaf blijft liggen tot ik zeg dat het niet meer hoeft.'

'Maar ik lig allang op de grond als ik een aanval heb gehad. En dan?'

Macpherson keek hem aan.

Alfie ging snel verder, want hij wist dat hij maar één kans had. 'Als je hem moet vermoorden, moet je iedereen daar vermoorden. Hoe kom ik er dan uit? Ik heb er drie uur over gedaan om na de vorige aanval op te knappen, en hebben jullie me niet met vier mannen en veel moeite naar boven gekregen?'

'Misschien vermoord ik niet iedereen. Ik spaar er een paar en die halen jou dan naar boven.'

'Maar als je nou iedereen móét vermoorden?'

'Als je me iets wilt zeggen, moet je dat nú doen.'

'Ik denk dat ik een manier weet om te voorkomen dat ik een aanval krijg, ook als er daar actieve glyphs zijn. We kunnen Most laten denken dat er geen actieve glyphs zijn en, veel belangrijker, ik kan daar zelf weglopen. Maar dan heb ik het medicijn nodig dat ik bij me had toen jij me ontvoerde. Dat is voor mijn evenwicht.'

'En wat nog meer?'

'Als Most me die cocktail van hem gaat toedienen, ga ik hele toestanden maken zodat jij het moet overnemen en het me met geweld moet toedienen.'

'En ik heb natuurlijk dat sproeiing van hem leeggegooid,' begreep Macpherson. 'Dus als ik met dat ding in je neus sproei, sproei ik alleen maar lucht. En zonder drug krijg jij geen aanval, ook al heb je een honderd procent actieve glyph voor je neus.'

'Precies.' Alfie voelde een ijzige prikkeling langs zijn ruggengraat lopen, terwijl de huurling hierover nadacht.

'Lijkt me niet. Om te beginnen moet ik ook weten of er actieve glyphs bij zijn. En verder krijg ik het idee dat je iets voor me achterhoudt.'

'Absoluut niet. Ik weet dat als ik heel uit die grot kom, ik dan jou moet vertrouwen. Dat ik jouw laboratoriumrat ben. Maar als ik een aanval...'

'Zover mag het niet komen. En mocht het wél zover komen, dan regel ik dat jij eruit komt, oké?'

'Oké.'

Tja, nu wist hij het in ieder geval. Nu wist hij dat Macpherson hem bij Most wilde achterlaten. Wist hij dat hij – liefst zo snel mogelijk – beter een andere overlevingsstrategie kon bedenken.

32

Bijna een kilometer verderop, amper een minuut nadat ze de jeep hadden gestolen, zag Harriet een wit busje over de helling aan komen rijden en ze zei tegen Toby Brown dat hij aan de kant van de weg moest stoppen.

'Ik kan nu niet zomaar stoppen.' Hij hing voorover en vocht met het stuur. 'Maar zodra we hier weg zijn pakken we de EHBO-doos...'

Hij viel stil toen hij zag dat ze het automatische pistool op hem richtte. 'Naar de kant,' zei ze. 'We hebben een andere auto nodig. Deze valt veel te veel op.'

Hij knikte en stuurde de jeep de berm in, iets achter de file voertuigen die de brug over wilden. Harriets gebroken sleutelbeen begon nu echt te steken en er zat behoorlijk wat bloed in de mouw van haar jasje. Toch vond ze dat ze geluk had gehad: de kogel had schoon haar lichaam weer verlaten, de wond waar hij naar buiten was gegaan was niet veel groter dan de wond waar hij naar binnen was gegaan. Zodra het bloeden gestelpt was en haar arm verbonden, zou ze zich snel weer kiplekker voelen, dacht ze. Maar ze had het even moeilijk toen ze uit de jeep stapte: weer rolde er een zwarte wolk door haar hoofd en brak het klamme zweet haar uit. Ze haalde diep adem, zei tegen Karin dat hij mee moest gaan, richtte het pistool dat ze de Amerikaanse burger had afgenomen, een Heckler & Koch P7, op hem toen hij dreigde te protesteren en liet hem voor haar uit naar het midden van de weg lopen.

Ze hield de Heckler & Koch in de lucht, toen het erop leek dat het busje om haar heen wilde rijden, schoot een keer en richtte daarna op de chauffeur. Ze bleef op hem richten, ook toen het busje stilstond en zij ernaartoe liep. Toen de chauffeur zijn raampje naar beneden had gedraaid zei Harriet tegen Karin dat hij moest zeggen dat hij hun een lift moest geven. De chauffeur, een onverstoorbare grijsharige man in een wit T-shirt, haalde zijn schouders op, alsof dit soort dingen hem dagelijks overkwam, alsof gekidnapt worden net zo erg was als een boete.

Harriet, die wist dat kapitein Davis inmiddels moest weten dat de jeep gestolen was, verwachtte ieder moment twee Apaches boven de weg te zien verschijnen die hen zouden tegenhouden, en schreeuwde naar Toby dat hij haar rugzak en de EHBO-doos moest brengen. Ze wilde Karin achterlaten, maar Toby overtuigde haar ervan dat ze hem nog nodig hadden: ze kenden het land niet en geen van hen sprak Arabisch of Koerdisch.

'En ik kan je arm behandelen,' zei Karin. 'Je boft dat ik een EHBO-cursus heb gevolgd.'

Het busje keerde en begon aan de reis naar Mosul, het reed steeds sneller langs verkeer dat nietsvermoedend naar de geblokkeerde brug reed. De tolk sneed de mouw uit Harriets gevechtsjack, propte in antiseptica gedrenkte watten in de wonden, legde daar gaasjes overheen die hij met pleisters vastplakte en maakte van een rolletje verband een mitella. Harriet nam twee pijnstillers in en begon zich wat beter te voelen. Vlak voor ze Girepan zouden binnenrijden, zei ze tegen de chauffeur dat hij moest stoppen en uitstappen. Toby ging achter het stuur zitten, zij haalde duizend dollar uit haar geldriem en vroeg aan Karin om de man te zeggen dat het haar speet dat ze zijn busje meenam en dat ze hoopte dat hij het geld wilde accepteren. De grijsharige man keek haar aan toen Karin dit vertaald had. Hij negeerde het geld dat ze hem door het open raampje toestak en spuugde zeer bewust op de grond tussen zijn voeten. Harriet gooide het geld voor zijn voeten, voelde zich vies en beschaamd, en zei tegen Toby dat hij kon vertrekken.

Ze reden door Girepan en sloegen links af, naar de bergen. Harriet zat voorin naast Toby, ze gebruikte de gps-functie van haar satelliettelefoon en de plattegrond die Toby uit de jeep had meegenomen voor de navigatie en voelde zich optimistischer worden. Ze waren ontsnapt aan de peshmerga's, ze reden in de goede richting en nu ze van de grote weg af waren zouden de Amerikaanse soldaten hen niet zo makkelijk vinden. De weg klom met haarspeldbochten tot boven een riviertje dat witschuimend over rotsen stroomde. Ze reden over een pas, eerst zuidwaarts en daarna weer oostwaarts, ze reden constant door. Tegen het eind van de middag bereikten ze een naamloos gehucht bij een kruispunt: een paar huizen met een verdieping erop, een benzinestation met een café ernaast, een ronde blokhut, her en der een paar lage tafels met stoelen en een bijgebouwtje van golfijzer en gammele palen.

Ze zaten in het busje, dronken thee, aten wat vette lamscurry en rijst en bespraken de mogelijkheden. Harriet liet Toby de route naar de vindplaats van de glyphs zien die ze had uitgezet. Ze vertelde dat ze niet wist wat ze daar zouden aantreffen. Dat ze niet wist of Most en zijn mannetjes daar nog zouden zijn of dat ze gevonden hadden waar ze voor waren gekomen en alweer vertrokken waren. En als ze er nog waren, wist ze niet hoeveel het er waren en hoe zwaar bewapend ze waren. Waarschijnlijk behoorlijk zwaar, dit was tenslotte Irak. En tegenover dat onbekende aantal zeer ervaren huurlingen kon zij een pistool met elf negenmillimeterpatronen zetten en een kort verrassingseffect.

Tegen Karin deed ze niet meer alsof het nog steeds om de jongen, Musa Karsu, ging. Ze was ook te moe en te zwak door het bloedverlies en de shock om zich daar druk over te willen maken. De tolk luisterde naar Toby's korte uitleg over de vindplaats van de drugs, haalde zijn schouders op en zei: 'Als jullie dit meteen hadden verteld, had ons dat een hoop moeilijkheden bespaard.'

Harriet zei: 'Als we dit verteld hadden toen dat jullie ons gevangenhielden, zouden jullie peshmerga-vrienden er meteen naartoe zijn gegaan. Zoals ze ook meteen deden toen ze achter de naam van het dorp van Karsu kwamen.'

Karin glimlachte. 'Jij gelooft nog steeds niet dat we aan dezelfde kant staan.'

Hoe zwakker zij zich voelde, hoe zelfverzekerder hij werd.

Toby zei: 'Of we nou wel of niet aan dezelfde kant stonden in Diyarbakir, hier moeten we echt aan dezelfde kant staan.'

Karin zei: 'Wat mij betreft is er niets veranderd. Ik ben er om jullie te helpen.'

Toby zei: 'Ik neem aan dat je niet weet waar we moeten stoppen om geweren en explosieven te kopen?'

Karin schudde zijn hoofd. 'Was dat jullie plan? Dan is het maar goed dat jullie het niet geprobeerd hebben. Jullie zouden bedrogen zijn of beroofd en vermoord, of aan een loyale groep zijn overgedragen die politiek voordeel uit jullie gevangenschap had willen slaan.'

Toby zei: 'Je bedoelt dat je ons niet kunt helpen.'

'Ik heb jullie al geholpen,' vond Karin en hij probeerde Harriet ertoe over te halen dat hij met de satelliettelefoon de commandant van de peshmerga's mocht bellen. Hij vond dat ze hun hulp meer dan ooit nodig hadden.

Toby, nog trillend van het stelen van de jeep, was het met hem eens, hij zei dat zoals de zaak er nu voor stond, ze geen enkele kans hadden tegen Most en zijn lieverdjes. 'Of je het nou leuk vindt of niet, we doen alle drie mee. En óf we worden het eens over wat we gaan doen, óf ik houd er hier en nu mee op. En volgens mij kom jij niet ver in je eentje, want dit busje heeft versnellingen en jij hebt maar één arm.'

'En misschien blijf ik in dat geval ook hier,' zei Karin. 'Ik heb nog geen zin om zelfmoord te plegen.'

'Toby kan hier blijven, maar jij moet mee. Jij moet rijden.'

'Ach, sorry, weet niet hoe dat moet.'

Hij keek Harriet uitdrukkingloos aan. Het was niet te zien of hij loog of niet.

Ze zei: 'Jij gaat met mij mee. Of ik ga naar de dichtstbijzijnde telefoon en vertel je vrienden het hele verhaal.'

'Je kunt me ook doodschieten,' zei Karin zelfverzekerd.

'Dat kan ook.'

Ze voelde dat de twee mannen terrein wonnen, haar in een hoek duwden. De pijnstillers waren bijna uitgewerkt, haar wond klopte en ze had het de ene keer bloedheet en de andere keer steenkoud in het busje. Ze stapte uit en liep een stukje de weg af om helder te worden. Een groepje kinderen en vrouwen met hoofddoeken op liepen achter een tractor en een vrachtauto aan door een vers geploegd veld en raapten stenen op en gooiden die in de vrachtauto. Een warme wind blies stofwolken achter de tractor omhoog en boog de lange grashalmen in de richting van de geteerde weg. In de verte stonden bergen met eeuwige sneeuw.

Harriet voelde zich niet best, uitgehold door shock en uitputting. De pijn in haar schouder was het enige wat echt voelde, het enige wat haar in het hier en nu hield. Ze wist dat ze het verprutst had, al meteen vanaf het begin – toen ze besloten had om Toby mee te nemen en toen ze besloten had dat het de moeite waard was om in Diyarbakir te stoppen om Musa Karsu te zoeken. Maar ze wist ook dat ze niet zou opgeven en dat ze wat ze nog moest doen, niet alleen kon. Ja inderdaad, ook niet zonder de peshmerga's.

Niks Lone Ranger, dacht Harriet. Ik heb eigenlijk de hele tijd geweten dat ik hulp nodig had, ik wilde het alleen niet toegeven. Daarom vond ik het goed dat Toby meeging, daarom wilde ik Mehmet Celik ontmoeten.

Ze zat aan de kant van de weg tot ze precies wist hoe ze de paar troeven die ze in handen had zou uitspelen. Toen pas kwam ze overeind en liep naar het busje om de twee mannen haar voorwaarden te vertellen.

De weg liep door een breed dal. Lage wolkenslierten kwamen vanuit het noorden aandrijven en scheerden over de heuvels voor hen. Tegen de tijd dat ze een pad vonden dat in de goede richting leek te lopen, reden ze door een dichte mist en was de zon niet meer dan een rode gloed boven de horizon. Toby deed de lampen van het busje aan, maar Harriet zei dat hij ze weer uit moest doen.

'We zijn nu in vijandelijk gebied.'

Ze reden langzaam door de nog dikker wordende mist en toenemende duisternis over het uitgesleten, hobbelige pad dat omhoog-, vervolgens naar beneden en opnieuw omhoogging. Achter het busje stegen flarden witte damp op, de ruitenwissers gingen onvermoeibaar heen en weer. Toen Harriet aan de rand van het pad de omtrek van een laag huisje zag, sloeg haar hart een slag over en pakte ze het pistool. Even dacht ze dat ze de plattegrond en het gps van haar satelliettelefoon niet goed gevolgd had en dat dit toch het dorp van Karsu was, of dat Toby en Karin op de een of andere manier tegen haar hadden samengespannen en haar nu aan de peshmerga's zouden overdragen. Maar toen werd de mist even wat dunner en zag ze dat het huisje-met-plat-dak en modder- en betonmuren en het gammele bijgebouwtje eenzaam bij een paar door de wind misvormde appelbomen en verwilderd grasland vol stenen stond.

Toen het busje er voorbijreed, ving Harriet in een ooghoek iets op, alsof er zonlicht in een glasscherf reflecteerde. Zodra ze zich realiseerde wat ze had gezien, zei ze tegen Toby dat hij onmiddellijk moest stoppen. Toen het busje stilstond, griste ze de sleutels uit het contact en liep met bonkend hart en een gevoel alsof er een hete naald in haar wond prikte terug over het pad.

De fascinatieglyph was vuurrood, hij spatte van de slecht gemetselde betonblokken van het bijgebouwtje af, hij was om een gestencilde cartoon geschilderd – een grijnzend doodshoofd met een soldatenhelm met een primitieve weergave van de Stars and Stripes erop. Het geheel was ongeveer een meter hoog. Harriet vond dat het leek of de glyph een paar centimeter voor de muur zweefde en door de mist heen brandde. Hij trok zo haar aandacht dat ze van schrik bijna een sprongetje maakte toen Toby achter haar vroeg: 'Is hij echt? Ik bedoel: is hij van Morph?'

'Ik denk van wel.'

Karin zei: 'Ik denk het ook. Musa Karsu tekende dit soort dingen toen hij voor ons werkte.'

Toby ademde diep in en uit. 'Dus we hadden gelijk. Hij is naar huis gegaan. Hij is teruggekomen om de glyphs te beschermen.'

Karin vroeg: 'Oké, maar waar is hij nu?'

Met z'n drieën staarden ze in de mist naar de cartoon en de fascinatieglyph.

Harriet was de eerste die, met moeite, wegdraaide en probeerde het beeld dat op haar netvlies gebrand stond weg te knipperen. Ze zou blij moeten zijn met de ontdekking van de fascinatieglyph, maar ze was bang. Ze was te laat. Karsu was hier alweer verdwenen. Misschien had Most hem al gevonden, hij kon al dood zijn...

Toby stak een sigaret op en zei: 'Hij ziet er vrij nieuw uit. Misschien kampeert hij hier, of ergens in de buurt.'

Karin zei: 'Mijn vrienden wonen niet ver hiervandaan. Misschien heeft hij hier gerust op weg naar dat dorp. Misschien hebben ze hem al gevonden. Ik vind dat we ze moeten bellen.'

De twee mannen staarden nog steeds naar de felle rode graffiti. Harriet zei: 'De weg naar het dorp is aan de andere kant van deze heuvel, berg of wat dan ook. Volgens mij was hij niet op weg naar huis toen hij dit schilderde, maar naar dezelfde plaats als wij: de vindplaats van de glyphs. Die is veel dichterbij dan het dorp en daar zullen we hem vinden, als hij tenminste gevonden kan worden.'

'We moeten hier gaan zoeken,' vond Toby. 'Hij kan dit als een schuilplaats gebruiken.'

Hij pakte de zaklantaarn aan die Harriet uit haar rugzak haalde; zij richtte haar pistool op schaduwen en donkere hoeken. Het huis bestond uit twee kleine slaapkamers en een veel grotere kamer met in het midden een zwartgeblakerde haardsteen. Aan de bundels stro die aan de muur hingen en de gedroogde koemest en geitenkeutels die op de aangestampte aarden vloer lagen, was te zien dat de mensen die hier gewoond hadden de ruimte met dieren hadden gedeeld. En iemand anders had er gekampeerd – er lagen her en der lege aluminium bakjes, lege frisdrankflesjes, sigarettenpeuken en een verkreukeld pornoblaadje – maar Harriet dacht niet dat het Musa Karsu was geweest. Er lag een smerige matras en er stond een stinkend toilet in het bijgebouwtje en Karin vond een vers graf naast het huis. Een heuveltje aarde, niet veel langer dan een meter.

'Mosts mannen zijn hier geweest, op zoek naar Karsu, ze stelden vragen en ze hebben iemand vermoord om de anderen te dwingen de waarheid te vertellen...'

Karin knikte ernstig.

Toby vroeg: 'En de anderen die hier woonden?'

'Die zijn waarschijnlijk dood,' zei Harriet. 'Dat hoop ik tenminste...'

Toen ze over het pad naar het busje liepen, het wilde gras verdween aan beide kanten in de mist, stond Toby ineens stil, hij legde zijn handen om zijn mond en riep Karsu's naam.

'Haal het niet in je hoofd om dat nog een keer te doen,' zei Harriet. Op dat moment had ze hem met plezier doodgeschoten. Hoewel zijn stem onmiddellijk wegstierf in de mistige schemering was zij ineens bloednerveus, ze dacht dat er daar in de mist iets was wat hen in de gaten hield. 'Ben je vergeten dat ik zei dat dit vijandelijk gebied was? Er kunnen patrouilles lopen, of iemand kan de weg in de gaten houden.'

Toby dacht even na en zei toen langzaam: 'Als iemand de weg in de gaten houdt, dan ziet hij ons, want ik kan niet langer zonder lichten rijden. En hij zal ons eerder horen dan zien. Onze wagen heeft volgens mij een lekkende uitlaat en de motor draait nou ook niet echt op fluistersterkte.'

Karin zei: 'Misschien is dit het moment om mijn vrienden te bellen.'

Harriet wilde verder. 'We hebben wat afgesproken. Eerst verkennen we de vindplaats van de glyphs. Als we daar niemand zien, gaan we naar binnen en zoeken verder. Alleen als Most en zijn mannen daar zijn bellen we jouw vrienden voor hulp. Dat hebben we afgesproken en dat gaan we doen.'

Alleen als Most daar nog steeds was, als hij nog niet had gevonden wat hij zocht, wilde Harriet de peshmerga's bellen en hen als afleiding gebruiken. Terwijl die met Mosts huurlingen vochten kon zij de grotten in sluipen en doen wat nodig was om ze af te sluiten.

Emre Karin zei: 'Als we gepakt worden voor we iets verkend hebben...'

Er huilde iets ergens in de mist.

Toby zei: 'Jezus! Was dat een wolf? Zitten er hier wolven?'

Weifelend zei Karin: 'Misschien was het een hond.'

Harriet zei: 'Volgens mij was het een man.'

Ze renden terug naar het busje, keken ondertussen alle kanten op en probeerden door de mist heen iets te zien. Toen Toby de auto startte en de koplampen aandeed klonk er weer gehuil, een rauwe kreet vol verdriet, en rende er iemand op hen af. Hij rende keihard, dook ineens op uit de dikke mist en werd gevangen in het licht van de koplampen toen hij midden over het pad naar hen toe kwam: een oude man in een zwarte broek en een dikke sweater, in de lucht slaand met een groot mes. Hij leek op een mechanisch poppetje. Toby zette het busje in de eerste versnelling en probeerde om de man heen te sturen. Er werd op het achterste portier geslagen en vervolgens rende de man achter de auto aan, hij raakte steeds verder achterop en werd ten slotte door de mist en duisternis opgeslokt, terwijl het busje over het pad bonkte.

Karin zei: 'Hij was gek. Een gek.'

'Dat was een bezeten boer,' corrigeerde Harriet. 'Nu weten we ook wat er met dat gezin dat in die boerderij woonde, is gebeurd.'

'Jezus,' zei Toby. 'Denk je dat ze dat ook met de vrouw en kinderen hebben gedaan?'

'Ik hoop van niet.' Harriet dacht aan opgefokte kinderen die door de mist in het donker ronddwaalden, stelde zich voor dat een aantal van hen zich als wolven door het landschap voortbewogen, met niets ziende ogen, geen gedachten in hun hoofd, alleen die die erin waren gebrand toen ze met het glyphpistool beschoten werden. 'Ik hoop dat ze zijn doodgeschoten. Dat zou menselijker zijn.'

Toby vroeg: 'Zou die boer met een radio kunnen omgaan?'

'Geen idee.'

'Want als hij dat kan, zijn we waarschijnlijk de klos,' zei Toby. Er zat een scherpte in zijn stem die er eerder niet in had gezeten.

'We zijn waarschijnlijk sowieso de klos,' zei Harriet.

Het pad kronkelde met steile bochten over een helling met armzalig struikgewas omhoog. Het werd nu snel echt donker. De mist breidde zich uit, werd dunner en dunner, maar verdween nergens helemaal. Ze hadden nooit meer dan tien meter zicht, meestal minder. Harriet hield angstvallig het gps van haar satelliettelefoon in de gaten, maar vertrouwde het niet toen het pad in een smal dal afdaalde en een ondiepe, snelstromende rivier kruiste. Ze liet Toby stoppen en besteedde tien minuten aan het controleren en nogmaals controleren van de plattegrond en het gps. Ze probeerde zich te concentreren door de dikke laag watten van haar vermoeidheid heen, voor ze ervan overtuigd was dat ze het niet verkloot had. Dat dit niet het riviertje was dat door het dal naast de oude kerk stroomde, maar een zijriviertje dat er pas een kilometer of zo stroomafwaarts in uitmondde.

Karin stapte uit, waadde door het snelstromende water dat rond zijn knieën kolkte en gidste het busje via een smal pad van platte stenen, een doorwaadbaar pad, naar de overkant. De oever aan de overkant ging steil omhoog en het busje werkte zich in de eerste versnelling over het stenige pad. Uit de radiator ontsnapte stoom. Het was aardedonker toen Harriet tegen Toby zei dat hij kon stoppen. Hij draaide van het pad af en parkeerde bij een bosje miezerige jeneverbessen. Volgens het gps bevonden ze zich ten noordoosten van het rivierdal, ongeveer vijf kilometer van de vindplaats van de glyphs. Harriet zei dat ze de rest konden lopen – het was een lange weg naar de top van de kliffen boven de vindplaats. Vanaf daar konden ze het land verkennen en besluiten of ze de peshmerga's wel of niet om hulp zouden vragen.

Toby wreef met zijn handen in zijn ogen. 'We kunnen hier ook blijven. Even rusten en morgenochtend gaan verkennen.'

'Nee,' zei Karin tot verbazing van Harriet. 'Als we hier blijven, kunnen bezeten boeren, of soldaten of onze vijand ons vinden. Het is beter dat wij ze eerst vinden.'

De tolk sloeg Harriets rugzak over zijn schouder en ging vooroplopen. Af en toe gebruikte hij de zaklantaarn. Harriet en Toby waren al snel buiten adem toen ze achter hem aan door de mistige donkerte een helling op klauterden, langs uitstekende rotsen en ruige hulststruiken en eikenbomen. Voor ze vertrokken, had Harriet nog twee pijnstillers ingenomen, maar haar schouder deed verrekte pijn en ook haar knieën en enkels, die nog steeds niet waren bekomen van de trektocht van de avond ervoor door de bergen, begonnen pijnlijk te kloppen. De mist kroop in haar kleren, verkilde haar tot op het bot. Al vlug liep ze op de automatische piloot. Ze liep bijna langs Karin heen toen die plotseling stilstond, op zijn hurken ging zitten, met een hand het licht van de lantaarn afschermde en recht naar beneden scheen. Harriet zag een gele rechthoek, niet veel groter dan een paperback, die tegen een polletje gras stond en fluisterde: 'Is dat wat ik denk dat het is?'

'Als je denkt aan een mijn of een stel bommen, dan denk ik dat je gelijk hebt.'

Harriet hoorde Toby aankomen en zei dat hij moest stoppen, nu meteen, dat er een probleempje was. Toen Karin zich over het kleine, gele pakje boog moest zij de neiging bedwingen om hard weg te rennen en ze week achteruit toen de tolk ineens lachte en het pakje pakte. Hij liet het aan Harriet en Toby zien en toen moesten zij ook lachen. Het was een REM, een *ready-to-eat*-maaltijd. Zulke pakketjes waren met duizenden gedropt door de Amerikaanse luchtmacht, waarschijnlijk om de harten en hersenen van de gewone Irakees te winnen.

'Smeerkaas,' las Toby hardop voor van het etiket. 'Crackers. Jezus, en aardbeienjam.'

Er lagen nog veel meer REM-pakketjes. Toby stopte er zo veel mogelijk in zijn jaszakken. Als een kind op speurtocht. Harriet zei dat hij op moest houden. Ze liepen verder en bereikten de top van de heuvel, daalden via een stenig paadje af naar een groep uitgeholde eiken die uit de mist opdoken met wortels die stukken aarde vastgrepen tussen de stenen. Harriet zag rechts iets glimmen, niet groter dan een vingernagel. Behoedzaam liepen ze door het bosje ernaartoe en kwamen bij een plateau van platgeslagen gras dat steil afliep. Ondanks de mist waren daar beneden duidelijk een aantal lichtjes zichtbaar. Het geluid van een generator was dan weer goed, dan weer minder goed hoorbaar. Harriet pakte haar satelliettelefoon, keek op het gps en zag dat ze precies op de coördinaten van de oude kerk en de vindplaats van de glyphs stonden.

Het was bijna middernacht. Het zag er niet naar uit dat de mist zou verdwijnen. Ze waren drijfnat en hadden het steenkoud. Ze besloten te rusten en op het eerste licht te wachten, dan het gebied goed te gaan verkennen, uit te zoeken hoeveel mannen Most daar had en dan de peshmerga's te bellen om assistentie te vragen. Harriet stribbelde deze keer niet tegen. Het was zelfs een opluchting om een ander eens iets te laten beslissen. Ze vonden een overhangende rots, kropen eronder, gingen voor wat warmte tegen elkaar aan zitten en deelden de muffe crackers en smeerkaas uit de REM-pakketten die Toby verzameld had.

Harriet moest zijn weggedoezeld, want toen Toby haar wakker schudde, stond er al een grijze lichtstreep boven de bomen. Toby zei dat ze absoluut doodstil moest zijn en zei met zijn mond pal naast haar oor: 'Karin is verdwenen. En volgens mij hoor ik schoten.'

33

Vlak voor het licht werd maakte Macpherson Alfie wakker. Hij schudde hem ruw door elkaar, zei dat hij wakker moest worden en dat hij moest opstaan. En toen Alfie van zijn slaapbank opstond: 'Iedereen staat op jou te wachten, opschieten dus.'

Macpherson was zenuwachtig, ongeduldig en enthousiast, maar Alfie paste ervoor om hem te vragen wat er aan de hand was. Hij werkte zich in een overall, vroeg of hij naar het chemisch toilet in de caravan mocht, waar hij een flintertje zeep in het vierkantje aluminiumfolie wikkelde dat hij gisteren uit het appelsappakje had gescheurd. Hij wist niet of deze oude scholierentruc zou werken, maar iets anders had hij niet kunnen bedenken – het was zijn enige hoop op het misleiden van Most en Macpherson.

'Nu of nooit,' zei hij tegen zijn bleke, uitdrukkingsloze gezicht in de stalen spiegel boven het wastafeltje.

Macpherson nam Alfie mee naar een zwarte Range Rover. De mist was nog dikker geworden en verduisterde het grijze licht dat de ochtend aankondigde. Iedere schijnwerper die rond de ingangsschacht stond, had een soort parel van licht om zich heen. Ideaal voor Carver Soborin, dacht Alfie: de hele wereld was sneeuwblind. De dieselgenerator die de schijnwerpers en de waterpompen aanhield, dreunde op de achtergrond en in de verte klonk er een vaag staccatogeknetter, alsof er iemand vuurwerk afstak.

Most en een van zijn huurlingen stonden naast een lichaam onder een grijze deken in het zwakke licht van de koplampen van de Rover. Met een voet tilde de huurling een punt van de deken omhoog, zodat het gezicht van de dode man zichtbaar werd. Most vroeg of Alfie wist wie het was.

De dode man was ergens in de veertig, hij had een bos grijs haar, dikke zwarte wenkbrauwen en een olijfkleurige huid. Zijn lippen waren weggetrokken van grote, gele tanden. Een oog stond half open, een afschuwelijke, bevroren knipoog die een halvemaan-vormige witte oogbal onthulde.

Alfie schudde zijn hoofd, zei dat hij de man nog nooit had gezien.

Most keek hem met samengeknepen ogen ongeduldig aan. 'Zeker weten? Kijk nog eens heel goed voor je antwoord geeft.'

De dode man leek werkelijk morsdood. Hij zag er vredig, maar ongrijpbaar uit, alsof de dood zijn eigen idee was geweest, een beslissing die hem voorbij alle denkbare pijn bracht.

'Ik vind dat hij op een Irakees lijkt. Wat is hem overkomen?'

De huurling zei: 'Wij zijn hem overkomen.'

Macpherson zei: 'Ze hadden geluk. Hun patrouille, hun enige omtrekkende patrouille, stootte op het eind van hun ronde op hem. Bleek dat hij ook vriendjes had. Ik heb begrepen dat er een eindje verderop een vuurgevecht is.'

Pas toen begreep Alfie dat het vuurwerk geen vuurwerk was.

'Mijn mannen gingen in de aanval en zij schoten direct terug,' zei de huurling en hij keek Macpherson even aan. Het was een normale man met een gladde huid en korenblond kortgeknipt haar. Hij had een zwarte overall aan en een lange das losgeknoopt om zijn nek. 'Ze waren of heel dapper of heel dom, want we waren vanaf het begin af aan veel te sterk. We hadden de situatie de hele tijd in de hand.'

'Hopelijk hebben ze niet om hulp kunnen bellen,' zei Macpherson. Zijn camouflagepak zag er pas gestreken uit. In het koplamplicht glinsterde de gouden oorring tegen de zwarte krullen van zijn achterovergekamde haar. In zijn donkere ogen weerspiegelden sprankjes licht.

'Het zijn er niet meer dan zes,' vertelde de huurling. 'En we hebben ze in de klem. Ze beseffen het nog niet, maar ze zijn van ons.'

Rölf Most zei geïrriteerd: 'Ja, ja, dat geloven we wel. Laat hem die rugzak zien.'

Die was klein, van zacht zwart leer, wat versleten bij de naden.

Alfie herkende hem meteen en voelde zijn maag samenkrimpen toen de huurling er een paspoort uit haalde, dit opensloeg op de geplastificeerde laatste bladzijde en die voor Alfies gezicht hield.

'Ik geloof dat je Harriet Crowley al kent,' zei Most en hij ontblootte zijn boventanden.

'Oppervlakkig.' Alfie probeerde de hoop die plotseling door zijn bloed schoot uit zijn stem te houden.

'Wel iets meer dan oppervlakkig,' zei Most.

'Niet echt. Als ze hier zit, is ze echt niet voor mij gekomen.'

'Ze is hoe dan ook te laat,' zei Most. 'De rotsblokken hebben we bijna opgeruimd en dan kunnen we de volgende grot in. Ik vind dat je jezelf moet gaan voorbereiden, Flowers, want je zult vrij snel voor me aan de slag moeten.'

'Showtime!' zei Macpherson en hij keek Alfie met een uitgestreken gezicht aan.

34

Harriet en Toby liepen helemaal langs de overhangende rots waaronder ze geslapen hadden, hoorden in de verte sporadisch schieten, maar vonden geen spoor van Emre Karin. De tolk was in het donker weggeglipt met Harriets rugzak en satelliettelefoon. Ze had nu alleen nog maar het pistool dat in haar broeksriem zat. Ze was er zeker van dat Karin die ook meegenomen zou hebben als hij de kans had gehad.

'Hij moet naar zijn peshmerga-vrienden zijn gegaan,' zei Harriet. 'Hij glipte weg en gebruikte mijn satelliettelefoon om contact met ze te leggen...'

Ze was niet boos over zijn verraad, ze had het half en half verwacht en nu het inderdaad gebeurd was, voelde ze zich zelfs een beetje opgelucht. Opgelucht dat Karin gewoon weggeglipt was, dat hij haar niet met een rotsblok op haar hoofd had geramd of gevangengenomen had, opgelucht dat hij weg was en zij nu weer haar eigen beslissingen kon nemen.

'En zo te horen zijn ze Mosts huurlingen tegengekomen,' zei Toby. Hij huiverde in de koude ochtendlucht, met zijn armen gekruist voor zijn borst en zijn handen onder zijn oksels.

Ze stonden aan de rand van het plateau, pal boven het met mist gevulde dal met de zwakke gloed van de schijnwerpers. Daar hadden Mosts mannen hun kamp opgeslagen. Alles om hen heen verdween in een mistig ochtendgrijs. Het schieten leek uit noordelijke richting te komen – in de buurt van de boerderij, maar wel dichterbij, hooguit anderhalve kilometer van hen vandaan.

Ze zei: 'Er is geen enkele reden om hier te blijven. Mosts mannen hebben het druk met andere dingen, dus kunnen wij dichter bij de vindplaats komen.'

'Je bent knetter.'

'De peshmerga's zorgen voor de perfecte afleidingsmanoeuvre. Het zou ondankbaar zijn om daar geen gebruik van te maken.'

'Moeten we hier niet wachten? Wie weet komt Karin nog terug.'

'Op dit moment zit hij midden in een gevecht. Als de peshmerga's winnen, komt hij misschien terug. Maar dat is helemaal niet zeker.'

Ze begon te vertellen dat als ze de rand van het plateau zouden volgen, ze zeker het pad naar beneden, naar de oude kerk, zouden vinden, maar Toby hief zijn hand op en zei: 'Shhh, stil!'

Harriet hoorde een takje knappen en een steentje wegrollen. Iemand bewoog zich op de helling boven hen.

Ze verborgen zich achter een klein rotsblok. Toby fluisterde: 'We lijken wel gek. Het is waarschijnlijk Karin.'

Harriet schudde haar hoofd. Ze hield het pistool ter hoogte van haar gezicht en tuurde de mist in. Haar gewonde arm, in de mitella over haar borst, klopte pijnlijk van schouder tot pols. Haar klamme kleren kleefden aan haar lijf. Als diegene die zo stuntelig naar hen toe kroop Emre Karin bleek te zijn, beloofde ze zichzelf, dan zou ze het pistool recht in zijn gezicht duwen en willen horen waar hij godverdomme mee bezig was. En als het een bezeten boer was of een van Mosts huurlingen dan zou ze zich koest houden en bidden dat hij zonder hen te zien door zou kruipen. Ze zou alleen schieten als het absoluut moest en wist dat ze het, als het erop aankwam, zonder aarzelen zou doen. Richten op de borst, zoals ze had geleerd op de schietcursus. Richten en twee keer schieten, twee keer om er zeker van te zijn dat ze haar doelwit zou raken. Gewoon doen.

Haar hart klopte in haar keel toen Toby zijn hand op haar schouder legde en wees. Iemand kwam op nog geen tien meter van hen vandaan door slierten mist de helling af. Hij kroop bijna komisch, overdreven tijgerend naar de rand van het plateau, knielde naast een kromme boom en keek de diepte in. Harriet hield haar adem in, moedigde woordloos de schaduw aan om op te staan en weg te lopen, hoopte hem met pure wilskracht in beweging te krijgen, net zoals ze als jong meisje de stoplichten van rood in groen had willen veranderen.

Nu stond hij op, draaide zich om en – *shit* – keek haar recht aan. Hij stond doodstil, keek precies naar de plek waar Toby en zij zaten. *Doe het.* Ze stond op en liep naar voren met haar arm omhoog, richtte het pistool op hem, met haar wijsvinger losjes om de trekker. Hij was een kleine, lijvige jongeman die, toen ze naar hem toe liep, zijn hoofd boog en zijn handen boven zijn schouders hield; het internationale teken van overgave. Ze wist meteen wie hij was, liet haar pistool zakken en zei: 'Het is oké. Je hoeft niet bang te zijn. We komen je helpen.'

Terwijl ze uit het bosje holle eiken liepen en in de dikke mist de rotsige helling beklommen, vroeg Toby hijgend: 'Moeten we je Morph noemen, of liever Musa?'

'Ik heb Morph in Londen achtergelaten,' zei de jongen. 'Die had daar iets stoms gedaan. Ik ben hier om dat goed te maken. Ik zal vertellen hoe, omdat jullie me moeten helpen. Precies op het moment dat ik hulp nodig heb, vind ik jullie. Het is gewoon een wonder. Dit heeft zo moeten zijn.'

Musa Karsu, in een fleece jasje over een denim overhemd, een oversized broek met een gat op een knie, en op vieze sportschoenen, was even buiten adem als Toby en heel opgewonden. Hij maakte uitbundige gebaren en praatte hard, tot Harriet zei dat hij wat zachter moest doen omdat anders Mosts mannen hem misschien konden horen.

Hij was naar buiten gekomen, vertelde Musa, omdat hij iets had gehoord. Het gedreun was gestopt en hij hoopte dat ze het opgegeven hadden en waren weggegaan. Maar toen had hij het schieten gehoord, bedacht dat dat het leger kon zijn dat hen gevonden had en dat de soldaten hen doodschoten of gevangennamen. 'Ze' waren Mosts mannen, maar hij wist niets over Rölf Most, Carver Soborin of Mind's I. Het enige wat hij wist, was dat hij de aandacht van een stel slechte mensen had getrokken nadat hij glyphs op muren in Noord-Londen was gaan spuiten. Hij had de beelden, zo noemde hij de glyphs, misbruikt, hij wist dat hij de schade moest herstellen en was daarom teruggegaan naar het dorp waar hij opgroeide.

'Ik had het al moeten afmaken. Maar er is een probleempje, dat zien jullie wel als we er zijn. Jullie kunnen me helpen. We kunnen dit samen afmaken.'

'Wat afmaken? Ik snap er helemaal niets van, jongen!'

Harriet zei ongeduldig: 'Snap je het niet? Die jongen heeft een andere ingang van de grotten gevonden. Hij wil dat we hem helpen de glyphs te vernietigen – de beelden.'

De jongen, Morph of Musa Karsu, zei: 'Ze wilden me in Londen pakken, maar ik was ze te slim af. Ik ontsnapte. Maar ze moeten achter de plek zijn gekomen waar ik vandaan kom, waar mijn volk vandaan komt, want toen ik hier kwam, waren zij er al. Ze groeven dat gat, ze boren dag en nacht, ze zullen er wel snel doorheen zijn...'

Harriet zei: 'Maar jij weet een andere weg naar de glyphs, naar de beelden, hè? Een soort achterdeur.'

De jongen keek haar even aan en zei toen: 'Er is maar één weg. Of: die was er tot deze klootzakken gingen boren.'

Harriet zei: 'Ze zijn er bijna door, maar nog niet helemaal.'

De jongen knikte.

Harriet glimlachte. 'Dus we hebben nog een kansje.'

De paar uur slaap hadden haar goed gedaan. Ze had honger en dorst; haar hele lijf deed zeer en ze wist dat haar gewonde schouder dringend medische verzorging nodig had. Maar ze stond op scherp, was alert en, ja, opgewonden. Opgewonden, gelukkig en doelbewust. Ze had Karsu gevonden en begon te geloven dat ze met zijn hulp de glyphs uit de hebberige handen van Most zou kunnen houden.

In de mist klommen ze naar boven, bereikten de top van de helling en stonden even stil om op adem te komen. Voor hen liepen parallelle heuvelruggen naar een bergketen, waar grote mistwolken de dalen vulden. Achter hen ratelden geweerschoten in de mist of het dikke wolkendek dat in het noorden en oosten onder een donkerblauwe hemel met een paar sterren tegen de berghelling hing. Daar beneden stond iets in brand, er flikkerde een wazig, rood vlammetje onder de onrustige mist die langzaam in de opgaande zon oploste.

Toby stak een sigaret op en bood het verkreukelde pakje aan Karsu aan, die met een kort hoofdschudden weigerde. Harriet had de jongen al verteld dat ze aan zijn kant stonden, dat ze de geschiedenis van zijn volk kende en dat ze – net als hij – wilde voorkomen dat Most de glyphs, of beelden, of hoe je ze ook wilde noemen, in handen zou krijgen. Op dit moment vertelde ze dat haar opa een van de mannen was die meer dan zestig jaar geleden de grotten hadden ontdekt, dezelfde grotten die Most nu aan het uitgraven was. Het bleek dat de jongen helemaal niets van de Nomads' Club wist, en ook niet van de opgravingen bij de oude kerk, en dat haar opa en Julius Ward bij zijn volk gewoond hadden. Volgens hem had zijn volk een van haar eigen, eeuwenoude, heilige plaatsen bezocht, een grot met krachtige beelden, de meeste veel te krachtig om te kunnen gebruiken. Op dertienjarige leeftijd was hij door zijn grootvader in hun mysteriën ingewijd en drie jaar later waren de Amerikanen gekomen en hadden ze zijn familie meegenomen.

Hij keek Harriet en Toby aan, onbewogen en uitdagend. Zijn zwarte krullenbos werd door een opgerolde rode zakdoek die als een haarband om zijn hoofd gebonden was uit zijn gezicht gehouden. Hij zei: 'Als mijn moeder en zussen dood zijn, ben ik waarschijnlijk de laatste overlevende van mijn volk.'

Harriet voelde sympathie voor hem. Musa Karsu had uit zijn geboorteland moeten vluchten, maar had niet kunnen ontsnappen aan wie hij was en wat hij wist. Het had aan hem getrokken, net als de Nomads' Club aan haar. Ze zat vast in haar familiegeschiedenis en daardoor ook aan de glyphs.

Ze zei: 'Toen je besloot om terug te komen om de beelden te vernietigen, besloot je het goede. Ik wil ook het goede doen. Ik voel me net zo verantwoordelijk als jij, omdat mijn opa en zijn vrienden er een paar in de grotten, waarover ik het net had, hebben gevonden en meegenomen. Daarom ben ik hier. Daarom wil ik ervoor zorgen dat wat zij hier ooit begonnen, hier ook weer eindigt.'

Karsu keek haar indringend aan, keek heel even alsof hij het niet met haar eens was, maar haalde toen zijn schouders op en zei: 'We moeten opschieten. Veel tijd hebben we niet.'

Harriet en Toby volgden hem over het hobbelige terrein. Losse stenen, dorre grond, pollen gras of kruiden, doornig struikgewas. Aan elk blaadje, aan elke grasspriet hing een waterdruppel.

Karsu zei: 'Mijn vader wilde uitzoeken waar de Amerikanen zijn gezin naartoe hadden gebracht, maar toen hij ontdekte dat ze ons ook zochten, gingen we naar Turkije. Het was er niet als thuis, als in de bergen, maar het voelde veilig. Mijn volk, we zijn geen Koerden, maar als het moet kunnen we ervoor doorgaan, en dat deden mijn vader en ik. Schoenen maken... Maar goed, ik droomde ervan andere mensen, net als wij, te vinden, mensen die ons zouden kunnen helpen. Dus maakte ik tekens die alleen mijn volk zou herkennen. Daar maakte ik mijn vader zó kwaad mee, als hij me betrapte...'

Na een korte stilte zei Toby: 'En toen moesten jullie Turkije verlaten en gingen jullie naar Londen...'

'Want we hadden problemen in Diyarbakir. Mijn vader werd gearresteerd, omdat de Turken dachten dat hij iemand anders was. Hij heeft hulp gehad om vrij te komen, maar hij had het zwaar gehad en toen hij uit de gevangenis kwam, wilde hij niet in Turkije blijven. Dus ja, we gingen naar Londen, omdat ik Engels op school in Diyarbakir had geleerd en omdat iedereen naar Londen wil en we vroegen asiel aan. Maar mijn vader had een zwak hart. In de gevangenis werd hij ziek in zijn borst en dat is nooit echt overgegaan. Hij stierf.' Karsu keek hen aan alsof hij medeleven verwachtte. 'En toen kwam die sociaal werker bij me langs en die begon over een weeshuis of een gezin dat voor me zou willen zorgen, omdat ik niet oud genoeg was om voor mezelf te zorgen. Ik dacht: rot op, ik ben geen klein kind. Snappen jullie? Dus ik vertrok.'

Harriet vroeg: 'En kwam je toen Benjamin Barrett – Shareef – tegen?'

'Jullie weten van Shareef? Heeft hij het over me gehad?'

Toby zei: 'Ik heb hem ontmoet toen ik achter een verhaal over jouw graffiti aan zat, toen ik iets wilde schrijven om aan een landelijke krant te verkopen. We hebben het over jou gehad. Hij wilde je ontzettend graag beroemd maken.'

Karsu lachte. 'Jaja, en zelf ook wat geld eraan verdienen.'

'Hij was een goede vriend van je, hij heeft je goed geholpen,' zei Harriet en ze keek Toby waarschuwend aan: dit was niet het moment om de jongen te vertellen dat zijn vriend vermoord was.

Karsu zei: 'Ik heb iets voor iemand gemaakt, als een gunst, oké? Zo'n stom postertje... Shareef zag dat, omdat het in de boekwinkel hing waar ik wel eens hielp en we raakten erover aan de praat. Hij zag het beeld dat ik erin gemaakt had, vond dat het eruit sprong. De beelden kunnen dat effect op mensen hebben, ook als ze de plant niet hebben gerookt. Weten jullie al van de plant?'

Harriet zei: 'Noemen jullie die niet haka?'

Karsu knikte. 'Shareef en ik dachten dat we er iets mee konden. Een beetje geld verdienen, een beetje beroemd worden. Jullie weten wel, wat iedereen in Londen wil.'

Toby vroeg: 'Waren jullie niet bang om opgepakt te worden?'

'Ik dacht dat dat niet meer hoefde. Ik wist niet dat ze me in Londen zochten. Dat kwam niet eens in me op. Retestom, maar waar. Ik vond het wel mooi klinken: een beetje geld, een beetje roem, mensen die je naam kennen. Ik dacht: waarom niet? Ik dacht: we proberen het. In Diyarbakir had ik net zoiets gedaan, en ik dacht nog steeds dat er mensen van mijn volk nog in leven waren... en het voelde ook goed. Net alsof je door een insect gebeten bent en je de jeuk wegkrabt, snappen jullie? Het voelt lekker.'

Harriet zei: 'Die beelden hebben je veranderd. Sommige veranderingen heb je gemerkt, andere niet.'

Karsu keek haar aan en er was iets tussen hen, een behoedzame aanvaarding, een wederzijds begrip. Hij zei: 'Klopt. Als je te veel haka neemt of te lang naar de beelden kijkt, dan komen ze in je en blijven daar. Maar ik herinner me nog de lange nachten dat we op onze heilige plek dansten, mijn grootvader en ik, en soms ook mijn vader. Ik herinner me nog hoe de zegen van Allah dan over ons kwam...' Hij glimlachte even bij die herinnering, ging toen bruusk verder: 'We moeten nu echt verder. Het is niet ver meer.'

Ze stonden aan de rand van helling, voor een smal dal. Ze konden over de boomtoppen heen kijken die door de mist heen staken. Mist die bijna het hele dal vulde. Terwijl Karsu Harriet en Toby naar beneden gidste, langs plekken okerkleurige grond, losse stenen en verweerde kalksteen, struikgewas en eenzame bomen, de koude, natte, witte mist weer in, vertelde hij dat de anti-Amerikaanse cartoons het idee van Shareef waren.

'Hij haatte de Amerikanen. Ik bedoel: hij haatte ze echt. Ze hebben hem nooit iets gedaan, maar hij haatte ze. En hij had iets met politiek – je zei dat je hem gesproken hebt, dan weet je wat ik bedoel. En, hij is tot het ware geloof bekeerd, hij denkt dat hij moet bewijzen dat hij een ware broeder is, geloviger dan de gelovige. In zijn radioprogramma beschimpt hij de ongelovigen, hij liep mee in de vredesmarsen, ging zelfs een of twee keer naar Tottenham, naar die knakker die de gelovigen oproept om in actie te komen tegen de ongelovigen. Mij kon het geen bal schelen. Ik bedoel: de Amerikanen maakten er een zootje van toen ze hier kwamen, maar wat kon je anders verwachten? Ze hebben in ieder geval Saddam verjaagd. Maar goed, we maakten een paar cartoons, Shareef en ik, en ik heb een van de beelden eromheen gemaakt. Het beeld dat fascineert. En ik maakte ook sjablonen. Die cartoons waren een eitje, maar die sjablonen voor het beeld waren een ander verhaal. Het kostte me een week voor ze goed waren. Ik had er vijf gemaakt en ik moest ze alle vijf precies goed maken, anders zouden ze niet werken... En toen kwam een van de cartoons in de krant. Shareef deed of hij het heel normaal vond, maar ik wist dat hij het even cool vond als ik. Hij zei dat we nu verder moesten. Hij zei dat het ons beroemd zou maken, en rijk. Maar toen kwam ik erachter dat mensen ons zochten. Geen krantenmensen, maar de slechte mensen waar ik het al over had. Ze hielden Shareefs flat in de gaten – hij moest zich bij mij verbergen. En toen besloot ik dat we niet langer samen konden werken.'

'Bezeten boeren,' zei Harriet. 'Ik heb ze ook gezien.'

'Bezeten boeren, ja, dat is een goede naam voor ze. Ik heb één keer eerder van die mensen gezien. Toen er vier mannen naar het dorp kwamen, toen mijn familie en ik er weer woonden. Het waren bandieten die oude verhalen over mijn volk hadden gehoord en dachten dat we een schat in een grot verborgen hadden. Ze dreigden iedereen te vermoorden als mijn vader ze niet naar die denkbeeldige schat bracht, dus namen hij en mijn grootvader drie van hen mee naar de heilige grot en deed mijn grootvader iets wat hun geest kapotmaakte. Ik zag ze toen ze met mijn vader en grootvader terugkwamen. De man die bij ons gebleven was, die mijn moeder, mijn zussen en mij had moeten vermoorden als er iets misging, zag ze ook en was zo bang dat hij vluchtte. Zijn vrienden hebben niet lang meer geleefd, maar ik weet nog heel goed hoe ze waren. Mijn grootvader zei dat hij met ze gepraat had, met het deel van hen dat niet kon liegen. Hij zei dat ze hem hadden verteld dat ze door de Amerikanen werden betaald om ons te zoeken.'

Harriet zei: 'Ze werkten waarschijnlijk voor Soborin of Most.'

Karsu ging verder: 'En binnen een jaar kwam de invasie en kwamen de Amerikanen naar het dorp, voor de beelden. Mijn grootvader was toen al dood – als hij nog geleefd had, had hij ze waarschijnlijk ook veranderd, jullie weten wel, net als die bandieten. Dan was dit allemaal misschien niet gebeurd. Maar het gebeurde wel, dus nu moet ik gaan doen wat ik moet doen.'

'We helpen je,' zei Harriet.

De jongen keek haar met een rare, behoedzame blik recht in de ogen.

Ze liepen nu op een smal spoor, niet meer dan een plooiing in de aarde, vol stenen en doorngewas. Ergens in de buurt stroomde water, het lawaai klonk intiem in de dichte mist. Harriet hoorde achter zich steentjes naar beneden kletteren en wegspringen. Ze legde een hand op het pistool in de band van haar legerbroek. Maar ze zag niemand, alleen maar struiken en greppels vol viezigheid en stenen.

'Er zitten hier geiten,' zei Karsu, nadat Harriet hem gevraagd had of hij niets hoorde. 'En schapen, en wilde dieren – ik weet niet hoe ze in het Engels heten.'

Toby vroeg: 'Destijds in Londen, die schapen op de party? Was dat jouw idee?'

'Welke schapen? Ik weet niets van schapen.'

Toby vertelde van de party voor de horrorfilm, de binnenkomst van de schapen die allemaal een geverfde letter op een flank hadden, een levend anagram. Karsu schudde zijn hoofd en moest lachen toen Toby ook vertelde van het nepstuk dat het Imperial War Museum was binnengesmokkeld. Ze vergeleken de data – Musa Karsu had Londen toen al verlaten, was met de trein en ferry naar Turkije gegaan en daarvandaan via Syrië naar Irak.

De jongen zei: 'Shareef had jullie te pakken. Hij wilde nog steeds verder. En ik durf te wedden dat jullie woedend waren. Maar hij moest ook voorzichtig zijn. Hij kon ook verkeerde aandacht trekken.'

'Zeker weten,' zei Toby. Hij keek Harriet even ernstig aan en bewoog snel een vinger van links naar rechts over zijn keel.

Het spoor daalde en steeg, liep om uitstekende rotsen en eenzame keien heen, verdween, verscheen weer, liep over een steile helling af naar een riviertje. Bijna zeker hetzelfde riviertje als dat waar ze gisteren doorheen gewaad waren. Zwart water stroomde over en om rotsen heen en flarden mist dreven er pal boven. Karsu liep vlug en licht, raakte amper de grond, maar Harriet nam zwaardere stappen, gleed uit op gladde stenen, moest struiken of grote stenen vastgrijpen om haar evenwicht te bewaren, terwijl ze achter Toby en Karsu om de bocht van het riviertje liep en een steil, glibberig pad naast een waterval beklom.

De mist begon op te trekken. De opkomende zon brandde wit en goud boven de heuvels. Er stond een regenboog boven de waterval waar een massa keien vanaf de helling in de rivier was gevallen, waardoor het water in meerdere, kleine stroompjes verder stroomde. Harriet knielde aan de oever en dronk van het water. Het was koud en zoutig, maar heerlijk. Ze had nog nooit zoiets lekkers geproefd. Toby dronk ook en gooide wat water in zijn gezicht. Karsu wachtte ongeduldig en vertrok meteen toen ze opstonden.

Steile, kale rotsen boven hen, vol uitgesleten smalle spleten, het leken wel gordijnplooien. Karsu, Harriet en Toby liepen er één in, klommen tussen wanden van struiken met kleine, grijze blaadjes en dunne schors. De geur deed Harriet aan haar opa's huis denken, aan zijn rokerige studeerkamer; het kleine groene huis met elektrische kacheltjes en felle lampen. Ze bukte zich, wreef over een blaadje en rook aan haar vingers. Haka.

Karsu beklom een stapel keien die leek op een gigantische trap. Hij wachtte tot Harriet en Toby er ook waren en dook toen in een spleet. Erachter lag een lange, smalle grot, verlicht door stroken zonlicht die door scheuren en gaten in het lage plafond naar binnen vielen. Grote rotsblokken wierpen lange schaduwen op de grond. Koude lucht met een sterke ammoniageur blies in hun gezicht. Karsu zei dat het echt niet ver meer was, pakte een rugzak van een richel en gleed naar de grond van de grot – een brede strook tussen een waaier van losse stenen en keien. Terwijl ze verder klauterden over en om keien heen werd de ammoniageur steeds sterker en werd het steeds donkerder. De jongen haalde een zaklantaarn uit zijn rugzak en knipte die aan; een vloedgolf van bleke torretjes, kevertjes en krekels rende alle kanten op over een laag van zwarte drek, weg van het licht. Hoog boven hen ritselde en golfde het plafond als zeewier in een golf. Duizenden vleermuizen hingen aan het pokdalige rotsoppervlak als trossen zwarte druiven.

Toby keek Harriet met een grote ongelovige glimlach aan en vroeg: 'Er leven toch geen vampiervleermuizen in Irak, hè?'

'Dat lijkt me onze minste zorg.'

Karsu duwde zijn rugzak door een smal gat in de vloer en tijgerde er zelf achteraan. Harriet en Toby volgden hem naar een smalle gang met een laag plafond. Overal steen – een universum van steen. Af en toe waren er sporen van beitels en pikhouwelen, als de gang zorgvuldig breder was gemaakt, maar meestal was het een lange en barre tocht op handen en voeten. Hoewel de zwarte lucht koel genoeg was om makkelijk te ademen zat Harriet al snel onder het zweet en klopte het bloed krachtig in haar hoofd en haar gewonde schouder. Langzaam werd ze zich bewust van een ander geluid, dof, zwak en ver weg, maar toch door de rotsen heen dringend. Snelle, harde hamerslagen. Het geluid van een pneumatische boor.

Eindelijk werd de gang breder en het plafond hoger. Ze stonden op de bodem van een kloof of schoorsteen, zo diep dat het een gat tussen de aardpolen leek, een steile helling van grote rotsblokken pal voor hen, een geplooid gordijn van doorschijnende kalksteen dat zachtjes glom in het licht van de zaklantaarn van Karsu. Het geluid van de boor stopte en begon weer.

'Ze zijn heel dichtbij,' zei de jongen. Zijn gezicht werd half verlicht door het licht dat door het kalkstenen gordijn werd weerkaatst. Zijn ogen glinsterden donker in hun kassen. Hij zweette ook, zijn wilde haarbos hing plat op zijn hoofd, zijn geïmproviseerde haarband was doornat. 'Ze werken dag en nacht sinds ik hier ben, en daarvoor ook, denk ik. Wacht hier, ik ga kijken of het veilig is.'

'We moeten samen blijven,' vond Harriet.

'Vertrouw me, het duurt niet langer dan een minuut, echt niet.'

Ze keken elkaar aan. 'Geen spelletjes,' zei Harriet ten slotte.

'Ik heb jullie hulp nodig,' zei de jongen. 'Waarom zou ik een spelletje spelen?'

Hij kroop weer tegen de helling op en wrong zich door een kleine opening vlak bij de onderkant van het kalkstenen gordijn. Het zwakke licht van zijn zaklantaarn verdween; het werd aardedonker in de diepe kloof, donkerder dan Harriet ooit ergens had meegemaakt.

Toby pakte na een tijdje zijn aansteker. In het licht van het flikkerende vlammetje zag Harriet dat hij op zijn hurken zat en er vreselijk uitzag. Hij veegde met een mouw het zweet van zijn gezicht, haalde zijn pakje sigaretten uit een borstzakje van zijn jack en zei doodleuk: 'Nou, daar staan we dan, op de drempel van datgene waarvan we op de drempel staan.'

'Volgens mij liegt hij niet. Dit is de plek.'

'Volgens mij liegt hij ook niet.' Toby stak een sigaret in zijn mond en hield zijn aansteker erbij. Zijn bleke, smalle gezicht verdween in de donkerte toen het vlammetje doofde. 'Mijn laatste sigaret. Is dat niet symbolisch?'

'Als we hier levend uitkomen koop ik zo'n grote taxfreeverpakking voor je.'

Het rode sigarettentopje gloeide toen Toby een trekje nam. 'Van nu af aan rook ik alleen nog maar Turkse sigaretten. Ze smaken weliswaar naar kamelenstront, maar hebben in elk geval niet van die walgelijke gezondheidswaarschuwingen op het pakje. Gaat het een beetje?'

'Ik ben klaar voor wat we moeten doen.' Harriet knielde, bewoog voorzichtig in het donker en legde haar rechterhandpalm op de vloer. De koele, droge rots trilde zwakjes mee met de vibratie van de boor in de verte. 'Ik denk dat we voldoende tijd hebben om de glyphs te vernietigen en weg te komen voor Most hier is.'

Toby zei: 'Wij zijn via de achterdeur binnengekomen en die peshmerga-vrienden van Karin rammen op de voordeur. Rölf Most weet het nog niet, maar hij heeft geen kans.'

'Hoe zou hij reageren als hij merkt wat we gedaan hebben?'

'Hij blaast zich op van kwaadheid, springt als Yosemite Sam op en neer, en precies boven zijn hoofd begint een wiebelende stalactiet nog meer te wiebelen...'

Harriet zei: 'Sorry dat ik je hierbij betrokken heb.'

'Ik heb mezélf erbij betrokken. Destijds, toen Alfie me om hulp vroeg in Londen, toen hij Morph zocht, wilde ik per se met hem mee. Arme Alfie, dat was de laatste keer dat ik iets voor hem gedaan heb... Zeg, luister eens, als ze straks toch binnenvallen als wij er nog zijn, wil je er dan zo veel mogelijk doodschieten?'

'Uiteraard. Maar zover komt het niet.'

'Ik zal dan waarschijnlijk op de grond liggen met mijn handen over mijn oren en krijsen als een baby. Laat je daar alsjeblieft niet door afleiden.'

Harriet hoorde iets in de verte en voelde een ijskoude rilling over haar hoofd trekken. Ze fluisterde tegen Toby: 'Heb je dat gehoord?'

'Wat?'

Boven hen flitste een lampje aan en Karsu riep dat hij het was, dat het oké was, dat ze ook konden komen. 'Maar wees voorzichtig met waar je naar kijkt. Overal op de muren zitten beelden. Ik heb de meest heilige onschadelijk gemaakt, maar de minder sterke kunnen nog steeds in jullie hoofden kruipen.'

'We hebben geen haka gehad, hoor,' zei Harriet.

'Maar je bent gewond en heel moe. Dat is ook een manier om een deur in je hoofd open te zetten en ze binnen te laten.'

'Geweldig,' vond Toby.

Harriet volgde hem naar de top van een berg rotsblokken die met een kalklaag overdekt was. Muren van bleke steen torenden aan beide kanten omhoog en over hen heen, verlicht door een tapijt van flonkerende sterren. Nachtlichtjes, realiseerde Harriet zich. Honderden nachtlichtjes in willekeurige vormen die een enorme, bijna ronde ruimte van minstens vijftig meter afbakenden, met een hoog plafond dat in het donker verdween. Ze moest denken aan de ruimte onder de koepel van St. Paul's Cathedral, waar de vier armen van het schip, de dwarsbeuken en zijbeuken elkaar raakten. De lucht was koel en het was windstil. Het geluid van de boor klonk hier veel harder, een lawaaierig getril dat van alle kanten leek te komen.

Karsu scheen met de zaklantaarn door de ruimte en Harriet moest lachen toen ze begreep wat het arme, naïeve, zotte kind gedaan had en begreep dat hun plan waarschijnlijk hopeloos was.

De ovale afdruk van het licht viel op vlakke stenen vol tekeningen van dieren – levendig, gedetailleerd, duidelijk gemaakt door mensen die hun onderwerpen kenden, met liefde getekend met rode en gele oker, witte klei en houtskool. Een leeuw van anderhalve meter hoog met prachtige manen. Een luipaard in volle ren. Over-lappende tekeningen van breedgeschouderde bizons met ruige koppen in dik houtskool. De kop van een beest, gekroond met een uitgegroeid gewei. Een grote beer, ruim twee meter hoog, op zijn achterpoten. Op zich was dit allemaal al geweldig: een schatkamer die iemand een leven lang kon analyseren en catalogiseren, een galerie van de meesterwerken van paleolithische kunst zo groot als de Stierengrot in Lascaux, het Sanctuarium in Les Trois-Frères of de Zwarte Salon in Niaux, zo groot als welke andere vondst in Europa. Maar tussen de tekeningen bevond zich een nog groter wonder: een eindeloze band van entoptische patronen, parallelle vloeiende lijnen, rechthoekige patronen, gearceerde cirkels en kruisen, rode stippen, zwevend tussen brede strepen van witte klei, die een onregelmatige fries vormden ter hoogte van hun hoofden. Een of twee verdikten zich in cirkelachtige vormen. Harriet was ervan overtuigd dat dat glyphs waren. En dwars over die cirkelachtige vormen stonden de dingen waarom ze zo had moeten lachen: onderdelen van de cartoon – een grijnzend doodshoofd, een soldatenhelm, een primitieve Stars en Stripes – die ze op de muur van de boerderij had gezien, in dezelfde rode verf. Ze glinsterden fel in de lichtstraal van de zaklantaarn, net zo duidelijk alsof ze op canvas waren gespoten en in de National Gallery of het Louvre hingen.

Karsu liep naar beneden en vertelde dat hij het idee had gepikt van een of andere gek in Londen die zijn cartoons in Londen had overgespoten. 'Die gebruikte zwarte verf, maar ik hoop dat dit even goed werkt,' en de ovale lichtafdruk van de zaklantaarn kromp en groeide terwijl hij naar een van de rode cartoons liep.

Harriet lachte nog een keer; het was zo absurd, zo stompzinnig ironisch. Zij was begonnen met zwarte verf op alle graffiti van Morph te spuiten die ze tegenkwam en nu had Morph, Musa Karsu, besloten dat dat de beste manier was om de echte glyphs te vernietigen; hij had haar methode gepikt...

De jongen draaide zich om, verblindde haar even met de lichtstraal en legde een vinger tegen zijn lippen. Toen pas realiseerde ze zich dat ze het geluid van de boor niet meer hoorde. Ze hoorde ver weg wel een duidelijk schrapen van metaal op steen. Iemand ruimde losse rotzooi op.

Karsu fluisterde: 'We moeten heel zachtjes doen. Ze zijn heel dichtbij. Ik ben bang dat ze ons kunnen horen als ze stoppen met boren.'

Harriet klauterde de helling af, liep over de oneffen vloer van de enorme ruimte – ze werd bijgelicht door de nachtlichtjes – naar een uitstulping in de muur waar een troep trotse leeuwen in houtskool en rode oker achter elkaar voortschreed over gladde, glinsterende, theegroene stenen. Een prachtige, met kennis van zaken getekende muurschildering, veel ouder dan welke beschaving ook op aarde, ouder dan steden of religies, ouder dan de landbouw, misschien wel ouder dan de taal. Ze pakte haar pistool uit haar broekband, richtte het op de muurschildering en trok een diepe, onregelmatige streep over het meesterwerk, waarvan de maker zo'n tien- of twintigduizend jaar geleden gestorven was. Maar shit, ze moest zo vlug mogelijk iets duidelijk maken.

Ze liep terug naar Karsu en Toby en zei, hard fluisterend: 'Dát moet je doen.' En toen Karsu haar aanstaarde: 'Verf uit spuitbussen is op acetonbasis. De glyphs zijn getekend met oker, houtskool en klei. Jouw cartoons kunnen met een organisch oplosmiddel weggewassen worden en dan verschijnt de glyph weer, onbeschadigd. Ze bedekken is niet genoeg, je moet ze vernietigen.'

Karsu schudde zijn hoofd. 'Dat kan ik niet.'

'Je zult wel moeten. En jij ook, Toby. Ik kan het niet allemaal alleen doen.'

Karsu schudde weer zijn hoofd. 'Ik kan het niet. Ik ben gekomen om het wel te doen, omdat ik dacht dat ik het kon. En ik heb het geprobeerd, echt geprobeerd, maar ik kan het niet...' Hij haalde diep adem. 'Een van de eerste dingen die ik van mijn grootvader leerde was de beelden te respecteren. Toen ik ingewijd was heb ik hier drie dagen met hem gezeten. Ik dronk water, maar at niets. Hij brandde haka, vulde deze hele plek met rook. Ik sliep met mijn ogen open. Hij fluisterde woorden die zich in mijn hoofd brandden. Hij liet me zien hoe je de dieren van de muur kon laten stappen. Ik voelde ze in mijn hoofd lopen. En ze praatten met me...'

Hij hield zijn hoofd scheef toen de boor weer begon. 'Ze liepen in mijn hoofd en daar zitten ze nog steeds. Ik denk dat ik ze daarom steeds teken. Ik denk dat ik daarom terug moest komen. Snappen jullie wat ik bedoel?'

Harriet wist precies wat hij bedoelde. Haar woede was verdwenen, ze had medelijden met de jongen. De glyphs hadden hem in hun macht, hij was teruggekomen om ze te vernietigen, maar ontdekte dat hij dat niet kon – omdat hij geprogrammeerd was om ze te beschermen, omdat ze net zo onlosmakelijk bij hem hoorden als zijn gedachten en herinneringen.

'Ik had explosieven mee moeten nemen,' zei Karsu. Hij probeerde uitdagend te kijken, maar dat lukte niet erg. Er stonden zelfs tranen in zijn ogen. 'Dynamiet en zo. Een lont aansteken en weglopen. Dat lijkt me niet zo moeilijk. Maar ik weet niets van die troep. Maar goed, ik dacht dat ik het kon, maar ik kan het niet. Eroverheen schilderen was geen probleem. Ik weet dat ze dan blijven bestaan. Maar toen ik probeerde wat jij net deed, toen ik ze wilde vernietigen, kreeg ik een allemachtige koppijn. Ik dacht dat ik blind werd. Ik probeerde het nog een keer. Zelfde verhaal. Maar nu zijn jullie hier, jullie kunnen me helpen.'

Harriet vroeg: 'Wil je ons dan niet tegenhouden als we de glyphs gaan vernietigen? Word je dan niet gek?'

'Volgens mij niet. Volgens mij...' Het geluid van de boor stopte weer en Karsu ging veel zachter verder: 'Volgens mij werkt het niet zo.'

'Dit spul moet duizenden jaren oud zijn,' zei Toby.

'Weet ik,' zei Musa Karsu diep ongelukkig.

Harriet zei: 'We hoeven niet alles te vernietigen. Alleen de beelden onder die stompzinnige cartoons.'

'Jezus,' zei Toby. Hij nam een laatste trek van zijn sigaret, trapte de peuk uit en stopte die in de jaszak van zijn jack.

Karsu zei: 'Ik moet jullie nog iets laten zien. Ik moet jullie laten zien waar de krachtigste en heiligste beelden leven.'

De vloer van de ruimte liep aan één kant af in een soort halfronde pijp die naar de mond van een smalle put leidde die achter een overhangend stuk muur verborgen zat, met een lage spleet of kruipruimte aan één kant. Een kromme, grijnzende mond onder vooruitspringende rotsen. De rand van de put was gemarkeerd met regelmatige, diep ingesneden driehoeken, die, met witte klei geschetst, op een ketting van haaientanden leek. Beenderen en stukjes kwarts waren in spleten en kieren van de rots gestopt. De uiteinden van sommige beenderen waren versplinterd en geplet; ze waren er met geweld in geduwd als offerande of als onderdeel van een ritueel. Karsu scheen met de zaklantaarn in de put en onthulde doorgroefde, vlakke, glinsterende muren die op een driehoekige bodem zo'n tweeënhalve meter lager uitkwamen. Hij vertelde: 'Mijn grootvader zei dat op de bodem van deze plek een man met een leeuwenkop het meest heilige beeld beschermt.'

Harriet vroeg: 'Je hebt het zelf nooit gezien?'

Karsu schudde zijn hoofd.

'Weet je wat het doet?'

'Mijn grootvader zei dat het de juiste persoon, iemand die perfect voorbereid is, en schoon van alle zonden, dat die naar het paradijs wordt gebracht. Maar als de verkeerde persoon naar binnen gaat, worden diens hersenen vernietigd. Hij zei dat dat de allerlaatste test was. Alleen de meest heilige en wijze mannen, of de allergekste, zouden die aandurven. Hij zei dat duizend jaar geleden een man, Nimu genaamd, een man die ons volk in de oorlog was voorgegaan en die de aanvallers uit deze bergen verjoeg, het beeld heeft aanschouwd. Maar alhoewel hij een dappere krijger en een groot leider was, was hij ook ijdel en dom, en het beeld heeft hem vernietigd.'

'Hoe kom ik daar?' vroeg Harriet.

Karsu zei: 'Ik heb een touw. Nu jullie ook hier zijn denk ik dat ik ook naar beneden kan en ernaar kan kijken. Ik heb geen haka gebruikt, dus dan moet het goed gaan.'

Harriet zei: 'Misschien kun je ernaar kijken, misschien kun je er zelfs verf over spuiten, maar je zult het nooit kunnen vernietigen.'

Karsu haalde zijn schouders op.

Toby zei: 'Ik ga.'

Harriet en Karsu keken hem aan.

Hij zei: 'Harriet kan amper langs een touw afdalen en jullie hebben allebei al veel te veel en te lang van die beelden gezien. Zoals je al zei zitten ze in jullie hoofden. Jullie zijn er gevoelig voor, net als die arme Alfie. Hij raakte helemaal van de wereld van Morphs graffiti, maar mij deden ze niets.'

Karsu herhaalde: 'Het is een heel heilig beeld.'

Toby glimlachte en zei: 'Ik ben een heel heidens mens. Misschien valt het een tegen het ander weg.'

De boor begon weer. Het geluid kwam uit de spleet onder de

overhangende rots, die met rode oker was beschilderd en aan iedere kant een zwart houtskooloog had, als een masker of gezicht dat uit de muur kwam zetten en hen aankeek.

Harriet zei dat voor ze iets zouden besluiten, ze eerst wilde kijken hoever Mosts mannen inmiddels waren. Karsu gaf haar zijn zaklantaarn en ze liep om de put heen, dook onder de overhangende rots en ontdekte dat de ruimte daar breder werd, een korte gang naar een vloer vol gevallen steentjes en vlakke opstaande rotsplaat – een lawine die ooit recht naar beneden was gekomen en de gang zo hermetisch als het luik in een onderzeeër had afgesloten. Ze dacht dat ze wat licht zag schijnen door een spleet die midden over de plaat liep, klauterde verder naar beneden, ondersteunde met haar rechterhand de elleboog van de linkerarm en bewoog zich behoedzaam in de richting van het toenemende lawaai van de boor. Even deed ze de lantaarn uit, zag dat er inderdaad licht door de spleet flikkerde en toen ze haar gezicht vlak bij de spleet bracht, voelde ze vanaf de andere kant een koud briesje. De boor ratelde en boorde, de plaat van steen trilde – Mosts mannen waren écht dichtbij – maar toen ze door de spleet probeerde te kijken zag ze alleen vage schimmen en schaduwen, een berg losse stenen en puin aan de andere kant van de lawine, die op dat punt één solide bonk kalksteen van dik vijftig centimeter was.

De boor begon weer en stopte. Harriet hield haar adem in en hoorde aan de andere kant het *chink chink chink* van een houweel of schop en het gekletter van vallende steentjes. En hoorde ze daar een menselijke stem?

Misschien hadden ze nog maar een uur voordat Mosts mannen erdoorheen waren, dacht ze terwijl ze op haar knieën en één hand terugkroop, de helling op. Misschien wat korter, misschien wat langer, maar in geen geval veel langer.

Ze dook weer in de smalle spleet en ging rechtop staan. Aan de andere kant van de put stonden Karsu en Toby met hun ruggen naar haar toe. Ze keken door de grote, kathedraalachtige grot naar de berg rotsblokken naast de kleine toegangstunnel.

Daar stond een man, als aan de grond genageld in het licht van de zaklantaarn van Karsu. Een jongeman, niet veel ouder dan Karsu zelf, in een versleten *dishdasha* en op blote, bloedende voeten. Hij staarde zonder met zijn ogen te knipperen voor zich uit; zijn hoofd bewoog in een cirkel van links naar rechts, als een slang vlak voor hij aanvalt. Zijn grote schaduw op het kalkstenen gordijn achter hem bewoog met hem mee. Harriet liet haar lantaarn vallen, pakte het pistool uit haar broek en stapte naar voren, oriënteerde zich op de nachtlichtjes.

Toby siste haar naam, zei dat ze voorzichtig moest zijn, maar ze keek alleen maar naar de man – de bezeten boer, hij was overduidelijk een bezeten boer – voor haar.

'Ik wil je geen pijn doen,' zei ze en ze hoorde haar eigen stem trillen. 'Waarom ga je niet even zitten? Ga zitten en leg je handen op je hoofd.'

Achter haar zei Karsu iets in het Koerdisch.

Met zijn wijd open, starende ogen keek de man Harriet aan, gooide zijn hoofd achterover en huilde, een hartstochtelijk gehuil dat echode door de schaduwen hoog boven hun hoofden, en rende toen recht op haar af.

Precies op het moment dat ze hem neerschoot.

35

Terwijl hij met de schommelende emmerlift in de schacht afdaalde en zich met één hand stevig vasthield, friemelde Alfie het stukje in folie verpakte zeep uit zijn zak, stopte het in zijn mond, klemde het tussen zijn tandvlees en wang en voelde zich wat rustiger worden. Misschien kreeg hij nooit de kans om zijn trucje uit te proberen, maar hij was er in ieder geval klaar voor. Het stukje donkerblauwe lucht boven hem werd kleiner en donkerder en er blonk één ster in. En toen raakte de emmer met een oorverdovende klap de bodem en viel hij naar opzij waardoor hij op de harde rotsvloer rolde.

Larry Macpherson trok hem op zijn voeten en vroeg: 'Alles oké? Niets gebroken?'

Alfie knikte, kon even niets zeggen. Het foliepakketje was losgeschoten toen hij naar buiten rolde en hij werkte het nu met zijn tong weer op z'n plek. Hij bedacht dat hij het gelukkig niet had doorgeslikt of uitgespuugd. Rölf Most stapte naar voren en zei dat hij op z'n knieën moest. Nadat Alfie dat gedaan had, zette de psychiater Alfies veiligheidshelm af, controleerde hij de elektroden die op zijn hoofd geplakt waren, plugde die in de digitale recorder en bevestigde die aan de riem van Alfies overall.

Toen hij tevreden was omdat alles naar behoren werkte, zei Most tegen Alfie: 'Dit is je laatste kans, Flowers. We gaan eerst je reacties testen zonder de drug. Je gaat voor mij de glyph aanwijzen die volgens jou het meest actief is. Dan geven we je de drug en kunnen we meten hoe actief de glyph is door jouw reactie.'

De psychiater was buiten zinnen van vreugde, zijn gezicht was vuurrood, zijn ogen glommen. Hij hield zijn glyphpistool als een koningsscepter of de fakkel van het Vrijheidsbeeld in de lucht, maakte brede gebaren naar zijn kleine publiek – Alfie, Macpherson, een kortgeknipte huurling en Soborin – en zei pompeus: 'Dit is de wedergeboorte van Mind's I! We staan op de drempel van het begin van een nieuwe vorm van menselijk bewustzijn! We gaan gedachten wekken die tienduizenden jaren in onze hersenen geslapen hebben! Na vandaag zal alles anders zijn!'

De man had een duivels geluk. De huurlingen die de lawine opruimden die de gang blokkeerde, waren bijna klaar en net voordat hij naar het voorvertrek wilde afdalen had de kortgeknipte huurling het bericht doorgekregen dat zijn mensen de meeste indringers hadden doodgeschoten en de overlevenden hadden verjaagd, zonder zelf verliezen te hebben geleden. Als dat zo doorging zou hij vast ook de aanslag van Macpherson overleven... niet dat het Alfie wat interesseerde. Die was ervan overtuigd dat noch Most, noch Macpherson zijn lichaam naar boven zou brengen als hij bewusteloos was geraakt na gezien te hebben wat er onder die lawine zat. Zijn enige hoop was een dom trucje, waar hij misschien niet eens tijd voor had.

Alfie volgde braaf de psychiater en Soborin door de gang naar zijn eerste optreden, met Macpherson pal achter zich. Toen hij over de ladder kroop die over de berg gevallen rotsblokken was gelegd en naar de kapelachtige nis en de glyph klom die hem gisteren velde, schoof hij het foliepakketje tussen zijn kiezen, klaar om het door te bijten, hij proefde zeep. *Showtime.*

Zijn plan was kinderlijk eenvoudig. Voor de glyph in elkaar zakken, doen alsof hij een aanval kreeg en spasmes had, op de zeep zuigen en schuim uit zijn mond laten komen. Als het werkte, als hij Most voor de gek kon houden, als hij hem kon laten denken dat de glyph hem bezeten had gemaakt, ook al was hij niet gedrogeerd met de cocktail (en als Most de onthullende EEG-lijn niet in de gaten hield of besloot hem ter plaatse neer te schieten omdat hij een stoute laboratoriumrat was), dan zou zijn spel hem een beetje tijd opleveren. Misschien, als iedereen dacht dat hij bewusteloos was en als Most druk bezig was met wat er onder die steenlawine lag, misschien kon hij dan wegglippen...

Met klamme handpalmen, ziek van podiumangst en in zijn mond een vieze, slijmerige zeepsmaak, dook Alfie door de smalle opening en zag – *oh, shit!* – dat de glyph was weggebeiteld. Alleen de houtskool- en rode-okerlijnen van het lijf van de bizon stonden er nog. Even overwoog Alfie om zijn plan toch door te zetten. Maar zonder duidelijke trigger zou Most, die hem nu grijnzend aankeek en genoot van zijn reactie, zijn toneelspel nooit geloven.

'Ik heb alles opgeschreven en overgenomen,' zei de psychiater, 'dus er is geen enkele reden om het origineel voor anderen achter te laten. Had jouw opa daar ook maar aan gedacht, hè, Flowers? Dan had hij je een hoop problemen bespaard.'

Met zijn tong duwde Alfie het foliepakketje tussen zijn voortanden en bovenlip en zei: 'Mijn opa was een archeoloog. Hij had een groot respect voor het verleden en voor de dingen die hij opgroef.'

'Ik ook, Flowers, ik ook. Het verleden zit in je, wil wakker geschud worden. En dat staat te gebeuren. Heel binnenkort.'

'Als je ervan uitgaat dat je wat onder die steenlawine vindt.'

'Natuurlijk vind ik daar wat. Je moet weten dat er een consistent patroon in dit soort grottenstelsel zit. Als de ingewijde de ondergrondse, of spirituele, wereld betreedt, moet hij door een poort die die wereld van het gewone leven scheidt. Dat doet hij met behulp van groepsrituelen, waarbij hij onder meer psychotrope drugs tot zich neemt die hem helpen zich verder in zijn hersenen te verdiepen. Een spirituele reis die weerspiegeld wordt door zijn fysieke tocht door de grotten waar we nu in staan, bewoond door getekende dieren en onbeduidende glyphs, naar de plek waar hij zijn zoektocht zal voltooien. En dat ligt daar onder die steenlawine, Flowers, zonder enige twijfel. Krachtiger en actievere glyphs dan jouw opa ooit gevonden heeft. De glyphs zullen eindelijk onze oerarchetypes bevrijden, die terugkerende gedragspatronen die door de hele evolutie heen in onze hersenen gebrand zijn, die alles wat ons menselijk maakt ondersteunen.'

Soborin zei: 'Een met God.' De oude man bestudeerde de verruïneerde tekening van de bizon door de getinte brillenglazen en streek met zijn vingers over de buik. 'Ze maken je één met God.'

Most sloeg Soborin zachtjes op zijn rug en lachte. Zijn liefde voor de oude man was oprecht; hij dacht echt dat de opmerkin-

gen die hij af en toe maakte kostbare graankorrels van zenwijs-
heid waren in plaats van willekeurige uitroepen van een verwarde geest.

'Wie weet waar deze reis naar de innerlijke ruimte ons naartoe
zal brengen?' zei hij. 'En jij, Flowers, jij zult de weg aangeven, de
eerste astronaut in minstens tienduizend jaar die het heilige hart
van deze oude tempel zal blootleggen. Wij zullen het oog van je
geest openen en je op zoektocht sturen diep in de neurale gedeel-
ten van je eigen hersenen. En uiteraard zullen we de volledige reis
op video en EEG vastleggen.'

'Ik voel me helemaal geen astronaut,' zei Alfie. 'Meer een van
die chimpansees die ze omhoogstuurden voor ze dat met mensen
deden. Of, hoe heette die hond ook al weer die de Russen aan het
begin van de ruimte-eeuw omhoogstuurden?'

De hond die in de ruimte gestorven was, bedacht hij, omdat ze
toen nog geen weg terug naar de aarde kenden.

Een verticale opening aan de andere kant van de kapelachtige
ruimte leidde naar een tweede grot, kleiner en smaller dan de eerste, met op heuphoogte waterstandtekens op de muren. Er stonden overal nieuwe stapels stenen op een bodem die ongeveer vijf
centimeter onder water stond, waar canvasslangen slap tussen lagen. De ruimte werd verlicht met schijnwerpers. Als er hier ooit
glyphs waren geweest, dan waren die inmiddels weggeërodeerd
door het water of lagen ze verborgen in de spleten in de schaduwen onder het overhangende dak met de stalactieten.

De twee huurlingen die de gang naar deze grot hadden vrijge-
maakt, wachtten daar nu op hen. Hun helmen en zwarte overalls
waren vies van het rotsstof en de witte ovalen rond hun ogen op
hun vuile gezichten verraadden dat ze veiligheidsbrillen op hadden gehad. Ze hadden iets aan de andere kant van de steenmuur
gehoord, vertelden ze. Iemand had gegild en ze hadden twee schoten gehoord.

Most zei dat dat onmogelijk was, maar de huurlingen waren
onvermurwbaar, bleven van hun gelijk overtuigd, zo overtuigd dat
de psychiater zijn geduld verloor en een stroom scheldwoorden
naar hun hoofden smeet. Alfie stond rustig naast Soborin, met in
zijn mond die zeepgeur en de smaak van mislukking, en probeerde in te schatten hoe dit de dingen kon veranderen. Kreeg voor

het eerst een piepklein sprankje hoop, omdat, ook voor het eerst, niet alles bleek te lopen zoals Most wilde.

'Het is heel simpel,' zei Macpherson kalmerend, toen Most even op moest houden om naar lucht te happen. 'Er moet nog een ingang naar deze grotten zijn. Die onaardige mensen die jullie hebben weggejaagd, moeten een voorhoede zijn geweest. Terwijl jullie ze bij de voordeur verjoegen is er iemand via de achterdeur naar binnen geglipt.'

De kortgeknipte huurling die hen ondergronds begeleidde zei dat meneer Macpherson daar best eens gelijk in kon hebben: natuurlijk hadden zijn mensen het gebied uitgekamd, maar er waren hier ontzettend veel grotten. 'We hebben nog geen tijd gehad om die allemaal zorgvuldig te controleren – ze kunnen allemaal in verbinding staan met dit grottenstelsel. Of een grondverzakking kan de verbinding zijn.'

'Dit is een truc,' zei Most en hij keek naar Macpherson, naar de huurlingen en hield zijn glyphpistool met twee handen vast. Zijn emoties, gestuurd door willekeurige impulsen vanuit zijn gekte, waren zo veranderlijk als het Engelse weer. Hij kon binnen een seconde van een euforische bui in een woedeaanval terechtkomen. 'Precies op de drempel van mijn triomf kom jij met deze ziekelijke truc aan en denkt dat ik dat geloof. Jij wílt dat ik het geloof. Jij wilt mijn roem stelen.'

Macpherson zei: 'Er bestaat een heel eenvoudige manier om erachter te komen. Nog maar een paar centimeter en dan zijn we erdoor. Ik neem aan dat jullie wat explosieven bij jullie hebben, jongens? Voor het geval de boren niet door de rotsen heen komen?'

Een van de bestofte huurlingen, een blonde, slungelachtige man zei: zeker, ze hadden een paar staven C4 bij zich, maar er was geen sprake van dat ze explosieven konden gebruiken. 'We hebben nog geen tijd gehad om het laatste deel van de schacht goed te stutten, sinds we de stenen daar hebben verwijderd. Als we met die ladingen de boel op gaan blazen zal alles naar beneden komen.'

'En als jullie geen explosieven gebruiken,' zei Macpherson, 'heeft degene die daar aan de andere kant van de steenlawine staat meer dan genoeg tijd om de boel daar leeg te roven, lang voor jullie door die muur heen zijn.'

De kortgeknipte huurling zei: 'Als ze in een verzakking terecht zijn gekomen, zouden we rook naar binnen kunnen blazen en mensen naar buiten sturen om te kijken waar hij naar buiten komt.'

'En hoe lang gaat dat duren?' wilde Macpherson weten. 'Een uur? Twee uur? En ondertussen maken die onaardige mensen foto's van de glyphs en vernietigen ze daarna. U zei dat er hier behoorlijk actieve zouden zitten, dr. Most. Ik durf te wedden dat deze twee mannen een gil en schoten hoorden, omdat een van die onaardige mensen langer keek dan goed voor hem was. Daar werd hij gek van en toen hebben zijn vrienden hem uit zijn lijden verlost.'

'Dat kan,' zei Most tegen wil en dank. Hij keek Macpherson en de drie huurlingen boos aan; een mini-Napoleon die tegen wil en dank het impopulaire advies van zijn generaals, die hij nooit aardig vond of vertrouwde, moest accepteren.

De blonde huurling zei: 'Als we explosieven gebruiken is er meer dan vijftig procent kans dat het dak naar beneden komt.'

Macpherson zei: 'Als je het goed doet, verwijder je niet alleen de steenblokkade, maar geef je die onaardige mensen aan de andere kant iets om over na te denken. Misschien dood je ze niet, maar je kunt ze in ieder geval uitschakelen. Most, de keuze is aan u, maar terwijl we hier staan te kletsen kunnen die onaardige mensen de glyphs onder uw neus vandaan stelen.'

'In dat geval gebruiken we explosieven. Dan is er geen alternatief.'

'U zult er geen spijt van krijgen,' beloofde Macpherson. Hij voelde zich kiplekker, als een gokker die alles op één kaart had gezet en er helemaal voor ging. Hij keek naar Alfie en knipoogde zelfs toen hij twee zwarte rugbybalvormige dingen uit een jaszak van zijn legerjack haalde. 'Dit zijn flash-banggranaten. Ik heb ze voor speciale gelegenheden als deze bewaard. Gooi deze jongens naar binnen als je die gang open hebt geblazen. Ik garandeer jullie dat jullie geen last meer zullen hebben van wie dan ook aan de andere kant.'

Terwijl Toby met een stuk steen lijnen in een cartoon en de glyph eronder kerfde, hielp Harriet Karsu om een stuk touw om een rotsblok in de buurt van de put te binden. Harriet had hem verteld dat de man die ze had doodgeschoten een bezeten boer was, dat hem vermoorden eigenlijk een daad van naastenliefde was; ze had uitgelegd dat er niets meer over was van de man die de bezeten boer vroeger was geweest, dat toen hij haar aanviel zij zich wel moest verdedigen, en dat ze hem wel had moeten vermoorden, omdat hij anders was blijven aanvallen. Maar de boodschap kwam niet aan. De jongen was geschrokken en boos. Hij deed braaf wat ze zei dat hij moest doen, maar deed het in stilte. Met een dubbele knoop zekerde hij een uiteinde van het touw – een lang stuk verweerd blauw nylonkoord met twee rafelige uiteinden. Hij legde er knopen in, die Toby kon vastgrijpen als hij naar boven klom. Maakte een schuifknoop aan het andere uiteinde, zodat als Toby om de een of andere reden niet op eigen kracht uit de put kon komen, Harriet en Karsu hem eruit konden trekken.

Nog steeds was er niets te horen van de mensen aan de andere kant. 'Misschien halen ze de stenen met de hand weg,' zei Harriet.

Karsu haalde zijn schouders op.

'Ik geloof dat zelf ook niet. Ik denk dat ze er bijna door zijn en dat we zo vlug mogelijk moeten werken.'

Weer een schouderophalen.

Ze lieten het losse eind in de put zakken. Harriet hield het met haar goede hand vast en Karsu scheen met de zaklantaarn naar beneden. Ze zag dat het uiteinde en een paar meter touw op de bodem van de put lagen en draaide zich om om Toby te roepen – dat was het moment waarop de muur verdween, een kolossaal harde knal en hete lucht en stof klapten tegen haar aan waardoor ze op de grond viel. Duizelig van de galmende explosie begon ze door de pijp naar de rand van de put te kruipen. Een oud bot maakte een grote scheur in haar gevechtsbroek en haalde haar huid eronder open. Het pistool viel uit haar broeksband over de rand van de put naar beneden. Het lukte haar nog net om weg te rollen en het touw te grijpen. Haar rechterarm ving haar hele gewicht op en er schoot een straal felle, witte pijn door haar hoofd. Het nylontouw brandde in haar hand toen het door haar vuist gleed en ze moest het touw zelfs loslaten toen een van de knopen die Karsu had gemaakt haar vingers uit elkaar trok. Ze viel achterover in de zachte klei en was even buiten bewustzijn. Toen ze weer bijkwam lag ze op haar rug en keek naar de rand van de put.

Even later keek Toby over de rand naar beneden en vroeg of alles goed ging. Harriets linkerarm was uit de mitella geschoten (in haar schouder schuurde iets pijnlijk toen ze opstond), de schram op haar been prikte en ze had op haar tong gebeten, want haar mond zat vol bloed. Ze spuugde het uit, veegde haar kin af met haar mouw, zei tegen Toby dat het goed ging, maar dat ze niet zelf naar boven kon klimmen.

'Maak je niet bezorgd. We trekken je omhoog.'

Aan één kant van de put zat een halfronde holte, zo'n anderhalve meter breed en inktzwart, met handafdrukken op de lichtbruine stenen, allemaal omkranst door spetters in de kleur van opgedroogd bloed. Harriet herinnerde zich dat paleolithische kunstenaars hun werk zo signeerden: ze zetten hun hand plat op de stenen en spogen daar dan verf over, of ze bliezen met een stukje riet of een holle stengel poederverf uit de palm van hun andere hand eromheen. Zo lieten ze een teken achter om te laten zien dat zij daar geweest waren, iemand op een bepaalde plaats op een bepaalde tijd. Het betekende: *ik besta*. Het betekende: *ik was hier*. Ze begreep dat dit tekens waren van mannen die het aangedurfd hadden om te kijken naar wat er in de holte moest liggen. Ze keek omhoog naar Toby en zei: 'Ik heb de glyph gevonden. Gooi de zaklantaarn naar beneden, dan kan ik dat controleren.'

'Geen denken aan, waag het niet te kijken. Daar hebben we het over gehad. Als je er een aanval van krijgt zit je daar vast.'

'Dat komt wel goed.'

'Dat weet je helemaal niet. En dit is niet het moment om het uit te proberen.'

'Ik heb toch ook geen aanval gehad toen ik Musa's fascinatieglyph zag op de boerderij. Echt, het komt wel goed.'

'Pak dat touw, Harriet. We trekken je omhoog en dan ga ik naar beneden en doe wat er moet gebeuren. Precies zoals we hebben afgesproken.'

Harriet werd ongeduldig. 'Daar hebben we geen tijd voor. Gooi die zaklantaarn naar beneden, dan doe ik het, ik ben er toch.'

'Er is zeker geen tijd om er ruzie over te maken,' zei Toby koppig.

Harriet riep naar Karsu of híj haar wilde helpen, of hij zijn zaklantaarn naar beneden wilde gooien, maar ze kreeg geen antwoord.

'Mosts mannetjes kunnen hier ieder moment binnenvallen,' riep ze boos. 'Er is gewoon geen tijd meer om me eerst op te trekken en dan Toby naar beneden te laten gaan.'

Toby zei: 'We hebben meer dan genoeg tijd als jij nu naar boven komt. Zet je voet in die lus, Harriet, dan trekken we je op.'

'Ik doe het licht heel kort aan en dan weer uit, alleen maar om te zien waar de glyph is. En dan markeer ik dat op de rots, in het donker. Maak je maar niet bezorgd.'

Maar toen barstte er een dubbele donderklap boven haar hoofd en werd de put overspoeld door fel licht en hevig lawaai. Harriet moest even buiten bewustzijn zijn geweest, want toen ze haar ogen opendeed, lag ze op haar rug, zag ze licht dansen over het rotsplafond en hoorde ze een man met een Amerikaans accent brullen en snauwen dat ze hun handen achter hun hoofden moesten houden, en nu meteen, klootzakken! Ze begreep dat Mosts mannen binnengevallen waren en kon nog net op tijd de holte in rollen voor een brede lichtstraal over de witte kleibodem van de put scheen en over het pistool dat Harriet in haar paniek vergeten was. Ze drukte zich nog verder naar achteren, in de schaduw van een nis aan een zijkant van de holte en maakte zich zo klein mogelijk, terwijl het licht de ruimte afzocht en op een tekening viel die op de achterwand geschilderd was. In zwart en rood, met een leeuwenkop, stond hij daar rechtop, en profil, hij hield met twee handen zijn grote, stijve geslacht vast en werd omgeven door een grote cirkel van bewegende vormen. Harriet kneep direct haar ogen dicht, maar het was te laat. Hij zat al in haar hoofd.

Alfie vond de explosie die de laatste rotsblokken verwijderde een anticlimax. Een doffe bons, een trilling in de stenen onder zijn voeten en een grote verstikkende stofwolk die de volle, kapelvormige ruimte vulde. Toen het stof was neergeslagen duwde Macpherson hem door de spleet naar de volgende grot. Achter drie huurlingen aan die om beurten verdwenen waren door het gangetje aan de andere kant.

'Nou gaat het gezellig worden,' zei Macpherson in Alfies oor, terwijl hij hem over de hobbelige vloer voor zich uit duwde. Hun schoenen plasten door modderig water. 'Daar kun je op rekenen.

397

En reken op me. Hoorde je dat?'

Alfie had het gehoord: twee korte dreunen.

'Die kerels zijn aan het werk. En als zij klaar zijn ga ík aan de slag.'

'Want er is een andere uitgang.'

'Jij snapt het,' zei Macpherson.

Achter hen zei Most: 'Neem een van de schijnwerpers mee. Die hebben we nodig voor de video.'

Macpherson zette een van de schijnwerpers uit, hield de driepoot scheef en zei dat Alfie één kant vast moest houden. Ze sleepten hun zware last de helling met losse stenen op en duwden hem de smalle gang in. Kale elektrische lampen, allemaal kapot, hingen pal onder een laag plankenplafond aan opgehangen ladders. Het stonk er naar gebrande suiker en er hing een waas van stof en rook die kronkelde in de lichtstraal uit de zaklantaarn die Macpherson tussen zijn tanden had geklemd. Er volgde een gevaarlijke klauterpartij over verbrijzelde rotsblokken, langs scherpe, door de explosie zwartgeblakerde randen, krakende en piepende platte stenen en stroompjes stof en kiezels. Daarna een korte klim over een soort stenen glijbaan naar een hoog gewelf waar de drie huurlingen hun zaklantaarns en pistolen op twee mensen gericht hielden die geknield op de grond zaten met hun handen achter hun hoofden.

Een van de gevangenen was een tienerjongen in jeans en een fleece jasje; de ander, in een slecht passende legerbroek en jas was Toby Brown. Alle twee zaten ze onder het stof en staarden ze geschrokken naar de zaklantaarns van de huurlingen. Toen Toby Alfie herkende, flitste er iets in de lucht. Alfie liet zijn kant van de schijnwerper vallen en wilde naar voren lopen, maar Macpherson wist hem nog net bij een schouder te grijpen en te bevelen te blijven waar hij was.

Most klauterde uit het gangetje, stond op, sloeg het ergste stof met felle klopjes van zich af en riep naar de huurlingen dat ze dr. Soborin moesten gaan helpen. De blonde huurling trok de oude man aan zijn armen uit de gang en hielp hem opstaan. Hij zette zelf zijn bril recht en keek geschrokken en verwilderd rond, terwijl Most naar de gevangenen liep en tegen Toby zei: 'Ik geloof dat we elkaar al in Londen ontmoet hebben. Jij was daar met Flowers en jullie zochten Benjamin Barrett.'

Toby keek de psychiater aan, maar zei niets. Zijn haren en gezicht zaten onder het witte kalksteenstof. Alfie vond dat hij precies op een dode leek.

'En jij,' zei Most tegen de tiener, 'jou ken ik ook. Musa Karsu, die zichzelf Morph noemt. Je bent naar huis gegaan, Musa. Wat sympathiek van je – ik waardeer het. Heeft Brown je geholpen of heeft hij je gebracht? Weet de Nomads' Club dat je hier bent, Brown? En Harriet Crowley? Weet zij het?'

'Ik werk aan een verhaal,' zei Toby. 'Een exclusief verhaal.'

Most hield de grote lens van het glyphpistool pal voor Toby's gezicht en lachte toen Toby achteruitweek. 'Ik neem aan dat je beseft dat het geen zin heeft om te liegen.'

'Omdat je me aan het praten kunt krijgen?'

'Ik heb een hele goede manier. Een fascinérende manier.'

Terwijl Macpherson de schijnwerper installeerde leende Most een zaklantaarn van een van de huurlingen en liep naar de donkere ruimte, bescheen stukken ervan en onthulde schilderingen van dieren en abstracte patronen. Hij bescheen iets wat ineengedoken onder aan een helling lag: een mannenlichaam. De psychiater knielde ernaast, tilde het hoofd aan het haar op en scheen met de zaklantaarn in het gezicht. 'Volgens mij ken ik deze meneer ook,' zei hij en zijn stem galmde door de hoge ruimte. 'Is jullie zeker gevolgd, hè? En toen hebben jullie hem maar doodgeschoten. Arme kerel. Tja, hij deed zijn werk. En door het schot wist ik dat er hier mensen waren. Daarom moest ik zo'n dramatische entree maken.'

Macpherson deed de schijnwerper aan en richtte die op Soborin die met zijn handen over een groot, glad rotsblok wreef. Most liep terug en vroeg joviaal: 'En, hebben we gevonden wat we zochten?' En, ineens met een boze stem: 'Wat is dit?'

Hij duwde de oude man aan de kant, zodat hij goed zicht kreeg op de felrode cartoon van een schedel met een helm op. Hij raakte die met zijn vingertoppen aan en barstte in lachen uit. Hij beende naar Toby en Karsu, greep Karsu's kin, duwde zijn hoofd omhoog, glimlachte naar hem en zei: 'Weer een exemplaar van jouw spuitbuskunst, neem ik aan?'

De jongen staarde hem stom aan, waarop de psychiater hem een speels klapje gaf en tegen zijn huurlingen zei: 'Ze hebben de glyphs niet vernietigd. Ze hebben er verf overheen gespoten om ze te verbergen, maar ze hebben ze niet vernietigd. Ik heb een oplosmiddel nodig – desnoods benzine, als er niets anders is – en schone, zachte lappen. We zullen de verf van de glyphs verwijderen en deze jongen zal ons er alles over vertellen.'

Macpherson liep naar hem toe en vroeg: 'Weet u absoluut zeker dat deze jongen is wie u denkt dat hij is?'

'Zelfs als ik de foto in het dossier van de Britse immigratiedienst niet had gezien, dan had ik hem via zijn werk herkend. Herken jij hem niet?'

'Dan weet hij inderdaad alles over deze glyphs.'

Alfie wist zeker dat Macpherson bijna zover was. Hij werd er op een nerveuze manier vrolijk van, het kriebelde tussen zijn schouderbladen en prikte op zijn met elektroden beplakte hoofd.

Most keek vanonder zijn veiligheidshelm naar Macpherson. 'Volgens mij weet deze jongeman meer van glyphs dan welk levend wezen dan ook. Ik wil erg graag met hem pra...'

Macpherson schoot hem in zijn borst. Hij viel achterover en zat op de grond toen de knal van het schot tegen de stenen muren van het gewelf echode. Toen schoot Macpherson hem in zijn gezicht. Zijn veiligheidshelm viel af en hij rolde languit op de grond met zijn glyphpistool nog in zijn handen.

Soborin stootte een schrille kreet uit en rende naar Mosts lichaam. Macpherson negeerde hem. Hij vroeg aan de drie huurlingen op een toon alsof hij een sigaret vroeg of ze hun zaklantaarns, geweren en pistolen op de grond wilden leggen, vervolgens twee stappen achteruit wilden doen en op hun knieën wilden gaan zitten, graag jongens, en hou jullie handen goed zichtbaar achter jullie hoofden.

De drie mannen deden wat hij zei, ze knielden achter de zaklantaarns en pistolen en Macpherson schoot hen de een na de ander neer. De kortgeknipte huurling sprong op, smeekte om genade, jezus christus, klootzak, doe het alsjeblieft niet, en Macpherson schoot hem ook neer, liep naar de lichamen en gaf ze allemaal een genadeschot in hun achterhoofd. Hij wachtte even, alsof hij overdacht wat hij zojuist gedaan had, pakte toen een zaklantaarn, bescheen Alfie daarmee en vroeg: 'Oké, partner. Zou je me niet eens bedanken?'

Alfies angst had inmiddels het allerhoogste niveau bereikt, hij was er helemaal door bevangen, het trilde door hem heen als de hoge c door een wijnglas voordat het uit elkaar spat. Hij was ervan overtuigd dat Macpherson hem ook zou doodschieten, dat hij iedereen zou doodschieten, waarom niet?, en een bloedbad zou aanrichten. Maar de man draaide zich om en raapte de pistolen en geweren van de huurlingen op, stopte die in een canvastas die ze bij zich hadden gehad en fouilleerde zorgvuldig de lichamen. Hij vond meerdere messen en stopte die ook in de tas.

Toby stond bleek en trillerig op. Karsu zat nog op zijn knieën naast hem, met zijn handen voor zijn gezicht en herhaalde steeds iets met een zachte, schorre stem. Een gebed of een smeekbede. Macpherson opende Karsu's rugzak, keerde die om en bekeek de inhoud. Hij schoof met zijn voet dingen aan de kant, haalde er een mes uit en stopte dat ook in de canvastas bij de rest van de buit. Toen pas kwam hij naar hen toe, rustig en zelfverzekerd, langs Soborin die het lichaam van Most wiegde en woordeloos jammerde, en vroeg aan Toby: 'Wie van jullie heeft die bezeten boer doodgeschoten?'

Toby stootte zijn hoofd omhoog en omlaag.

'Je hoeft niet bang te zijn,' zei Macpherson, 'ik ga je niet doden. Waarom niet? Omdat ik je nodig heb. Om te beginnen moet ik weten waar dat pistool is. Het pistool waarmee die bezeten boer is doodgeschoten. Ik heb de wapens van deze arme drommels, maar ik wil alles. Dus ik neem aan dat ze jullie je wapens hebben afgenomen en dat betekent dat jullie het ergens verborgen hebben. Geef het me nu,' en hij richtte zijn pistool op Toby's gezicht, 'en er gebeurt niets vervelends.'

Toby schudde zijn hoofd, bevochtigde zijn lippen en zei: 'Het ligt in de put.'

'Je meent het. Hoe dat zo? Heb je het erin gegooid?'

Toby haalde diep adem, schudde weer zijn hoofd en zei: 'Ik heb het laten vallen. Ik wilde in de put afdalen – kijk maar naar het touw daar. Ik wilde net de eerste stap doen toen jouw vuurwerk begon en ik buiten bewustzijn raakte. Ik moet het pistool hebben laten vallen en het moet erin gegleden zijn. Ga maar kijken als je me niet gelooft.'

Alfie was trots op de koelbloedigheid van zijn vriend.

Macpherson zei: 'Blijf maar vertellen. Je hebt mijn onverdeelde aandacht. Waarom wilde je naar beneden?'

Toby keek hem recht in zijn ogen en zei: 'Omdat de allerheiligste glyph zich daar bevindt.'

'En wat wil dat zeggen?'

'Volgens mij dat het de meest actieve is. De sterkste.'

'En hoe weet jij dat?'

'Hij vertelde het.' En Toby knikte in de richting van de jongen.

Macpherson gaf de jongen, Musa Karsu, een schopje met de voorkant van een schoen. 'Klopt dat? Kijk me aan, ja! Hou op met bidden, daar koop je nu niets voor. Kijk me aan en geef me verdomme antwoord.'

Karsu keek op, nors, uitdagend en zonder enige hoop. Hij haalde zijn schouders op en zei: 'Waarom niet?'

'Waarom niet? Wat bedoel je daarmee?'

'Mijn grootvader vertelde me dat er een heel heilig beeld in die put leeft. Alleen de allerzuiverste mannen kunnen ernaar kijken.'

Macpherson boog zich over hem heen en zette de loop van het pistool tegen Karsu's voorhoofd. 'Is dat echt zo? Denk héél goed na voor je antwoord geeft. Neem rustig de tijd.' De jongen zei met een verstikte, boze stem: 'Ik zweer het op de zielen van mijn vader en grootvader.'

'Oké,' zei Macpherson en hij liep naar de lichamen van de huurlingen.

Toby keek naar Alfie. Wanhopig en smekend. Alsof hij wilde dat Alfie iets begreep of zou doen.

Macpherson haalde een digitale videocamera uit de zak van de kortgeknipte huurling en liep terug naar Toby en Karsu. 'We gaan het volgende doen. Jij, mijn vriend...' hij drukte de camera tegen Toby's borst, dwong hem die aan te pakken '... gaat naar beneden. Dan film je die glyph en bind je de camera en het pistool aan het touw en dat trek ik naar boven. Als je wat anders doet, schiet ik je neer. Geloof je me?'

'Absoluut.'

'Ik controleer of je die heilige glyph keurig hebt opgenomen en dan ben ik tevreden. Dan mag je naar boven klimmen. Dan zorg ik dat met de rest van de explosieven het dak van die gang naar beneden komt en vertrekken we via de achterdeur. Is dit een afspraak?'

Toby knikte.

'Mooi. O, nog één dingetje trouwens. Waar zit Harriet Crowley godverdomme? En probeer me alsjeblieft niet wijs te maken dat ze hier niet is. Ik heb haar paspoort gezien. Op het lichaam van een inboorling die jullie volgens mij hiernaartoe heeft gebracht.'

Toby zei: 'We werden door een bezeten boer aangevallen, bij een boerderij, een paar kilometer verderop. Hij kwam recht op ons af. Hij had een mes.'

Macpherson staarde hem aan. 'En...?'

'En hij stak haar. Hij stak haar recht in haar hart,' vertelde Toby, hij stompte met zijn vuist op zijn hart en keek Macpherson met een blik aan die Alfie heel goed kende. Het was de blik die zijn vriend opzette als hij iemand voor de gek probeerde te houden. 'En hij vermoordde haar.'

'Recht in haar hart, hè? Wat heb je met haar lichaam gedaan?'

'In ons busje, iets verderop, aan de voet van de heuvel. We wisten even niets beters.'

Macpherson gaf Karsu een schop en vroeg: 'Vertelt hij de waarheid?'

'Ze is heen,' zei de jongen.

Macpherson keek Toby lang aan, draaide zich ten slotte om en scheen met zijn zaklantaarn door de inktzwarte ruimte.

'Ze kan zich maar beter niet ergens hier verstopt hebben, klaar om me neer te schieten. Want zodra er geschoten wordt, schiet ik jou direct neer,' zei hij; hij was nu helemaal rondgedraaid en scheen recht in Toby's gezicht.

Toby, die het licht ontweek, zei: 'Ik ga voor jou die put in, maar dat touw kun je beter vasthouden, want de knopen die ik heb gemaakt vertrouw ik niet helemaal – op de scouting heb ik nooit mijn knoopinsigne gehaald.'

Macpherson scheen met zijn zaklantaarn op Alfie en die voelde een scheut, een dreun, een moment dat alles wegzakte. Hij wankelde op zijn benen, had weer de smaak van verbrand metaal in zijn mond, door de zeepsmaak heen, hij hoorde Macpherson in de verte zeggen dat hij als de donder moest komen, dat hij het touw vast moest houden terwijl zijn vriend naar beneden ging en wist dat hij zojuist een lichte aanval had gehad. En hij wist dat dit hét moment was, nu of nooit, om een echte aanval te simuleren, om Toby een paar extra seconden te geven om het pistool te pakken van waar hij het ook verstopt mocht hebben – of om Harriet, als ze tenminste niet dood was, de kans te geven uit haar schuilplaats te komen en Macpherson dood te schieten.

Alfie liep om de put heen naar de plek waar het touw om een rots gebonden was, draaide zijn rug naar Macpherson terwijl hij door zijn knieën zakte en deed alsof hij de knoop controleerde, beet hard op het foliepakketje zeep en liet zich vallen. Hij viel met zijn heup en elleboog op de harde stenen vloer. De pijn maakte zijn toneelspel echter. Hij herinnerde zich niets van zijn aanvallen, wist niet hoe hij zich hoorde te gedragen of moest doen, maar maakte schokkende bewegingen en huiverde zo goed als hij kon. Hij zoog en kauwde op de vieze zeep en kwijlde zeepbellen, zijn ogen kneep hij dicht en hij wachtte op de reactie van Macpherson: óf hij moest ophouden met zich aan te stellen, óf – veel erger – hij zou worden doodgeschoten.

Hij hoorde hem vloeken, hoorde hem naar zich toe komen, voelde zijn handen op zijn schouders, die hem omhoogtrokken. Hij kreunde en de zeepbellen dropen over zijn kin.

'Godverdomme,' zei Macpherson; en slaakte toen een verbaasde kreet en liet Alfie los.

Alfies achterhoofd kwam hard in aanraking met de harde vloer, zo hard dat zijn tanden op elkaar klapten – hij stikte bijna in het stukje folie – en achter zijn ogen explodeerde een wit licht. Hij deed voorzichtig zijn ogen een stukje open en zag Macpherson met Soborin vechten. De oude man was op zijn rug gevallen of gesprongen en klauwde in zijn gezicht, met succes, want het bloedde. De twee mannen dansten langs de rand van de helling die op de put uitkwam, de lichtstraal uit de zaklantaarn van Macpherson wees naar het plafond, zwiepte naar beneden, schoof over de vloer en scheen toen recht op het lichaam van Most en op iets daarnaast.

Alfie sprong op, spuugde het walgelijk vieze zeepfolie uit, rende naar het lichaam van Most en griste het glyphpistool weg. Precies op het moment dat Macpherson kwaad grommend Soborin op zijn rug gooide. Soborin kwam omhoog, maar Macpherson had zijn pistool al in zijn hand en schoot hem neer. De oude man viel weer plat op zijn rug, zijn witte jasje was rood van het bloed. Zijn bril was afgevallen. Terwijl hij ernaar tastte schoot Macpherson hem in zijn hoofd. Alfie stond inmiddels overeind, richtte de loop van het glyphpistool op het gezicht van Macpherson en haalde de trekker over.

Het pokdalige gezicht van de huurling was even zo hel verlicht dat zijn huid doorschijnend leek. Toen begon het licht te flikkeren en een felle lichtstraal leek recht in de zwarte pupillen te trekken.

Alfie hield bang zijn ogen dicht, maar Macpherson zette wankelend een stap achteruit en verloor zijn evenwicht. Hij sloeg naar Alfie, miste en viel. Tuimelde de helling af en viel over de rand de put in. Toby rende naar voren en riep keihard: 'Harriet!'

Toen Harriet klein was speelde ze graag verstoppertje, ze hield van de martelende, spannende mix van angst en verwachting als ze in de frambozenstruiken kroop of zich verstopte achter de bank in de schuur, luisterde naar de voetstappen van de jongen of het meisje die 'm was, of ze al tevoorschijn zou durven komen en zichzelf oppepte voor de wanhopige ren naar de buutplek, naar de veiligheid. Nadat zij en haar moeder naar het platteland waren verhuisd was verstoppertje een essentieel onderdeel van haar verjaardagsfeestjes geworden, tussen het openen van de cadeaus, de verjaardagstaart, de dunne, driehoekige sandwiches, ijsjes en minstens drie smaken gazeuselimonade. Op haar tiende verjaardag, toen ze bijna, maar nog niet helemaal, te oud was voor het spelletje, regende het de hele dag en hadden zij en haar gasten binnen moeten spelen. Ze had zich in de linnenkast verstopt, ze kroop onder planken met bedlinnen en handdoeken, naast de stoffige isolerende hoes van de heetwatertank. Ze had een wit laken over zich heen gedrapeerd. Als de jongen die 'm was de kastdeur open zou doen, zou ze naar buiten springen en hem als Scooby-Doo-geest de stuipen op het lijf jagen.

Terwijl ze wachtte en luisterde naar voetstappen die langs de kast liepen en door het hele huis gegil en gelach hoorde, raakte ze er steeds meer van overtuigd dat er in de donkere kast iets bij haar was. Door te doen alsof zij een geest was, had ze een monster opgeroepen. En de enige manier om dat iets voor de gek te houden was door te doen alsof ze er niet was. Door haar ogen stijf dicht te knijpen en zich onder het laken niet te bewegen. Ze zat er heel lang, haar hart bonkte, ze werd misselijk en haar blaas stond op kappen omdat ze te veel limonade had gedronken. Haar fantasie ging met haar op de loop. Stel je voor dat het monster vrienden had? Stel je voor dat die al haar gasten hadden gevangen en in monsters hadden veranderd? En dat die nu allemaal doodstil aan de andere kant van de deur stonden te wachten. Stel je voor dat ze naar een andere plek was verplaatst (ze had net *De leeuw, de heks en de kast* gelezen) en dat als ze de deur opendeed ze in een besneeuwd bos terecht zou komen en de belletjes van een heksenslee zou horen...

Toen ze eindelijk voetstappen naar de kast hoorde komen hield Harriet haar adem in en maakte zich zo klein mogelijk. Ze hoorde een losse plank voor de deur kraken. Het handvat bewoog, de deur ging open en toen hield ze het niet meer: ze sprong op en viel gillend, nog steeds met het laken over zich heen, doodsbang recht in de armen van haar moeder.

Nu, met haar stuitje tegen de koude rotswand en haar armen om haar knieën, haar ogen bijna dicht en een dierentuin aan oplichtende vormen die in de donkerte achter haar oogleden ronddwarrelden, voelde ze die irrationele, kinderlijke angst weer in alle hevigheid. Er zat een monster in haar schuilplaats (er zat een monster in haar hoofd) en daarbuiten waren ook monsters...

In de verte hoorde ze stemmen, ze hoorde Most opgetogen kraaien over het gevangennemen van Karsu en wist dat ze in grote moeilijkheden zat. Vervolgens hoorde ze een hard schot, dat door de ruimte galmde. Ze schrok. Weer een schot en toen zei iemand dat er mensen moesten knielen. Ze hoorde drie schoten vlak achter elkaar en daarna weer drie, met langere tussenpozen. Ze wist niet wat er daarboven gebeurde, maar vermoedde het ergste. Toby Brown en Musa Karsu waren geëxecuteerd en ieder moment konden er tot de tanden toe gewapende huurlingen via het touw de put in komen zeilen, haar in haar belachelijke schuilplaats ontdekken en met hun pistolen doorzeven. Ze wilde nog dieper wegkruipen, in de rotsen wegzinken, zo diep dat ze haar nooit zouden vinden, maar ze was verlamd omdat ze dacht dat ze zich door het zwakste geluidje of de kleinste beweging zou verraden. Dus bleef ze rustig en stil zitten, met een pijnlijk kloppende schouder en probeerde de echoënde stemmen boven haar hoofd te verstaan.

Een man met een Amerikaans accent beval iemand in de put af te dalen. Ze hoorde haar naam, hoorde Toby de grove leugen over haar dood vertellen, maar was opgelucht dat hij nog leefde, hoorde de Amerikaan hem bedreigen en de geluiden van een gevecht. Vervolgens het harde geluid van weer een schot, gevolgd door twee snelle schoten die van zo dichtbij leken te komen dat ze omhoogkwam om weg te rennen, hoewel ze nergens naartoe kon. Ze deed haar ogen open, omdat ze ineens veel banger was om doodgeschoten te worden dan door het monster verslonden te worden. Toby riep haar naam en een man tuimelde op de beschaduwde vloer van de put. Nog geen twee meter van haar schuilplaats.

Elektrisch licht, een onvaste straal, bescheen hem toen hij op handen en voeten omhoogkwam. Weer riep Toby haar naam en ze bewoog zich naar het pistool dat op de witte klei lag. Maar de man was sneller, hij trok zijn eigen pistool, richtte het op haar en zei: 'Rustig, mevrouw Crowley. Denk je dat je dat kunt?'

Het was Larry Macpherson. Harriet keek naar hem en keek naar het pistool.

Hij keek even naar de rand van de put, sprintte toen door de kleine ruimte, greep Harriet, draaide haar rechterarm op haar rug, draaide haar toen helemaal om en duwde haar achterwaarts in de schaduw van de holte in de muur. Hij ramde de loop van zijn pistool in haar oor. Hij schreeuwde: 'Jongens! Luister! Als jullie willen dat Harriet Crowley blijft leven, dan moeten jullie precies doen wat ik zeg. Is dat duidelijk?'

Er werd fluisterend overlegd en toen zei Alfies stem: 'Laat haar gaan en dan spreken we wat af.'

Macpherson zei: 'O, nee, zo gaan die dingen niet.'

Toby zei: 'We hebben hier pistolen.'

'Als ik jullie was zou ik die niet gebruiken. Jullie raken waarschijnlijk jullie vriendin en ik word er pislink van. Nu even héél goed opletten!' Macpherson schreeuwde, maar was kalm, had alles volledig onder controle. 'Het gaat als volgt. Jullie laten die pistolen in de tas zitten, en de c4 ook, jullie stoppen de videocamera erin en laten de tas naar beneden zakken. Harriet zal alles controleren en me precies vertellen wat erin zit. Als er te weinig pistolen, messen of andere dingen in zitten, schiet ik haar neer.

Haar leven ligt in jullie handen. Jammer, maar waar.'

Weer werd er aan de rand van de put druk gefluisterd.

In haar oor zei Macpherson: 'Ik neem aan dat die zogenaamde heilige glyph ergens hier in dit gat moet zitten, want ergens anders zie ik hem niet.'

'Waarom draai je je niet om en kijk je zelf even?'

Harriets rechterarm zat tussen haar schouderbladen en ze kon haar linkerarm niet gebruiken, maar als Macpherson even afgeleid was kon ze haar hoofd in zijn gezicht rammen of keihard tegen zijn scheenbeen trappen...

Onverschillig zei hij: 'Dat is precies wat ik van plan ben. Dat, en een filmpje maken, met jou in de hoofdrol.' En hij schreeuwde naar boven: 'Jongens, laat die tas nu maar komen. Geen gemaar, geen gedoe, gewoon doen. Ik zweer dat ik anders jullie vriendin zo'n pijn ga doen dat het nooit meer goed komt met haar.'

Hij draaide de loop van zijn pistool in het verband over haar kogelwond en ze schreeuwde het uit van de pijn, ze kon er niets aan doen.

'Jullie hebben dertig seconden, anders schiet ik in een van haar knieschijven of steek ik een van haar ogen uit.'

Harriet gilde: 'Wegwezen, jullie. Laat mij...'

Macpherson sloeg haar zo hard op haar achterhoofd dat ze op haar tong beet. Even later gleed er een canvastas over de rand van de put en viel deze op de grond.

'Braaf,' prees Macpherson. 'Ik hoop dat jullie geen pistool hebben achtergehouden, want dan schiet ik jullie vriendin neer.'

Hij kwam met zijn mond vlak bij Harriets oor en zei dat ze de tas moest controleren. 'Luister heel goed, doe precies wat ik zeg, dan gebeurt er niets vervelends. Ik wil dat je naar die tas gaat, die openmaakt en kijkt of er een pakje c4-explosieven en de videocamera in zitten. Herhaal dit, zodat ik weet dat je me begrijpt.'

'c4. Videocamera.'

'Een kleintje, maar hij doet het. Er moeten ook pistolen en messen in zitten. Ik wil dat je die telt en me vertelt hoeveel erin zitten. En luister eens: als je er een van wilt gebruiken, als je het pistool daar op de grond wilt pakken, of een ander grapje wilt uithalen: ik schiet je onmiddellijk neer. Ik zal je niet doodschieten, maar je wel ontzettend veel pijn doen. Heb je me begrepen?'

Harriet knikte.

'Mooi.' En hij liet haar pols los en duwde haar naar voren.

Toen ze naar de tas liep, scheen er een straal licht recht in haar gezicht, het verblindde haar. Macpherson schreeuwde dat hij wilde dat dat licht nu meteen verdween en het verdween inderdaad. Harriet knielde in het halfdonker, knipperde felle vlekken en beelden weg, zocht met een hand naar de rits van de tas en trok die open. Ze voelde erin: drie pistolen en vier, nee, vijf messen, een pakje in vettig papier waar het C4-explosief in moest zitten, wat gereedschap, een schroevendraaier, een hamer en een rol van iets – plakband. Ook iets kleins, iets metaligs, dat moest de videocamera zijn, hier zat de lens en er zat iets onderaan gebonden, een metalen cilinder, niet veel groter dan haar duim...

Vanaf de andere kant van de put zei Macpherson: 'Praat tegen me. Hoeveel pistolen zitten erin?'

'Drie.'

'Hoeveel messen?'

'Vijf.' Ze probeerde de cilinder eraf te halen, begreep dat Toby of Alfie haar daarmee een laatste kans gaven om eruit te komen.

'Je doet het prima, geen enkele reden om bang te zijn. En dat explosief?'

'Er is een pakketje.'

'Is de camera er ook?'

'Ik denk het wel.'

'Is die er, ja of nee?'

Harriet had eindelijk de cilinder los. Ze stopte hem in haar broeksband en zei: 'Ja. Ja, ik heb hem hier.'

Van boven riep Alfie: 'Doe haar geen pijn. We hebben precies gedaan wat je had gezegd.'

'Rustig maar,' zei Macpherson. 'Rits die tas dicht, Harriet. Dichtritsen en hier brengen. En waag het niet om maar te kíjken naar het pistool op de grond.'

Ze gaf hem de tas met afgewend hoofd omdat ze bang was dat ze anders de glyph op de muur achter hem zou zien. Ze had er eerder alleen maar een blik op geworpen, en het grootste deel had toen nog in de schaduw gezeten, maar het was een aanslag op haar hersenen geweest.

Macpherson zei dat ze de tas moest neerzetten en openmaken,

dat ze zelf moest gaan zitten en haar goede hand in haar nek moest leggen. Ze gehoorzaamde, maar hield hem in de gaten. Ze zag dat hij in de tas voelde, de videocamera eruit haalde en deze bekeek. 'Oké,' zei hij uiteindelijk. Hij tilde de tas op, liep ermee langs Harriet, raapte het pistool van de grond op, stak hem in de achterband van zijn gevechtsbroek en keek omhoog. Hij schreeuwde: 'Hé, jongens, goed gedaan. We hebben het bijna gehad. Ik wil nu dat jullie met die schijnwerper in de put schijnen, in de holte achter me. Ik wil filmen wat daarin zit, dus licht me goed bij. En haal geen stomme dingen in jullie hoofden als het touw doorsnijden of zo, want dan is jullie vriendin de klos en daar ga ik heel veel tijd voor nemen. Begrepen?'

Na een korte stilte zei Alfie dat ze het begrepen hadden.

'Mooi, partner. En als je verder geen problemen meer maakt, ga ik je misschien zelfs alles vergeven. Waar kauwde je eigenlijk op om al dat schuim uit je mond te kunnen laten druipen? Zeep?'

Alfie gaf toe dat het zeep was geweest.

'Ik was er bijna in getrapt, partner, maar ik ben gewoon te slim. Hoe zit het met die schijnwerper?'

Harriet zag over de rand van de put heen licht verschijnen en sloot haar ogen.

'Prachtig!' zei Macpherson. 'Nog een beetje naar links, jongens. Ik wil iedere millimeter kunnen opnemen. Perfect. Helemaal klaar voor die heilige vent, vinden jullie niet? Ben je verlegen, Harriet? Of wacht, je bent er natuurlijk gevoelig voor. Net als je vriend Flowers... Ik moet toegeven dat dat spul om zijn hoofd er inderdaad raar uitziet. Wat doet het met je?'

'Ik heb hem maar even gezien. Dat was meer dan genoeg,' zei Harriet en ze boog haar hoofd en kromde haar rug en legde een hand op haar buik. 'Laat me alsjeblieft niet nog een keer naar hem kijken.'

'Ik wil dat je gaat staan. Ik wil dat je gaat staan en naar de grote man kijkt. En ik ga opnemen wat er gebeurt, voor een paar vrienden van me.'

'Ik kan het niet.'

'Ik kan je neerschieten. Niet dodelijk, maar wel heel pijnlijk. En dan je oogleden vastplakken, zodat je wel moet kijken.'

Ze bleef doodstil, voorovergebogen zitten.

'Godverdomme,' zei hij, en hij liep naar haar toe, greep haar onder haar rechterarm en trok haar omhoog.

Harriet gaf mee, de cilinder verborgen in haar rechterhand, stak die hand omhoog toen ze zwaar in zijn greep hing, wipte de dop van de cilinder en sproeide hem recht in zijn gezicht.

Hij brulde, liet haar los en wreef instinctief in zijn ogen. Ze liet zichzelf vallen, negeerde de stekende pijn in haar linkerschouder toen ze hard op de grond viel en bleef scherp. Ze schoof weg, trok met een voet de tas naar zich toe, vloog achterwaarts de holte in, de nis in terwijl Macpherson met één hand in zijn ogen bleef wrijven en met de andere blindelings het pistool alle kanten op richtte. Met één oog open richtte hij zijn pistool op Harriet, die in de tas voelde, stapte toen achteruit, met twee ogen wijd open, de loop van zijn pistool draaide omhoog en opzij en hij vuurde, het geluid galmde door de kleine ruimte, en hij schoot nog een keer en nog een keer en nog een keer. Stukken steen vlogen Harriet om de oren, maar ze bleef fanatiek in de tas zoeken. Sneed zichzelf aan een van de messen, haar hand vond eindelijk de greep van een pistool, ze trok het uit de tas en ze richtte. Macpherson beschoot met toegeknepen ogen in een vreselijk vertrokken gezicht de glyph, schoot nog een keer en toen was het pistool leeg. Hij gooide het aan de kant en zijn hand ging naar de achterband van zijn broek. Harriet dwong zichzelf te gaan staan, zei dat Macpherson naar achteren moest en zich om moest draaien en vroeg zich af wat hij had gezien, wat de glyph bij hem teweeg had gebracht – haar korte blik was al erg genoeg geweest.

Macpherson ging pas naar achteren toen ze een waarschuwingsschot tussen zijn voeten had afgevuurd maar trok toch het pistool uit zijn broeksband tevoorschijn. Hij richtte terwijl Harriet schreeuwde dat hij het moest laten vallen. Hij vuurde blindelings op de glyph terwijl zij hem beschoot, gilde bijna nog harder dan de schoten, liep toen pas drie stappen naar achteren en viel tegen de muur van de put. Hij had het pistool nog steeds vast en zij schoot in zijn arm. Toen ging hij zitten en haar volgende drie schoten schampten de rots boven zijn hoofd, want door de terugslag miste ze. Dus stapte ze naar voren, het monster staarde haar aan, zijn mond ging open en dicht en ze schoot hem recht in zijn gezicht en bleef schieten, ook toen het magazijn al leeg was.

Harriet stond doodstil in de kruitlucht, alsof ze staand in slaap was gevallen. Toen wierp ze haar pistool naar de dode man, viel voor hem op haar knieën en begon te huilen.

36

Zoals overlevenden van een mijnramp naar buiten krabbelen, krabbelden en struikelden Toby en Alfie doodop uit de smalle grot het warme, koperkleurige zonlicht in. Hun gezichten, haren en kleren zaten onder het stof. Ze hadden de gang die Mosts mannen geopend hadden weer laten instorten met de explosieven die Harriet uit de canvastas had gehaald voor ze haar moeizaam uit de put hadden getrokken. Maar ze hadden geen tijd meer gehad om de twee-minuten-tijdspanne op de elektronische ontsteking te veranderen. Ze hadden amper de tijd om uit de grote grot te klauteren voordat die opgeblazen werd; de luchtstroom van de explosie had hen tegen de grond geworpen terwijl ze zich tegen de steenhelling opwerkten naar de smalle opening in het kalkstenen gordijn en vervolgens was er een wolk stof op hen neergedaald.

Het lukte Alfie om achter Toby over de keien te klauteren, een klein stukje maar, voor zijn benen het begaven. Hij viel hard, liet het glyphpistool tussen zijn voeten vallen, kneep in zijn gekneusde pink, die hij flink bezeerd had tijdens de lange klimpartij uit de grotten, haalde diep adem en een bekende geur rees uit de grijze bosjes op die overal in de leigrond groeiden. Toby waggelde stijf naar de rivier, knielde aan de oever, gooide handenvol water over zijn stoffige gezicht en vette haar, schudde zijn hoofd en strooide gekleurde druppels in het rond. Ondertussen hees Harriet zich voorzichtig uit de grot en ging zitten. Ze ondersteunde haar gewonde arm met haar rechterhand. Haar haren hingen in slierten voor haar gezicht. Musa Karsu rende langs haar en langs Alfie naar de rand, stopte daar en keek zelfverzekerd en eigenwijs naar rechts en naar links. Zijn rugzak hing over zijn schouder.

Toby kwam overeind, zijn zwarte haar stond rechtovereind, waterige kalk en stof liep over zijn gezicht naar beneden, naar zijn vieze camouflagejasje. Hij vroeg aan de jongen: 'En wat nu, Kemo Sabe?'

Karsu zei: 'Je zei dat jullie hier met een busje zijn gekomen. Is dat echt waar?'

Toby lachte. 'Als je een grove leugen vertelt, een waarvan je leven afhangt, dan moet je zo dicht mogelijk bij de waarheid blijven. Als dit de rivier is die we gisteren zijn overgestoken, dan hoeven we die alleen maar een stukje stroomafwaarts te volgen en uit te kijken naar een groep boompjes. Daar staat ons vervoermiddel.'

'Dan moeten jullie nu maar gaan, voor iemand jullie ziet.'

Toby keek de jongen nadenkend aan. 'Ik heb het gevoel dat je ons vaarwel zegt.'

'Ik heb mijn eigen wagen. Gestolen in Mosul. Een goede – een Toyota met vierwielaandrijving.'

Alfie kwam tevoorschijn, het glyphpistool in de ene hand en een tak met grijze bladeren in de andere, hij keek dromerig en afwezig naar Toby en Karsu en zei: 'Dit is haka.'

Toby zei op scherpe toon: 'Haal het niet in je hoofd om dat te roken. Het gaat nu al niet goed met je.'

Alfie vroeg aan Karsu: 'Hebben jouw mensen dat hier geplant?'

De jongen haalde zijn schouders op. 'Het is een cadeau. Waar het ook groeit, het is een cadeau.'

Alfie zei: 'Die twee dingen samen, de haka en de glyphs: dat is geen toeval. Misschien hebben de mensen die de allereerste glyphs maakten de haka hiernaartoe meegenomen en gepoot omdat het een deel van hun rituelen was. Zaden in de grond, de plant groeit...'

Hij rook aan een tak en viel stil.

Toby zei: 'Alsjeblieft, Flowers, je gaat nou niet doordraaien, hè? Ik zie me jou niet deze berg af sjorren.'

Alfie kikkerde zichtbaar op en zei: 'Dit doet me denken aan de laatste keer dat ik mijn vader zag.'

Toby zei: 'Morph probeert tot ziens te zeggen. We hebben hem door half Europa achternagezeten en nu we hem eindelijk gevonden hebben, wil hij weg.'

'Ik heb gedaan waarvoor ik hier kwam,' zei de jongen. Hij ademde diep in en uit en glimlachte naar Alfie en Toby. 'Het is voorbij.'

Alfie glimlachte ook. 'Ik denk dat je gelijk hebt.'

'Nee,' zei Harriet. 'Het is nog niet voorbij.'

Ze stond aan de rand van de helling met haar linkerarm in de mitella, met een bleek gezicht, aan het eind van haar krachten.

Toby merkte op: 'Volgens mij krijgen de huurlingen hun handen vol aan het opruimen van die steenblokkade. En als het ze lukt, dan vinden ze alleen maar beschadigde glyphs. Maar eerlijk gezegd denk ik dat het ze geen bal kan schelen. De man die ze betaalde is dood en ze zijn veel banger dat de peshmerga's met versterkingen terug zullen komen. Dus als ze slim zijn pakken ze hun biezen.'

Karsu knikte: 'Jullie hebben me geholpen. We hebben samen de beelden vernietigd. Ik ben heel blij met jullie hulp, maar het is voorbij.'

Harriet liep wankelend van uitputting naar hem toe. 'We hebben de glyphs in de grot vernietigd. Maar hoe zit het met de glyphs in je hoofd?'

De jongen keek haar uitdagend aan. 'Hoezo?'

'Denk je echt dat Most de enige is die jou zoekt? Er zijn mensen die Most betaald hebben om jou te vinden, om de vindplaats van de glyphs te vinden. Wat hen betreft is dit niet het einde van het verhaal; het is alleen maar een tegenvaller. Ze zetten gewoon een prijs op je hoofd en zoeken iemand anders om je op te jagen.'

Karsu vouwde zijn armen voor zijn borst en keek haar onderzoekend aan. 'Jij wilt voor me zorgen, hè?'

'Je bent in Londen een stuk veiliger dan hier in Irak.'

'Dame, ik ben uit Londen weggegaan, omdat het daar níét veilig voor me was. Ik ben niet van plan terug te gaan. Hier hoor ik. Ik heb slechte herinneringen. Nu ik hier ben, vind ik het jammer wat ik allemaal heb moeten achterlaten, maar hier hoor ik.'

'*Hawar*,' zei Toby.

'Dat is een Koerdisch woord,' zei Karsu. 'Ik ben geen Koerd, maar ja, zo voelt het. Ik neem aan dat ik nergens veilig ben, maar het is beter dat je je niet veilig voelt op een plek die je kent dan op een plek die je niet kent. Dit is mijn thuis. Het is het thuis van mijn volk, van mijn familie. De Amerikanen hebben mijn moeder en zussen meegenomen. Ik ga ze zoeken. En wat ik daarna ga doen is mijn zaak, niet die van jullie.'

'Dat vind ik niet,' zei Harriet. Uit de broekband van haar gevechtsbroek pakte ze het pistool dat ze bij Macphersons lichaam had gepakt, ze strekte haar arm, richtte het op Karsu en keek hem over het vizier heen aan.

Toby liep een paar passen naar haar toe. 'Ik denk dat je een fout maakt,' begon hij, en hij bleef stokstijf staan met zijn handen half omhoog toen zij even het pistool op hem richtte.

Karsu zei minachtend: 'Dus je wilt die beelden ook. Je bent precies hetzelfde als de anderen.'

'Ik wil dat niemand ze krijgt. En daarom moet je met mij mee.'

'Ze zijn vernietigd.' Karsu bewoog zich niet en keek haar boos en uitdagend aan. 'Je hebt ze zelf helpen vernietigen.'

Alfie vroeg vriendelijk: 'Wat ben je nou van plan? Wil je ons tot in Londen de hele tijd onder schot te houden? Berg dat pistool op, Harriet, en laten we er als volwassenen over praten.'

'Ik hoef nergens over te praten,' zei Harriet, die Karsu aan bleef kijken. 'Jullie horen aan mijn kant te staan. Jouw vader gaf zijn leven om te voorkomen dat de glyphs in verkeerde handen zouden vallen. Nu is het precies hetzelfde. Jullie weten wat de glyphs doen – die we kennen. Die zijn al slecht, maar die we net vernietigd hebben zijn nog veel sterker en de jongen weet er alles van. Wat hij ook beweert, ik weet zeker dat hij ze zal blijven gebruiken. Hij zei al dat hij zichzelf niet kan veranderen. Vroeg of laat zal iemand hem weer opjagen, misschien iemand die veel slechter is dan Most. Stel je eens voor wat er gebeurt als de glyphs via internet verspreid worden. Of als een terroristische groepering ze in handen krijgt.'

Alfie vroeg: 'Gaat het daar echt om? Of gaat het over jóúw vader? Wil je je nog steeds voor hem verontschuldigen?'

Ze schudde haar hoofd. Ze stond nog steeds met haar rug naar Alfie en keek Karsu aan. 'Het gaat om het tegenhouden van de verspreiding van de glyphs. Daar is het altijd om gegaan.'

Alfie zei: 'En daar heb je meer dan genoeg aan gedaan. Hier eindigt het verhaal.'

'Als je dat vindt, waarom ga je met je vriend dan niet weg? Dan regel ik het hier wel allemaal.'

Bezwerend zei Alfie: 'Je gaat hem niet neerschieten, Harriet.'

Ze stond te zwaaien op haar benen, alsof de platte stenen waar ze op stond een deinend scheepsdek waren, maar hield het pistool recht op Karsu gericht. 'Ik wil hem niet neerschieten. Ik wil hem in Londen hebben. Ik wil hem helpen. Maar ik zál hem neerschieten als het niet anders kan. Ik heb vandaag al twee mensen doodgeschoten. Eentje kan er nog wel bij.'

Karsu zei: 'Jij weet helemaal niets van de beelden. Helemaal niets.'

'Ik weet meer dan genoeg. Mijn opa heeft ze het grootste deel van zijn leven bestudeerd, en zijn vrienden ook, en die hebben me alles verteld wat ze wisten.'

Karsu zei op verachtelijke toon: 'Als dat zo is, dan hebben ze niets geleerd en jou niets verteld. Want het enige waar jullie aan denken is hoe jullie ze kunnen gebruiken, hoe ze problemen veroorzaken, hoe ze mensen kunnen beschadigen of gek maken, zoals die arme bezeten boeren. Je hebt ze bestudeerd, geanalyseerd, ontleed en weer opgebouwd, maar dat is niet de manier om ze te leren kennen. Je kunt wetenschap niet gebruiken om tot Allah te komen. Je kunt hem niet met getallen meten. Al jullie prachtige telescopen en microscopen, jullie satellieten en computers zullen nooit iets over hem kunnen vertellen. Jouw vrienden en je opa, ik heb ze nooit ontmoet, maar ik weet gewoon dat ze knettergek zijn. Je vertelde dat jouw opa ooit met mijn volk gedanst heeft. Dan móét hij weten dat de beelden geen wapens zijn. Dat ze geen gereedschappen zijn. Ze zijn een cadeau en de haka is ook een cadeau, samen zijn ze een cadeau, een groots cadeau waarmee je Allah in jezelf kunt vinden. De rest zijn leugens en verdraaiingen. Alsof je het hart uit een moskee haalt. Dat weet ik, omdat mijn grootvader me dat verteld heeft.' Hij keek Harriet aan. 'En ik heb medelijden met je, omdat jouw opa jou hetzelfde had kunnen vertellen, maar het niet deed. Integendeel, hij leerde je om de beelden te haten, om er bang voor te zijn. Daarom wil je me doden. Omdat je bang bent.'

'Ik wil je helemaal niet doden. Ik wil je redden. Dit is de wereld van onze grootvaders niet. Het is nu veel gevaarlijker. Alles staat met elkaar in verbinding, is gecompliceerd en ondoorzichtig. Als de verkeerde mensen jou vinden, martelen ze je om te weten te komen wat jij weet en daarna vermoorden ze je.'

'Je hebt me in Londen gezocht. En die andere twee ook, en ook die slechteriken. En hebben jullie me gevonden?'

'Ík heb je gevonden,' zei Harriet. 'De wereld is veel te klein geworden om je te kunnen verstoppen voor een ander.'

'Maar als ik dat wel wil, is dat toch mijn keuze? Hoe durf je mij te vertellen wat ik moet doen?'

'Omdat ik het goede voorheb.'

Alfie zette een stap naar voren. 'Het spijt me.'

'Jij kwam hier toevallig in terecht,' zei Harriet. 'Het ligt niet aan jou dat alles zo gelopen is.'

'Ik bedoel dat het me spijt dat ik dit moet doen.' En Alfie gooide het glyphpistool met een boog boven op haar hoofd.

Harriet kreunde, kwam een stap naar voren, wilde er nog een doen, maar haar benen begaven het en ze zat ineens op de grond. Ze wilde het pistool richten, maar ook dat lukte niet. Alfie pakte het uit haar handen en zei tegen Karsu: 'Ga nu maar.'

De jongen keek hem even aan, draaide zich toen om en liep weg.

'Hé,' riep Toby. 'Je hoeft ons niet te bedanken, hoor.'

'Ik zie jullie nog wel een keer,' zei Karsu zonder om te kijken.

'Ik hoop van niet,' zei Alfie die de jongen achter een rotsblok zag verdwijnen.

'Nou, wat een zootje, zeg,' zei Toby en hij kamde met zijn vingers zijn natte haar.

Alfie glimlachte naar hem. 'Ik ben blij dat je hier bent.'

'Hetzelfde. Maar wat nu? Wat gaan we nu doen?'

'Wat we ook gaan doen, eerst moeten we deze kwijt zien te raken.' En Alfie keek naar het pistool in zijn ene en het glyphpistool in zijn andere hand.

'Goed plan.'

Alfie gooide het pistool in de diepe poel onder aan de waterval, ramde met een rotsblokje het glyphpistool open en sloeg vervolgens het hele apparaat kapot. Daarna verzamelden Toby en hij alle losse stukjes en gooiden ze op verschillende plaatsen in de snel stromende rivier. Harriet probeerde te gaan staan. Alfie hielp haar. Voorzichtig raakte ze haar hoofd aan, ze probeerde zich op haar bebloede vingers te concentreren.

'Je hebt een ongelukje gehad,' vertelde Alfie. 'Doe maar kalm aan.'

Ze keek Alfie met wegdraaiende ogen aan. 'Je hebt iets naar me gegooid.'

'Jij wilde die jongen gaan doodschieten. Leun maar op mij. Ik zal je helpen.'

'Rot op,' zei Harriet. Ze duwde hem weg, kwam behoedzaam overeind en liep met een natte steen in haar goede hand naar het steile pad naast de waterval.

Alfie riep haar, maar ze reageerde niet.

'Dat ging niet zo heel goed,' vond Toby. 'Zeg, weet jij hoe je een auto met losse kabels aan de praat kunt krijgen?'

'Nee. En nooit geprobeerd ook. Hoezo?'

'Denk je dat Harriet het kan?'

'Misschien. Het lijkt me wel iets wat ze kan.'

'Dan kunnen we maar beter achter haar aan. Mosts knuppelaars pakten het sleuteltje van het busje van me af en in alle opwinding ben ik vergeten om ze terug te pakken.'

LONDEN

5 NOVEMBER 2004

Toen Harriet Alfies stukje grond betrad, zag ze hoe Toby Brown een Romeinse kaars over het spoor afschoot. Het was halfvijf 's middags, het einde van een koude, frisse novemberdag. In de lucht hingen een paar wolken die donkerder werden, omdat het zonlicht verdween. De lantaarnpalen langs de wegen waren aan; ook brandden er lampen onder het garagedak achter op het terrein. Toby had een vuurwerkgevecht met drie tieners. Hij stond op de vertrapte overblijfselen van een hek van metaalgaas, tussen twee bladloze platanen, met een koker vuurwerk in zijn handen die rode, gele en groene ballen uitspuwde. Lawaaierig en lacherig riep hij: 'Pak ze dan! Pak ze dan!'

Aan de andere kant van het spoor weken de tieners uit voor de ballen die tussen de kale bomen in heldere vonken uiteenspatten. Ze reageerden gillend op Toby's verbale uitdaging en gooiden rotjes, die meestal boven het spoor ontploften.

Iedereen leek zich prima te vermaken: explorderend vuurwerk, gillende tieners en een schreeuwende Toby. 'Wat vind je van mijn fucking vuurwerk! Pak ze dan! Pak ze dan!'

De Romeinse kaars schoot zijn laatste rode bal af, een zwak rondje dat op de top van zijn schommelende boog uiteenspatte in een sterrenregen boven het spoor.

De tieners gilden.

Toby gooide de smeulende koker in hun richting en riep: 'Stelletje etterbakken! Wacht maar, ik ben zo terug!'

Hij draaide zich om en zag Harriet staan, onder het grote bord dat de makelaar had neergezet, met een idyllische pastelkleurige foto, prijslijst en datum van voltooiing. 'Ze gooiden strijkers naar de treinen, ik heb op mijn manier gereageerd en nu hebben we een vuurwerkoorlogje. Heb je zin om mee te doen? Ik kan me nog herinneren dat je uitblonk in zwaar geschut.'

'Woont Alfie hier nog steeds?'

'Je hebt het bord gezien, toch?'

Hij was behoorlijk aangeschoten en zweette in de koele avondlucht. Hij haalde een flesje Bell's uit de jaszak van zijn zwarte jas, draaide de dop eraf en nam een lange teug voor hij Harriet de fles aanbood. Schuddend met haar hoofd weigerde ze het aanbod en schrok niet toen er rotjes afgingen tussen de bladloze struiken en bomen die om het terrein heen stonden.

Toby zei: 'Natuurlijk heb je het gezien. Jij bent immers van de geesten. Volgens mij hebben ze je afgericht om dat soort dingen te zien.'

Harriet trok aan de riem van de laptoptas die over haar rechterschouder hing. 'Ik zit niet meer in de geestenbusiness – als ik er al ooit in gezeten heb.'

'Dus dit bezoekje heeft niets van doen met glyphs of de Nomads' Club?'

'Hoe is het met Alfie?'

'Hij zit in zijn caravan, je kunt het hem zelf vragen. Hij zal je waarschijnlijk zelfs de waarheid vertellen – hij is niet zo wraakzuchtig.'

'In tegenstelling tot jou.'

'In tegenstelling tot mij en in tegenstelling tot jou en in tegenstelling tot de meesten van ons dappere eilanders. We zijn heel goed in afgunst, heel goed in oude vuurtjes laten smeulen. Vergeet nooit, vergeet nooit de vijfde november, het kruit, het verraad... en de rest van die stinkzooi. Maar Alfie is een keurige jongen, een van de besten. Hij zou je zelfs kunnen uitnodigen op ons eind-van-de-eeuw-vuurwerkfeestje,' zei Toby en bood haar de whiskyfles weer aan.

Deze keer accepteerde Harriet hem. Ze verwarmde haar mond met een miniem slokje en gaf de fles terug. 'Eigenlijk kwam ik hier met een vredesvoorstel.'

'Hoe gaat het eigenlijk met je arm?'

'Beter. Ze hebben gezegd dat ik hem nooit meer volledig zal kunnen gebruiken, maar ik heb fysio, ik zwem elke dag – het gaat steeds beter.'

Met scherpe, harde knallen ontplofte er weer een stel rotjes, deze keer schrok Harriet wel.

Toby zei: 'Volgens mij wordt niemand van ons ooit nog honderd procent normaal.' Hij nam nog een slok whisky voordat hij met de zorgvuldigheid van een dronkenman de dop erop draaide en haar meenam naar de caravan.

Twee mannen waren voor de garage aan het werk. Een stond onder aan een ladder, terwijl de andere, erbovenop, een eind van een groot spandoek vasthad. ALFIES GROTE AFSCHEIDSFEEST was er met grote, rode letters op geschilderd. Beide mannen, de jongste op de ladder en de oudste met een gebreid vest aan eronder, keken hoe Toby en Harriet langs de grote tafel liepen, die in de garage vlak voor de rode Routemaster stond. Op de tafel, bedekt met een wit tafellaken, stonden bier- en wijnglazen, schotels en bestek, rode en witte wijn, limonade en cola, schalen met salade en stapels brood. Er stond een biertap op een houten klaptafel en twee grote koelers bomvol gestampt ijs, waar de halzen van bierflesjes en wijnflessen uitstaken.

Toby liep het trappetje naar de caravan op, gooide de deur open en riep: 'Flowers! Je verdient een prijs als je raadt wie er hier is!'

Alfie was bezig stapels tijdschriften uit te zoeken toen hij een koude windvlaag over zijn rug voelde strijken en Toby hoorde roepen. Hij draaide zich om en zag zijn vriend in de deuropening staan, met Harriet Crowley daarachter.

'Ik laat jullie verder maar alleen,' zei Toby.

'Ik ben niet gekomen om vervelend te doen, ik heb iets waarvan ik denk dat jij het moet zien.'

Haar rechterhand lag op de riem van haar laptop, haar linker zat in de jaszak van haar lichtbruine regenjas.

'Oké,' zei Alfie, maar zijn hart klopte in zijn keel en zijn handpalmen waren bezweet.

'Ik ben buiten,' meldde Toby, 'want de oorlog is nog niet afgelopen.'

'Maak nou niet al het vuurwerk op voor het feest is begonnen,' zei Alfie. Hij keek naar Harriet die opzijstapte om Toby door te laten en daarna naar binnen kwam. Ze zei: 'Ik zag het makelaarsbord.'

'Ik heb besloten dat ik de rest van mijn leven niet in een caravan wil wonen. In het voorjaar gaan ze hier een flatgebouw met appartementen neerzetten.'

'En je huurder dan?'

'Ik heb niet alles verkocht. Ik heb George zijn werkplaats geschonken. Maar hij moet wel een andere stalling voor zijn busjes en brandweerauto zoeken.'

'En jij?'

'Ik heb zo'n woon-werkeenheid gekocht. De bovenste verdieping van een oude kledingfabriek in Hackney. 1 januari ben ik hier weg, daarom moet ik een boel zooi weggooien en daarom zoek ik nu die tijdschriften uit. Ik houd grote schoonmaak in het verleden. Mijn verleden, mijn vaders verleden...'

Alfie had een grote collectie tijdschriften die foto's van zijn vader hadden gepubliceerd, maar hij had er amper naar gekeken, tot hij uit Irak terugkwam. En toen hij alles bekeken had, realiseerde hij zich dat hij deze beschimmelde souvenirs niet meer nodig had. Dat het tijd was om het verleden los te laten.

Een aantal malen had hij tevergeefs geprobeerd alles aan zijn oma uit te leggen – maar óf ze vond het verhaal te ingewikkeld, óf hij vertelde het niet goed. Maar toen hij afgelopen weekend bij haar was, was ze redelijk helder. Hoewel ze hem wel verwarde met haar overleden echtgenoot – soms was ze helder, soms niet, maar verward was ze altijd – kon hij haar eindelijk duidelijk maken dat de glyphs er niet meer waren.

Toen hij opstond om weg te gaan, trok ze aan zijn mouw. 'Je zei dat die dingen je niet veranderd hebben, Maurice. Je zei dat je sterker was dan die dingen. Maar dat was je niet, hè? Ze hebben je wel veranderd, hè?'

'Ja,' zei Alfie. 'Ja, je hebt gelijk.'

'Maar ze kunnen je niet terugveranderen.'

Alfie was verbaasd en ontroerd door de scherpte van zijn oma. 'Dat weet ik. Ik dacht dat dat wel kon. Dat was een van de redenen waarom ik ermee begonnen ben. Maar ik weet nu dat ik ben wie ik ben.'

'Het is net een doolhof. Weet je die doolhof nog in Hampton Court?'

Ze had het over iets wat lang voordat Alfie geboren was, gebeurd was, maar hij zei dat hij het nog wist.

'Toen vonden we het midden, hè!'

Het gezicht van zijn oma straalde bij de herinnering.

'Ik geloof van wel.'

'Je had gewonnen als je het midden van de doolhof had gevonden. Maar jij zit nog steeds in de doolhof, hè?'

'Maar als je het midden hebt gevonden, dan weet je ook de weg terug,' zei Alfie.

Even dacht hij dat ze hem begrepen had. Maar haar ogen stonden al niet meer helder, haar gezicht verslapte en ze zei: 'Het gras moet gemaaid worden. En het is zoveel gras. Ik begrijp niet meer waarom we destijds hier zijn gaan wonen.'

Op de drempel van de caravan zei Harriet: 'Ik kom midden in de voorbereiding van je afscheidsfeest binnenvallen. Misschien is het beter...'

'Welnee, maakt niet uit. Echt niet. Kom maar binnen en doe de deur dicht.'

Ze kwam binnen en deed de deur dicht. Er volgde een lastig moment. Tot Alfie zei: 'Het lijken misschien grote veranderingen, maar dat valt wel mee, hoor. Ik fotografeer nog steeds. Weet je nog die party voor die film, *The Elemental*? Dat was een onverwacht succes en een grote productiemaatschappij wil een vervolg. Over twee weken ga ik daar werken, foto's maken op de set, voor publiciteitsdoeleinden en zo.'

'Klinkt alsof je promotie hebt gemaakt.'

'Ik heb nog steeds aanvallen. De atypische petit mal die ik altijd al had en een paar zwaardere. Van Clarence Ashburton kreeg ik haka, maar dat werkte niet echt. Ik bedoel: het hielp wel bij de petit mal, maar ik kreeg er verschrikkelijke nachtmerries van...'

De details van die nachtmerries wist hij niet meer, maar iedere nacht als hij haka had gerookt om zijn aanvallen te verminderen, werd hij badend in het zweet wakker, zijn lakens doornat, en was hij zo bang dat hij niet kon praten en een zwart, slecht gevoel in zijn hart had, een soort schandvlek waar hij dagenlang last van had. Dus was hij ermee opgehouden en teruggegaan naar de fenobarbital en zelfmedicatie.

'Clarence had me al verteld dat hij je gezien had.'

'Hij vond dat jij en ik eens moesten praten. Maar daar was je eerst nog niet klaar voor, zeker?'

'Tja, ik ben er nu.'

Alfie zei: 'Eerlijk gezegd weet ik niet of ík er nu klaar voor ben. En ik moest van jouw charmante vriend van MI6 de Official Secrets Act ondertekenen.'

'Weet ik ook.'

'Dus dan kunnen we het er eigenlijk niet over hebben.'

Toen hij eindelijk thuis was hoorde Alfie dat dr. Robin Cole, van Franks House en het British Museum, een paar berichten had ingesproken op zijn antwoordapparaat over zijn onderzoek naar de ontdekkingen van zijn opa. Hij voelde zich meer dan schuldig en had het ter sprake gebracht tijdens zijn eerste onderhoud met MI6. Die beloofden met de man te gaan praten en hij had nooit meer iets van de behulpzame, maar overijverige archeoloog gehoord. Die had ongetwijfeld ook de Official Secrets Act moeten ondertekenen.

'Denk je dat je hier wordt afgeluisterd?'

'Eerlijk gezegd denk ik van niet. Vind me maar paranoïde, maar iedere dag controleert Elliot dat met zo'n apparaatje uit de spionnenwinkel. Die op Baker Street. Vlak bij waar mijn opa werkte.

'Je bent een onbelangrijk mens, Alfie. Dat bedoel ik niet verkeerd, ik bedoel dat je nergens bang voor hoeft te zijn. Ze zullen je wel in de gaten houden, maar ze doen je niets aan.'

'Zolang ik me maar koest houd, niet op hun radar verschijn.'

'Je bent ongetwijfeld af en toe een stipje op hun scherm. Hoor eens, als je niet wilt praten, is dat prima. Dan ga ik weer.'

'Ik neem aan dat ik het goed verknald heb toen ik Musa Karsu liet lopen. Nou, daar ga ik me niet voor verontschuldigen. Ik vind nog steeds dat ik daar gelijk in had.'

'Ze hebben me het verslag van het gesprek met jou laten lezen.'

'Welk? Ik heb er één gehad toen we ons overgaven aan het Turkse leger in Zakho en één toen het Turkse leger ons aan de CIA overdroeg. En er is er nog één geweest op de Britse ambassade in Ankara. En dan nog vier hier, de laatste was afgelopen week, over hetzelfde, over niets eigenlijk...'

'Jij was de enige die altijd de waarheid vertelde.' Harriet lachte niet, maar ze ontspande zich, ze keek niet meer zo opgefokt. 'Het was het verslag van je laatste gesprek. Dat van drie dagen geleden. Ze hebben mij ook opgeroepen. Toen hebben ze met me gepraat en toen moest ik jouw verslag lezen en eventueel dingen toevoegen.'

Alfie vroeg: 'Er is iets gebeurd, hè? Daarom worden we steeds opgeroepen en moeten we steeds komen praten. En daarom ben jij hier.'

'Maar als jij er niet over wilt praten...'

Er viel een stilte die door vuurwerkgeknal en Toby's dronkenmansgelal werd doorbroken.

Harriet vroeg: 'Hoe is het eigenlijk met Toby?'

'Hij weigert erover te praten, maar volgens mij heeft hij flashbacks en nachtmerries. Ik in ieder geval wel. En hij was bloedlink over de Amerikaanse verkiezingen en op de wereld in het algemeen. En hij drinkt veel te veel, maar dat is geen verschil met... ervoor.'

Het viel weer stil.

'Wil je een kopje thee? Ik heb perzik, pepermunt of venkel.'

Nu glimlachte Harriet. 'Je let nog steeds op je balans.'

'Ik zet wel pepermunt. Daarna mag je me laten zien wat je me wilde laten zien.' Alfie pakte de ketel, twee kopjes en theezakjes. Toen het water in de ketel begon te ruisen zei hij: 'Leuk kapsel. Ik bedoel: kort haar staat niet iedereen, maar jou wel.'

'Ze hebben de helft weg moeten knippen toen ze me hechtten. Ik heb daarna besloten het zo te laten.'

'Daar ga ik me ook niet voor verontschuldigen.'

Het viel weer stil.

'In ieder geval praten we nu,' zei Alfie. 'Volgens mij heb je nog geen drie woorden gezegd tijdens de rit naar Zakho.'

'Ik was razend.'

'Ik ook, hoor.'

'Omdat ik je gebruikt had.'

'Omdat zo ongeveer iedereen me gebruikt had.'

Het water kookte. Alfie zette thee. Harriet zette haar laptop aan en liet hem zien wat ze had gevonden.

Het was een korte videoclip zonder geluid van de oprichting van een nieuwe politieke partij in Zuidoost-Turkije. Achter op een pick-uptruck stond een man in een zwarte jas, met achter zich twee gewapende soldaten en een paar mannen in burger. De man sprak in een oranje megafoon en maakte weidse gebaren. Boven hem hing een groot vierkant spandoek. Rode letters op wit doek en een foto van de man in een pak boven een blauwe duif. De foto en de duif waren omcirkeld door dingen die op Arabische letters leken, maar Alfie wist dat het geen Arabische letters waren.

'Hoe kom je hieraan?' vroeg hij aan Harriet.

'Ik heb het van de website van Al-Jazeera gehaald. De BBC heeft het ontdekt en die heeft het op *News 24* uitgezonden. De spreker is een voormalig gemeenschapsleider, Mehmet Celik.'

'De man die je aan de peshmerga's heeft uitgeleverd.'

'Hij is nu politicus, lid van een partij die de vreedzame stichting van een onafhankelijk Koerdistan voorstaat.'

De clip was afgelopen. Harriet klikte met haar muis op een icoontje onder aan haar beeldscherm en er verscheen een afbeelding. Een close-up van het spandoek met de foto, de duif en de omlijsting.

Alfie keek, keek onmiddellijk weg en knipperde met zijn ogen. Alsof hij zo het patroon kon wegpoetsen dat door zijn blik zweefde.

'Sorry,' zei Harriet. 'Dat was een beetje flauw. Ik had je moeten waarschuwen. Gaat het?'

'Dat was de fascinatieglyph, hè?'

'Niet echt. Het is nieuw. Hij lijkt op de fascinatieglyph, maar is toch anders.'

'Maar het is er een van Morph. Van Musa Karsu.'

'Ik heb nog iets. Geen glyphs, echt niet.'

Het was een vergroting van een fragment van de videoclip. Van de soldaten en de burgers achter de spreker in de pick-up. Alfie moest vragen waar hij naar moest kijken. Zelfs toen Harriet hem de man uiterst links op de opname had aangewezen, was hij niet overtuigd.

'Hij heeft nu een baard en kort haar. En is veel slanker,' vertelde ze.

'Als hij het is, wat gebeurt er dan?'

'Niets. Niets met hem in ieder geval. Misschien dat mijn vriend bij MI6 discreet met hem wil praten, maar dat zou dan alles zijn.

Hij is lid van de harde kern van de nieuwste politieke partij in Turkije. Het zou allerlei problemen geven als hij werd gearresteerd.'

'En wat als hij in de buurt is als er een bom ontploft? Wat regelmatig in dat deel van de wereld gebeurt.'

Harriet haalde haar schouders op. 'Er is mij verzekerd dat er geen directe actie zou worden ondernomen.'

'Mooi.'

'Wat ze wel zeiden is dat ze de situatie nauwlettend in de gaten houden. Wat geheimtaal is voor niets doen.'

'Mooi.'

'Het is in niemands belang als hij vermoord wordt. Je zou blij moeten zijn.'

'Omdat ik hem hielp ontsnappen.'

'Omdat je gelijk had.'

Ze hingen naast elkaar voor het beeldscherm van de laptop. Alfie kon de buitenlucht in Harriets haar ruiken: frisse lucht en kruitdamp.

Hij zei: 'Je kwam hiernaartoe om me te vertellen dat ik gelijk had?'

'Er is nog iets.'

'Ik wist het.'

'Wij zijn zo'n beetje alles wat er nog van de Nomads' Club bestaat, Alfie.'

'Ik ben nooit lid geweest. En voor het geval je me lid wilt maken: ik probeer net het verleden los te laten, weet je nog?'

'Ik ben ook nooit lid geweest.'

'Dat is waar. Het was een oudelullenclub.'

'Wat ik bedoel is dat het hier eindigt, met ons.'

Alfie keek haar aan en zei: 'Wat doet deze glyph? Je zei dat het een nieuwe was, en ik durf te wedden dat je spookvriendjes hem al getest hebben.'

'Vrede,' zei ze.

'Vrede?'

'Je krijgt er een vredig gevoel van. Het kalmeert je. Je gaat erdoor openstaan voor nieuwe ideeën.'

'Vrede.' Alfie glimlachte naar haar en zei: 'Volgens mij kan ik daar wel mee leven.'

DANKWOORD

Hoewel dit boek fictie is, heeft een aantal boeken me zeer geholpen toen ik mijn onderzoek deed en ideeën uitwerkte. Ik wil graag hun auteurs bedanken.

David Lewis-Williams *The Mind in the Cave* (Thames&Hudson), en *Consciousness: How Matter Becomes Imagination* door Gerald M. Edelman en Giulio Tononi (Penguin).

Richard Rudgley *The Alchemy of Culture* (British Museum Press), en Peter Stafford *Psychedelics Encyclopedia* (Ronin).

Jeffrey T. Richelson *The Wizzard of Langley* (Westview Press), en John Jacob Nutter *The CIA's Black Ops* (Prometheus Books).

Wilfred Thesiger *Desert, Marsh and Mountain* (Flamingo), en David McDowall *A Modern History of the Kurds* (St. Martin's Press).

Ook wil ik de onderstaande mensen nog bedanken voor hun hulp: dr. Jill Cook, hoofd van de paleolithische en neolithische collecties van het British Museum, die zo vriendelijk was me door het Franks House rond te leiden, en Russell Schechter voor zijn onschatbare bijdragen over de structurele verveling op een doorsneedag in het leven van de privédetective. Kim Newman die de gegevensverwerking verzorgde en de afleidingstactieken, Antony Harwood voor de professionele ondersteuning en als altijd Georgina Hawtrey-Woore voor haar onbeperkte morele steun.